Zwanenroof

Van Elizabeth Kostova is eerder verschenen:
De historicus

Elizabeth Kostova

Zwanenroof

Vertaald door Mariëtte van Gelder

MOURIA

1 9. 04. 2010

ISBN 978 90 458 0131 5
NUR 302

www.mouria.nl
www.watleesjij.nu

Voor mijn moeder
La bonne mère

Je zou amper geloven hoe moeilijk het is een figuur alleen op het doek te zetten, en alle aandacht op die ene, universele figuur te concentreren en die toch levend en echt te houden.
– Édouard Manet, 1880

Aan de rand van het dorp steekt een vuurkring zwart af tegen de smeltende sneeuw, ernaast een mand die er al maanden staat en die asgrijs begint te verweren. Er staan banken waarop de oude mannen van het dorp bij elkaar kruipen om hun handen te warmen, maar zelfs daar is het nu te koud voor, zo vlak voor de schemering, te somber. Dit is Parijs niet. Het ruikt er naar rook en nachtlucht; achter de bossen verdwijnt een mistroostig amberkleurig licht, het lijkt bijna een zonsondergang. Het duister valt zo snel in dat iemand al een lantaarn heeft opgestoken achter het raam dat zich het dichtst bij het verlaten vuur bevindt. Het is januari of februari, of misschien is het wel een gure dag in maart, 1895 – het jaartal zal in grove, zwarte cijfers in de schaduw van een hoek worden gezet. De daken van het dorp zijn vlekkerig van de smeltende sneeuw, die er in pakken af glijdt. Sommige wegen zijn begrensd door muren, andere door velden en modderige tuinen. De deuren van de huizen zijn gesloten en uit de schoorstenen ontsnappen etensgeuren.

Er is maar één iemand die zich in al die troosteloosheid beweegt: een vrouw, dik ingepakt in reiskleding, die over een weg naar het laatste groepje huizen loopt. Daar steekt nog iemand een lantaarn op, een menselijke gedaante gebogen over de vlam, onduidelijk achter het verre raam. De vrouw op de weg heeft een waardige tred, en ze is niet gekleed in het sjofele schort en de houten *sabots* die de dorpelingen dragen. Haar mantel en lange rok steken af tegen de violette sneeuw. De kap van haar mantel is afgezet met bont dat haar hele gezicht verbergt, op de bleke ronding van haar wang na. Langs de zoom van haar rok zit een lichtblauwe strook met geometrische figuren erop. Ze houdt een bundeltje in haar armen, iets wat stevig is ingepakt, als om het te beschermen tegen de kou. De bomen richten hun takken zwijgend hemelwaarts; ze omlijsten zo de weg. Iemand heeft een rode lap stof op het bankje voor het laatste huis laten liggen; een omslagdoek misschien, of een klein tafelkleed, het enige met kleur in het tafereel. De vrouw beschermt de bundel met haar armen, met haar gehandschoende handen, en verwijdert zich zo snel ze kan van het centrum van het dorp. Haar laarzen tikken op een bevroren plas op de weg. Haar adem tekent zich lichtjes af tegen het invallende duister. Ze maakt zich klein, loopt in elkaar gedoken, beschermend, gehaast. Verlaat ze het dorp of spoedt ze zich naar een van de laatste huizen in de rij?

Zelfs die ene persoon die haar ziet, kent het antwoord niet en maalt er ook niet om. Hij heeft het grootste deel van de middag gewerkt, de muren langs de wegen ingekleurd, de kale bomen een plaats gegeven, de weg zorgvuldig opgezet, wachtend op de tien minuten durende winterse zonsondergang. De vrouw is een indringster, maar hij zet haar ook neer, snel, met oog voor de details van haar kleding, het laatste daglicht gebruikend om het silhouet van haar kap te schilderen, de manier waarop ze naar voren leunt om warm te blijven en haar bundeltje te verbergen. Ze is een prachtige verrassing, wie ze ook is. Zij is de ontbrekende toets, de beweging die hij zocht om dat middenstuk van de weg met vuile sneeuw te vullen. Hij is allang naar binnen gegaan en is nu vlak achter zijn raam aan het werk; hij is oud, en als hij langer dan een kwartier buiten in de kou schildert, gaan zijn ledematen pijn doen, dus hij kan zich haar gejaagde ademhaling, haar voetstappen op de weg en het knerpen van de sneeuw onder de hakken van haar laarsjes alleen maar indenken. Hij is oud en ziek, maar heel even zou hij willen dat ze zich omdraaide en hem recht aankeek. In zijn verbeelding heeft ze donker, zacht haar, vermiljoenrode lippen en grote, waakzame ogen.

Ze draait zich echter niet om, en hij merkt dat hij er blij om is. Ze moet blijven zoals ze is, zich van hem verwijderen in de besneeuwde tunnel van zijn doek, met haar rechte rug en haar zware rok met de elegante strook, haar arm om het ingepakte voorwerp. Ze is een echte vrouw en ze heeft haast, maar nu wordt ze ook voor eeuwig vastgelegd. Nu lijkt ze bevroren in haar haast. Ze is een echte vrouw én ze is nu een schilderij.

I

Marlow

Ik kreeg het telefoontje over Robert Oliver in april 1999, nog geen week nadat hij een mes had getrokken in een zaal met negentiende-eeuwse Franse schilderkunst in de National Gallery. Het was op een dinsdag, zo'n verschrikkelijke ochtend die de omgeving van Washington kan treffen in een bloesemende en zelfs warme lente: verwoestende hagel en dichte wolken, met onweergerommel in de plotseling koude lucht. Het was toevallig ook precies een week na het bloedbad op Columbine High School in Littleton, Colorado; ik moest daar voortdurend aan denken, zoals waarschijnlijk alle psychiaters in het land. Mijn praktijk leek vol jongelui met van die geweren met afgezaagde loop, hun demonische rancune. Waar waren we tekortgeschoten ten opzichte van hen en, nog belangrijker, van hun onschuldige slachtoffers? Het zware weer en de treurnis van het land leken me die ochtend versmolten.

Toen ik de telefoon opnam, kreeg ik een vriend en collega aan de lijn, dokter John Garcia. John is een goed mens en een goede psychiater met wie ik lang geleden heb gestudeerd en die nu af en toe met me gaat lunchen in een restaurant van zijn keuze, waarna hij mij zelden toestaat te betalen. Hij doet de crisisintake en werkt als behandelaar in een van de grootste ziekenhuizen van Washington en heeft net als ik ook een particuliere praktijk.

John vertelde me dat hij een patiënt naar me wilde doorverwijzen, en ik hoorde de gretigheid in zijn stem. 'Dit zou een lastig geval kunnen zijn. Ik weet niet wat je van hem zult vinden, maar ik zou het liefst willen dat jij hem op Goldengrove onder je hoede nam. Hij schijnt kunstenaar te zijn, een geslaagd kunstenaar; hij is vorige week gearresteerd en vervolgens naar ons gestuurd. Hij zegt niet veel en hij heeft niet veel met ons op, hier. Hij heet Robert Oliver.'

'Ik heb van hem gehoord, maar ik ken zijn werk eigenlijk niet,' bekende ik. 'Landschappen en portretten – ik geloof dat hij een paar jaar geleden op het omslag van ARTnews heeft gestaan. Waarom is hij gearresteerd?' Ik draaide me om naar het raam en zag de hagel als dure witte kiezels op het ommuurde achtergazon en een geteisterde magnolia vallen. Het gras was al diepgroen. Heel even werd alles door een waterig zonnetje beschenen, en toen volgde een nieuwe hagelbui.

'Hij heeft geprobeerd een schilderij in de National Gallery te beschadigen. Met een mes.'

'Een schilderij? Niet een mens?'

'Nou, kennelijk was er op dat moment niemand anders in de zaal, maar er kwam een suppoost binnen die hem naar een schilderij zag uithalen.'

'Verzette hij zich?' Ik keek hoe de hagel zich in het groene gras zaaide.

'Ja. Hij liet het mes uiteindelijk vallen, maar toen pakte hij de suppoost en rammelde hem flink door elkaar. Oliver is groot. Toen hield hij op en liet zich zomaar meenemen, om de een of andere reden. Het museum denkt nog na over het indienen van een aanklacht. Ik denk dat ze ervan af zullen zien, maar hij heeft een groot risico genomen.'

Ik keek weer naar het gazon. 'De schilderijen in de National Gallery zijn openbaar kunstbezit, is het niet?'

'Ja.'

'Wat was het voor mes?'

'Gewoon een zakmes. Niets bijzonders, maar hij had veel schade kunnen aanrichten. Hij was door het dolle heen, dacht dat hij een heldhaftige missie had, maar op het politiebureau stortte hij in. Hij had in geen dagen geslapen, zei hij, en hij moest zelfs even huilen. Ze hebben hem overgebracht naar de crisisopvang en ik heb hem opgenomen.' Ik hoorde dat John op mijn antwoord wachtte.

'Hoe oud is die vent?'

'Nog jong. Nou ja, drieënveertig, maar dat klinkt mij tegenwoordig jong in de oren, begrijp je?' Ik begreep het, en ik lachte. We waren allebei perplex geweest toen we vijftig werden, nog maar twee jaar geleden, en we hadden de schok gemaskeerd door onze verjaardag te vieren met een aantal vrienden die in hetzelfde schuitje zaten.

'Hij had nog een paar dingen bij zich, een schetsboek en een bundeltje oude brieven, waar verder niemand aan mag komen.'

'Wat wil je dat ik voor hem doe?' Ik leunde vermoeid tegen het bureau; het was een lange ochtend geweest en ik had honger.

'Neem hem gewoon op,' zei John. 'Ik wil dat je hem behandelt.'

We zijn bijzonder op onze hoede, in ons vak. 'Waarom? Wil je me nog meer hoofdpijn bezorgen?'

'O, kom op.' Ik hoorde dat John glimlachte. 'Voor zover ik weet, heb jij nog nooit een patiënt geweigerd, dokter Devoot, en deze zou de moeite waard moeten zijn.'

'Omdat ik schilder?'

Hij aarzelde maar een fractie van een seconde. 'Eerlijk gezegd wel, ja. Ik pretendeer niet dat ik kunstenaars begrijp, maar ik denk dat jij deze vent zult snappen. Ik had al verteld dat hij niet veel zegt, en daarmee bedoel ik dat ik hooguit drie zinnen uit hem heb gekregen. Ik denk dat zijn manie overgaat in een depressie, ondanks de medicatie waar we hem op hebben gezet. Hij toont ook woede en heeft geagiteerde buien. Ik maak me zorgen om hem.'

Ik keek naar de magnolia, het smaragdgroene gazon, de smeltende hagelkorrels her en der en weer naar de magnolia. Hij stond iets links van het midden ten opzichte van de raamlijst, en het duister van de dag gaf zijn mauve en witte knoppen een lichtheid die ze niet hadden wanneer de zon scheen. 'Wat heb je hem gegeven?'

John somde op: een antidepressivum, een stemmingsstabilisator en een middel tegen angststoornissen, en allemaal in een flinke dosering. Ik pakte pen en blocnote van mijn bureau.

'Diagnose?'

Johns antwoord verbaasde me niet. 'Gelukkig voor ons heeft hij op de spoedeisende hulp toestemming gegeven informatie over hem op te vragen, toen hij nog praatte. We hebben net kopieën gekregen van gegevens van een psychiater in North Carolina die hem een jaar of twee geleden heeft behandeld. Naar het schijnt de laatste keer dat hij hulp heeft gezocht.'

'Is hij erg angstig?'

'Nou, hij wil er niets over zeggen, maar ik vind dat je het aan hem kunt zien. En dit is niet de eerste keer dat hij medicijnen slikt, volgens het dossier. Toen hij hier kwam, had hij zelfs Klonopin op zak. Waarschijnlijk had hij er weinig baat bij, zonder stemmingsstabilisator. We hebben zijn vrouw in North Carolina uiteindelijk te pakken gekregen, zijn ex-vrouw, beter gezegd, en die heeft ons meer verteld over zijn behandelingen in het verleden.'

'Is hij suïcidaal?'

'Mogelijk. Het is lastig een goede diagnose te stellen, aangezien hij niet wil praten. Hij heeft hier geen zelfmoordpoging gedaan. Hij is eerder woedend. Als een beer in een kooi, een zwijgende beer. Maar gezien zijn presentatie wil ik hem niet zomaar ontslaan. Hij zou ergens een tijdje moeten blijven, zodat iemand kan uitzoeken wat er echt aan de hand is, en hij moet nog ingesteld worden op zijn medicatie. Hij heeft zich vrijwillig laten opnemen en ik wil wedden dat hij inmiddels bereid is zich te laten overplaatsen. Het bevalt hem hier niet.'

'Dus je denkt dat ik hem aan het praten kan krijgen?' Het was ons oude grapje, en John pikte het welwillend op.

'Marlow, jij kunt een steen aan het praten krijgen.'

'Bedankt voor het compliment. En vooral bedankt voor het bederven van mijn lunchpauze. Is hij verzekerd?'

'Gedeeltelijk. Daar is de maatschappelijk werker mee bezig.'

'Goed dan, stuur hem maar naar Goldengrove. Morgenmiddag om twee uur, met de dossiers. Ik neem hem op.'

We hingen op en ik vroeg me af of ik nog vijf minuten zou kunnen schetsen onder het eten, wat ik graag doe wanneer ik een volle agenda heb; ik had nog afspraken om halftwee, twee uur, drie uur en vier uur, en om vijf uur een vergadering. En de volgende dag zou ik tien uur doorbrengen in Goldengrove, de particuliere kliniek waar ik sinds twaalf jaar werkte. Nu had ik behoefte aan mijn soep, mijn salade en een paar minuten een potlood tussen mijn vingers.

Ik dacht ook aan iets wat ik al heel lang vergeten was, al had ik er vaak aan teruggedacht. Toen ik eenentwintig was en net afgestudeerd aan Columbia (waar ik niet alleen vol wetenschap, maar ook vol geschiedenis en Engels was gepompt), en al op weg naar een kopstudie geneeskunde aan de Universiteit van Virginia, gaven mijn ouders me genoeg geld om samen met mijn huisgenoot een maand naar Italië en Griekenland te gaan. Het was mijn eerste reis buiten de Verenigde Staten. Ik raakte in de ban van schilderijen in Italiaanse kerken en kloosters en van de architectuur van Florence en Siena. Op het Griekse eiland Paros, waar het meest volmaakte, doorschijnende marmer ter wereld vandaan komt, belandde ik in mijn eentje in een plaatselijk museum van oudheden.

Dit museum bezat maar één waardevol standbeeld, dat in een verder lege zaal stond. Het was een Nike, ongeveer anderhalve meter hoog, in stukken en gehavend, zonder hoofd of armen, met littekens op haar rug waar ooit vleugels waren ontsproten, en het marmer was rood uitgeslagen door het lange verblijf in de eilandgrond. Je kon het meesterlijke beitelwerk nog zien, de draperieën die zich als een waterval om haar lichaam plooiden. Ze hadden een van haar voetjes er weer aan gezet. Ik was alleen in de zaal en zat haar te schetsen toen de suppoost even binnenkwam om 'we gaan sluiten!' te roepen. Toen hij weer weg was, pakte ik mijn tekenspullen in, liep zonder bij de gevolgen stil te staan nog een laatste keer naar Nike toe en bukte me om haar voet te kussen. Het volgende moment werd ik besprongen door de brullende suppoost, die me letterlijk in de kraag greep. Ik ben nog nooit een café uit gegooid, maar die dag werd ik uit een museum met maar één suppoost gesmeten.

Ik pakte de telefoon en belde John terug, die nog op zijn kantoor zat.

'Welk schilderij was het?'

'Hè?'

'Het schilderij dat je patiënt, Oliver, te lijf wilde gaan.'

John schoot in de lach. 'Weet je, ik was niet op het idee gekomen ernaar te vragen, maar het stond in het proces-verbaal. *Leda*, heette het. Naar een Griekse mythe, denk ik. Dat is althans het eerste wat in me opkomt. In het proces-verbaal stond dat het een naaktportret was.'

'Een van Zeus' veroveringen,' zei ik. 'Hij benaderde haar in de gedaante van een zwaan. Wie is de kunstenaar?'

'O, kom op, zeg. Je geeft me het gevoel dat ik de introductiecolleges kunstgeschiedenis weer volg. Waar ik bijna voor was gezakt, trouwens. Ik weet niet wie de kunstenaar is en ik betwijfel of de politieman die de aanhouding heeft verricht het wist.'

'Goed. Ga maar weer aan het werk. Prettige dag, John,' zei ik terwijl ik probeerde de kramp uit mijn nek te masseren zonder de hoorn te laten vallen.

'Jij ook, beste vriend.'

2

Marlow

Ik voel nu al de drang om deze geschiedenis opnieuw te beginnen met de nadrukkelijke vermelding dat deze persoonlijk van aard is. En niet alleen persoonlijk, maar ook net zo sterk berustend op mijn verbeelding als op de feiten. Het heeft me tien jaar gekost om mijn aantekeningen over dit geval te ziften, evenals mijn gedachten; ik beken dat ik aanvankelijk van plan was iets over Robert Oliver te schrijven voor een van de psychiatrische vakbladen die ik het hoogst aansla, en waarin ik eerder heb gepubliceerd, maar wie kan iets publiceren waarmee hij zich uiteindelijk beroepsmatig kan compromitteren? We leven in een tijdperk van praatprogramma's en schaamteloze indiscretie, maar in ons vakgebied zijn we uitgesproken volhardend in ons zwijgen: zorgvuldig, volgens de wet, verantwoordelijk. In het gunstigste geval. Er zijn natuurlijk gevallen waarin de wijsheid het van de regels moet winnen; elke medicus kent die noodgevallen. Ik heb uit voorzorg alle namen in verband met dit verhaal veranderd, ook de mijne, met uitzondering van één voornaam, die zo gangbaar is, maar me nu ook zo mooi voorkomt, dat ik er geen kwaad in zie hem te handhaven.

Ik ben niet opgegroeid tussen medici; mijn ouders waren beiden predikant – mijn moeder was zelfs de eerste vrouwelijke predikant in haar kleine kerkgenootschap, en ik was elf toen ze werd bevestigd. We woonden in het oudste bouwsel van ons stadje in Connecticut, een houten huis met een laag dak en een voortuin als een Engels kerkhof, waar levens- en taxusbomen, treurwilgen en andere sombere bomen zich verdrongen rond het leistenen pad naar de voordeur.

Elke middag om kwart over drie liep ik van school naar dat huis, mijn rugzak vol boeken, kruimels, honkballen en kleurpotloden met me meezeulend. Mijn moeder deed de deur open, meestal in haar blauwe rok en trui, later ook wel in haar zwarte gewaad met witte bef als ze zieken, bejaarden, eenzamen en nieuwe bekeerlingen had bezocht. Ik was een knorrig kind, een kind met een slechte houding en het chronische gevoel dat het leven helaas niet was wat het had beloofd; zij was een strenge moeder, maar ook rechtschapen, monter en vol genegenheid. Toen ze mijn vroege talent voor tekenen en beeldhouwen opmerkte, moedigde ze me dag in, dag uit aan met een ingehouden zekerheid, zonder met complimenten te strooien, maar ook zonder me ooit toe te staan aan mijn eigen pogingen te twijfelen. We hadden niet méér van elkaar kunnen verschillen, denk ik, vanaf het moment van mijn geboorte, en we hielden zielsveel van elkaar.

Het is gek, maar hoewel, of misschien juist doordat, mijn moeder vrij jong is gestorven, begin ik nu ik de middelbare leeftijd heb bereikt steeds sterker op haar te lijken. Jarenlang was ik niet zozeer vrijgezel als wel ongetrouwd, al heb ik die situatie uiteindelijk ten goede gekeerd. De vrouwen van wie ik heb gehouden zijn (of waren) allemaal een beetje zoals ikzelf als kind: humeurig, tegendraads en boeiend. In gezelschap van die vrouwen ben ik steeds meer zo geworden als zij. Mijn vrouw is geen uitzondering op dit patroon, maar we passen bij elkaar.

Deels als reactie op die ooit beminde vrouwen en mijn echtgenote, en deels, daar twijfel ik niet aan, als reactie op een beroep waarin ik dagelijks word blootgesteld aan de krochten van de geest, met de door de omstandigheden veroorzaakte ellende en met alle genetische grillen, heb ik mezelf van jongs af aan heropgevoed in een soort vlijtige goede wil ten aanzien van het leven. Sinds een aantal jaren ben ik bevriend met het leven – het is niet het soort spannende vriendschap waar ik als kind naar verlangde, maar een kameraadschappelijke wapenstilstand, het genoegen dat ik erin schep elke dag thuis te komen in mijn appartement aan Kalorama Road. Soms, als ik een sinaasappel heb geschild en ermee van het aanrecht naar de tafel loop, voel ik bijna een scheut van voldoening, wat misschien door dat felle oranje komt.

Dat kan ik pas nu ik volwassen ben. Kinderen worden geacht van kleine dingen te genieten, maar ik herinner me dat ik als kind alleen grootse dromen had, en dat die zich beperkten tot deze of gene interesse. Al die dromen kwamen uiteindelijk samen in biologie, scheikunde en het doel geneeskunde te gaan studeren, en dat leidde uiteindelijk tot de openbaring van de allerkleinste delen van het leven, met hun neuronen, helices en wentelende atomen. Ik leerde pas echt goed tekenen door die delicate vormen en tinten die ik zag tijdens mijn biologiepractica, niet door grote dingen als bergen, mensen of fruitschalen.

Wanneer ik nu grootse dromen heb, hebben die betrekking op mijn patiënten; ik hoop dat ze uiteindelijk die alledaagse vrolijkheid van keuken en sinaasappel mogen smaken, van het met de benen omhoog naar een tv-documentaire kijken, of van de nog grotere genoegens die ik voor hen droom: het behouden van een baan, geestelijk gezond terugkeren naar hun familie, een kamer zien zoals die werkelijk is in plaats van als een angstaanjagend panorama van gezichten. Ik heb geleerd mijn dromen bescheiden te houden: een blad, een nieuw penseel, het vruchtvlees van een sinaasappel en de gedetailleerde schoonheid van mijn vrouw, een glinstering in haar ooghoeken, het zachte dons op haar armen onder het lamplicht in onze woonkamer wanneer ze zit te lezen.

Ik zei dat ik niet tussen medici ben opgegroeid, maar misschien is het niet zo vreemd dat ik die tak van wetenschap heb gekozen. Mijn vader en moeder waren totaal niet wetenschappelijk ingesteld, al is hun persoonlijke discipline, samen met de havermout en schone sokken aan mij doorgegeven, met de gedrevenheid die ouders tegenover een enig kind hebben, me goed van pas gekomen tijdens de zware studie biologie en de nog zwaardere medicijnenstudie – de beproevingen van hele nachten studeren en in het hoofd stampen, de betrekkelijke opluchting van latere jachtige, doorwaakte nachten tijdens wisseldiensten in het ziekenhuis.

Ik droomde er ook van kunstenaar te worden, maar toen het tijd was om mijn doel in het leven te kiezen, koos ik voor de geneeskunde, en ik wist van meet af aan dat het de psychiatrie zou worden, voor mij zowel een helend vakgebied als de ultieme wetenschap van de menselijke ervaring. Ik had me na de middelbare school ook ingeschreven bij kunstacademies, en tot mijn genoegen hadden twee goed aangeschreven opleidingen me aangenomen. Kon ik maar zeggen dat het een enorme tweestrijd was geweest, dat de kunstenaar in mij zich verzette, maar in werkelijkheid had ik het gevoel dat ik als schilder geen echte bijdrage kon leveren aan de maatschappij, en stiekem zag ik op tegen de chaos en de strijd om het bestaan die het kunstenaarschap met zich mee zou kunnen brengen. De psychiatrie leidde rechtstreeks naar het dienen van een wereld vol leed, terwijl ik in mijn vrije tijd kon blijven schilderen, en ik zou genoeg hebben, dacht ik, aan de wetenschap dat ik van de kunst mijn beroep had kunnen maken.

Mijn ouders dachten veel na over mijn gekozen specialisme, merkte ik wanneer ik er tijdens een van onze zaterdagse telefoongesprekken over begon. In de stilte die ze lieten vallen, lieten ze bezinken wat ik voor mezelf had uitgestippeld en waarom ik daarvoor zou kunnen hebben gekozen. Dan merkte mijn moeder bedaard op dat iederéén met iemand moet kunnen praten, wat haar manier was om heel terecht haar roeping aan de mijne te koppelen, en mijn vader zei dat er vele manieren zijn om demonen uit te drijven.

In feite gelooft mijn vader niet in demonen; ze spelen geen rol in zijn moderne, vooruitstrevende godsdienstbeleving. Zelfs nu hij hoogbejaard is, vindt hij het leuk om er sarcastisch aan te refereren en er hoofdschuddend over te lezen in de werken van vroege predikanten uit New England, zoals Jonathan Edwards, of in die van middeleeuwse theologen, die hem eveneens fascineren. Hij is net een lezer van horrorboeken: hij leest ze om te griezelen. Wanneer hij het heeft over 'demonen', 'vagevuur' en 'zonde', bedoelt hij het ironisch, met een uit weerzin geboren fascinatie; de gemeenteleden die nog naar zijn studeerkamer in ons oude huis komen (hij zal nooit helemaal met pensioen gaan) krijgen in plaats van een donderpreek een uiterst vergoelijkend beeld van hun eigen kwellingen voorgeschoteld. Hij geeft toe dat, hoewel hij met zielen werkt en ik met diagnoses, omgevingsfactoren, gedragsmetingen en DNA, we allebei hetzelfde doel nastreven: een eind maken aan het lijden.

Nadat mijn moeder ook predikant was geworden, werd het druk bij ons thuis en vond ik tijd genoeg om in mijn eentje te ontsnappen en mijn sombere periodes af te schudden door boeken te lezen en verkenningstochten te maken in het park aan het eind van onze straat, waar ik onder een boom zat te lezen of berg- en woestijnlandschappen schetste die ik zelf beslist nooit had gezien. De boeken die ik graag las, gingen over avonturen op zee of op het gebied van uitvindingen en onderzoek. Ik las alle voor kinderen geschreven biografieën die ik te pakken kon krijgen: over Thomas Edison, Alexander Graham Bell, Eli Whitney en anderen, en later ontdekte ik het avontuur van het medisch onderzoek, dat van Jonas Salk naar polio, bijvoorbeeld. Ik was geen energiek kind, maar ik droomde ervan iets moedigs te doen. Ik droomde ervan mensen te helpen, op het juiste moment voor de dag te komen met een levensreddende ontdekking. Nog steeds kan ik geen artikel in een wetenschappelijk tijdschrift lezen zonder iets dergelijks te voelen: de opwinding over de door een ander gedane ontdekking en het zweempje jaloezie ten aanzien van de ontdekker.

Ik kan niet beweren dat dit verlangen om levens te redden het grote thema van mijn jeugd was, al zou dat uiteindelijk het verhaal mooi rondmaken. Ik had eigenlijk geen roeping, en die biografieën voor kinderen waren niet meer dan een herinnering tegen de tijd dat ik naar de middelbare school ging, waar ik braaf maar niet buitensporig enthousiast mijn huiswerk maakte, met aanzienlijk meer genoegen extra boeken van Dickens en Melville las, creatieve vakken volgde, veldlopen liep zonder me te onderscheiden en in het jaar voor mijn eindexamen met een zucht van verlichting mijn maagdelijkheid verloor aan een meisje met meer ervaring dat zei dat ze tijdens de les altijd graag naar mijn achterhoofd keek.

Mijn ouders onderscheidden zich wel in ons stadje; zo verdedigden en rehabiliteerden ze een dakloze man die uit Boston aan was komen lopen en zijn toevlucht had gezocht in onze parken. Ze bezochten de plaatselijke gevangenis, waar ze samen lezingen gaven, en ze wisten te voorkomen dat een huis dat bijna net zo oud was als het onze (het stamde uit 1691; het onze was van 1686) werd gesloopt voor de aanleg van een parkeerterrein bij een supermarkt. Ze kwamen naar mijn veldlopen, chaperonneerden me op mijn schoolfeesten en nodigden mijn vrienden uit voor oecumenische pizzafeesten, en ze leidden de gedenkdiensten voor hun eigen jonggestorven vrienden. Er was in hun geloof geen sprake van teraardebestellingen, geen open kisten, geen lichamen om bij te bidden, en zodoende raakte ik mijn eerste lijk pas aan tijdens mijn studie geneeskunde en zag ik pas een dode die ik persoonlijk kende toen ik de hand van mijn moeder vasthield, haar volmaakt slappe, nog warme hand.

Maar jaren voordat mijn moeder stierf, toen ik nog studeerde, vond ik de vriend die ik al eerder heb genoemd, die me de grootste casus van mijn carrière schonk, als ik de grootmoedigheid kan opbrengen om het zo te stellen. John Garcia was een van de vrienden die ik leerde kennen toen ik in de twintig was; studievrienden met wie ik blokte voor biologietesten en geschiedenistentamens of met wie ik een balletje trapte op zaterdagmiddag, mannen die nu kalend zijn, die ik tijdens de studie geneeskunde herkende aan hun snelle tred en wapperende witte jas, in labs en bij colleges en later worstelend met lastige patiënten. In de tijd van Johns telefoontje werden we allemaal al een beetje grijs en iets dikker rond het middel, of anders heldhaftig slanker in onze pogingen een buikje te bestrijden – ik was mezelf dankbaar voor het hardlopen dat ik al mijn hele leven deed en dat me min of meer slank en zelfs sterk had gehouden. En het lot was ik dankbaar voor het feit dat mijn haar nog dik was, en deels bruin, deels grijs, en dat vrouwen op straat nog naar me keken. Maar ik was onmiskenbaar een van hen, van die schare vrienden van middelbare leeftijd.

Dus toen John me die dinsdag belde om me een gunst te vragen, zei ik natuurlijk ja. Toen hij me vertelde over Robert Oliver, was ik geïnteresseerd, maar ik was ook geïnteresseerd in mijn lunch, de kans mijn benen te strekken en de ochtend van me af te schudden. We zijn nooit echt gespitst op onze lotsbestemming, hè? Zo zou mijn vader het formuleren, in zijn studeerkamer in Connecticut. En aan het eind van de dag, toen de vergadering erop zat, de hagel was overgegaan in een fijne motregen en de eekhoorns over de muur van de achtertuin renden en over de bloempotten sprongen, dacht ik al bijna niet meer aan het gesprek met John.

Later, nadat ik snel van mijn kantoor naar huis was gelopen en mijn jas had uitgeschud in mijn hal – dit was vóór mijn huwelijk, dus niemand begroette me bij de deur en er lag geen zoet ruikende werkkleding op het voeteneind van het bed – nadat ik de druipnatte paraplu te drogen had gezet, mijn handen had gewassen, een sandwich zalm had gemaakt en naar mijn atelier was gegaan om het penseel op te pakken – toen, met het dunne, gladde hout tussen mijn vingers, herinnerde ik me mijn nieuwe patiënt, een schilder die niet met een penseel, maar met een mes had gezwaaid. Ik zette mijn lievelingsmuziek op, Francks *Vioolsonate in A-majeur*, en bande de nieuwe patiënt bewust uit mijn gedachten. De dag was lang en een beetje leeg geweest tot ik die zelf met kleur begon te vullen. Maar er komt altijd weer een volgende dag, tenzij we sterven, en die volgende dag ontmoette ik Robert Oliver.

3

Marlow

Hij stond bij het raam van zijn nieuwe kamer naar buiten te kijken, met zijn handen slap langs zijn zij. Toen ik binnenkwam, draaide hij zich om. Mijn nieuwe patiënt was ongeveer een meter vijfentachtig en krachtig van bouw, en wanneer hij tegenover je stond, dook hij iets ineen, als een stier die zich opmaakt voor de aanval. Zijn armen en schouders zaten vol amper beteugelde kracht en zijn gezicht stond koppig, assertief. Zijn huid was gerimpeld en gebruind; zijn haar was erg dik en donkerbruin, doorspekt met grijs. Het stond in golven van zijn hoofd af, aan de ene kant verder dan aan de andere, alsof hij er vaak doorheen woelde. Hij droeg een slobberige, olijfgroene ribbroek, een geelkatoenen overhemd en een ribjasje met elleboogstukken. Zijn voeten waren in zware, bruinleren schoenen gestoken.

Roberts kleren waren bevlekt met olieverf, vegen meekrap, azuur en okergeel die levendig afstaken tegen die bewuste kleurloosheid. Er zat verf onder zijn nagels. Hij wipte rusteloos van de ene voet op de andere of sloeg zijn armen over elkaar, waardoor de elleboogstukken zichtbaar werden. Twee vrouwen zouden me later los van elkaar vertellen dat Robert Oliver de sierlijkste man was die ze ooit hadden gezien, wat mij op de vraag brengt wat vrouwen zien dat ik niet zie. Op de vensterbank achter hem lag een pakje broos uitziende papieren; ik veronderstelde dat het de 'oude brieven' waren die John Garcia had genoemd. Toen ik naar hem toe liep, keek Robert me recht aan – het was niet de laatste keer dat ik zou voelen dat we tegenover elkaar in de ring stonden – en zijn diepgoudgroene en tamelijk bloeddoorlopen ogen lichtten even alert en expressief op. Toen verstrakte zijn gezicht en wendde hij zijn hoofd af.

Ik stelde me voor en reikte hem de hand. 'Hoe voelt u zich vandaag, meneer Oliver?'

Hij wachtte even voordat hij me een stevige handdruk gaf, maar hij zei niets en leek weg te zakken in apathie en verbolgenheid. Hij sloeg zijn armen over elkaar en leunde tegen het raamkozijn.

'Welkom op Goldengrove. Ik ben blij dat ik de gelegenheid heb u te ontmoeten.'

Hij beantwoordde mijn blik, maar bleef zwijgen.

Ik ging in de leunstoel in de hoek zitten en observeerde hem een paar minuten voordat ik weer iets zei. 'Ik heb zojuist uw dossier van dokter Garcia gelezen. Ik begrijp dat u vorige week een bijzonder moeilijke dag hebt gehad, en dat u daarom naar het ziekenhuis bent gebracht.'

Hij glimlachte merkwaardig bij het horen van die woorden en zei toen voor het eerst iets. 'Ja,' zei hij. 'Het was een moeilijke dag.'

Ik had mijn eerste doel bereikt: hij praatte. Ik hield mijn gezicht in de plooi om niets van mijn blijdschap of verbazing te laten blijken.

'Herinnert u zich nog wat er is gebeurd?'

Hij keek me nog steeds recht aan, maar zijn gezicht verried geen emotie. Het was een vreemd gezicht, balancerend op de rand van grof en verfijnd, een gezicht met een markante botstructuur en een lange, maar ook brede neus. 'Vaag.'

'Wilt u me erover vertellen? Ik ben hier om u te helpen, in de eerste plaats door te luisteren.'

Hij zei niets.

'Wilt u me er iets over vertellen?' vroeg ik nog eens, maar hij bleef zwijgen, dus probeerde ik een andere tactiek. 'Wist u dat uw poging van vorige week de kranten heeft gehaald? Ik heb het artikel zelf niet gezien, die dag, maar ik heb zojuist een knipsel van iemand gekregen. U hebt bladzij vier gehaald.'

Hij wendde zijn blik af.

Ik zette door. 'De kop luidde ongeveer: "Kunstenaar belaagt schilderij in National Gallery".'

Hij lachte plotseling, een verbazend melodieus geluid. 'Dat klopt, in zekere zin, maar ik heb het niet aangeraakt.'

'De suppoost had u te pakken voor het zover kon komen, hè?'

Hij knikte.

'En u vocht terug. Maakte het u boos dat u bij het schilderij werd weggetrokken?'

Nu kreeg zijn gezicht een andere uitdrukking: het werd bars, en hij beet op zijn onderlip. 'Ja.'

'Er stond een vrouw op het schilderij, nietwaar? Wat voelde u toen u haar aanviel?' vroeg ik zo plompverloren als ik kon. 'Wat zette u ertoe aan om dat te doen?'

Zijn reactie was al net zo bruusk. Hij schudde zich uit alsof hij probeerde het lichte kalmeringsmiddel dat hij nog kreeg van zich af te werpen en rechtte zijn schouders. Op dat moment leek hij nog imposanter, en ik zag dat zijn agressie heel intimiderend zou kunnen zijn.

'Ik deed het voor haar.'

'Voor die vrouw zelf? Wilde u haar beschermen?'

Hij zweeg.

Ik deed nog een poging. 'Bedoelt u dat u het gevoel had dat ze op de een of andere manier zelf aangevallen wilde worden?'

Hij keek naar beneden en zuchtte alsof zelfs uitademen hem pijn deed. 'Nee. U begrijpt het niet. Ik viel haar niet aan. Ik deed het voor de vrouw van wie ik hou.'

'Voor iemand anders? Uw vrouw?'

'Denk er maar van wat u wilt.'

Ik bleef hem strak aankijken. 'Had u het gevoel dat u het voor uw vrouw deed? Uw ex-vrouw?'

'Ga maar met haar praten,' zei hij op een toon alsof het hem niets uitmaakte. 'U mag zelfs met Mary praten, als u wilt. U mag de schilderijen zien, als u wilt. Het kan me niets schelen. Praat maar met wie u wilt.'

'Wie is Mary?' vroeg ik. Zijn ex-vrouw heette anders. Ik wachtte, maar kreeg geen antwoord. 'Zijn de schilderijen die u noemde van haar? Of hebt u het over het schilderij in de National Gallery?'

Hij stond in opperste stilte tegenover me, zijn blik ergens boven mijn hoofd gericht.

Ik wachtte; als het moet, heb ik een jobsgeduld. Na een minuut of drie, vier merkte ik rustig op: 'Weet u, ik ben ook schilder.' Ik laat natuurlijk niet vaak iets over mezelf los, en zeker niet tijdens een eerste sessie, maar het leek me de gok waard.

Hij wierp me een blik toe die zowel belangstelling als minachting kon uitdrukken en ging toen op het bed liggen, languit op zijn rug, met zijn schoenen op de sprei en zijn handen achter zijn hoofd, en keek naar boven alsof hij daar de blauwe lucht zag.

'Ik weet zeker dat alleen iets heel ergs u ertoe kan hebben gedreven een schilderij aan te vallen.' Het was weer een gok, maar ook deze leek me de moeite waard.

Hij deed zijn ogen dicht en draaide zich van me af alsof hij een dutje ging doen. Ik wachtte. Toen ik begreep dat hij niets meer zou zeggen, stond ik op. 'Meneer Oliver, ik ben er wanneer u me maar nodig hebt. En u bent hier opdat we voor u kunnen zorgen en u kunnen helpen beter te worden. Vraag gerust aan de hoofdzuster om me te laten halen. Ik kom binnenkort weer bij u langs. U kunt ook naar me vragen als u gewoon behoefte hebt aan een beetje gezelschap; we hoeven pas verder te praten als u eraan toe bent.'

Ik had niet kunnen weten hoe letterlijk hij mijn woorden zou nemen. Toen ik de volgende dag op bezoek kwam, vertelde de hoofdzuster dat hij de hele ochtend geen woord tegen haar had gezegd, al had hij wel iets gegeten en leek hij kalm. Zijn zwijgen was niet alleen voor de verpleging bestemd; tegen mij zei hij ook niets, noch die dag, noch de volgende, noch de daaropvolgende twaalf maanden. Gedurende die periode zocht zijn ex-vrouw hem niet op; hij kreeg zelfs helemaal geen bezoek. Hij bleef veel symptomen van een klinische depressie vertonen, met periodes van stille agitatie en mogelijk angsten.

Gedurende het grootste deel van de tijd dat Robert bij me verbleef, overwoog ik niet serieus hem te ontslaan, deels omdat ik er nooit helemaal zeker van kon zijn dat hij geen gevaar voor zichzelf of anderen vormde en deels vanwege een gevoel dat stukje bij beetje in me groeide en dat ik geleidelijk aan zal opbiechten; ik heb al bekend dat ik mijn redenen heb om dit als een persoonlijke geschiedenis te zien. In die eerste weken bleef ik hem behandelen met de stemmingsstabilisatoren en het antidepressivum dat John hem had voorgeschreven.

In het enige eerdere psychiatrische dossier, dat John me had gestuurd, werd melding gemaakt van een vrij ernstige, terugkerende stemmingsstoornis en experimentele toediening van lithium – Robert had na een paar maanden geweigerd het medicijn nog te slikken omdat het hem zou uitputten. Uit het dossier kwam echter ook een beeld naar voren van een patiënt die frequent goed functioneerde, al jaren docent was aan een kleine kunstacademie, zich op zijn kunst richtte en zijn best deed het contact met zijn vrienden en collega's te onderhouden. Ik belde zijn voormalige psychiater, maar die had het druk en vertelde me weinig, al bekende hij dat hij Oliver op den duur een ongemotiveerde patiënt was gaan vinden. Robert had hem voornamelijk bezocht omdat zijn vrouw het wilde, en hij had zijn bezoeken gestaakt voordat zijn vrouw en hij uit elkaar waren gegaan, iets meer dan een jaar tevoren. Robert was nooit langdurig in psychotherapie geweest en ook nooit opgenomen. De psychiater wist niet eens dat Robert niet meer in Greenhill woonde.

Robert slikte zijn medicijnen zonder protest, op dezelfde gelaten wijze als waarop hij at – een ongewoon blijk van medewerking van een patiënt die zo opstandig was dat hij zich aan een zwijggelofte hield. Hij at weinig en zonder belangstelling voor het eten te tonen, en hij hield zich in weerwil van zijn depressie zorgvuldig schoon. Hij bemoeide zich op geen enkele manier met de andere patiënten, maar maakte wel dagelijks een begeleide wandeling binnen of buiten en zat soms in een van de grotere recreatieruimtes op een stoel in een zonnige hoek.

Tijdens zijn geagiteerde episodes, die in het begin zo ongeveer om de dag optraden, ijsbeerde hij met gebalde vuisten door zijn kamer, trillend en grimassen trekkend. Ik observeerde hem nauwlettend en liet mijn medewerkers hetzelfde doen. Op een ochtend stompte hij de spiegel in zijn badkamer stuk, al bleef hij zelf ongedeerd. Soms zat hij op de rand van zijn bed, met zijn hoofd in zijn handen, sprong om de paar minuten op om uit het raam te kijken en zakte dan weer in die wanhopige houding op het bed terug. Wanneer hij niet geagiteerd was, was hij lusteloos.

Het enige wat Robert Oliver leek te interesseren, was zijn bundeltje oude brieven, dat hij dicht bij zich hield. Hij vouwde regelmatig brieven open om ze te herlezen. Als ik hem opzocht, zat hij vaak met een brief voor zich. En gedurende de eerste weken zag ik één keer voordat hij een brief dichtvouwde en weer in de vergeelde envelop stopte dat de bladzijden beschreven waren met een regelmatig, elegant handschrift in bruine inkt. 'Het valt me op dat u vaak hetzelfde leest, die brieven. Zijn ze heel oud?'

Hij sloot zijn hand om het bundeltje en wendde zich af. In al mijn jaren als klinisch psychiater had ik zelden zo'n verdrietig gezicht gezien. Nee, ik kon hem niet ontslaan, ook al had hij kalme periodes die dagen konden aanhouden. Soms nodigde ik hem uit met me te praten, zonder enig resultaat, en soms zat ik gewoon bij hem. Ik vroeg hem elke werkdag hoe het met hem ging en elke werkdag wendde hij zijn blik af en keek uit het raam.

Al die gedragingen riepen een levendig beeld op van een gekwelde ziel, maar hoe kon ik weten wat de aanleiding voor zijn inzinking was geweest als ik er niet met hem over kon praten? Een van de ideeën die in me opkwamen, was dat hij, naast zijn basisdiagnose, een posttraumatische stressstoornis zou kunnen hebben, maar wat was in dat geval het trauma geweest? Of konden zijn inzinking en de arrestatie in het museum op zich hem hebben getraumatiseerd? In de weinige gegevens die ik tot mijn beschikking had, werd niet van een tragedie in het verleden gerept, al zou de breuk met zijn vrouw waarschijnlijk ontwrichtend zijn geweest. Telkens wanneer het juiste moment zich leek aan te dienen, probeerde ik hem behoedzaam aan het praten te krijgen. Zijn zwijgen duurde voort, evenals zijn obsessieve, solitaire herlezen van de brieven. Op een ochtend vroeg ik hem of hij zou willen overwegen mij naar de brieven te laten kijken, in alle vertrouwelijkheid, aangezien ze duidelijk veel voor hem betekenden. 'Ik beloof dat ik ze niet zal houden, natuurlijk, maar als ik ze mag lenen, kan ik ze kopiëren en weer veilig aan u teruggeven.'

Toen keek hij me aan, en ik zag iets van belangstelling op zijn gezicht, maar hij werd al snel weer nors en in zichzelf gekeerd. Hij raapte de brieven zorgvuldig bij elkaar, zonder me nog aan te kijken, en keerde me de rug toe op zijn bed. Voor mij zat er niets anders op dan nog even te wachten en de kamer toen maar te verlaten.

4

Marlow

Tijdens Roberts tweede week bij ons zag ik op een dag toen ik zijn kamer binnenkwam dat hij in zijn schetsboek had getekend. Het was een simpel hoofd van een vrouw, in driekwart profiel, met schetsmatig weergegeven donkere krullen. Zijn extreme vaardigheid en uitdrukkingskracht vielen me meteen op; ze spatten van het papier. Het is makkelijk te zeggen wat een tekening zwak maakt, maar moeilijker om uit te leggen welke samenhang en innerlijke kracht er een tot leven wekken. Olivers tekeningen leefden; zelfs meer dan dat. Toen ik hem vroeg of hij zomaar iemand tekende of dat het iemand was die hij kende, negeerde hij me nadrukkelijker dan ooit, sloeg het schetsboek dicht en borg het op. De volgende keer dat ik hem bezocht, liep hij door zijn kamer te ijsberen en zag ik zijn kaakspieren spannen en ontspannen.

Terwijl ik keek, voelde ik weer dat het niet veilig zou zijn hem te ontslaan, tenzij we er zeker van konden zijn dat hij niet weer gewelddadig zou worden door de prikkels in zijn dagelijkse leven. Ik wist niet eens hoe dat leven eruitzag; de secretaresse van Goldengrove had geprobeerd hem voor me na te trekken, maar we konden geen spoor van een arbeidsverleden vinden in Washington en omgeving. Beschikte hij over de middelen om de hele dag thuis te kunnen schilderen? Hij stond niet in de telefoongids, en het adres dat John Garcia van de politie had gekregen, bleek dat van Roberts ex-vrouw in North Carolina te zijn. Hij was boos, depressief, op weg naar echte roem en schijnbaar dakloos. Het zien van de schets had me hoopvol gestemd, maar de vijandigheid die erop volgde, was heviger dan anders.

Zijn vaardigheid op papier intrigeerde me, evenals het feit dat hij een echte reputatie had; hoewel ik doorgaans niet snel iets opzocht op internet, googelde ik zijn naam. Robert was afgestudeerd aan een van de beste kunstacademies van New York, waar hij korte tijd had gedoceerd, en daarna had hij lesgegeven aan Greenhill College en een kunstacademie in de staat New York. Hij was een keer tweede geworden in het jaarlijkse concours van de National Portrait Gallery, had een paar nationale beurzen en aanstellingen als gastdocent gekregen en had individuele exposities gehad in New York, Chicago en Greenhill. Zijn werk had zelfs op het omslag van diverse gerenommeerde kunsttijdschriften gestaan. Er waren een paar afbeeldingen van door de jaren heen verkochte werken, landschappen en portretten, waaronder twee portretten zonder titel van een donkerharige vrouw die leek op de vrouw die hij in zijn kamer had geschetst. Ik dacht dat ze geïnspireerd waren op de impressionistische traditie.

Ik vond geen uitspraken van of interviews met de kunstenaar; Robert zelf zweeg op internet net zo, dacht ik, als in mijn aanwezigheid. Ik dacht dat zijn werk een waardevol communicatiemiddel zou kunnen zijn en bracht goed papier, houtskool, potloden en pennen voor hem van huis mee. Hij gebruikte ze om meer vrouwenportretten te tekenen, wanneer hij zijn brieven niet zat te herlezen. Hij zette links en rechts tekeningen neer, en toen ik hem plakband gaf, hing hij ze op in een chaotische expositie. Zijn vaardigheid in het tekenen was buitengewoon, zoals ik al zei; ik zag er veel oefening en een enorm aangeboren talent in, dat ik later zou terugzien in zijn schilderijen. Hij begon de vrouw al snel en face te tekenen in plaats van en profil; nu kon ik haar fijne trekken en grote, donkere ogen zien. Soms glimlachte ze en soms leek ze boos; de woede overheerste. Ik veronderstelde natuurlijk dat het beeld een projectie kon zijn van zijn eigen ingehouden woede en vroeg me ook af of mijn patiënt niet met zijn genderidentiteit worstelde, al kon ik hem geen antwoord ontlokken op vragen over dit onderwerp, of zelfs maar een reactie.

Toen Robert Oliver meer dan twee weken op Goldengrove verbleef en nog steeds niets had gezegd, kwam ik op het idee zijn kamer als atelier in te richten. Ik moest toestemming aan het bestuur vragen voor dit experiment en een paar veiligheidsmaatregelen treffen. Ik geef toe dat het gewaagd was, maar Robert had zich verantwoordelijk gedragen bij het gebruik van zijn potloden en andere tekenspullen. Ik overwoog een hoek van de recreatieruimte als atelier in te richten, maar Robert zou vermoedelijk niet willen schilderen waar andere mensen bij waren. Ik richtte zijn kamer zelf in terwijl hij een wandeling aan het maken was en wachtte op hem om zijn reactie te zien.

Hij had een zonnige eenpersoonskamer, en ik had het bed langs een zijmuur gezet om ruimte te maken voor een grote ezel. Ik had de boekenplanken gevuld met olie- en aquarelverf, gesso om doeken te prepareren, lappen, potten met penselen, verfverdunner en terpentijn, een houten palet en paletmessen; een aantal van die zaken kwam uit mijn eigen atelier thuis, wat inhield dat ze niet nieuw waren en de sfeer konden oproepen van een atelier in bedrijf. Ik zette een stapel lege, opgespannen doeken van verschillend formaat tegen een van de muren en legde een blok aquarelpapier klaar.

Toen ik eindelijk klaar was, ging ik zoals altijd in de stoel in de hoek zitten om Robert bij zijn terugkeer te observeren. Toen hij al het materiaal zag waarvan ik hem had voorzien, bleef hij als aan de grond genageld staan, zichtbaar geschrokken. Toen kreeg zijn gezicht een woedende uitdrukking. Hij kwam met gebalde vuisten op me af, maar ik bleef zo bedaard als ik kon zitten, zonder iets te zeggen. Heel even dacht ik dat hij echt iets zou zeggen, of me misschien zelfs een stomp zou geven, maar hij leek zich te bedenken. Zijn lichaam ontspande iets; hij wendde zich af en begon de nieuwe spullen te inspecteren. Hij voelde aan het aquarelpapier, bestudeerde de constructie van de ezel en wierp een blik op de tubes olieverf. Ten slotte draaide hij zich om en keek me weer woedend aan, nu alsof hij me iets wilde vragen, maar zich er niet toe kon zetten. Ik vroeg me af, en niet voor het eerst, of hij misschien wel wílde praten, maar het op de een of andere manier niet meer kon.

'Ik hoop dat je er plezier van zult hebben,' zei ik zo kalm mogelijk.

Hij keek me ontstemd aan. Ik verliet het vertrek zonder nog een poging te ondernemen een gesprek met hem te beginnen.

Twee dagen later trof ik hem in opperste concentratie aan, werkend aan een eerste doek, dat hij die nacht kennelijk voor dat doel had geprepareerd. Hij nam geen notitie van me, maar stond me wel toe hem te observeren en het schilderij te bekijken, een portret. Ik keek er geboeid naar; zelf ben ik eerst en vooral portretschilder, al maak ik ook graag landschappen, en ik vind het heel jammer dat mijn lange werkdagen het me onmogelijk maken regelmatig naar levende modellen te schilderen. Zo nodig werk ik met foto's, al druist dat tegen mijn puristische aard in. Het is beter dan niets, en ik steek er altijd iets van op.

Voor zover ik wist, had Robert zijn nieuwe doek echter zonder foto geschilderd, en het was verbijsterend levensecht. Het was weer dezelfde vrouw, maar nu natuurlijk in kleur, in dezelfde traditionalistische stijl als zijn tekeningen. Ze had een uitzonderlijk echt gezicht, met donkere ogen die de beschouwer recht aankeken vanaf het doek – een zelfverzekerde, maar ook peinzende blik. Haar krullende donkere haar had een paar kastanjebruine toetsen waar het licht erop viel; ze had een smalle neus, een vierkante kin met een kuiltje aan de rechterkant en een geamuseerde, sensuele mond. Haar voorhoofd was hoog en blank, en het weinige dat ik van haar kleding kon zien was groen, met gele ruches rond een diepe V-hals waaronder de huid welfde. Op dit portret leek ze bijna gelukkig, alsof het haar plezier deed dat ze eindelijk in kleur verscheen. Het komt me nu vreemd voor, maar op dat moment en nog maanden daarna had ik geen flauw idee wie ze was.

Dat was op woensdag, en toen ik de vrijdag daarop weer naar Robert ging, was de kamer verlaten; kennelijk was hij aan het wandelen. Het portret van de vrouw met het donkere haar stond op de ezel; bijna voltooid, dacht ik, schitterend. Op de stoel waarop ik meestal zat, lag een envelop die in een slordig handschrift aan mij was geadresseerd. Ik maakte hem open en vond Roberts oude brieven. Ik pakte er een en hield hem lang in mijn hand. Het papier zag er heel oud uit en de regels in een elegant handschrift die ik aan de buitenkant kon zien, waren tot mijn verbazing in het Frans. Opeens drong het tot me door hoe ver ik mogelijk zou moeten reizen om de man te leren kennen die me die brieven had toevertrouwd.

5

Marlow

Ik was niet van plan de brieven mee naar huis te nemen, maar aan het eind van de dag stopte ik ze in mijn koffertje. Op zaterdagochtend belde ik mijn vriendin Zoe, die Franse literatuur doceert aan de universiteit van Georgetown. Zoe is een van de vrouwen met wie ik een relatie heb gehad toen ik net in Washington woonde, jaren geleden, en we zijn goede vrienden gebleven, wat vooral te danken is aan het feit dat mijn gevoelens voor haar niet zo diep zaten dat ik het erg vond toen ze onze relatie beëindigde. Ze was uitstekend gezelschap wanneer ik eens naar een concert of toneelstuk wilde, en ik denk dat dat omgekeerd ook gold.

De telefoon ging twee keer over voordat ze opnam. 'Marlow?' Haar stem klonk zakelijk, zoals altijd, maar ik hoorde ook genegenheid. 'Wat leuk dat je belt. Ik heb vorige week nog aan je gedacht.'

'Waarom heb je me dan niet even gebeld?' vroeg ik.

'Ik moest essays nakijken,' zei ze. 'Ik heb niemand gebeld.'

'In dat geval vergeef ik je,' zei ik sarcastisch, want zo gaan we met elkaar om. 'Ik ben blij dat je klaar bent met je essays, want ik heb misschien een klusje voor je.'

'O, Marlow.' Ik hoorde haar in de keuken redderen terwijl ze met me praatte; haar keuken dateert van vlak na de Burgeroorlog en is niet groter dan mijn gangkast. 'Marlow, ik zit niet op klusjes te wachten. Ik ben een boek aan het schrijven, zoals je zou weten wanneer je de afgelopen drie jaar een beetje had opgelet.'

'Ik weet het, lieverd,' zei ik, 'maar dit zul je leuk vinden, het is precies jouw tijdvak, denk ik, en ik wil het je laten zien. Kom vanmiddag langs, dan neem ik je mee uit eten.'

'Dan moet het wel heel belangrijk voor je zijn,' zei ze. 'Ik kan niet met je uit eten, maar ik kom om vijf uur bij je langs. Daarna ga ik naar Dupont Circle.'

'Je hebt een afspraakje,' zei ik goedkeurend. Lichtelijk ontzet besefte ik hoe lang ik zelf geen romantische afspraak meer had gehad. Hoe had de tijd me zo door de vingers kunnen glippen?

'Reken maar,' zei Zoe.

We gingen in mijn woonkamer zitten met de brieven die Robert zelfs bij zich had gedragen toen hij in het museum probeerde een schilderij te vernielen. Zoe's koffie werd koud; ze had er geen slok van genomen. Ze zag er iets ouder uit dan de vorige keer dat ik haar had gezien. Haar olijfkleurige huid deed vermoeid aan en haar haar was droog, maar haar ogen waren waakzame spleetjes, zoals altijd, en ik nam aan dat ik in haar ogen ook wel zou verouderen. 'Hoe kom je hieraan?' vroeg ze.

'Een nicht heeft ze me gestuurd.'

'Een Franse nicht?' Ze keek sceptisch. 'Heb jij Franse wortels waar ik niets van weet?'

'Niet echt.' Ik had me niet goed voorbereid. 'Ik denk dat ze ze bij een antiekwinkel of zoiets had gevonden en dacht dat ik ze boeiend zou vinden vanwege mijn belangstelling voor geschiedenis.'

Zoe bekeek de eerste brief, die ze voorzichtig vasthield terwijl ze haar blik er gretig overheen liet glijden. 'Zijn ze allemaal van tussen 1877 en 1879?'

'Ik weet het niet. Ik heb er nog niet echt naar gekeken. Ik durfde het niet goed omdat ze zo teer zijn, en wat ik ervan heb gezien, begreep ik toch amper.'

Ze haalde nog een brief uit de envelop. 'Het zal wat tijd kosten om ze goed te lezen, vanwege het handschrift, maar het lijkt me een briefwisseling tussen een vrouw en haar oom, zoals je zelf al had uitgeknobbeld, en er gaan er een paar over tekenen en schilderen. Misschien dacht je niet daarom dat je ze boeiend zou vinden.'

'Wie weet.' Ik moest me bedwingen om niet over haar schouder te gluren.

'Laat me er een meenemen die in betere staat is, dan kan ik die voor je vertalen. Je had gelijk; het zou leuk kunnen zijn. Als je maar niet denkt dat ik ze allemaal kan doen, want het is een ongelooflijk tijdrovend karweitje, en ik moet echt verder met mijn boek.'

'Ik zal je ruimschoots belonen, om het bot te zeggen.'

'O.' Ze dacht er even over na. 'Tja, dat zou me goed uitkomen, moet ik zeggen. Laat ik er eerst een paar op proef doen.'

We spraken een honorarium af en ik bedankte haar. 'Maar vertaal ze nou gewoon allemaal,' zei ik. 'Alsjeblieft? Stuur je vertalingen maar via de post, niet per e-mail. Je kunt er telkens een paar sturen als je ze af hebt.' Ik kon me er niet toe zetten haar te vertellen dat ik de vertalingen in de vorm van brieven wilde ontvangen, echte brieven, dus probeerde ik het niet eens. 'En als je zonder de originelen kunt werken, kopieer ik die liever bij de winkel op de hoek, voor het geval er iets mee gebeurt. Je mag de kopieën meenemen. Heb je nog tijd?'

'Altijd even voorzichtig, die Marlow,' zei ze. 'Er gebeurt niets mee, maar het is een goed idee. Laat me eerst mijn koffie opdrinken en je alles vertellen over mijn romance.'

'Wil je niet over de mijne horen?'

'Zeker wel, maar er valt niets te vertellen.'

'Dat is waar,' zei ik. 'Barst maar los.'

Nadat we afscheid hadden genomen in de kantoorboekhandel, zij met de nog warme fotokopieën en ik met mijn brieven – Roberts brieven, beter gezegd – ging ik naar huis met het voornemen een tosti te maken, een halve fles wijn te drinken en in mijn eentje naar de film te gaan.

Ik legde de brieven op de salontafel, vouwde ze op de slijtlijnen dicht en stopte ze zo in de envelop dat ze niet met hun broze randen tegen elkaar aan konden stoten. Ik dacht aan de handen die ze hadden aangeraakt, ooit, de sierlijke handen van een vrouw en die van een man – de zijne moesten natuurlijk ouder zijn geweest, als hij haar oom was. Daarna Roberts grote, vierkante handen, gebruind en verweerd. Zoe's korte, onderzoekende vingers. En de mijne.

Ik liep naar het raam van de woonkamer, dat me een van mijn meest geliefde uitzichten bood: de straat, met golvende en kantachtige patronen van bomen die al tientallen jaren hun schaduw wierpen, lang voordat ik hier kwam wonen; de oude stoepen van de herenhuizen aan de overkant, de barokke balustrades en balkons, gebouwd in de jaren tachtig van de negentiende eeuw. Het was een gulden avond, na dagen regen; de perelaars, die waren uitgebloeid, waren diepgroen geworden. Ik liet het idee van een film varen. Het was een ideale avond om rustig thuis te blijven. Ik was bezig met een portret naar een foto van mijn vader, dat ik hem voor zijn verjaardag wilde sturen; daar kon ik verder aan werken. Ik zette mijn vioolsonate van Franck op en ging naar de keuken om een kop soep te eten.

6

Marlow

Ik besefte met spijt dat ik al meer dan een jaar niet in de National Gallery of Art was geweest. Op het bordes krioelde het van de schoolkinderen; ze omzwermden me in hun kleurloze uniformen, van een katholieke school misschien of van zo'n openbare school die donkerblauwe plooien en saaie ruiten voorschrijft in een poging een lang vergane orde te herstellen. Ze keken vrolijk; de jongens met voornamelijk heel kort haar, sommige meisjes met plastic bolletjes aan het eind van hun vlechten, en hun huidskleuren vormden een verrukkelijk palet, van bleek en roze met sproeten tot ebbenhout. Even dacht ik: democratie. Het was dat oude idealisme dat me was bijgebracht in de lessen maatschappijleer op mijn middelbare school in Connecticut, door het lezen over George Washington Carver en Lincoln, een Amerika met de droom aan alle Amerikanen toe te behoren. We liepen samen over de voorname treden naar een museum dat gratis toegankelijk was en in theorie openstond voor iedereen, wie dan ook, waar deze kinderen onbelemmerd in contact konden komen met elkaar, de schilderijen en mij.

Toen vervaagde het droombeeld: de kinderen duwden elkaar en plakten kauwgom in elkaars haar, en hun leerkrachten probeerden de vrede te bewaren zonder meer tot hun beschikking te hebben dan diplomatie. Bovendien wist ik dat het grootste deel van de inwoners van Washington het museum nooit zou bezoeken, zich er niet welkom zou voelen. Ik hield me afzijdig en wachtte tot de kinderen naar binnen waren gegaan, want het was nu te laat om me ertussen te wagen en te proberen als eerste bij de ingang te komen. Zo had ik ook de tijd om mijn gezicht naar de middagzon te draaien, die warm was, in de volle lentegloed, en van het groen van de Mall te genieten. Mijn afspraak van drie uur (borderline persoonlijkheidsstoornis, een lange strijd) had afgezegd en bij wijze van uitzondering had ik daarna geen afspraken meer, dus had ik mijn praktijk verlaten om naar het museum te gaan, vrij, verlost; ik hoefde de rest van de dag niet meer te werken.

Achter de informatiebalie troonden twee vrouwen; de ene was jong, met een mutsje van zwart, steil haar, en de andere zag eruit als een gepensioneerde, een vrijwilligster, vermoedde ik, frêle ogend onder haar pluizige witte krullen. Ik koos de oudste voor mijn vraag. 'Goedemiddag, ik vroeg me af of u me de weg zou kunnen wijzen naar een schilderij met de titel *Leda*?'

De vrouw keek op en glimlachte; ze had de grootmoeder van haar jongere collega kunnen zijn. Haar ogen waren flets, bijna doorschijnend blauw. Miriam, stond er op haar naamplaatje.

'Zeker,' zei ze.

De jonge vrouw schoof naar haar toe en keek toe hoe ze iets op een computerscherm zocht. 'Klik op "titel",' adviseerde ze met klem.

'O, ik was er bijna.' Miriam slaakte een diepe zucht, alsof ze van meet af aan had geweten dat haar pogingen vruchteloos zouden zijn.

'Ja, je hebt het,' zei het meisje, maar ze moest nog een paar toetsen aanslaan voordat Miriam glimlachte.

'Ja, *Leda*. Het is van Gilbert Thomas, Frans. In de negentiende-eeuwse vleugel, vlak voor de impressionisten.'

Het meisje keek me voor het eerst aan. 'Dat is het schilderij dat die vent vorige maand kapot wilde snijden. Er hebben veel mensen naar gevraagd. Ik bedoel...' Ze zweeg en streek een gitzwarte lok op zijn plaats; pas toen zag ik dat haar haar zwart was geverfd, waardoor het op een beeldhouwwerk leek, Aziatisch blauwzwart rond haar bleke gezicht en groenige ogen. 'Nou ja, zoveel nou ook weer niet, maar er hebben mensen naar gevraagd.'

Ik merkte dat ik haar aanstaarde, onverwacht opgewonden. Ze keek me veelbetekenend aan van achter de balie. Ze had een slank, buigzaam lijf onder een strak dichtgeritst jasje, dat een klein stukje ronde heup bloot liet boven haar zwarte rok – meer buik mocht je niet laten zien in dit museum vol naakten, vermoedde ik. Ze zou een kunstacademiestudente kunnen zijn die hier in haar vrije tijd werkte om haar studie te bekostigen, een begaafd lithografe of sieradenmaakster, met die lange, bleke vingers. Ik stelde me haar voor tegen de balie, na sluitingstijd, zonder slipje onder die te korte rok. Ze was nog maar een meisje; ik wendde mijn blik af. Ze was een meisje, en ik was geen goede vangst, wist ik; geen casanova op leeftijd.

'Ik ben er erg van geschrokken toen ik het hoorde,' zei Miriam hoofdschuddend. 'Maar ik wist niet dat het dat schilderij was.'

'Tja,' zei ik, 'ik heb er ook over gelezen. Vreemd dat iemand een schilderij aanvalt, vindt u ook niet?'

'Ik weet het niet.' Het meisje wreef met een hand langs de rand van de informatiebalie. Ze droeg een brede, zilveren duimring. 'We krijgen hier allerlei soorten gekken.'

'Sally...' zei Miriam zacht.

'Nou, het is toch zo?' zei het meisje opstandig. Ze keek me recht aan, alsof ze me uitdaagde toe te geven dat ik een van die gekken was. Ik stelde me voor dat ik uit een teken van haar zou opmaken dat ze me aantrekkelijk vond en dat ik haar zou uitnodigen een kop koffie met me te drinken, de aanzet tot een flirt, waarbij ze dingen zou zeggen als: *We krijgen hier allerlei soorten gekken.* Ik zag de vrouw van Robert Olivers tekeningen voor me; die was ook jong, maar tegelijk leeftijdloos, met een gezicht vol subtiele kennis en leven. 'Maar de man die dat schilderij aanviel, schijnt met de politie te hebben meegewerkt nadat hij eenmaal was gearresteerd,' merkte ik omzichtig op. 'Dus zó gek was hij misschien niet.'

De blik van het meisje was hard en nuchter. 'Wie wil er nou een kunstwerk beschadigen? De suppoost heeft me naderhand verteld dat *Leda* er bijna was geweest.'

'Dank u,' zei ik, weer een oudere, fatsoenlijke man met een plattegrond van het museum in zijn hand.

Miriam pakte de plattegrond even terug om de zaal waar ik moest zijn met blauwe pen te omcirkelen. Sally lette al niet meer op; de aangename rilling was niet wederzijds geweest.

Maar ik had wel de hele middag voor mezelf; met een gevoel van lichtheid beklom ik de trap naar de immense ronde marmeren hal bovenin, dwaalde een paar minuten tussen de glanzende, bont geschakeerde zuilen, ging in het midden staan en haalde diep adem.

Toen gebeurde er iets vreemds, en het zou zich nog vaak herhalen. Ik vroeg me af of Robert hier ook had gestaan, en ik voelde zijn aanwezigheid, of misschien probeerde ik domweg te gissen wat hij hier had ervaren – hier, waar hij me was voorgegaan. Had hij geweten dat hij in een schilderij ging snijden, en had hij geweten welk schilderij? Dan zou hij de luisterrijke hal gehaast achter zich hebben gelaten, met zijn hand al om het mes in zijn zak. Maar als hij het niet van tevoren had geweten, als iets hem er pas toe had aangezet toen hij voor het schilderij stond, had hij ook heel goed kunnen dralen in dit woud van marmeren stammen, zoals iedereen met besef van zijn omgeving en liefde voor traditionele vormen zou doen.

Trouwens – ik stopte mijn handen in mijn eigen zakken – zelfs al was de aanslag beraamd en had hij er vertrouwen in gehad, of genietend gedacht aan het moment waarop hij zijn mes zou pakken, openknippen en in zijn hand leggen, dan was hij hier mogelijk nog gebleven om zich er langer op te kunnen verheugen. Ik kon me natuurlijk moeilijk voorstellen dat ik een schilderij zou willen vernielen, maar ik leefde me in in Roberts drijfveren, niet de mijne. Ik bleef nog even staan en liep toen door, blij dat ik die verheven, schemerige plek kon verlaten en me weer tussen de schilderijen kon begeven, in de eerste, lange zalen met de collectie negentiende-eeuwse kunst.

Tot mijn opluchting waren er geen bezoekers in de zaal, al was het aantal suppoosten uitgebreid tot twee, alsof het museumbestuur elk moment een nieuwe aanslag op hetzelfde schilderij verwachtte. *Leda* trok me meteen naar zich toe. Ik had de verleiding weerstaan er voorafgaand aan mijn bezoek naar te zoeken in naslagwerken of op internet, en daar was ik nu blij om. Ik kon later altijd nog over de geschiedenis van het schilderij lezen, maar het beeld was nieuw voor me, verbazend en echt.

Het was een groot doek, op het impressionistische af, al waren de details iets fijner uitgewerkt dan een Monet, Pissarro of Sisley had kunnen doen, en het was ongeveer anderhalve meter hoog en tweeënhalve meter breed. Het doek werd overheerst door twee figuren. In het midden lag een grotendeels naakte vrouw op prachtig echt gras. Ze lag languit, op haar rug, in een klassieke houding van wanhoop en verlatenheid – of was het overgave? – het hoofd met een weelde aan goudblond haar achterovergeknakt op de grond, een draperie om haar middel en van haar ene been af glijdend, de kleine borsten bloot en de armen gespreid. Haar huid stak lichtend af tegen de echtheid van dat gras; te bleek, doorschijnend, als de loot van een plant die in de schaduw van een boom is opgeschoten. Ik dacht prompt aan Manets *Déjeuner sur l'herbe*, al was de figuur van Leda vol strijd, geschrokken, episch, en niet bedaard naakt, zoals Manets prostituee, de huid koeler van toon en de penseelvoering losser.

De andere figuur op het doek was niet menselijk, al had hij onmiskenbaar een dominant karakter; het was een reusachtige zwaan die boven haar zweefde alsof hij op het punt stond op het water neer te strijken, met de vleugels naar achteren wiekend om de snelheid van de aanval te vertragen, de lange vleugelveren naar binnen gekruld als klauwen, met grijze zwemvliezen die de tere huid van Leda's buik bijna raakten en met zwart omcirkelde ogen, zo vurig als die van een hengst. De kracht waarmee hij op haar afkwam, op het doek gevangen, was verbijsterend, en bood een visuele en psychologische verklaring voor de paniek van de vrouw in het gras. De zwaan hield zijn staart onder zich opgekruld, met een bekkenstoot, als om zijn impulsieve vertraging te bevorderen. Je voelde dat de vogel nog maar net over die vage struiken was gewiekt, dat hij de slapende gestalte plotseling had gezien en net zo plotseling was gezwenkt om in een aanval van begeerte op haar neer te strijken.

Of had de zwaan haar gezocht? Ik probeerde me het verhaal te herinneren. De snelheid van het grote wezen zou haar kunnen hebben omgegooid, op haar rug, maar misschien werd ze net wakker na een dutje in de openlucht. De zwaan had geen genitaliën nodig om er mannelijk uit te zien; het beschaduwde deel onder de staart was meer dan genoeg, samen met de krachtige kop en snavel aan het eind van zijn lange, naar haar overgebogen nek.

Ik wilde haar zelf ook aanraken, haar daar slapend aantreffen, het andere wezen met kracht wegduwen. Toen ik achteruitstapte om het doek in zijn geheel te zien, voelde ik Leda's angst, hoe ze was opgeschrokken en achterovergevallen, de angst tot in haar handen, die in de aarde wroetten – het had allemaal niets van het voluptueuze slachtofferschap op de klassieke schilderijen die in andere zalen in dit museum hingen, de softpornoachtige Sabines en Heilige Catharines. Ik dacht aan het gedicht van Yeats dat ik door de jaren heen een aantal keren had gelezen, maar zijn Leda was ook een willig slachtoffer – 'wijkende dijen' – met weinig eigen reacties; ik zou het voor de zekerheid nog eens moeten opzoeken. De Leda van Gilbert Thomas was een echte vrouw, en ze was echt bang. Als ik haar begeerde, dacht ik, was het omdat ze echt was, en niet omdat ze al was overmeesterd.

De plaquette bij het schilderij was veel te beknopt: *Leda (Léda vaincue par le Cygne)*, 1879, aangekocht 1967. Gilbert Thomas, 1840-1890.'

Monsieur Thomas moest niet alleen een buitengewoon schilder zijn geweest, dacht ik, maar ook een uiterst sensitief man, om zo'n authentieke emotie vast te leggen in een afbeelding van een enkel moment. De snel gepenseelde veren en de wazigheid van Leda's draperieën waren een voorbode van het impressionisme, al was het niet echt een impressionistisch schilderij; om te beginnen hadden de impressionisten klassieke mythen als te academisch verworpen. Wat had Robert Oliver ertoe aangezet een mes te trekken met het voornemen het in dit tafereel te steken? Leed hij, vroeg ik me weer af, aan een antiseksuele afwijking, of veroordeelde hij zijn eigen seksualiteit? Of was zijn daad, die deze geschilderde figuren onherstelbaar had kunnen beschadigen als hij niet op tijd was betrapt, een gestoorde poging geweest om het meisje te verdedigen dat hulpeloos achteruitdeinsde voor de zwaan? Was het een verwrongen vorm van ridderlijkheid geweest, ingegeven door wanen? Misschien had de erotiek van het werk hem gewoon tegengestaan. Maar was het eigenlijk wel een erotisch schilderij?

Hoe langer ik voor het tafereel stond, hoe meer het me over macht en agressie leek te gaan. Starend naar *Leda* wilde ik haar niet zozeer zelf aanraken of onteren als wel de reusachtige gevederde borst van de zwaan wegduwen voordat die haar weer raakte. Was dat wat Robert Oliver had gevoeld toen hij het mes uit zijn jaszak pakte? Of had hij haar domweg uit de lijst willen bevrijden? Ik peinsde er een tijdje over terwijl ik naar Leda's hand keek, die in het gras wroette, en toen liep ik naar het volgende schilderij, dat ook van Gilbert Thomas was. Hier zou ik mijn groeiende nieuwsgierigheid misschien kunnen bevredigen, een nieuwsgierigheid die verder ging dan Robert Oliver en zijn mes: wat voor iemand was Thomas geweest? Ik las de titel, *Zelfportret met munten*, 1884, en had net een indruk gekregen van een met ferme penseelstreken ingevulde zwarte jas, een zwarte baard en een glad, wit overhemd, toen ik een hand op mijn elleboog voelde.

Ik keek om, niet echt verbaasd – ik woonde toen al meer dan twintig jaar in Washington, en het wordt met recht een dorp genoemd – maar zag dat ik me had vergist. Er stond geen bekende; iemand was gewoon per ongeluk langs me gestreken. Er waren nu zelfs meer dan een paar mensen in de zaal: een echtpaar op leeftijd dat elkaar fluisterend een schilderij aanwees, een man in een donker pak met een glimmend voorhoofd en lang haar, en wat toeristen die een taal spraken die vermoedelijk Italiaans was.

Degene het dichtst bij me, die ik tegen mijn elleboog had gevoeld, was een jonge vrouw, of jeugdig, in elk geval. Ze keek naar *Leda* en had zich recht voor het doek geposteerd, alsof ze van plan was een paar minuten te blijven staan. Ze was lang en slank, bijna net zo lang als ik, en ze had haar armen over elkaar geslagen. Ze droeg een spijkerbroek, een witte katoenen blouse en bruine laarzen. Haar vrij lange haar, dat een onnatuurlijke, donkerrode kleur had, hing steil op haar rug; haar profiel – een wang, driekwart – was zuiver en glad, met een lichtbruine wenkbrauw, lange wimpers en geen make-up. Toen ze haar hoofd boog, zag ik de blonde uitgroei in haar haar; ze had de gebruikelijke procedure omgekeerd.

Even later stak ze haar handen in haar kontzakken, als een jongen, en helde naar het schilderij over om iets te bestuderen. Ik zag aan de manier waarop ze reikhalzend naar de penseelstreken keek – is het mogelijk dat ik dit er achteraf bij verzin? – dat ze zelf schilderde. Alleen een schilder zou de verfhuid vanuit die hoek bekijken, dacht ik terwijl ik haar zag draaien en bukken om de textuur in strijklicht te zien. Ik was getroffen door haar concentratie en bleef haar zo discreet mogelijk observeren. Ze stapte achteruit om het geheel nog eens te overzien.

Ik had het gevoel dat ze iets te lang voor *Leda* bleef staan, en toen nog iets langer, en dat het om de een of andere reden niets met kunst te maken had. Ze leek mijn blik te voelen, maar zich er weinig van aan te trekken. Toen liep ze zomaar weg, zonder me een blik waardig te keuren, zonder enige belangstelling. Ze schudde het van zich af: een knappe, lange meid die eraan gewend was dat mannen naar haar keken. Misschien, dacht ik, is ze geen schilder, maar artiest of lerares, gehard tegen de blikken van anderen of er mogelijk zelfs van genietend. Ik wachtte om een glimp van haar handen op te vangen, die nu langs haar zij hingen terwijl ze haar aandacht op de Manet aan de tegenoverliggende wand richtte; ze leek minder geconcentreerd naar zijn lumineuze wijnglazen te kijken, zijn pruimen en druiven. Ik zie nog scherp, maar niet meer zo scherp als vroeger; ik kon niet zien of ze verf onder haar nagels had, en ik had geen zin om dichter naar haar en haar onverschilligheid toe te lopen om erachter te komen.

Opeens verraste ze me door zich helemaal om te draaien en naar me te glimlachen. Het was een verwonderde, vrijblijvende glimlach, maar toch een glimlach, en eentje die zelfs een zekere erkenning behelsde van een mede-van-dichtbijkijker, nog iemand die lang voor een doek bleef staan kijken. Haar open gezicht leek nog alerter door het ontbreken van make-up. Ze had bleke lippen en ogen waarvan ik de kleur niet goed kon bepalen, een lichte huid die toch rozig afstak bij het donkerrode haar; tussen haar sleutelbeentjes hing een halssnoer van geknoopt leer met lange, aardewerken kralen die eruitzagen alsof er perkamentrollen met gebeden in konden zitten. Haar witte katoenen blouse bedekte mogelijk volle borsten op een hoekig lichaam. Ze stond rechtop, maar niet sierlijk, niet zozeer als een ballerina, maar eerder als een amazone, met een elegantie die deels voortkwam uit waakzaamheid. Het stel op leeftijd naderde haar zo dicht dat ze opzij moest stappen: vaarwel Thomas, Manet en malle middelbare man.

7

Marlow

Ze ging echt weg, de jonge vrouw met de mooie glimlach, en ik vroeg me af of ik onopzettelijk iets naar haar had geseind; ik had haar graag gevraagd of mijn vermoeden dat ze ook schilderde klopte. Aan de volgende muur hing een Renoir, waar ze zonder te kijken – onverschillig – langs beende, de zaal uit. Het deed me genoegen; ik hou ook niet van Renoir, met uitzondering van het doek in de collectie Phillips, *Lunch van de roeiers*, waarop de mensen bijna worden overschaduwd door de zonverlichte druiven, flessen en glazen. Ik volgde haar niet; op één dag twee jonge vrouwen opmerken leek me vermoeiend, zinloos en vreugdeloos in die zin dat het geen doel of toekomst had.

Het had allemaal maar een paar seconden geduurd, en ik richtte me meteen weer op het zelfportret van Thomas, waar de man met het vettig glimmende voorhoofd nu voor stond. Toen hij opzij ging, stapte ik naar voren om het zelf van dichtbij te bekijken. Weer een schilderij op het randje van het impressionisme, vooral in de schetsmatige weergave van een deel van de achtergrond, donkere gordijnen, maar heel anders dan de gedurfde, sierlijke *Leda*. Een schilder met verschillende gaven, dacht ik, maar misschien had Thomas in de jaren tachtig van de negentiende eeuw zijn stijl veranderd, was hij een nieuwe weg ingeslagen. Dit schilderij was schatplichtig aan Rembrandt: de sombere gezichtsuitdrukking en het donkere palet, wellicht ook de genadeloze weergave van de rode neus en vlezige wangen van de kunstenaar, de neergang van een voorheen aantrekkelijke man op weg naar een minder flatteuze leeftijd, en zelfs de donkere fluwelen baret en het jasje – een smokingjasje, werd het misschien genoemd: de schilder als oude meester en aristocraat tegelijk.

De titel van het zelfportret was ontleend aan de voorgrond, waarop Thomas zijn over elkaar geslagen armen liet rusten op een kale houten tafel waarop stapels munten lagen, groot en sleets, van brons, goud en zwart uitgeslagen zilver; antieke munten die zo vaardig waren geschilderd dat je ze bijna een voor een tussen duim en wijsvinger had kunnen pakken. Ik zag zelfs het schitterende schrift, de lettertekens van vreemde alfabetten, de vierkante gaten en de bewerkte randen. Die munten waren aanzienlijk beter weergegeven dan Thomas zelf; vergeleken met de vruchten en bloemen van Manet was het een nogal klungelig schilderij. Misschien had Thomas geld veel belangrijker gevonden dan zijn eigen gezicht. Hij had hoe dan ook gestreefd naar de stijl van de zeventiende eeuw, zijn blik op tweehonderd jaar geleden gericht, en ik keek naar het negentiende-eeuwse resultaat, bijna honderdtwintig jaar later.

Er was één persoonlijk trekje dat Thomas niet van al die donkere Rembrandts had afgekeken, dacht ik: oprechtheid. Hij was zo te zien hardvochtig, ijdel of verdwaasd genoeg geweest om een leep besef van de indruk die hij moest wekken rond zijn eigen ogen te schilderen. Die leepheid was waarschijnlijk bedoeld om de beschouwer in verlegenheid te brengen, zeker in combinatie met de munten op de voorgrond. Het was in elk geval een boeiend gezicht. Had Thomas veel geld verdiend met zijn schilderijen, vroeg ik me af, of had hij dat alleen gewild? Had hij nog een ander bedrijf gehad, of een reusachtige erfenis?

Ik kende de antwoorden natuurlijk niet, dus liep ik door naar een stilleven van Manet en bewonderde, waarschijnlijk net als het meisje dat me een paar minuten tevoren was opgevallen, het glas met de plens witte wijn erin, het licht dat op de donkerblauwe pruimen viel, de hoek van een spiegel. Ik herinnerde me een klein doek van Pissarro dat ik ook mooi vond; ik liep door naar de volgende zaal om hem en zijn mede-impressionisten te bekijken, nu ik er toch was.

Ik had in geen jaren echt intens naar een impressionistisch schilderij gekeken; door die eindeloze overzichtstentoonstellingen met hun begeleidende tassen, koffiebekers en postpapier was de hele stroming me tegen gaan staan. Ik herinnerde me iets van wat ik ooit had gelezen: het groepje oorspronkelijke impressionisten, onder wie een vrouw, Berthe Morisot, dat zich in 1874 had verenigd om werken te exposeren in een stijl die de Parijse Salon te experimenteel vond om op te nemen. Wij postmodernen vinden die schilderijen vanzelfsprekend, kijken erop neer of vinden ze te makkelijk mooi, maar de impressionisten waren de radicalen van hun tijdperk, die een bom legden onder de tradities van de penseelvoering, het dagelijkse leven tot onderwerp verhieven en de schilderkunst van het atelier naar de tuinen, weilanden en stranden van Frankrijk brachten.

Na al die tijd kon ik de natuurlijke lichtval en het zachte, subtiele coloriet van een tafereel van Sisley weer met nieuwe ogen bewonderen. Het doek toonde een vrouw in een lange jurk die in de besneeuwde tunnel van een dorpsweg verdwijnt. De somberheid van de bomen langs het weggetje, waarvan er een paar boven een hoge muur uittorenden, had iets ontroerends en echts, of misschien was het ontroerend omdát het echt was. Ik dacht aan wat een vriend van me ooit had gezegd: dat een goed schilderij iets raadselachtigs moet hebben. Ik vond de glimp die ik opving van de vrouw die me in de schemering haar smalle rug toekeerde mooier en boeiender dan de eindeloze hooibergen van Monet – ik liep langs een rij van drie schilderijen die verschillende stadia van de ochtendstond op roze en gele hellingen weergaven. Ik schoot in mijn jasje en maakte aanstalten om te vertrekken. Ik vind dat je een museum moet verlaten voordat de schilderijen die je hebt gezien door elkaar heen beginnen te lopen. Hoe kun je anders de herinnering aan beelden meenemen?

Toen ik beneden in de hal kwam, was het meisje met het zwarte haar verdwenen. Miriam was druk in gesprek met een man van haar eigen leeftijd die moeite leek te hebben met de museumplattegrondjes. Ik liep langs de balie, klaar om te glimlachen als ze opkeek, maar ze zag me niet, zodat ik moest afzien van mijn begroeting. Toen ik de deuren openduwde, voelde ik die mengeling van opluchting en teleurstelling die je overvalt bij het verlaten van een groots museum: opluchting omdat je weer terugkeert in de gewone, minder intense, beter hanteerbare wereld en teleurstelling vanwege het gebrek aan mysterie van die wereld. Daar was de gewone straat, zonder penseelstreken of de diepte van olieverf op doek. Het verkeer raasde voorbij, chaotisch als altijd in Washington; een bestuurder probeerde in te halen, een bijnabotsing, claxons die kort of langdurig protesteerden. Maar de bomen waren mooi, zwaar van bloesem of vers groen; hun schoonheid treft me telkens weer na de non-descripte winter die het beste lijkt te zijn wat deze omgeving te bieden heeft.

Net toen ik liep te denken over een combinatie van kleuren waarmee die heldergroene en roodbruine bladeren naast elkaar konden worden weergegeven, zag ik haar weer: de jonge vrouw die vóór mij naar *Leda* had gekeken. Ze stond bij een bushalte. Ze zag er nu heel anders uit; niet in gedachten verzonken of geconcentreerd, maar opstandig, lang en recht, met een linnen tas over haar schouder. Haar haar glansde in de zon; het was me in het museum niet opgevallen hoeveel donker goud er in het rood school. Ze had haar armen over elkaar geslagen op haar witte blouse en klemde haar lippen strak op elkaar. Ik zag haar profiel weer, dat ik nu al uit duizenden zou herkennen. Ja, ze kon voor zichzelf zorgen en kwam bijna vijandig over, maar om de een of andere reden welde het woord 'mistroostig' in me op. Misschien kwam het gewoon doordat ze helemaal alleen leek, alsof het opzet was, terwijl ze daar gezien haar leeftijd met een knappe jonge echtgenoot had moeten staan. Ik voelde een steek, alsof ik in de verte een kennis zag, maar geen tijd had voor een praatje; ik had het gevoel dat ik me uit de voeten maakte voor ze me in de gaten kon krijgen.

Ik liep snel de treden af en net toen ik beneden aankwam, draaide ze zich om. Ze zag me, herkende me half (die onopvallende man met die donkerblauwe blazer, geen stropdas). Waarom kwam ik haar bekend voor? Was dat wat ze zich afvroeg, zonder zich te herinneren dat we elkaar binnen hadden gezien? Toen glimlachte ze, net als in het museum; een vertrouwelijke, bijna verlegen glimlach. Even was ze van mij, toch een oude vriendin. Ik stak mijn hand op in een half wuivend, vermoedelijk bespottelijk gebaar. Vreemden zijn elkaar vreemd, dacht ik. Goed, ik was vreemder geweest dan zij. Ik zag de kraaienpootjes rond haar ogen toen ze glimlachte; ze zou toch boven de dertig kunnen zijn. Toen ik wegliep, probeerde ik mijn rug net zo lang en recht te maken als de hare.

8

Marlow

De volgende ochtend stond ik nog vroeger op dan anders, maar niet om te schilderen; om zeven uur was ik op Goldengrove om mijn kantoorcomputer te gebruiken en een kop koffie te drinken voordat de dagdienst begon. Mijn kunstencyclopedie thuis had weinig meer over Gilbert Thomas onthuld dan ik al wist, en mijn *Klassiek handboek* had me het verhaal van Leda verteld: ze was een stervelinge, die was misbruikt door Zeus, die haar in de gedaante van een zwaan had bezocht. Ze had diezelfde nacht geslapen met haar echtgenoot Tyndareos, de koning van Sparta, wat verklaarde dat ze twee tweelingen tegelijk baarde, twee onsterfelijke kinderen en twee sterfelijke: Castor en Poludeukes (Pollux in de Romeinse versie), en Clytaemnestra en Helena, die later verantwoordelijk werd gehouden voor de problemen in Troje. In sommige versies van de mythe, kwam ik aan de weet, kwamen Leda's kinderen uit eieren, al leken ze in de schaal al door elkaar gehaald te zijn, want Helena en Poludeukes, de kinderen van Zeus, waren goddelijk, terwijl Castor en Clytaemnestra tot sterfelijkheid waren gedoemd.

Omdat ik toch bezig was, zocht ik meer schilderijen op van Leda en de zwaan, en ik ontdekte een complete traditie, met onder meer een kopie naar een hoogst erotische Michelangelo, een Correggio, een kopie naar Leonardo, waarin de zwaan op een soort huisdier leek, en een Cézanne waarop de zwaan een op het oog onbekommerde Leda bij de pols pakt alsof hij haar smeekt een wandelingetje met hem te maken. Gilbert Thomas was niet in dit verheven gezelschap opgenomen, maar ik hoopte meer op internet te vinden.

Waarschijnlijk zou ik nogmaals moeten zeggen dat ik niet graag mijn toevlucht neem tot internet, nog steeds niet, en dat ik er toen nog minder verdraagzaam tegenover stond dan nu – wat moeten we uiteindelijk beginnen, vraag ik me altijd af, zonder het genoegen van een boek doorbladeren en op dingen stuiten die we helemaal niet zochten? Dat gebeurt bij het zoeken op internet natuurlijk ook wel, maar naar mijn idee op een beperktere manier. En hoe kan iemand vrijwillig afstand doen van de geur van een opengeslagen boek, oud of nieuw? Terwijl ik tussen mijn boeken naar de mythe van Leda zocht, bijvoorbeeld, was ik op een paar andere klassieke figuren gestuit die niet in dit verhaal voorkomen, maar aan wie ik van tijd tot tijd nog denk. Mijn vrouw zegt dat die neiging om een boek door te bladeren in plaats van efficiënt te zoeken een van de dingen is waaruit het duidelijkst blijkt hoe oud ik ben, maar het is me niet ontgaan dat zij boeken soms op dezelfde manier gebruikt; ze kan met een enorm, doelloos plezier in biografieën en museumcatalogi snuffelen.

Hoe het ook zij, ik beweer niet dat ik een deskundige ben op het gebied van research op internet, maar die ochtend vond ik meer over Gilbert Thomas in de krochten van mijn kantoorcomputer. Hij was in het gunstigste geval veelbelovend geweest, in de beginjaren van zijn carrière, en had eigenlijk alleen naam gemaakt met de *Leda* die Robert een doorn in het oog was geweest en het zelfportret dat ik ernaast had zien hangen. Hij was ook bevriend geweest met veel Franse kunstenaars uit zijn tijd, onder wie Manet; zijn broer Armand en hij hadden samen een van de eerste verkoopgaleries in Parijs gehad, die bijna net zo belangrijk was geweest als die van de grote Paul Durand-Ruel. Een boeiende figuur, die Thomas; zijn bedrijf was uiteindelijk te gronde gegaan; bij zijn dood, in 1890, had hij alleen schulden nagelaten, waarop zijn broer het grootste deel van de resterende voorraad had verkocht en met pensioen was gegaan. Gilbert had het landschap voor *Leda* buiten geschilderd, rond 1879, bij zijn tweede huis in de omgeving van Fécamp in Normandië, en hij had het werk in een atelier in Parijs voltooid. Het schilderij had lof geoogst op de Salon van 1880, maar ook kritiek gekregen vanwege de erotische aard. Het was het eerste schilderij van zijn hand dat door de Salon werd geaccepteerd, maar niet het laatste; de andere waren verloren gegaan of onbeduidend, en zijn reputatie was vooral te danken aan dit meesterwerk, dat nu was opgenomen in de permanente collectie van de National Gallery.

Toen ik wist dat de patiënten hadden ontbeten, liep ik door de gang naar Roberts kamer en klopte op zijn deur, die dicht was. Robert gaf uiteraard nooit antwoord, dus moest ik de deur altijd stukje bij beetje openduwen en naar binnen roepen om hem niet op een mogelijk intiem moment te verrassen. Het was een van de dingen die ik het lastigst vond, gênant zelfs, aan zijn zwijgen. Die ochtend was daarop geen uitzondering, en ik klopte, riep en duwde de deur een aantal malen verder open voordat ik over de drempel stapte.

Hij zat te tekenen aan het werkblad dat als bureau fungeerde, met zijn rug naar me toe. De ezel was leeg. 'Goedemorgen, Robert.' Ik was de afgelopen weken zijn voornaam gaan gebruiken, maar beleefd, alsof hij me zelf had gevraagd hem te tutoyeren. 'Mag ik even binnenkomen?'

Ik liet de deur op een kier staan, zoals altijd, en stapte de kamer in. Hij keek niet om, al bewoog zijn hand minder snel over het papier en zag ik dat hij zijn potlood steviger omklemde; bij hem moest ik gespitst zijn op elk mogelijk teken dat het gesproken woord kon vervangen.

'Heel erg bedankt voor het lenen van de brieven. Ik kom je de originelen terugbrengen.' Ik legde de envelop behoedzaam op de stoel waarop hij ze voor me had neergelegd, maar hij keek nog steeds niet om.

'Ik wil je alleen even snel een vraag stellen,' begon ik opgewekt. 'Hoe doe jij onderzoek? Zoek je op internet of ga je liever naar de bibliotheek?'

Het potlood stopte een fractie van een seconde, en toen ging hij verder met arceren. Ik weerhield mezelf ervan dichter naar hem toe te lopen om te zien wat hij zat te tekenen. Zijn schouders, in het oude overhemd, wezen me af. Ik zag het begin van een kale plek op zijn kruin; het had iets aandoenlijks, die plek die al door de tijd was afgesleten, terwijl hij verder nog zo vitaal leek. 'Robert,' probeerde ik nog eens, 'doe jij wel eens onderzoek op internet voor je schilderijen?'

Deze keer haperde het potlood niet. Heel even wilde ik dat hij zich zou omdraaien en me zou aankijken. Ik stelde me voor dat zijn gezicht somber stond, met waakzame ogen. Uiteindelijk was ik blij dat hij het niet deed; ik moest tegen zijn rug kunnen praten, zonder zelf gezien te worden. 'Ik doe het zelf soms, al gebruik ik liever boeken.'

Robert verroerde zich niet, maar ik voelde meer dan ik zag dat er iets in hem opwelde. Woede? Nieuwsgierigheid?

'Nou, dat was het wel, denk ik.' Ik wachtte even. 'Prettige dag. Laat het me weten als ik iets voor je kan doen.' Ik besloot hem niet te vertellen dat ik zijn brieven liet vertalen; als hij kon zwijgen, kon ik het ook eens proberen.

Toen ik de kamer uit liep, wierp ik een blik op de wand boven zijn bed. Hij had een nieuwe tekening opgehangen, iets groter dan de andere: de vrouw met het donkere haar, ernstig, verwijtend, zodat ze zelfs als hij sliep over hem kon waken.

De maandag daarop lag er een envelop van Zoe in mijn brievenbus. Ik dwong mezelf eerst te eten voordat ik hem openmaakte; ik waste mijn handen, zette thee en ging in de woonkamer onder een sterke lamp zitten. De brieven zouden waarschijnlijk alleen maar over huishoudelijke aangelegenheden gaan, zoals de meeste oude brieven, maar Zoe had me passages over de schilderkunst in het vooruitzicht gesteld, en ze had de Franse aanhef laten staan in de wetenschap dat ik dat op prijs zou stellen.

6 oktober 1877
Cher Monsieur,
Dank u voor uw vriendelijke briefje, dat ik nu dien te
beantwoorden. We waren zeer verheugd u gisteravond te zien. Uw
gezelschap vrolijkte in elk geval mijn schoonvader op, en sinds hij bij
ons woont, is het moeilijk hem aan het lachen te krijgen. Ik denk dat
hij zijn eigen huis mist, al kon zijn liefdevolle echtgenote hem daar
al enige jaren geen gezelschap meer houden. Hij zegt altijd dat u
zo'n goede broer voor hem bent. Yves laat u de groeten doen; het is
een opluchting voor hem dat u weer in Parijs woont (het leven gaat
er stukken op vooruit met een oom in de buurt, zegt hij). Ik ben blij
dat ik u eindelijk zelf heb ontmoet. Vergeef me dat ik u niet
uitgebreid schrijf, maar ik heb vanochtend veel te doen. Ik wens u
een behouden reis naar de Loire en een aangenaam verblijf daar, en
ik vertrouw erop dat al uw werk daar voorspoedig zal verlopen. Ik
benijd u om de landschappen die u er vast zult schilderen. En ik zal
mijn schoonvader de verhandelingen voorlezen die u ons hebt
gegeven.
Hoogachtend,
Béatrice Vignot-de Clerval

Toen ik de brief had gelezen, probeerde ik te begrijpen wat Robert er-in zag, wat hem ertoe aanzette deze brief, samen met de andere, telkens opnieuw alleen in zijn kamer te lezen. En waarom hij ze me eigenlijk had laten zien, als ze hem zo dierbaar waren.

9

Marlow

Het is niet gebruikelijk de ex-echtgenotes van patiënten om informatie te vragen, maar het zien hoe dat markante gezicht week in, week uit vorm kreeg op Robert Olivers doeken zonder dat ik hem een verklaring kon ontlokken, bezorgde me een gevoel van morele verslagenheid, en bovendien had hij zelf gezegd dat ik met Kate mocht praten.

Roberts ex-vrouw woonde nog in Greenhill, en ik had haar een keer eerder gesproken, tijdens zijn eerste dagen bij ons. Aan de telefoon had ze een zachte, vermoeide stem gehad, die nog vermoeider klonk toen ik haar vertelde dat Robert was opgenomen in Goldengrove, en ik hoorde kinderen op de achtergrond, een lach. Tijdens het gesprek had ze bevestigd dat ze op de hoogte was van de diagnose die hij destijds had gekregen en dat hun scheiding meer dan een jaar geleden was uitgesproken. Hij had gedurende een groot deel van dat jaar in Washington gewoond, zei ze en ze voegde eraan toe dat ze het pijnlijk vond om erover te praten. Als haar man, haar ex-man, geen direct gevaar liep en ik de gegevens had van zijn psychiater in Greenhill, konden we het hier dan alstublieft bij laten?

Toen ik haar een tweede keer belde, druiste dat dus niet alleen tegen mijn gebruikelijke beleid in, maar ook tegen haar verzoek. Ik zocht haar nummer met tegenzin op in Roberts dossier. Deed ik hier wel goed aan? Maar zou ik er goed aan doen het na te laten? Tijdens mijn bezoek aan het begin van de ochtend had Robert me nog depressiever geleken, en toen ik hem vroeg of hij ooit aan het schilderij *Leda* dacht, had hij me alleen maar aangestaard, alsof hij zelfs te moe was om aanstoot te nemen aan mijn absurde vraag. Op sommige dagen schilderde of schetste hij, altijd het levendige gezicht van de vrouw, en op andere dagen, zoals deze, lag hij met zijn kaken op elkaar geklemd in bed of zat hij met zijn brieven in de hand in de leunstoel, waar ik zelf doorgaans in zat tijdens mijn bezoeken, somber naar buiten te kijken. Op een keer toen ik zijn kamer binnenkwam, deed hij zijn ogen open, glimlachte even naar me en mompelde iets, alsof hij een dierbare zag, en toen sprong hij van het bed en hief zijn vuist naar me. Zijn vrouw zou me in elk geval kunnen vertellen hoe hij op zijn eerdere medicijnen had gereageerd, en welke het best hadden gewerkt.

Om halfzes toetste ik het nummer in – Greenhill, in de westelijke bergen van North Carolina; ik had erover gehoord van vrienden die er een zomerhuis hadden. Toen diezelfde zachte stem opnam, nu alsof ze net met iemand om iets had gelachen, werd mijn verwondering gewekt. Ik dacht aan de andere kant van de lijn het lieflijke gezicht te horen dat Robert dag in, dag uit tekende. Haar stem trilde even van vrolijkheid. 'Ja, hallo?' zei ze.

'Mevrouw Oliver, u spreekt met dokter Marlow van Goldengrove Residential Center in Washington,' zei ik. 'We hebben een paar weken geleden over Robert gepraat.'

Toen ze weer iets zei, was de vrolijkheid weg, en er was een doffe angst voor in de plaats gekomen. 'Wat is er? Is er iets met Robert?'

'Er is niets bijzonders om u zorgen om te maken, mevrouw Oliver. Het gaat nog ongeveer hetzelfde met hem.' Nu hoorde ik een kind lachen, en een kreet op de achtergrond, en toen een bons, alsof er iets was gevallen. 'Dat is nu net het probleem. Hij lijkt nog steeds flink depressief en tamelijk labiel. Ik wil hem pas ontslaan als hij er een stuk beter aan toe is. Het grootste probleem is dat hij niet met me wil praten, met niemand.'

'Aha,' zei ze, en ik hoorde even een ironie die bij die stralende donkere ogen kon horen, bij die geamuseerde of boze mond die Robert aanhoudend schetste. 'Tja, tegen mij zei hij ook niet veel, zeker niet in de laatste paar jaar dat we samen waren. Wacht even... Neem me niet kwalijk.' Zo te horen legde ze de telefoon even neer, en ik hoorde haar zeggen: 'Oscar? Jongens? Even naar de andere kamer, alsjeblieft.'

'Toen Robert nog praatte, op zijn eerste dag hier, heeft hij me toestemming gegeven zijn geval met u te bespreken,' zei ik. Ze zweeg, maar ik hield vol. 'Ik zou er veel aan hebben als u me kon vertellen hoe zijn toestand zich uitte – hoe hij op de eerdere medicatie reageerde, bijvoorbeeld, en nog een paar andere dingen.'

'Dokter... Marlow?' zei ze langzaam, en ik hoorde boven haar bevende stem uit weer het geluid van kinderen, gelach en een bonkend, dreunend geluid. 'Ik heb mijn handen vol, zacht gezegd. Ik heb al met de politie en twee psychiaters gepraat. Ik heb twee kinderen en geen man. Roberts moeder en ik willen een deel van zijn opnamekosten betalen wanneer zijn verzekering ophoudt – het geld komt uit zijn erfenis en de mijne, voornamelijk de zijne, maar ik spring een beetje bij. Zoals u waarschijnlijk weet.' Ik wist het niet. Ze leek diep adem te halen. 'Als u wilt dat ik tijd besteed aan praten over het grootste fiasco van mijn leven, zult u zelf hierheen moeten komen. En nu probeer ik eten te koken. Het spijt me.' Het beven van haar stem was het geluid van een vrouw die er niet aan is gewend tegen mensen te zeggen dat ze de pot op kunnen, een vrouw die meestal beleefd is, maar nu door de omstandigheden in het nauw werd gedreven.

'Neem me niet kwalijk,' zei ik. 'Uw situatie is vast heel lastig, maar ik moet als het enigszins mogelijk is uw man helpen, uw ex-man. Ik ben zijn arts en ik ben momenteel verantwoordelijk voor zijn veiligheid en welbevinden. Ik zal u een andere keer terugbellen om te zien of het u dan beter schikt.'

'Als het moet,' zei ze, maar toen voegde ze er 'Tot ziens' aan toe en hing geluidloos op.

Toen ik die avond thuiskwam, ging ik op de bank in mijn groen met gouden woonkamer liggen. Het was een uitputtende dag geweest, te beginnen met Robert Oliver en zijn gebruikelijke weigering tegen me te praten. Hij had bloeddoorlopen, bijna radeloze ogen gehad, en ik vroeg me af of ik hem die nacht in de gaten moest laten houden. Zou ik op een ochtend bij binnenkomst horen dat hij al zijn olieverf, mijn cadeau aan hem, had opgegeten of zijn polsen had doorgesneden met een paletmes? Moest ik hem weer door John Garcia in het ziekenhuis laten opnemen, waar het veiliger was? Ik zou John kunnen bellen om te zeggen dat dit geval bij nader inzien toch niet geschikt voor me was; ik besteedde er te veel tijd aan, zonder echte hoop op resultaat. Robert liep geen acuut gevaar meer, maar ik bleef me zorgen maken. Ik vroeg me af of ik John ook zou kunnen vertellen dat iets aan mijn eigen gedrag me een onbehaaglijk gevoel gaf: de manier waarop mijn hart was opgesprongen bij het horen van Kate Olivers stem aan de telefoon. Had ik haar met tegenzin gebeld of juist gretig?

Ik was te moe om mijn bidon te vullen en een stuk te gaan hardlopen, wat ik normaal op dit uur deed. Ik bleef dus met mijn ogen half-dicht naar het schilderij kijken dat ik voor boven de haard had gemaakt. Je moet natuurlijk geen olieverfschilderijen boven een haard hangen, maar ik maakte zelden vuur en toen ik hier kwam wonen, had de lege plek geschreeuwd om opvulling. Mogelijk voelde het zo om Robert Oliver te zijn, of wie dan ook die de uitputting nabij is door een depressie; ik kneep mijn ogen bijna dicht en rolde lusteloos met mijn hoofd over de armleuning van de bank, om te voelen hoe het was.

Toen ik mijn ogen opende, zag ik het schilderij weer. Ik maak graag portretten, zoals ik al heb gezegd, maar boven de haard hangt een landschap, gezien door een raam. Ik schilder landschappen gewoonlijk naar het leven, vooral in het noorden van Virginia, met die verleidelijke blauwe heuvels in de verte. Dit landschap was anders, een fantasie geïnspireerd op een paar doeken van Vuillard, maar ook op herinneringen aan het uitzicht dat ik als kind vanuit mijn slaapkamerraam in Connecticut had: de groene vensterbank en raamkozijnen langs de randen, de zware boomkruinen, de daken van de oude huizen, de hoge, witte toren van de Congregatiekerk boven de bomen, het lavendelblauw en goud van de voorjaarszonsondergang – ik had er alles in verwerkt wat ik me herinnerde, met grove penseelstreken, alles, behalve de jongen die uit het raam hangt en het allemaal in zich opneemt.

Terwijl ik op de bank lag, vroeg ik me af, niet voor het eerst, of ik de kerktoren niet iets verder naar rechts had moeten zetten; in het echt had hij exact in het midden van mijn uitzicht vanuit dat raam uit mijn kindertijd gestaan, precies zoals ik hem had weergegeven, maar het maakte de compositie te uitgebalanceerd, onbehaaglijk symmetrisch. Die verdomde Robert Oliver, en bovenal zijn weigering om te spreken, waarmee hij zichzelf dwarsboomde. Waarom zou iemand ervoor kiezen een nog erger slachtoffer te zijn terwijl hij al genoeg last had van zijn eigen hersenchemie? Dat was altijd de vraag: het probleem hoe onze chemie onze wil vormt. Hij had ooit twee kinderen en een vrouw met een zachte stem gehad. Hij was nog steeds een man met een vaardige blik en vaardige vingers, die het penseel zo behendig hanteerden dat iets in mijn hoofd er pijn van deed. Waarom wilde hij niet tegen me praten?

Toen ik te veel honger had gekregen om nog langer te blijven liggen, stond ik op, trok mijn pyjama aan, draaide een blik tomatensoep open, garneerde de soep met peterselie en zure room en sneed er een dikke boterham bij af. Ik las de krant en een stuk in een detective, een P.D. James, die echt goed was. Ik ging niet naar mijn atelier.

De volgende middag belde ik vlak voordat ik naar huis ging mevrouw Oliver nog een keer. Deze keer nam ze met een ernstige stem op. 'Mevrouw Oliver, u spreekt met dokter Marlow uit Washington. Neem me niet kwalijk dat ik u weer stoor.' Ze zweeg, dus vervolgde ik: 'Ik weet dat het ongebruikelijk is, maar ik heb de indruk dat we ons allebei ongerust maken om de toestand van uw man en ik vroeg me af of ik van uw aanbod gebruik zou mogen maken.' Ze bleef zwijgen. 'Ik zou graag naar North Carolina komen om met u over hem te praten.'

Ik hoorde haar inademen; ze leek overrompeld te zijn en er diep over na te denken.

'Ik beloof u dat ik niet lang zal blijven,' voegde ik er haastig aan toe. 'Ik zal maar een paar uur van uw tijd in beslag nemen. Ik kan bij oude vrienden logeren die daar een huis hebben, en ik zal u zo min mogelijk storen. Ons gesprek zou volledig vertrouwelijk zijn, en ik wil er alleen gebruik van maken voor de behandeling van uw man.'

Toen zei ze eindelijk weer iets. 'Ik weet niet goed wat u denkt ermee te winnen,' zei ze bijna vriendelijk, 'maar als u zo begaan bent met Robert, vind ik het goed. Ik werk elke dag tot vier uur en dan moet ik de kinderen van school halen, dus ik weet eigenlijk niet wanneer we zouden kunnen praten.' Ze zweeg even. 'Ik kan wel iets regelen, denk ik. Ik heb u al gezegd dat het me niet altijd makkelijk valt om over hem te praten, dus verwacht er alstublieft niet te veel van.'

'Ik begrijp het,' zei ik. Mijn hart sprong op; het was een belachelijk gevoel, maar alleen al het feit dat ze had ingestemd, vervulde me met een merkwaardige blijdschap.

'Gaat u aan Robert vertellen dat u hierheen komt?' vroeg ze alsof het haar net was ingevallen. 'Krijgt hij te horen dat ik over hem praat?'

'Meestal vertel ik zulke dingen aan mijn patiënten. Misschien vertel ik het hem later. Als er dingen zijn waarvan u niet wilt dat ik ze ooit aan hem vertel, blijven die uiteraard onder ons. We kunnen het zorgvuldig overleggen.'

'Wanneer wilt u komen?' Haar stem klonk nu een beetje koel, alsof ze al spijt had van haar toezegging.

'Begin volgende week, misschien. Hebt u maandag of dinsdag tijd voor me?'

'Ik zal mijn best doen om iets te regelen,' zei ze weer. 'Bel me morgen terug, dan laat ik het u weten.'

Ik had al bijna twee jaar geen vrije dagen opgenomen, behalve dan voor de gebruikelijke feestdagen – de laatste keer was voor een schilderreis naar Ierland geweest, georganiseerd door een plaatselijke kunstacademie, waarvan ik was teruggekeerd met doeken die zo overheersend knalgroen waren dat ik het achteraf bijna niet kon geloven. Nu pakte ik mijn verzameling wegenkaarten en laadde flessen water, opnames van Mozart en mijn vioolsonate van Franck in mijn auto. Het was ongeveer negen uur rijden, had ik uitgerekend. Mijn medewerkers waren lichtelijk verbaasd over mijn plotselinge vertrek. Waarschijnlijk stelden ze juist daarom geen vragen: die arme dokter Marlow, het is overwerk. Ik gaf opdracht Robert Oliver gedurende mijn afwezigheid extra in de gaten te houden en ging op vrijdag naar zijn kamer om afscheid te nemen. Hij had getekend, weer dezelfde vrouw met de krullen, maar ook iets nieuws: een soort tuinbank met een hoge, krullerige rugleuning, omringd door bomen. Hij had een opmerkelijk tekentalent, dacht ik, zoals zo vaak. Zijn schetsboek en potlood lagen op het bed, en hij lag met zijn hoofd achterover naar het plafond te staren. Zijn voorhoofd en kaken trokken en zijn haar piekte. Toen ik binnenkwam, richtte hij zijn rode ogen op me.

'Robert, hoe gaat het vandaag?' vroeg ik terwijl ik in de stoel ging zitten. 'Je ziet er moe uit.' Hij richtte zijn blik weer op het plafond. 'Ik neem een paar dagen vrij,' zei ik. 'Ik kom donderdag of vrijdag weer terug. Ik ga met de auto op pad. Als je iets nodig hebt, kun je bij een van de medewerkers terecht. En dokter Crown neemt voor me waar. Ik heb gezegd dat ze voor je moeten klaarstaan als je iemand nodig hebt. Nog één vraag: zul je je medicijnen trouw slikken?'

Hij wierp me een veelzeggende, bijna verwijtende blik toe, en ik schaamde me even. Hij slikte zijn medicijnen; in dat opzicht had hij nooit blijk gegeven van weerstand.

'Nou, tot ziens dan maar,' zei ik. 'Ik verheug me erop je werk te zien als ik terug ben.' Ik stond op, ging in de deuropening staan en stak een hand op ten afscheid. Soms is niets moeilijker dan praten tegen iemand die geheel de macht van het zwijgen heeft. Deze keer kreeg ik ook even een gevoel van macht, dat ik prompt onderdrukte: tot ziens, ik ga naar je vrouw toe.

Toen ik 's avonds thuiskwam, vond ik een pakketje vertalingen van Zoe in mijn brievenbus; ze had kennelijk vorderingen gemaakt. Ik stopte de brieven in mijn bagage om ze in Greenhill te lezen. Het zou een deel van mijn vakantie zijn.

10

Marlow

Ik ben dol op Virginia, waar ik heb gestudeerd, vaak doorheen ben gekomen op weg naar andere bestemmingen, waar ik ben uitgestapt in
het blauw en groen om uit te rusten, om schilderuitstapjes en soms
zelfs een wandeling te maken. Ik hou van het lange stuk van de I-66
waarmee je de uitgestrektheid van de stad achter je laat, hoewel de ten-
takels van Washington nu ik dit schrijf helemaal tot Front Royal reiken; trossen slaapstadjes schieten als paddenstoelen uit de grond langs
de snelweg en de wegen eromheen. Tijdens deze rit, halverwege de
ochtend, was het rustig op de weg, en ik merkte dat ik mijn werk vóór
ik bij Manassas was al begon te vergeten.

Ik heb onderweg wel eens spontaan de afslag genomen naar het slagveld van Manassas, in mijn eentje en kortgeleden een keer met mijn
vrouw. Op een spookachtige septemberochtend ver voordat ik haar
leerde kennen kocht ik een toegangskaartje bij het bezoekerscentrum
en liep over het veld naar de plek waar een paar van de hevigste gevechten hadden plaatsgevonden; het landschap, dat glooiend afliep naar
een oude stenen boerderij, was nevelig. Halverwege stond een eenzame boom, die me leek te smeken naar hem toe te lopen en de wacht
te houden tussen zijn takken, of hem te schilderen vanaf de plek waar
ik stond. Ik keek naar de optrekkende mist en vroeg me af waarom
mensen elkaar vermoorden. Er was geen levende ziel te bekennen. Dat
is het soort momenten dat ik mis nu ik getrouwd ben, maar dat me
ook de rillingen bezorgt als ik eraan denk.

Ik sloeg af bij Roanoke en ontbeet in een cafetaria. Ik had het bord
vanaf de snelweg gezien, maar toen ik de treurige voorgevel zag, waar
vier of vijf vrachtwagens voor geparkeerd stonden, besefte ik dat ik er
al eens was geweest, tijdens een eerder uitstapje, mogelijk een schilder-

excursie in een ver verleden; ik had de naam gewoon niet herkend. De serveerster, die ongegeneerd moe was, zette zwijgend mijn koffie voor me neer, maar glimlachte toen ze de eieren bracht, en ze maakte me attent op de hete saus die op mijn tafel stond. In een hoek zaten twee mannen met vlezige armen over werk te praten, werk dat ze niet hadden of niet hadden kunnen krijgen, en twee vrouwen die zich hadden opgedoft, niet geslaagd, stonden af te rekenen. 'Ik weet niet wat hij denkt te willen,' besloot de een met luide stem tegen de ander.

In een moment van bijna-hallucinatie te midden van de dampende koffie, de stank van sigarettenrook en het vale zonlicht dat door het raam naast mijn elleboog viel, dacht ik dat ze het over míj had. Ik herinnerde me hoe ik voor het ochtendgloren traag uit bed was gerold voor deze reis, het gevoel dat ik niet alleen mijn werkschema met voeten trad maar ook mijn beroepscode, het sprankje begeerte toen ik me bij het ontwaken de vrouw op de doeken van Robert Oliver herinnerde.

Ik was nog nooit in Greenhill geweest, maar kon het moeiteloos vinden toen ik de lange bergpas eenmaal had beklommen; in de vallei beneden lag een stadje genesteld. De lente liep hier een beetje achter op die in Washington; de bomen langs de wegen waren frisgroen en er stonden bloeiende kornoeljes en azalea's in de voortuinen die ik op weg naar de stad passeerde, en rododendrons met dikke, kegelvormige knoppen die nog moesten uitkomen. Ik omzeilde het centrum, een heuveltop bezaaid met rode pannendaken en gotische miniatuurwolkenkrabbers, en sloeg de kronkelende weg in die mijn vrienden me telefonisch hadden beschreven: Rick Mountain Road, een straat met kleine huizen die aan het oog werden onttrokken door een scherm van dennen, sparren, rododendrons en kornoeljes in hun tijdelijke, meditatieve bloei. Toen ik mijn raampje opendraaide, rook ik een mosachtige duisternis, dieper dan die van de naderende schemering.

Het huis van Jan en Walter, dat opzij van een zandweg stond, werd aangekondigd door een houten bord met het opschrift HUIZE HADLEY. Het kwam me goed uit dat de Hadleys zelf in Arizona zaten vanwege hun allergieën; nu hoefde ik ze niet persoonlijk uit te leggen wat ik in Greenhill te zoeken had. Ik stapte uit de auto en strekte mijn stramme benen. Ik moest beslist vaker hardlopen, maar wanneer kon ik het inpassen? Toen liep ik om het huis heen naar de achtertuin, die een mooi uitzicht leek te beloven en die belofte waarmaakte: aan de rand

van het steile klif stond een bank met uitzicht op een gigantisch panorama: de gebouwen in de verte, de stad in miniatuur. Ik ging zitten en
snoof met de frisse lucht het gevoel op dat de lente vanuit de dennen
naar me oprees. Waarom, vroeg ik me af, woonden de Hadleys een deel
van het jaar ergens anders?

Ik dacht aan het jachtige pendelen thuis, de lange rit door het gruwelijke voorstedelijke verkeer naar Goldengrove. Ik hoorde de wind in
de dennentakken, een veraf, zoevend geluid dat de snelweg in de diepte zou kunnen zijn, een plotselinge onderbreking van de stilte door
zingende vogels, ik weet niet wat voor soort, al vloog er een kardinaal
op uit de bomen op het klif recht onder de tuin van de Hadleys. Ergens in dat stadje – ik wist niet precies waar, maar ik zou vanavond op
de plattegrond kijken – woonde een vrouw met twee kinderen, een
vrouw met een zachte stem die haar handen vol had, haar hart gebroken. Ze woonde daar beneden in een huis dat ik nu nog niet voor me
kon zien, in een eenzaamheid die deels door Robert Oliver was veroorzaakt. Ik vroeg me af of ze me iets te zeggen zou hebben. Het zou
een lange rit zijn geweest als ze zich had bedacht en uiteindelijk toch
niet met de psychiater van haar ex-man wilde praten.

De huissleutel lag op de beloofde plek, onder een bloempot vol aarde, maar de voordeur werkte pas mee toen ik er een harde zet tegen
gaf met mijn heup. Ik raapte een paar folders van pizzeria's van de veranda, veegde mijn voeten binnen op de mat en zette de deur open om
de muffe wintergeur die me tegemoetkwam eruit te laten. De woonkamer was klein en vol, met voddenkleden en gedateerde meubelen;
rijen pockets en een set Dickens met goud op snee in de inbouwkast;
een tv die blijkbaar ergens in een meubel was weggestopt en een bank
met geborduurde kussens die een beetje klam aanvoelden. Ik zette een
paar ramen open en vervolgens ook de achterdeur, en bracht mijn koffer
naar boven.

Er waren twee kleine slaapkamers, waarvan er een duidelijk van de
Hadleys was; ik nam de andere, waarin een lits-jumeaux stond met
donkerblauwe spreien. Aan de wanden hingen aquarellen van bergge-
zichten, originelen, niet al te beroerd. Ik trok de geruite gordijnen open,
die ook een beetje klam waren en onprettig levend aanvoelden onder
mijn vingertoppen, en schoof de ramen omhoog. Het hele huis werd
beschaduwd door sparren en andere naaldbomen, maar ik kon de kamer tenminste luchten voordat ik er moest slapen. Walter had tegen

me gezegd dat een haardvuur zou kunnen helpen, en ik zag dat er al houtblokken klaarlagen in de schouw beneden. Ik bewaarde ze voor de avond. De bejaarde koelkast was leeg, op een paar potjes olijven en pakjes gist na. Ik had nog geen honger; ik zou later naar de stad rijden om eten, een krant en een stadsplattegrond te kopen. Morgenmiddag had ik misschien tijd om de stad zelf te verkennen.

Ik kleedde me om en ging een stuk hardlopen over de bergweg, blij dat ik de autorit van me af kon schudden – en ook mijn gedachten aan Robert Oliver en de vrouw die ik de volgende dag zou ontmoeten. Toen ik terugkwam nam ik een douche, dankbaar voor het warme water waarover de Hadleys toch bleken te beschikken, waarna ik mijn ezel pakte en in de achtertuin zette. Aan weerszijden stonden soortgelijke huizen, eveneens afgeschermd door sparren, die in dit seizoen ook nog onbewoond leken te zijn. Ik had niet echt een vakantie verwacht, maar toen ik mijn mouwen opstroopte en mijn aquareldoos openmaakte, voelde ik even een plotselinge, lome bevrijding van al het andere in mijn leven. Het avondlicht was schitterend en ik nam me voor die fletse schilderijen in de logeerkamer te overtreffen. Misschien kon ik een cadeautje voor Jan en Walter achterlaten, een impressie van het vroege voorjaar, hun stad in de diepte, een kleine verblijfsvergoeding.

Toen ik die avond in het logeerbed lag, begon ik aan de brieven die Zoe had gestuurd.

14 oktober 1877
Cher Monsieur,
Uw brief uit Blois die vanochtend aankwam, heeft vooral uw broer genoegen gedaan. Ik heb hem papa zelf voorgelezen en hem de schets zo uitgebreid mogelijk beschreven. Het is een prachtige schets, al durf ik er weinig van te zeggen, want dan merkt u dat ik nog een beginner ben. Ik heb papa ook uw recente artikel over het werk van Monsieur Courbet voorgelezen. Hij zegt dat hij zich sommige schilderijen van Courbet heel duidelijk voor de geest kan halen, en dat hij ze zich door uw woorden scherper dan ooit kan herinneren. Dank u voor uw vriendelijke belangstelling voor ons allen.
Hartelijke groeten van Yves.
Met hoogachting,
Béatrice Vignot-de Clerval

II

Marlow

Het huis van mevrouw Oliver, zo bleek de volgende ochtend, was heel anders dan ik me had voorgesteld; ik had gedacht dat het hoog en wit zou zijn, typisch zuidelijk en elegant, maar het was een grote bungalow van cederhout en baksteen met buxushagen en hoog oprijzende sparren in de voortuin. Ik stapte zo elegant mogelijk uit de auto en pakte mijn kamgaren blazer en mijn koffertje. Ik had me met zorg gekleed in het schamele logeerkamertje van de Hadleys, waarbij ik bewust had vermeden me af te vragen waarom ik het deed. Er was inderdaad een veranda, maar die was klein, en iemand had een paar modderige tuinhandschoenen op de bank naast de voordeur laten liggen, en er stond een emmer vol kleine plastic tuingereedschappen – speelgoed, veronderstelde ik. De voordeur was van hout, met een groot, schoon raampaneel; erachter zag ik een uitgestorven woonkamer, meubelen, bloemen. Ik belde aan en wachtte.

Geen teken van leven binnen. Na een paar minuten begon ik me opgelaten te voelen omdat ik zo makkelijk naar binnen kon kijken, alsof ik spioneerde. De voorkamer was knus en eenvoudig, met banken in gedekte tinten, hier en daar een lamp op een zo te zien antiek tafeltje, een verschoten, olijfgroen kleed en een kleiner oosters tapijt dat van zeer goede kwaliteit zou kunnen zijn, vazen met narcissen, een donkere, gepolitoerde vitrinekast en bovenal boeken – hoge kasten vol, al kon ik vanaf de plek waar ik stond de titels niet lezen. Ik wachtte. Ik hoorde de vogels in de bomen rond het huis die riepen, zongen of gehaast opvlogen; kraaien, spreeuwen, een blauwe gaai. De ochtend was lenteachtig en helder begonnen, maar er kwamen wolken opzetten die de veranda koud maakten en het licht grijs.

Toen begon ik de moed te verliezen. Mevrouw Oliver had zich bedacht. Ze was erg op zichzelf en ik had het waarschijnlijk aan mezelf te wijten. Ik had negen uur gereden, idioot die ik was, en het was mijn verdiende loon als ze had besloten de deur op slot te doen (ik probeerde natuurlijk niet de knop om te draaien) en ergens anders naartoe was gegaan in plaats van met me te praten. Ik had in haar plaats misschien hetzelfde gedaan, dacht ik. Ik drukte nog eens op de bel, aarzelend, en nam me voor er verder af te blijven.

Ten slotte keerde ik me om, waarbij mijn koffertje tegen mijn knie sloeg, en liep overmand door woede de leistenen treden weer af. Ik had een lange rit voor de boeg, met te veel tijd om na te denken. Ik was al aan het denken, dus de klik en het kraken van de deur achter me drongen niet meteen tot me door. Ik hield mijn pas in en voelde dat mijn nekharen overeind gingen staan – waarom schrok ik zo van die geluiden waar ik toch vijf minuten op had gewacht? Hoe dan ook, ik keerde me om en zag haar in de deuropening staan, met haar hand nog op de knop.

Het was een knappe vrouw, een vrouw die een levendige, alerte indruk maakte, maar de muze die Roberts schilderijen en tekeningen op Goldengrove vulde, was ze beslist niet. Ze deed me denken aan het strand: donkerblond haar, een lichte huid bezaaid met sproeten van het soort dat verbleekt naarmate de drager ouder wordt en zeeblauwe ogen die argwanend in de mijne keken. Ik bleef even als versteend op de treden staan en haastte me toen naar haar toe. Toen ik eenmaal dicht bij haar was, zag ik dat ze klein was, fijngebouwd, en dat ze tot mijn schouder reikte, en dus tot Roberts borstbeen. Ze trok de deur iets verder open en stapte naar buiten. 'Bent u dokter Marlow?' vroeg ze.

'Ja,' zei ik. 'Mevrouw Oliver?'

Ze nam mijn uitgestoken hand zwijgend aan. Haar hand was klein, net als de rest van haar, en ik verwachtte dat ze een zachte, kinderlijke handdruk zou hebben, maar haar vingers waren bijzonder sterk. Ze mocht zo klein zijn als een meisje, ze was wel een sterk meisje, fel zelfs. 'Komt u toch binnen,' zei ze. Ze liep het huis in en ik liep achter haar aan naar die woonkamer waarnaar ik had staan kijken. Het was alsof ik een toneel op liep, of misschien was het meer alsof ik in het publiek zat en al een tijdje naar het decor had gekeken voordat de acteurs opkwamen. Er hing een gedempte stilte in het huis. Nu ik de boeken van dichtbij zag, bleken het vooral negentiende- en twintigste-eeuwse romans te zijn en wat poëzie en geschiedkundige werken.

Mevrouw Oliver, die een paar passen voor me uit liep, droeg een spijkerbroek en een nauwsluitend, blauwgrijs topje met lange mouwen. Ze weet precies wat de kleur van haar ogen is, dacht ik. Haar lichaam zag er lenig uit; niet gespierd, maar sierlijk, alsof het door te bewegen constant zijn contouren vond. Haar loopje had iets kordaats; het sloot elk zinloos gebaar uit. Ze bood me een bank aan en ging zelf op een bank ertegenover zitten. De woonkamer maakte hier een hoek, en nu zag ik immense ramen, van de vloer tot aan het plafond, met uitzicht op een groot gazon, beuken, een enorme hulststruik en bloeiende kornoelje. Vanaf de voorkant had het niet zo groot geleken, maar haar erf strekte zich uit over twee braakliggende percelen, groen en met bomen omzoomd. Ooit had Robert Oliver van dit uitzicht genoten. Ik zette mijn koffertje aan mijn voeten en probeerde me te ontspannen.

Ik keek naar mevrouw Oliver, die al beheerst met gevouwen handen om een knie van haar spijkerbroek zat. Ze droeg kinderlijke gympen die ooit donkerblauw zouden kunnen zijn geweest. Ze had dik, steil haar, dat met een natuurlijke elegantie tot op haar schouders viel, met zoveel tinten leeuwenmaan, koren en bladgoud dat ik het moeilijk zou vinden om het te schilderen. Haar gezicht was ook mooi, met weinig make-up, zachte lippenstift en minieme lijntjes rond haar ogen. Ze glimlachte niet; ze nam me ernstig op, op het punt iets te zeggen. Uiteindelijk zei ze: 'Het spijt me dat ik u heb laten wachten. Ik had me bijna bedacht.' Ze zei niet dat ze spijt had van haar bedenkingen en gaf geen nadere verklaring.

'Ik kan het u niet kwalijk nemen.' Ik had een fractie van een seconde aan een hoffelijker opmerking gedacht, maar die leek nutteloos in deze situatie.

'Nee.' Ze was het gewoon met me eens.

'Dank u dat u me wilde ontvangen, mevrouw Oliver. Hier hebt u mijn kaartje, trouwens.' Ik reikte het haar aan en kreeg het gevoel dat ik te vormelijk was geweest; ze had haar ogen neergeslagen.

'Wilt u een kop koffie, thee misschien?'

Ik overwoog te bedanken, maar besloot dat het in deze prettige, zuidelijke woonkamer beleefder zou zijn het aanbod aan te nemen. 'Graag. Als u al koffie klaar hebt, lust ik wel een kopje.'

Ze stond op en liep de kamer uit, weer met die compacte elegantie. De keuken was niet ver weg; ik hoorde rinkelend serviesgoed en schuivende laden, en intussen keek ik om me heen. Er was geen spoor van Robert Oliver te bekennen in deze kamer, tussen de lampen op gebloemd porseleinen voeten, tenzij de boeken van hem waren. Hier geen spoor van lappen met vegen olieverf eraan, geen posters van de nieuwe landschapskunstenaars. Aan de wanden hingen vervaagde, geërfde borduurwerkjes en twee oude aquarellen van een marktplein in Frankrijk of Italië. Er hingen al helemaal geen levensechte portretten van een vrouw met donker, krullend haar, geen schilderijen van Robert Oliver of een andere hedendaagse kunstenaar. Misschien was de woonkamer nooit zijn domein geweest; woonkamers waren sowieso vaak het territorium van de vrouw. Mogelijk had ze welbewust elke herinnering aan hem gewist.

Mevrouw Oliver kwam terug met een houten dienblad met twee koppen koffie erop. Het porselein had een verfijnd bramenmotief, de theelepeltjes en het room- en suikerstel waren van zilver, allemaal hoogst elegant in vergelijking met haar spijkerbroek en verschoten gympen. Ik zag dat ze een gouden collier en oorbellen droeg, bezet met kleine blauwe edelstenen – saffier of toermalijn. Ze zette het blad op een tafel vlak bij me, reikte me mijn koffie aan, liep met haar eigen kop naar de bank en hield hem behendig in evenwicht toen ze ging zitten. De koffie, die lekker was, nam de kou van de veranda weg. Ze nam me zwijgend op en ik begon me af te vragen of de vrouw net zo zwijgzaam zou blijken te zijn als de man.

'Mevrouw Oliver,' zei ik zo ongedwongen als ik maar kon, 'ik weet dat dit moeilijk voor u moet zijn en ik wil u zeggen dat ik u op geen enkele manier wil dwingen vertrouwelijke uitspraken te doen. Uw man ontpopt zich als een lastige patiënt, en ik maak me zorgen om hem, zoals ik aan de telefoon al heb gezegd.'

'Ex-man,' zei ze, en ik bespeurde iets als een vleugje humor, een zweem van een lach, tegen mij of tegen haarzelf gericht, alsof ze hardop had gezegd: 'Ik kan jou ook hard aanpakken.' Ik had haar nog niet zien glimlachen; dat deed ze nu ook niet.

'Ik wil u zeggen dat Robert geen acuut gevaar loopt. Hij heeft sinds die dag in het museum geen poging meer ondernomen iemand kwaad te doen, ook zichzelf niet.'

Ze knikte.

'Hij lijkt vaak zelfs vrij rustig, maar hij heeft ook periodes van woede en agitatie. Stille agitatie, bedoel ik. Ik wil hem opgenomen houden tot ik er zeker van kan zijn dat hij echt veilig is en redelijk functioneert. Zoals ik aan de telefoon al zei, worden mijn pogingen hem te helpen vooral belemmerd door het feit dat hij niet wil praten.'

Zij zei ook geen woord.

'Waarmee ik bedoel dat hij helemaal niets zegt.' Ik wees mezelf er-op dat hij één keer iets had gezegd, namelijk dat ik mocht praten met de vrouw die nu tegenover me zat.

Ze trok haar wenkbrauwen op boven haar koffiekop en nam een slokje. Die wenkbrauwen waren donkerder blond dan haar haar, en ge-veerd alsof ze waren geschilderd door... Ik probeerde te bedenken aan welke portretkunstenaar ze me deden denken en welk nummer pen-seel ik zelf zou hebben gebruikt. Haar voorhoofd was breed en edel onder het glanzende, golvende haar. 'Heeft hij niet één keer iets tegen u gezegd?'

'Alleen de eerste dag,' bekende ik. 'Hij gaf toe wat hij in het mu-seum had gedaan en zei dat ik er met iedereen over mocht praten.' Ik besloot voorlopig voor me te houden dat hij had gezegd dat ik zelfs met 'Mary' mocht praten. Ik hoopte dat mevrouw Oliver me uitein-delijk spontaan zou vertellen wie hij had bedoeld, zonder dat ik ernaar hoefde te vragen. 'Maar sindsdien heeft hij niets meer gezegd. U be-grijpt vast wel dat praten een van de weinige manieren is waarop hij kan aangeven wat hem dwarszit, en een van de weinige manieren waar-op wij kunnen uitvinden welke factoren zijn toestand verergeren.'

Ik keek haar indringend aan, maar ze gaf me nog geen knikje om me te helpen.

Ik zette redelijke vriendelijkheid in als tegenwicht. 'Ik kan zijn me-dicatie blijven bijstellen, maar we kunnen weinig doen zolang hij niets zegt, want ik weet niet precies wat de medicijnen voor hem doen. Ik heb hem naar therapiesessies gestuurd, zowel individueel als in een groep, maar daar doet hij ook geen mond open en hij gaat er niet meer heen. Als hij niets zegt, moet ik zelf tegen hem kunnen beginnen over de dingen waar hij mee worstelt.'

'Om hem te provoceren?' zei ze bot. Ze had haar wenkbrauwen weer opgetrokken.

'Nee. Om hem uit zijn tent te lokken, om hem te laten weten dat ik zijn leven tot op zekere hoogte begrijp. Het zou kunnen helpen om hem weer aan de praat te krijgen.'

Ze leek even diep na te denken; ze ging rechter zitten, waardoor haar kleine borsten zich oprichtten onder haar topje. 'Maar hoe wilt u ver-klaren dat u dingen van zijn leven weet die hij u niet zelf heeft verteld?'

Het was zo'n goede vraag, zo'n directe, schrandere vraag dat ik mijn koffie neerzette en haar aankeek. Ik had niet verwacht dat ik die vraag nu al zou moeten beantwoorden; ik had er zelf ook mee geworsteld. Het gesprek was nog geen vijf minuten aan de gang en ze had me al in het nauw gedreven.

'Ik zal eerlijk tegen u zijn,' zei ik, hoewel ik wist dat het beroepsmatig klonk. 'Ik weet nog niet wat ik tegen hem moet zeggen als hij ernaar vraagt, maar áls hij ernaar vraagt, houdt dat in dat hij praat. Ook al maakt het hem boos.'

Voor het eerst zag ik haar mondhoeken opkrullen, zodat haar regelmatige tanden zichtbaar werden. De bovenste voortanden waren iets te groot en daardoor heel lief. Toen klemde ze haar lippen weer op elkaar. 'Hm,' zei ze bijna neuriënd, 'en noemt u mijn naam dan?'

'Dat laat ik aan u over, mevrouw Oliver,' zei ik. 'We kunnen bespreken hoe we dat aanpakken, als u wilt.'

Ze pakte haar koffie. 'Ja,' zei ze. 'Misschien wel. Laat me erover nadenken, dan spreken we iets af. En zeg toch Kate, alstublieft.' Weer die kleine beweging van haar mond, de indruk van een vrouw die ooit vaak had geglimlacht en het opnieuw zou kunnen leren. 'Om te beginnen probeer ik mezelf niet als mevrouw Oliver te zien. Ik ben bezig mijn meisjesnaam weer aan te nemen. Ik heb het kortgeleden besloten.'

'Kate dan, dank je,' zei ik. Ik wendde mijn blik eerder af dan zij. 'Als je het niet vervelend vindt, maak ik een paar aantekeningen, maar alleen voor eigen gebruik.'

Ze leek het allemaal te laten bezinken. Toen zette ze haar kop neer, alsof het tijd was om ter zake te komen. Op dat moment besefte ik hoe ontzettend schoon en netjes de kamer was. Ze had twee kinderen, die naar haar zeggen overdag op school zaten. Hun speelgoed moest elders in huis liggen. Haar servies met bramen was onberispelijk en moest ergens buiten het bereik van de kinderen opgeborgen zijn. Dit was een vrouw die zich wonderbaarlijk goed wist te redden, en ik merkte het nu pas, mogelijk doordat zij het moeiteloos liet lijken. Ze vouwde haar handen weer op haar knie. 'Goed. Vertel hem alstublieft niet dat ik met u heb gepraat, nu nog niet, in elk geval. Ik moet erover nadenken. Maar ik zal zo openhartig mogelijk zijn. Als ik dit dan toch doe, moet het verslag compleet zijn.'

Het was mijn beurt om verrast te zijn, en ik vermoedde dat ik het tegen wil en dank toonde. 'Ik denk dat je Robert ermee helpt, wat je gevoelens voor hem op dit moment ook zijn.'

Ze sloeg haar ogen neer, waardoor haar gezicht plotseling verouderde, betrok zonder het blauw. Ik dacht aan de naam van de kleur van een van de waskrijtjes in de doos uit mijn jeugd: maagdenpalm. Ze keek weer op. 'Ik weet niet waarom, maar dat denk ik zelf ook. Weet u, uiteindelijk kon ik maar weinig voor Robert doen. Tegen die tijd wilde ik het eigenlijk ook niet meer. Dat is het enige waar ik echt spijt van heb. Daarom betaal ik mee aan de kosten van zijn opname, denk ik. Hoe lang blijft u?'

'Vanochtend, bedoel je?'

'Nee, in het algemeen. Ik bedoel, ik heb hier twee ochtenden voor uitgetrokken. Vandaag hebben we tot twaalf uur, en morgen weer.' Ze zei het zo emotieloos alsof we het over de vertrektijd uit een hotel hadden. 'Als het moet, kan ik nog een derde ochtend vrij nemen, al zou dat lastig worden. Ik moet nu al twee keer zo hard werken. Ik werk vaak 's avonds om meer tijd voor de kinderen te hebben als ze uit school komen.'

'Ik wil niet nog meer van je tijd in beslag nemen, je bent al zo gul geweest,' zei ik. Ik dronk mijn kop in twee slokken leeg, zette hem weg en pakte mijn notitieblok. 'We zien wel hoe ver we vanochtend komen.'

Het viel me nu pas op dat haar gezicht niet alleen waakzaam was, maar ook verdrietig, met die tinten van zee en strand. Mijn hart knaagde – of was het mijn geweten? Was het mijn geweten? Ze keek me recht aan. 'Ik neem aan dat u over de vrouw wilt horen,' zei ze. 'De vrouw met het zwarte haar. Heb ik gelijk?'

Het bracht me van mijn stuk; ik was van plan voorzichtig naar Roberts verhaal toe te werken, haar stukje bij beetje naar zijn vroegste symptomen te vragen. Ik zag aan haar gezicht dat ze het niet op prijs zou stellen als ik eromheen draaide. 'Ja.'

Ze knikte. 'Schildert hij haar?'

'Ja. Vrijwel elke dag. Ik heb gezien dat ze ook het onderwerp was van een van zijn exposities, dus dacht ik dat jij iets van haar zou kunnen weten.'

'Inderdaad, voor zover ik iets wil weten, al had ik niet gedacht dat ik er ooit met een onbekende over zou praten.' Ze leunde naar voren en ik zag haar smalle borstkas rijzen en dalen. 'U bent eraan gewend heel intieme dingen te horen?'

'Natuurlijk,' zei ik. Als mijn geweten op dat moment een menselijke gedaante had gehad, had ik het kunnen wurgen.

17 oktober 1877
Mon cher oncle,
Hopelijk vindt u het niet erg dat ik u zo aanspreek, als een echt
familielid, wat ik misschien niet naar de letter ben, maar wel naar
de geest. Papa heeft me gevraagd u te bedanken voor het pakje dat u
in antwoord op mijn brief hebt gestuurd. We zullen het boek hardop
lezen, met hulp van Yves op de avonden dat hij thuis is; het
fascineert hem ook. Die ondergeschikte Italiaanse meesters boeien
hem al heel lang, zegt hij. Ik ga drie dagen bij mijn zuster logeren,
waar ik me zal verlustigen in haar schattige kinderen. Ik durf u best
te vertellen dat ze mijn favoriete modellen zijn voor mijn eigen
amateurwerk. En mijn zuster is mijn meest bewonderde vriendin,
dus begrijp ik heel goed waarom uw broer u zo toegewijd is. Papa
zegt dat het door uw bescheidenheid komt dat niemand weet dat u
de moedigste, trouwste man van de wereld bent. Hoeveel broers
spreken met zoveel warmte over elkaar? Yves heeft beloofd papa elke
avond voor te lezen zolang ik weg ben, en ik neem het daarna van
hem over.
Met heel hartelijke dank voor uw goedheid,
Béatrice Vignot

12

Kate

Ik zag haar, die vrouw, voor het eerst op een rustplaats langs de snel-weg ergens in Maryland, maar voor ik daarover vertel, moet ik eerst vertellen over mijn eerste ontmoeting met Robert. Ik leerde hem in 1984 in New York kennen, toen ik vierentwintig was. Ik werkte er een maand of twee, het was zomer en ik had heimwee naar Michigan. Ik had verwacht dat New York opwindend zou zijn, wat klopte, maar het was ook vermoeiend. Ik woonde in Brooklyn, niet in Manhattan. In plaats van door Greenwich Village te slenteren, moest ik met drie ver-schillende treinen naar mijn werk. Aan het eind van mijn werkdag als redactieassistente bij een medisch tijdschrift was ik te moe om waar dan ook naartoe te slenteren, en te bang voor de kosten om naar een interessante buitenlandse film te gaan. Ik leerde ook niet snel nieuwe mensen kennen.

Op de dag dat ik Robert voor het eerst zag, was ik na mijn werk naar Lord & Taylor gegaan, al wist ik dat het te duur zou zijn, om een verjaardagscadeau voor mijn moeder te kopen. Zodra ik binnenkwam, weg van de zomerse straat, sloeg de geparfumeerde airconditioning me in het gezicht. Toen ik de minachtende blikken zag van de etalagepop-pen in hun bikini's met de nieuwe, hoog opgesneden broekjes, speet het me dat ik me die ochtend niet beter had gekleed voor mijn werk. Ik wilde een hoed voor mijn moeder kopen, iets wat ze zichzelf nooit zou veroorloven, iets moois wat ze als jonge vrouw had kunnen dra-gen naar haar eerste afspraakje met mijn vader op de Philadelphia Cricket Club. Misschien zou ze die hoed in Ann Arbor nooit opzet-ten, maar hij zou haar herinneren aan haar jeugd, met witte hand-schoentjes en een gevoel van zekerheid, en hij zou haar ook herinne-ren aan de liefde van een dochter. Ik had gedacht dat de hoedenafdeling op de parterre zou zijn, bij de zijden sjaals met de signatuur van beroemde ontwerpers van wie ik de namen nauwelijks kende, bij de lichaamloze, omhoogwijzende benen met lange, gladde kousen, maar er werd daar verbouwd en een dame met een make-upschort aan zei dat de hoeden tijdelijk boven waren uitgestald.

Ik wilde me niet dieper in het warenhuis wagen, want mijn eigen benen begonnen bloot en geschramd aan te voelen, lelijk doordat ik die ochtend geen panty had aangetrokken voordat ik naar mijn werk ging. Maar het was voor mijn moeder, dus nam ik de roltrap – altijd die ingehouden adem wanneer ik er boven veilig af stap – en toen ik de hoeden vond, was ik blij dat ik alleen tussen de standaards stond, die allemaal waren getooid met lichte of felle kleuren. Er waren doorzichtige hoeden met zijden bloemen op hun geribbelde zijden band gespeld, en donkerblauwe en zwarte strohoeden, en er was een blauwe met kersen en bladeren. Ze waren allemaal een tikje opzichtig, zeker als je ze bij elkaar zag, en ik begon te denken dat het toch niet zo'n goed idee was voor een verjaardagscadeau, maar toen zag ik een beeldschone hoed, eentje die daar niet hoorde en precies goed was voor mijn moeder. Hij had een brede rand, bedekt met strak gedrapeerde, crèmekleurige organza, en daarop een wolk van verschillende soorten blauwe bloemen, bijna echte bloemen: wilde cichorei, ridderspoor en vergeet-me-niet. Het was of de hoed in een veld was versierd. Ik pakte hem en hield hem met twee handen vast. Toen draaide ik heel voorzichtig het prijskaartje om. Hij kostte negenenvijftig negenennegentig, meer dan ik doorgaans in een week aan boodschappen uitgaf.

Als ik drie keer dat bedrag spaarde, kon ik met de bus naar Ann Arbor om mijn moeder op te zoeken. Maar wanneer ze de hoed uitpakte, zou ze misschien glimlachen, de hoed behoedzaam vasthouden en passen voor de gangspiegel thuis, glimlachend en nog eens glimlachend. Ik hield de hoed bij de tere randen vast en straalde met mijn moeder mee. Ik voelde me misselijk en mijn ogen schoten vol tranen, wat de weinige make-up die ik naar mijn werk droeg zou ruïneren. Ik hoopte dat er geen verkoopster om de hoedenstandaard heen zou komen om me aan te klampen. Ik was bang dat één woord van een ander genoeg zou zijn om me de hoed te laten kopen.

Na een paar minuten hing ik de hoed terug en liep naar de roltrap, maar het was de verkeerde, die naar boven, en ik moest opzij stappen voor de mensen die eraf kwamen. Ik liep zonder iets te zien naar de roltrap naar beneden en daalde af naar de begane grond, met beide handen op de leuning, die schokte onder mijn greep, en tegen de tijd dat ik beneden was, voelde ik me zo ziek als een hond. Ik was bang dat ik de afstap zou missen en struikelen. Ik boog me dieper voorover om de vanuit mijn maag opkomende misselijkheid te bedwingen, en toen struikelde ik echt. Een man die net langs de roltrap liep, draaide zich om en ving me half op, snel, en ik braakte over zijn schoenen.

Het eerste wat ik van Robert zag, waren dus zijn schoenen. Ze waren van lichtbruin leer, lomp en een beetje onhandig, anders dan die van anderen, schoenen die een Engelsman zou kunnen dragen op de boerderij of wanneer hij door het veen naar het café liep. Later kwam ik erachter dat het ook echt Engelse schoenen waren, met de hand gemaakt, heel duur, en dat ze een jaar of zes meeingen. Hij had er twee paar van, die hij onregelmatig afwisselde, en ze zagen er ingelopen uit, alsof ze lekker zaten, zonder sjofel te zijn. Afgezien daarvan besteedde hij geen aandacht aan zijn kleren, al had hij wel een boeiend gevoel voor kleur en leken ze te circuleren, meestal van en naar vlooienmarkten, kringloopwinkels en vrienden. 'Dat sweatshirt? Dat is van Jack,' kon hij zeggen. 'Hij heeft het gisteravond in het café laten liggen. Het maakt hem niet uit.' En het sweatshirt zou bij ons blijven tot het uit elkaar viel en een vod werd om ons huis in Greenhill mee schoon te maken, of om penselen aan af te vegen – we waren tenslotte al zo lang getrouwd dat onze kleren vodden konden worden. Het kon Robert allemaal niets schelen, want intussen had Jack de handschoenen of de sjaal die hij bij Jack op de bank had laten liggen nadat ze tot twee uur 's nachts over pastelkrijt hadden gediscussieerd. Het grootste deel van Roberts kleren zat zo onder de verf dat alleen een medekunstenaar er iets in zou zien. Daar lette hij nooit op, in tegenstelling tot sommige andere schilders.

Zijn schoenen waren echter zijn kostbaarste bezit. Hij spaarde ervoor, hij was er zuinig op, hij smeerde ze in met nertsolie, ook al weigerde hij zelf kip te eten, hij zorgde dat hij er geen verf op morste, hij zette ze naast elkaar aan het voeteneind van ons bed naast zijn slordig neergegooide kleren. Het enige andere kostbare artikel in zijn leven, afgezien van olieverf, was zijn aftershave, maar het toeval wilde dat hij ook naar Lord & Taylor was gekomen om een verjaardagscadeau voor zijn moeder te kopen, hoorde ik later. Toen ik over zijn schoenen braakte, trok hij onwillekeurig een grimas, als om te zeggen: o, god, moest dat nou echt? Destijds dacht ik dat hij alleen walgde van mijn braaksel, niet van de plek waar het was terechtgekomen.

Hij trok iets wits uit zijn zak om zijn schoenen mee af te vegen, en ik nam aan dat hij mijn spijtbetuigingen niet wilde horen, maar het volgende moment pakte hij me bij mijn schouders. Hij was erg lang. 'Snel,' zei hij, en zijn stem was ook snel, laag en sussend in mijn oor. Hij trok me gehaast mee door de dichtstbijzijnde gangpaden, langs een golf parfum waarvan mijn maag zich weer bijna omkeerde, langs etalagepoppen met tennisrackets en zwierig opgezette kraagjes die hun oren bijna raakten. Ik dook weg, ik probeerde me te bevrijden. Elke nieuwe aanblik, al die dingen die je kon kopen, al die dingen die ik niet kon betalen en waar mijn moeder niet van zou genieten, joeg een nieuwe golf van misselijkheid door me heen, maar de onbekende die mijn ene arm en schouder vasthield, was sterk. Hij droeg een denim overhemd met korte mouwen en een vlekkerige grijze spijkerbroek, en toen ik probeerde mijn gebogen hoofd te draaien, ving ik een glimp op van een ruig iemand, met krullen en een ongeschoren kin. Hij had een soort lijnzaadolieachtige geur die ik vaag herkende, zelfs door mijn misselijkheid heen, en die ik onder andere omstandigheden prettig had kunnen vinden. Ik vroeg me af of hij mijn misselijkheid gebruikte om me te ontvoeren, mijn portemonnee te stelen of nog erger; het was tenslotte New York in de jaren tachtig, en het ontbrak me nog aan het obligate berovingsverhaal om in Michigan te vertellen.

Ik was echter zo misselijk dat ik niet naar zijn bedoelingen kon informeren, en een minuut later stormden we de buitenlucht in, of de betrekkelijke buitenlucht van de dichtbevolkte stoep, en hij leek me overeind te willen houden. 'Het komt goed,' zei hij. 'Het komt wel goed.' Hij had het nog niet gezegd of ik wendde me af en braakte weer, maar nu mikte ik ver van zijn schoenen in een hoek van de ingang, ook ver van de schoenen van de passerende mensenmenigte. Ik barstte in huilen uit. Hij liet me los terwijl ik overgaf, maar wreef de hele tijd met een groot aanvoelende hand over mijn rug. Op de een of andere manier wekte het mijn weerzin, alsof een onbekende man me in de ondergrondse probeerde te versieren, maar ik was te zwak om me te verzetten. Toen ik klaar was, gaf hij me een schone papieren servet uit zijn zak. 'Oké, oké,' prevelde hij. Ten slotte richtte ik me op en leunde tegen de zijgevel van het warenhuis. 'Je valt toch niet flauw?'

zei hij. Nu kon ik zijn gezicht zien. Het had iets sympathieks en nuchters, open, alert. Hij had grote, groen-bruine ogen. 'Ben je zwanger?' vroeg hij.

'Zwanger?' hijgde ik. Ik stond met één hand tegen de buitenmuur van Lord & Taylor, die ontzettend degelijk en sterk aanvoelde, als een vesting. 'Hè?'

'Ik vraag het maar, want mijn nichtje is zwanger en die heeft vorige week ook overgegeven in een warenhuis.' Hij had zijn handen in zijn achterzakken gestoken, alsof we na een feestje op een parkeerterrein stonden te kletsen.

'Hè?' zei ik stompzinnig. 'Nee, natúúrlijk ben ik niet zwanger.' Toen werd mijn gezicht roodgloeiend van schaamte, want ik dacht dat hij zou kunnen denken dat ik iets onthulde over mijn seksleven, dat ik op dat moment in feite niet had. Ik had precies drie relaties gehad tijdens mijn studie, en nog een korte in het zwarte gat erna in Ann Arbor, maar New York was tot dan toe een grote flop op dat gebied; ik had het te druk, ik was te moe en te verlegen om gespitst te zijn op afspraakjes. 'Ik voelde me gewoon opeens zo raar,' voegde ik er snel aan toe. Bij de herinnering aan mijn eerste braakpartij – ik kon me er niet toe zetten naar zijn schoenen te kijken – werd ik weer slap, en ik drukte beide handen en mijn hoofd tegen de muur.

'Wauw, je bent echt ziek,' zei hij. 'Zal ik een glaasje water voor je halen? Zal ik je helpen ergens te gaan zitten?'

'Nee, nee,' jokte ik terwijl ik mijn hand naar mijn mond bracht voor het geval ik die weer dicht zou moeten houden. Niet dat dat iets zou helpen. 'Ik moet naar huis. Ik moet nu meteen naar huis.'

'Ja, je kunt beter gaan liggen met een teiltje naast je bed,' stelde hij vast. 'Waar woon je?'

'Dat zeg ik niet tegen vreemden,' zei ik halfhartig.

'O, kom op.' Hij grinnikte. Zijn gebit was schitterend, zijn neus lelijk, en zijn ogen waren heel warm. Hij leek maar een paar jaar ouder dan ik. Zijn donkere krullen wezen omhoog, als knoestige takken. 'Zie ik eruit alsof ik bijt? Met welke metro moet je?'

De mensen repten zich in drommen langs ons heen, de winkel in, over de stoep, richting huis, het eind van de werkdag. 'De... daar... Brooklyn,' zei ik zwakjes. 'Als je me een stukje kunt brengen, red ik het verder wel. Ik knap zo wel weer op.' Ik zette een wankele stap naar voren en drukte mijn hand tegen mijn mond. Naderhand vroeg ik me af waarom ik geen taxi had genomen. Ik neem aan dat ik zelfs in die situatie nog zuinig was.

'Ja, vast,' zei hij. 'Als je je best doet om niet meer op mijn schoenen te kotsen, breng ik je naar je halte. Dan kun je me daar zeggen of ik iemand voor je moet bellen.' Hij sloeg een arm om me heen om me overeind te houden en we liepen in een onhandige knoop naar de ingang van de ondergrondse op de hoek van de straat.

Daar aangekomen klampte ik me aan de trapleuning vast en probeerde mijn andere hand uit te steken, waarbij ik iedereen de weg versperde op de trap. 'Oké, bedankt. Ik ga nu naar mijn trein.'

'Kom op.' Hij liep voor me uit om me tegen de massa te beschermen, waardoor ik alleen nog de rug van zijn gerafelde denim overhemd zag. 'De trap af.'

Ik legde een hand op de schouder van de onbekende en een op de trapleuning.

'Zal ik iemand bellen? Je ouders? Huisgenoten?'

Ik schudde mijn hoofd. Ik schudde een keer of twee, drie, maar ik kon geen woord uitbrengen. Ik moest bijna weer overgeven, en dan zou mijn vernedering compleet zijn. 'Zo, we zijn er.' Hij glimlachte weer, vertwijfeld, vriendelijk. 'Stap maar in.'

En we stapten samen in, die afschuwelijke mensenmassa in. We moesten staan, en hij hield me van achteren vast, zonder zich tegen me aan te persen, tot mijn opluchting, maar hij greep me stevig beet met een van zijn grote handen en pakte met de andere een lus aan het plafond. Wanneer de trein een bocht nam, deinde hij voor ons beiden. Bij het eerstvolgende station stapte er iemand uit en ik zakte op de vrijgekomen stoel. Als ik nog eens overgaf, hier, in die volle ruimte, waar mijn braaksel minstens zes anderen zou raken, wilde ik dood. Ik zou teruggaan naar Michigan omdat ik niet geschikt was voor het stadsleven; ik was zwakker dan de rest van die zeven miljoen mensen hier. Ik was een openbaar braakster. Wat ik het fijnst zou vinden aan weggaan of sterven, zou zijn dat ik die boven me uittorenende man met zijn denim overhemd en de donkere vlekken op zijn schoenen nooit meer onder ogen hoefde te komen.

13

Kate

Toen we bij mijn halte aankwamen, besefte ik amper waar ik was, maar de galante onbekende hielp me uitstappen en naar boven komen voordat ik weer moest overgeven, deze keer in een afvoerput langs de stoeprand. Ik besefte vaag dat ik steeds beter leerde mikken en dat mijn doelwit steeds geschikter werd. 'Waarheen?' vroeg hij toen ik klaar was, en ik wees naar mijn flatgebouw verderop in de straat, dat goddank dichtbij was. Ik denk dat ik het zelfs had aangewezen als ik echt geloofde dat hij mijn strot zou doorsnijden zodra we er waren, en dat gold ook voor het openen van de voordeur met mijn messing sleutel, die hij uit mijn bevende hand pakte, en voor de lift. 'Het gaat wel weer,' fluisterde ik.

'Welke verdieping? Welk nummer?' zei hij, en toen we in de lange, stinkende gang met vloerbedekking waren, vond hij de huissleutel aan de bos en maakte de deur van mijn flat open. 'Hallo!' riep hij. 'Niemand thuis, denk ik.' Ik zei niets; het ontbrak me aan de kracht of de wil hem te vertellen dat ik alleen woonde. Hij zou er toch in één oogopslag achter komen, want mijn flatje bestond uit maar één kamer, met een piepklein keukentje, afgeschermd door kasten. Mijn bed deed ook dienst als bank, met wat sneue oude kussens uit mijn jeugd op de sprei, en op mijn ladekast stonden borden waarvoor in de keuken geen plaats was. Er lag een tot op de draad versleten oosters tapijt op de vloer, nog uit het huis van mijn tante in Ohio, en mijn bureau lag bezaaid met rekeningen en schetsen, met een koffiekop erop bij wijze van pressepapier. Ik keek om me heen alsof ik de kamer voor het eerst zag, en ik schrok ervan hoe armetierig het allemaal was. Een eigen plek was heel belangrijk voor me. Om die te krijgen, had ik genoegen genomen met een sjofel gebouw en een sjofele huisbaas. Er liepen leidingen boven het aanrecht waar de verf van afbladderde; ze huilden gestaag tranen koud water die ik opving met een handdoek die ik erachter had gepropt.

De onbekende hielp me naar binnen en liet me op de rand van mijn bedbank zakken. 'Wil je een glaasje water?'

'Nee, dank je,' kreunde ik. Ik hield hem scherp in de gaten. Het was onwezenlijk dat iemand uit de straten van New York over mijn drempel was gestapt. De enige die tot dan toe bij me over de vloer was gekomen, was de huisbaas, die een keer een paar minuten binnen was geweest om te kijken waarom de oven niet aan wilde en me had voorgedaan hoe ik het deurtje heen en weer moest rammelen met mijn voet. Ik wist niet eens hoe die vent heette, maar hij stond midden in mijn kamer om zich heen te kijken alsof hij iets zocht wat kon voorkomen dat ik nog eens zou overgeven. Ik probeerde niet te diep adem te halen. 'Kun je me even een kom uit de keuken brengen, alsjeblieft?'

Hij bracht me de kom, en ook een stuk vochtig keukenpapier om mijn gezicht af te vegen, en ik leunde een stukje achterover op de bank. Hij stond met zijn handen in zijn zij en ik zag zijn heldere ogen over mijn galerie glijden: een zwart-witfoto van mijn ouders, samen in gesprek op de voorveranda, die ik had genomen toen ik op de middelbare school zat, een paar van mijn recente tekeningen van melkpakken en een poster van een wandschildering van Diego Rivera: drie mannen die een brok steen verplaatsen, met rode bovenlichamen die opbollen van de inspanning. Hij keek er iets langer naar dan naar de rest. De onzekerheid sloeg toe. Nam hij geen notitie van mijn schetsen? Iemand anders had misschien gezegd: 'Goh, heb jij die gemaakt?', maar hij keek alleen maar naar de Mexicaanse arbeiders van Rivera, hun verwrongen gezichten en machtige Azteekse lichamen. Toen draaide hij zich naar me om. 'Red je het verder?'

'Ja,' zei ik bijna fluisterend, maar iets aan de manier waarop hij midden in mijn kamer stond, die onbekende met zijn slobberbroek en slangachtige bruine haar, maakte me weer misselijk, of misschien kwam het niet door hem, en ik sprong van de bank en dook de badkamer in. Nu braakte ik in de wc-pot, met de bril keurig omhoog. Het gaf me een gevoel van veiligheid, van thuis zijn. Eindelijk braakte ik op precies de goede plek.

Hij ging achter de badkamerdeur staan, of in de buurt ervan, en hoewel ik niet naar hem kon opkijken, hoorde ik hem lopen. 'Moet ik een ambulance voor je laten komen? Ik bedoel, denk je dat het echt ernstig is? Het zou voedselvergiftiging kunnen zijn. We kunnen ook een taxi pakken en gewoon naar een ziekenhuis gaan.'

'Ik ben niet verzekerd,' zei ik.

'Ik ook niet.' Ik hoorde zijn lompe schoenen achter de deur schuiven.

'Mijn moeder weet het niet,' voegde ik eraan toe omdat ik hem om de een of andere reden toch iets over mezelf wilde vertellen.

Hij lachte; het was de eerste keer dat ik Robert hoorde lachen. 'De mijne wel, zeker?' Ik keek opzij en zag hem lachen – hij ontblootte zijn tanden helemaal, zodat zijn mondhoeken vierkant werden, wijd open. Hij was adembenemend mooi.

'Zou ze het erg vinden?' Ik pakte een washandje, veegde mijn gezicht schoon en spoelde toen snel met mondwater.

'Vast wel.' Ik kon bijna horen hoe hij zijn schouders ophaalde. Ik draaide me om en hij hielp me zonder een woord te zeggen terug naar de bank, alsof hij al jaren mijn verzorger was. 'Wil je dat ik nog even blijf?'

Ik nam aan dat hij bedoelde dat hij andere verplichtingen had. 'O, nee... Het gaat wel weer. Ik heb niets. Ik denk dat dat de laatste keer was.'

'Ik heb het niet bijgehouden,' zei hij, 'maar je kunt niet veel meer overhebben om uit te kotsen.'

'Ik hoop dat ik je niet aansteek.'

'Ik ben nooit ziek,' zei hij, en ik geloofde hem. 'Nou, dan ga ik maar, als je bent opgeknapt, maar ik zal je mijn naam en telefoonnummer geven.' Hij noteerde het onder aan een vel papier op mijn bureau zonder te vragen of ik dat papier nog nodig had, en ik stelde me klungelig aan hem voor. 'Bel me morgen maar op om te vertellen hoe het met je is, dan weet ik zeker dat je echt beter bent.'

Ik knikte, bijna in tranen. Ik was zo verschrikkelijk ver van huis, en in dat huis woonde een vrouw die in haar eentje het vuilnis aan de straat moest zetten, een buskaartje van honderdtachtig dollar hier vandaan.

'Oké,' zei hij. 'Tot ziens. Denk erom dat je moet drinken.'

Ik knikte, hij glimlachte en weg was hij. Ik stond er versteld van hoe weinig aarzeling die vreemde leek te kennen; hij kwam binnen om te helpen en ging zonder gedoe weer weg. Ik stond op en leunde tegen het bureau om zijn telefoonnummer te zien. Zijn handschrift leek op hemzelf, een beetje ruw, maar krachtig en stevig in het papier gedrukt. De volgende ochtend voelde ik me bijna beter, dus belde ik hem. Alleen om hem te bedanken, maakte ik mezelf wijs.

22 oktober 1877
Mon cher oncle,
Ik kan me niet met u meten wat uw trouwe correspondentie betreft,
maar ik haast me u te bedanken voor uw attente brief, die
vanochtend werd bezorgd en die ik samen met papa heb gelezen. Hij
laat u weten dat een broer iets vaker op bezoek moet komen om aan
de eettafel voor familie door te kunnen gaan; dat was uw standje
voor vandaag, al is het oprecht vriendelijk en bewonderend bedoeld
en breng ik het in diezelfde geest aan u over, met de smeekbede dat u
ook ter wille van mij gehoor wilt geven aan die oproep. We voelen
ons hier een beetje mat door al die regen. Ik heb erg van de schets
genoten; het kind in de hoek is aanbiddelijk. U weet het leven zo
prachtig te treffen dat wij alleen maar kunnen hopen net zo goed te
worden... Ik ben van mijn zuster en haar gezin teruggekomen met
een aantal schetsen van eigen hand. Mijn oudste nichtje is nu zeven
en ik weet zeker dat u haar een model met een hoogst innemende
bevalligheid zou vinden.
Hartelijke groet,
Béatrice Vignot-de Clerval

14

Kate

Robert en ik woonden bijna vijf jaar samen in New York. Ik weet nog steeds niet waar die tijd is gebleven. Ik heb ergens gelezen dat het vrij waarschijnlijk is dat alles wat er ooit is gebeurd ergens in het heelal wordt opgeslagen; de persoonlijke geschiedenis van de mensen – de hele geschiedenis, denk ik – opgevouwen in holtes en zwarte gaten in tijd en ruimte. Ik hoop dat die vijf jaar daar nog ergens zijn. Ik weet niet hoeveel van onze tijd samen ik zou willen bewaren, want het was voor een deel verschrikkelijk, tegen het eind, maar die jaren in New York... ja. Ze waren voorbijgevlogen, dacht ik achteraf, maar zolang we samen in New York waren, wist ik zeker dat het altijd zo zou blijven, dat het altijd zo door zou gaan, tot het overging in zoiets vaags als een volwassen bestaan. Toen verlangde ik nog niet naar kinderen en wilde ik niet dat Robert een degelijke baan zocht. Elke dag leek zowel precies goed als opwindend, of in aanleg opwindend.

Die vijf jaar kwamen er doordat ik de telefoon pakte op de dag nadat ik misselijk was geweest, en doordat ik lang genoeg aan de lijn bleef hangen om hem de kans te geven te zeggen dat een paar vrienden van hem de volgende avond naar een toneelstuk op hun kunstacademie gingen en dat ik ook mee kon gaan, als ik zin had. Het was niet echt een uitnodiging, maar het had er iets van weg, en het kwam ook heel dicht in de buurt van het soort aanbod om de avond in New York te vullen dat ik me had voorgesteld toen ik hier net vanuit Michigan naartoe was verhuisd. Ik zei dus ja, en uiteraard was het een onbegrijpelijk stuk, met veel kunstacademiestudenten die een script voorlazen dat ze tegen het eind verscheurden, en vervolgens beschilderden ze de gezichten van de mensen op de eerste rij met witte en groene verf, wat geen mens achter in de zaal goed kon volgen. Ik zat daar in mijn eentje, me bewust van het achterhoofd van Robert, die een rij voor me zat; kennelijk was hij vergeten een stoel naast de zijne voor me vrij te houden.

Na afloop gingen Roberts vrienden naar een feest, maar hij vond me en ging met me naar een café in de buurt van de academie, waar we op draaikrukken aan de bar gingen zitten. Ik was nog nooit in een New Yorks café geweest. Ik herinner me dat een Ierse fiedelaar in een hoek in een microfoon speelde. We praatten over de kunstenaars die we goed vonden en waarom we dat vonden. Ik begon met Matisse. Ik ben nog steeds dol op zijn vrouwenportretten omdat ze zo eigenzinnig zijn, en ik verontschuldig me er niet meer voor, en ik hou ook van zijn stillevens, badend in kleuren en vruchten. Robert daarentegen noemde veel hedendaagse kunstenaars van wie ik nog nooit had gehoord. Hij zat in het laatste jaar van de kunstacademie en destijds beschilderden mensen banken, pakten gebouwen in en maakten van alles en nog wat een concept. Ik vond sommige dingen die hij beschreef boeiend en andere infantiel, maar ik wilde niet laten merken hoe onwetend ik was, dus luisterde ik terwijl hij een litanie opsomde van kunstwerken, stromingen, bezigheden en gezichtspunten die me volkomen vreemd waren, maar die allemaal vurig werden bediscussieerd in de ateliers waar hij werkte en waar zijn werk werd beoordeeld.

Terwijl Robert praatte, keek ik naar de contouren van zijn gezicht, dat nu eens lelijk was en dan weer knap. Zijn voorhoofd stak bijna als een richel uit boven zijn ogen, hij had een haviksneus en er hing een pijpenkrul voor zijn slaap. Ik vond hem net een roofvogel, maar telkens als ik dat dacht, glimlachte hij weer op zo'n kinderlijk blije manier dat ik me afvroeg wat ik vlak daarvoor had gezien. Het was fascinerend dat hij zich niet bewust leek te zijn van de indruk die hij op anderen maakte. Ik zag hoe hij met zijn wijsvinger langs zijn neus wreef en toen met zijn handpalm over het puntje, alsof hij jeuk had, waarna hij op zijn hoofd krabde zoals je een hond zou kunnen krabben, afwezig, vriendelijk – of zoals een grote hond zichzelf zou kunnen krabben. Zijn ogen waren nu eens zo bruin als mijn glas donker bier en dan weer olijfgroen, en hij had de zenuwslopende gewoonte me onverwacht indringend aan te kijken, alsof hij er zeker van was dat ik aandachtig luisterde, maar wilde weten wat ik van zijn laatste opmerking vond, en wel meteen. Zijn huid had een warme, zachte tint, alsof ze de zon zelfs in november in Manhattan vasthield.

Robert zat op een bijzonder goede academie, eentje waarvan ik de naam kende. Hoe was hij daar aangenomen? vroeg ik me af. Na de middelbare school had hij bijna vier jaar 'gedobberd', zoals hij het noemde, voordat hij had besloten weer een opleiding te gaan volgen, en nu hij die bijna had afgerond, vroeg hij zich nog steeds af of het niet zonde van de tijd was geweest, weet je wel? Mijn gedachten dwaalden af van de hedendaagse schilders wier werk hij bediscussieerde, voornamelijk in zijn eentje. Ik stelde me hem voor met zijn overhemd uit, zodat er meer van die warme huid zichtbaar was. Toen begon hij over mij, zonder enige inleiding, en vroeg me wat ik van mijn eigen kunst verwachtte. Ik dacht dat hij mijn tekeningen niet eens had gezien toen hij me naar huis had gebracht om me veilig in mijn eigen omgeving te laten overgeven. Dat zei ik ook ongeveer, met een glimlach, want ik voelde dat het tijd werd dat ik naar hem glimlachte, en ik was blij dat ik het enige topje had aangetrokken waarvan ik wist dat het dezelfde kleur had als mijn ogen. Ik glimlachte, ik maakte tegenwerpingen, ik had gedacht dat hij het nooit zou vragen.

Hij leek zich niet te laten vermurwen door mijn poging tot charmante bescheidenheid. 'Natuurlijk heb ik ze gezien,' zei hij effen. 'Je bent goed. Wat ga je ermee doen?'

Ik gaapte hem aan. 'Wist ik het maar,' zei ik uiteindelijk. 'Ik ben naar New York gegaan om erachter te komen. In Michigan stikte ik, gedeeltelijk doordat ik eigenlijk geen andere kunstenaars kende.' Het drong tot me door dat hij niet eens had gevraagd waar ik vandaan kwam en me ook niets over zijn eigen achtergrond had verteld.

'Moet je andere kunstenaars kennen om goed werk te maken? Moet een echte kunstenaar niet overal kunnen werken?'

Het deed pijn, en bij wijze van uitzondering reageerde ik gepikeerd. 'Kennelijk niet, als jouw beoordeling van mijn werk klopt.'

Voor het eerst leek hij me helemaal te zien. Hij draaide zich naar me toe en legde een van zijn grote, rare schoenen, met nog een vage vlek erop, op de voetensteun van mijn kruk. Hij had kraaienpootjes rond zijn ogen, oud in zijn jonge gezicht, en zijn brede mond krulde op in een ontstemde glimlach. 'Ik heb je boos gemaakt,' zei hij met een zekere verwondering.

Ik ging rechter zitten en nam een slok Guinness. 'Ja, eigenlijk wel. Ik heb best hard gewerkt in mijn eentje, ook al had ik geen kunstacademiestudenten om mee in dure cafés te zitten praten.' Ik vroeg me af wat me bezielde. Meestal was ik veel te verlegen om zo tegen mensen te katten. Het zou door het bruisende bier kunnen komen, of door zijn lange monoloog, of misschien door het gevoel dat mijn kleine sneer zijn aandacht had getrokken, terwijl al mijn beleefde geluister hem niets had gedaan. Ik had het idee dat hij me nu onderzoekend opnam: mijn haar, mijn sproeten, mijn borsten, het feit dat ik amper tot zijn schouder reikte. Hij glimlachte naar me en de warmte van zijn ogen met die voortijdige kraaienpootjes eromheen kroop in mijn bloed.

Ik had het gevoel dat het nu of nooit was. Ik moest zijn onverdeelde aandacht zien vast te houden, anders kwam die misschien nooit meer terug. Anders zou hij weer in die immense stad worden opgenomen en zou ik nooit meer iets van hem horen, die man die uit tientallen medestudenten kon kiezen. Zijn sterke dijen, zijn lange benen in de bizarre broek – een tweed bandplooibroek die avond, met kale plekken op de knieën, ongetwijfeld in een kringloopwinkel aangeschaft – hielden hem naar mij toe gekeerd op zijn barkruk, maar hij kon elk moment zijn belangstelling verliezen en weer naar zijn drankje zwenken.

Ik draaide me naar hem toe en keek hem recht aan. 'Wat ik bedoel, is: hoe durf je mijn huis binnen te lopen en mijn werk te analyseren zonder iets te zeggen? Je had toch ten minste kunnen zeggen dat je het niets vond?'

Zijn gezicht werd ernstiger en zijn ogen stonden vragend. Nu ik hem van voren en van dichtbij zag, bleek hij ook rimpels in zijn voorhoofd te hebben. 'Het spijt me.' Toen ik zag hoe verwonderd zijn wenkbrauwen probeerden de puzzel van mijn wrevel op te lossen, voelde ik me alsof ik een hond had geslagen. Het was moeilijk te geloven dat hij nog maar een paar minuten eerder tegen zichzelf had zitten oreren over hedendaagse schilders.

'Ik heb niet de luxe van de kunstacademie gehad,' vervolgde ik. 'Ik werk tien uur per dag op de redactie van een uitgeverij, een slaapverwekkende baan. Dan ga ik naar huis om te tekenen of te schilderen.' Het was niet helemaal waar, want ik werkte maar acht uur per dag, en vaak kwam ik zo bekaf thuis dat ik de hele avond naar het nieuws en comedy's keek op het kleine televisietoestel dat mijn oudtante me jaren eerder had nagelaten, of ik telefoneerde, of ik lag lusteloos op mijn bedbank, of ik las een boek. 'En de volgende ochtend sta ik op en ga ik weer naar mijn werk. In het weekend lukt het me soms een museum te bezoeken of in een park te schilderen, en als het slecht weer is, teken ik binnen. Heel flitsend. Kan dat doorgaan voor het leven van een kunstenaar?' De laatste vraag kwam er sarcastischer uit dan ik had bedoeld, tot mijn schrik. Hij was mijn enige date in maanden, als je dit een date kon noemen, en ik maakte gehakt van hem.

'Het spijt me,' zei hij nog eens. 'En ik moet zeggen dat ik onder de indruk ben.' Hij keek naar zijn hand op de rand van de bar en naar de mijne, die mijn glas Guinness omvatte. Toen keken we elkaar aan, steeds langer, alsof het een wedstrijd was. Zijn ogen onder de borstelige wenkbrauwen waren... misschien was het de kleur die me in de ban hield. Het was alsof ik nooit echt in de ogen van een ander had gekeken. Als ik die kleur kon benoemen, dacht ik, of de tint van de spikkels erin, zou ik mijn blik kunnen afwenden. Hij wendde als eerste zijn blik af. 'En nu?'

'Tja,' zei ik, en mijn vrijpostigheid maakte me bang, want diep vanbinnen wist ik, wíst ik gewoon, dat die niet bij me paste, maar alleen werd ingegeven door Roberts aanwezigheid en de manier waarop hij naar mijn gezicht keek. 'Tja, ik geloof dat je nu hoort te vragen of ik met je mee wil om je etsen te bekijken.'

Hij schoot in de lach. Zijn ogen lichtten op en hij schaterde met zijn gulle, lelijke, sensuele mond. Hij sloeg op zijn knie. 'Precies. Wil je met me mee om mijn etsen te bekijken?'

29 oktober 1877
Mon cher oncle,
We hebben uw brief vanochtend ontvangen en het zal ons een
genoegen zijn u aan het diner te verwelkomen. Papa hoopt dat u
vroeg komt, met de kranten, om hem voor te lezen.
In haast, uw nicht,
Béatrice de Clerval

15

Kate

Robert woonde in een appartement in de West Village, samen met twee medestudenten die geen van beiden thuis waren toen we aankwamen. Hun slaapkamerdeuren stonden open en erachter zag ik vloeren bezaaid met kleren en boeken, als in een slaapzaal. In de rommelige woonkamer hing een poster van Jackson Pollock, op het aanrecht in de keuken stond een fles cognac en in de spoelbak stond afwas. Robert bracht me naar zijn kamer, waar het ook een zootje was. Het bed was natuurlijk niet opgemaakt en er lag een berg vuile was op de vloer, maar hij had een paar sweaters netjes over de rugleuning van de bureaustoel gehangen. Er waren stapels boeken – ik was onder de indruk toen ik zag dat er een paar in het Frans tussen zaten, boeken over kunst en mogelijk romans, en toen ik Robert ernaar vroeg, zei hij dat zijn moeder na de oorlog met zijn vader naar Amerika was gekomen, dat ze Frans was en dat hij tweetalig was opgevoed.

Het opvallendste was nog wel dat elk oppervlak was bedekt met tekeningen, aquarellen en ansichtkaarten van schilderijen. Aan de wanden hingen schetsen die van Robert zelf moesten zijn: in potlood en houtskool, een groot aantal naar hetzelfde model, studies van armen, benen, neuzen en handen, overal handen. Ik had verwacht dat zijn kamer een schrijn zou zijn, gewijd aan de moderne schilderkunst, vol kubussen, rechte lijnen en posters van Mondriaan, maar nee; het was een gewone werkruimte. Hij keek naar me. Ik had er genoeg verstand van om te zien dat zijn tekeningen verbluffend waren, technisch trefzeker en toch vol leven, mysterie en beweging. 'Ik probeer het lichaam te leren kennen,' zei hij ernstig. 'Tekenen is nog steeds heel moeilijk voor me. Het is het enige waar ik belang aan hecht.'

'Je bent een traditionalist,' zei ik verbaasd.

'Ja,' zei hij bondig. 'Eigenlijk heb ik het niet zo op concepten. Neem maar van mij aan dat ik daar ook veel gedonder mee heb op school.'

'Ik dacht... Toen je in het café over al die geweldige hedendaagse schilders praatte, dacht ik dat je ze bewonderde.'

Hij keek me vreemd aan. 'Dat was niet de indruk die ik wilde wekken.'

We staarden elkaar aan. Het appartement gonsde van de stilte, dat verlaten gevoel van een lege ruimte op het hoogtepunt van een drukke avond in de stad. We hadden net zo goed alleen op Mars kunnen zitten. Het had iets heimelijks, alsof we verstoppertje speelden en niemand wist waar we zaten. Ik dacht vluchtig aan mijn moeder, die allang lag te slapen in het grote bed waarin mijn vader vroeger ook had gelegen, met de kat aan haar voeten, de voordeur wijselijk op slot gedraaid en nog twee keer gecontroleerd, de klok die in de keuken onder haar tikte. Ik wendde me tot Robert Oliver. 'Wat bewonder je dán?'

'Eerlijk zeggen?' Hij trok zijn zware wenkbrauwen op. 'Hard werken.'

'Je tekent goddelijk.' Ik flapte het er zomaar uit, en ik zei het zoals mijn moeder het had kunnen zeggen – en ik meende het.

Hij leek onverwacht blij te zijn, vol verbazing over mijn woorden. 'Dat horen we niet vaak tijdens de beoordeling. Nooit, eigenlijk.'

'Niets van wat je me tot nog toe hebt verteld, maakt dat ik naar de kunstacademie wil,' merkte ik op. Hij had me geen stoel aangeboden, dus drentelde ik nog eens langs de tekeningen. 'Ik neem aan dat je ook schildert?'

'Natuurlijk, maar alleen op de academie. Wat mij betreft, draait het om het schilderen.' Hij pakte wat losse vellen van het bureau. 'Dit zijn studies voor een schilderij naar model waar we in het atelier aan hebben gewerkt, een groot olieverfschilderij op linnen. Ik heb moeten vechten om erbij te komen. Die vent, dat model, is een grote uitdaging voor me. Het is een oude man – ongelooflijk lang, met zilverwit haar en spieren als kabels, maar hij takelt ook af. Wil je iets drinken?'

'Nee, dank je.' Ik begon me eerlijk gezegd af te vragen wat ik nu eigenlijk van deze afspraak verwachtte en of ik niet beter naar huis kon gaan. Het was al zo laat dat ik een taxi zou moeten nemen om veilig thuis te komen, en dat zou me al het geld kosten dat ik die week opzij had gelegd. Misschien had Robert een studiebeurs en zou hij het niet begrijpen. Ik vroeg me ook af waar mijn trots was gebleven. Waarschijnlijk gaf Robert Oliver vooral om zichzelf en zijn schilderijen en vond hij me aardig omdat ik braaf had geluisterd, in het begin althans. Dat zei mijn intuïtie me, de scherpe intuïtie die meisjes ontwikkelen ten aanzien van jongens, vrouwen ten aanzien van mannen. 'Ik kan beter naar huis gaan. Ik moet een taxi zien te vinden.'

Hij stond voor me, midden in zijn rommelige slaapkamer zonder ramen, imposant maar op de een of andere manier ook kleintjes, kwetsbaar, met zijn armen slap langs zijn zij. Hij moest iets bukken om me recht aan te kunnen kijken. 'Mag ik je kussen voordat je naar huis gaat?'

Ik schrok, niet zozeer van het feit dat hij me wilde kussen als wel van de vraag, zijn schutterige optreden. Opeens had ik medelijden met die man die eruitzag als een zegevierende Hun, maar me toch bedeesd vroeg om... Ik stapte op hem af en legde mijn handen op zijn schouders, die massief en betrouwbaar aanvoelden, de schouders van een os, een arbeider, geruststellend. Zijn gezicht werd wazig van zo dichtbij, zijn ogen een veeg kleur vlak bij de mijne. Toen drukte hij zijn stevige lippen op mijn mond. Ze voelden net zo aan als zijn schouders, warm en gespierd, maar aarzelend, en hij leek even op me te wachten tot ik weer iets als mededogen voelde en zijn kus beantwoordde.

Plotseling sloeg hij zijn armen om me heen – het was voor het eerst dat ik zijn immense omvang voelde, zijn grote lichaam helemaal tegen me aan – en tilde me bijna op terwijl hij me met een ongekunstelde hartstocht kuste. Hij was dus toch niet zo verlegen. Het was alsof hij domweg niet wist hoe hij níét zichzelf kon zijn, en ik voelde zijn wezen als een bliksemstraal door me heen trekken, ik, die elke seconde aan mezelf twijfelde, mezelf continu bekritiseerde en analyseerde. Het was alsof ik een toverdrank dronk waarvan ik het bestaan niet had vermoed; elke druppel, het hele elixer, trok naar mijn achterhoofd en diep in mijn borstkas en schoot door naar mijn voeten. Ik voelde de aandrang me van hem los te maken om nog eens naar zijn ogen te kijken, maar niet uit angst. Het was meer uit een soort verwondering dat iemand zo gecompliceerd en toch zo eenvoudig kon zijn, naar nu bleek. Zijn hand gleed naar mijn onderrug en hij drukte me steviger tegen zich aan, alsof ik een pakje was waar hij verlangend naar had uitgekeken. Hij tilde me op en hield me letterlijk in zijn armen.

Ik verwachtte dat nu de klik van de deur zou volgen, de geur en het gevoel van een bed met ongewassen lakens waarin ik me zou afvragen of een ander daar kortgeleden onder hem had gelegen, het rommelend zoeken naar condooms in de la van het nachtkastje – de paniek rond de aidsepidemie was net uitgebroken – en mijn half angstige, half gretige toestemming. In plaats daarvan gaf hij me nog een kus en zette me neer. Hij drukte me tegen zijn sweater. 'Je bent verrukkelijk,' zei hij. Hij streelde mijn haar, nam mijn gezicht onhandig in zijn handen en drukte een kus op mijn voorhoofd. Het was zo'n teder, huiselijk gebaar dat er een brok in mijn keel schoot. Was dit een afwijzing? Maar hij legde zijn grote handen op mijn schouders en streelde mijn nek. 'Je moet niet het gevoel hebben dat je wordt opgejaagd. Dat wil ik zelf ook niet. Zullen we morgenavond iets doen? We kunnen gaan eten bij een restaurant in de Village dat ik ken. Het is goedkoop en minder rumoerig dan het café.'

Vanaf dat moment was ik van hem; hij had me in zijn zak. Niemand had ooit niet gewild dat ik me opgejaagd zou voelen. Ik wist dat wanneer het moment daar was, of het nu morgenavond was of de avond daarna, of over een week, ik hem niet als een indringer op me zou voelen liggen, maar als een man op wie ik verliefd zou kunnen worden, als ik dat niet al was. Die eenvoud – hoe kon hij die bewaren terwijl ik zo achterdochtig was? Toen hij een taxi voor me had aangehouden, kusten we elkaar op straat, lang, tot ik het in mijn buik voelde, en hij lachte – het klonk vrolijk – en omhelsde me terwijl de chauffeur zat te wachten.

De volgende ochtend hoorde ik niets van hem, al had hij beloofd me meteen te bellen om me een routebeschrijving naar het restaurant te geven. Tegen het middaguur trok de euforie langzaam uit mijn armen en benen. Dat hij niet met me naar bed was gegaan, was een makkelijke manier geweest om van me af te komen, een vriendelijke manier; hij wilde helemaal niet met me uit eten. Ik moest een lang artikel over ruggenmergpuncties corrigeren waar ik lichtelijk onpasselijk van werd, alsof iets van de misselijkheid in het warenhuis tijdens mijn eerste ontmoeting met Robert was teruggekomen, een kleine terugval. Ik lunchte aan mijn bureau. Om vier uur ging mijn telefoon en ik dook erop af. Mijn moeder was de enige ander die mijn nummer op kantoor had, dus ik wist dat het maar één van twee mensen kon zijn. Het was Robert. 'Sorry dat ik niet eerder kon bellen,' zei hij zonder nadere verklaring. 'Wil je nog uit eten vanavond?'

Dat was de tweede avond van onze vijf jaar in New York.

16

Marlow

Kate stond op van de bank in haar stille woonkamer en begon te ijsberen als een gekooid dier. Ze liep naar de ramen en weer terug en ik keek toe met een soort medelijden omdat ik haar in deze positie had gebracht. Ze had in haar verhaal niet gerept over de dingen die ik het dringendst wilde weten, maar ik had op dat moment geen zin om haar onder druk te zetten.

Ik bedacht wat een goede echtgenote ze had kunnen zijn geweest, moest zijn geweest, die vrouw die me aan mijn moeder deed denken in haar rechtschapenheid, haar organisatietalent en haar smaakvolle gebaren van gastvrijheid (ik dacht het niet voor het eerst), al ontbrak het haar aan de goedaardige zelfverzekerdheid en het ironische gevoel voor humor van mijn moeder. Of misschien had Kate wel gevoel voor humor, maar was het verdwenen door de scheiding van haar man. Een tijdelijk ontbreken van vrolijkheid, hoopte ik. Ik had genoeg vrouwen gezien die finaal uit hun doen raakten door een scheiding. Sommigen kwamen er nooit meer bovenop in die zin dat ze chronisch verbitterd of depressief werden, vooral als de scheiding een eerder trauma of een onderliggende aandoening blootlegde, maar de meeste vrouwen waren opmerkelijk sterk, vond ik; degenen die erbovenop wisten te komen, kwamen er met een rijker innerlijk leven uit tevoorschijn. De intelligente Kate, wier gladde haar nu het licht ving, zou een beter iets of iemand vinden en tevreden zijn, en wijs.

Terwijl ik dat dacht, draaide ze zich naar me om. 'U denkt dat het niet zo erg geweest kan zijn,' zei ze verwijtend.

Mijn mond zakte open van verbazing. 'Niet precies,' zei ik, 'maar je hebt bijna gelijk. Ik weet zeker dat het erg was, maar ik dacht net dat je zo sterk lijkt.'

'Dus ik kom er wel overheen.'

'Ik denk het wel.'

Ze leek op het punt te staan me op mijn nummer te zetten, maar zei alleen: 'Tja, u hebt veel patiënten behandeld, dus u zult het wel kunnen weten.'

'Ik heb nooit het gevoel dat ik ook maar iets van de mens weet, uiteindelijk, maar het is waar dat ik veel mensen heb geobserveerd.' Het was een bekentenis die ik niet aan een patiënt zou hebben gedaan.

Ze draaide zich iets, en haar tere sleutelbeenderen vingen het licht. 'En houdt u nog van mensen, dokter Marlow, nadat u er zoveel hebt geobserveerd?'

'En jij? Je lijkt me zelf ook bijzonder opmerkzaam.'

Voor het eerst sinds ik haar woonkamer had betreden, hoorde ik haar lachen. 'Laten we geen spelletjes met elkaar spelen. Ik zal u Roberts werkkamer laten zien.'

Ik keek ervan op, om twee redenen: ten eerste dat hij een werkkamer hád, en ten tweede dat ze ondanks haar verdriet zo grootmoedig was. Misschien was de kamer tevens atelier geweest. 'Weet je het zeker?'

'Ja,' zei ze. 'Het stelt weinig voor en ik ben de kamer aan het uitruimen, want ik wil het bureau gebruiken om rekeningen aan te betalen en mijn eigen paperassen te ordenen. Ik moet zijn atelier ook nog leeghalen.'

Toen ze met Robert in dit huis woonde, had zij geen eigen werkkamer of atelier gehad, maar hij beide. Robert Oliver had een groot beslag gelegd op haar levensruimte, letterlijk. Ik hoopte dat ze me het atelier ook zou laten zien. 'Dank je wel,' zei ik.

'O, wees maar niet te dankbaar,' zei ze. 'Het is een troep op zijn werkkamer. Het heeft lang geduurd voordat ik zelfs de deur van die kamer maar open kon doen, maar ik voel me beter nu ik een begin heb gemaakt met opruimen. U mag alles bekijken. Dat zeg ik omdat ik niets meer geef om wat er ligt. Echt niet.'

Kate liep naar het dienblad, zette onze kopjes erop en keek over haar schouder. 'Loopt u mee?' zei ze. Ik liep achter haar aan naar een eetkamer die al net zo netjes en rustgevend was als de woonkamer, met hoge stoelen rond een glanzende tafel. Ook hier hingen aquarellen, berglandschappen, en een paar oude prenten met vogels, kardinalen en blauwe gaaien, in de stijl van Audubon. Ook hier geen schilderijen van Robert. Ze ging me voor naar een zonnige keuken, waar ze onze kopjes in de spoelbak zette, en liep toen door de keuken naar een kamer die niet veel groter was dan een ruime kast. Hij was gemeubileerd, of liever gezegd volgestouwd, met een bureau, een boekenkast en een stoel. Het bureau was antiek, zoals de meeste meubelstukken van Kate, een groot cilinderbureau dat openstond, waardoor er nissen en vakjes vol papieren te zien waren; een troep, zoals ze had aangekondigd.

Hier voelde ik Robert Olivers aanwezigheid veel sterker dan in de woonkamer. Ik kon voor me zien hoe hij met zijn grote handen rekeningen, bonnen en ongelezen artikelen in de vakken van het bureau schoof. Op de vloer stonden wat plastic kratten, keurig van een etiket voorzien voor verschillende soorten documenten, alsof Kate aan het sorteren was geweest. Er was geen archiefkast te zien – er had ook niets meer in de kamer gepast – maar misschien had Kate er ergens anders een verstopt. 'Ik baal van deze klus,' zei ze, weer zonder nadere verklaring. Op de planken van de kast stonden een woordenboek, een filmgids, misdaadromans, waarvan sommige in het Frans, en veel kunstboeken. *Picasso en zijn wereld*, Corot, Boudin, Manet, Mondriaan, de postimpressionisten, Rembrandts portretten en een verrassende veelheid aan werken over Monet, Pissarro, Seurat, Degas en Sisley – de negentiende-eeuwse Franse kunstenaars waren het sterkst vertegenwoordigd. 'Hield Robert veel van het impressionisme?' vroeg ik.

'Vast wel,' zei ze schouderophalend. 'Hij had telkens een andere bevlieging. Ik kon hem niet altijd bijbenen.' Er klonk iets hatelijks in haar stem door en ik keek naar het bureau. 'U mag er best in kijken, als u alles maar op orde houdt. Orde...' Ze hoorde zichzelf en wendde de blik hemelwaarts. 'Nou ja, als u alles maar bij elkaar houdt, want ik probeer alle financiële gegevens hieruit te destilleren, voor het geval ik ooit belastingcontrole krijg.'

'Heel vriendelijk van je.' Ik wilde zeker weten dat ik haar toestemming had; ik onderdrukte mijn eigen uitgesproken idee dat het doornemen van de papieren van een levende patiënt die daar geen toestemming voor had gegeven een serieuze stap was, ook al moedigde zijn ex-vrouw me verbitterd aan het te doen. Voorál als ze me aanmoedigde. Maar Robert had tegen me gezegd dat ik met iedereen mocht praten. 'Verwacht je dat er iets tussen zit waar ik iets aan heb?'

'Ik betwijfel het,' zei ze. 'Misschien voel ik me daarom zo edelmoedig. Robert had niet echt persoonlijke papieren; hij schreef niet over zijn gevoelens en hield geen dagboek bij of zoiets. Ik schrijf zelf graag, maar hij zei dat hij de wereld niet goed via woorden kon begrijpen – hij moest ernaar kijken en de kleuren benoemen, schilderen. Ik heb hier weinig meer aangetroffen dan een kolossale wanorde.'

Ze lachte, of snoof, alsof haar eigen aanduiding, 'kolossaal', haar wel beviel. 'Het zal wel niet helemaal waar zijn dat hij nooit iets opschreef; hij schreef allemaal briefjes aan zichzelf en lijstjes, en die raakte hij dan kwijt in de chaos.' Ze trok een vodje papier uit een open krat. '"Touw voor decor",' las ze hardop. '"Slot tuinhek, meekrap en board kopen, Tony cheque sturen, donderdag." Hij vergat toch altijd alles. Of deze dan: "Nadenken over veertig worden." Dat geloof je toch niet? Jezelf eraan herinneren dat je moet nadenken over zoiets basaals? Als ik naar al die troep kijk, ben ik blij dat ik van de rest af ben... Van hém, bedoel ik. Maar ga uw gang.' Ze glimlachte naar me. 'Ik ga een lunch voor ons maken zodat we rustig kunnen eten voordat ik de kinderen ga ophalen. We hebben morgen natuurlijk ook nog.' Ze liep de kamer uit zonder mijn antwoord af te wachten.

17

Marlow

Na een korte aarzeling ging ik op Roberts bureaustoel zitten. Het was zo'n stokoude kantoorstoel met gebarsten leer op de zitting en rug en rijen messing kopspijkertjes, wankel draaiend op zijn wieltjes, of iets te ver achterovergekanteld om stabiel te zijn; een erfstuk, vermoedde ik, van een groot- of zelfs overgrootvader. Toen stond ik weer op en sloot de deur behoedzaam. Ik dacht dat ze het niet erg zou vinden; ze had me toch al compleet aan mijn lot overgelaten. Ik had de indruk dat het bij Kate Oliver altijd alles of niets was: óf ze zou me gewetensvol alles laten zien en vertellen, óf ze zou haar privacy bewaken, en ze had voor het eerste gekozen. Ik vond haar aardig; ik vond haar bijzonder aardig.

Ik boog me over het bureau en trok een stapel papieren uit een van de vakken: bankafschriften, half verfrommelde rekeningen van het water- en energiebedrijf, onbeschreven vellen. Ik vond het vreemd dat Kate haar warrige echtgenoot het financiële beheer had toevertrouwd, maar misschien had hij erop gestaan. Ik schoof de hele verzameling weer terug. Een paar vakken waren leeg, afgezien van wat paperclips en stof; daar was Kate al aan het werk geweest. Ik stelde me voor hoe ze dit allemaal opruimde, alles ordende en op stapeltjes legde en ten slotte het bureau schoonveegde en mogelijk in de was zette. Misschien had ze me hier toegelaten omdat ze alle persoonlijke dingen al had weggehaald; misschien was het een loos gebaar, schijngastvrijheid.

In de andere vakken vond ik evenmin iets van belang, behalve een verschrompeld dingetje in een verre hoek dat een stokoude joint bleek te zijn; ik herkende de geur uit een ver verleden, zoals je een specerij uit een kindertoetje herkent. Ik legde hem zorgvuldig op zijn plaats terug. De bovenste twee laden puilden uit van de schetsen; conventionele figuurtekeningen die in niets leken op de vrouw met wie hij zijn kamer in Goldengrove dagelijks vulde, en oude catalogi, voornamelijk voor schildersbenodigdheden, een paar voor buitensporten, alsof Robert trek- of fietstochten had gemaakt. Waarom bleef ik maar in de verleden tijd aan hem denken? Hij zou nog heel goed de hele Appalachian Trail kunnen lopen, en het was mijn taak hem te helpen zover te komen.

De onderste la ging moeilijker open, zo vol zat hij met gele kladblokken waarop Robert zo te zien aantekeningen voor zijn lessen had gemaakt ('Eerste uur schetsen, wat fruit, stilleven tot einde blokuur, twee uur?'). Ik maakte uit die notities op dat Robert zijn lessen hooguit schetsmatig voorbereidde, en de meeste aantekeningen waren niet van een datum voorzien. Zijn aanwezigheid alleen al moest het lokaal of atelier hebben gevuld; zo te zien had hij weinig méér van tevoren vastgelegd. Of was hij gewoon zo'n begenadigde docent geweest dat hij al zijn kennis in zijn hoofd bewaarde en die op afroep op een ordelijke manier tevoorschijn kon toveren? Of betekende schilderles voor hem gewoon dat hij rondliep en het werk in wording van zijn leerlingen van commentaar voorzag? Ik had zelf een stuk of vijf, zes van zulke ateliercursussen gevolgd, tussen de bedrijven door, en ik had ervan genoten: dat gevoel dat je alleen bent, maar toch andere schilders om je heen hebt; zelfs de docent liet je het grootste deel van de tijd met rust, maar toch werd je gezien en soms aangemoedigd, waardoor je nog harder je best deed.

Ik wroette me een weg tot onder in de onderste la en stond al op het punt al die kladblokken met een enkele telefoonrekening ertussen voor gezien te houden, toen mijn oog op een beschreven vel viel. Het was gelinieerd wit papier, gekreukt, alsof er een prop van was gemaakt die vervolgens weer glad was gestreken, en het handschrift was ferm, met grote, rechte lussen. Hier en daar was een woord doorgekrast en vervangen. Ik kende dat handschrift al van alle briefjes om me heen; het was onmiskenbaar dat van Robert. Ik pakte het papier uit de la en probeerde het glad te strijken op het vilt van de bureaulegger.

Je was constant bij me, mijn muze, en ik zag je verrassend levendig voor me, niet alleen je schoonheid en welwillende gezelschap, maar ook je lach en je kleinste gebaar.

De volgende regel was doorgestreept, met felle halen doorgekrast, en de rest van het papier was blanco. Ik spitste mijn oren. Achter de dichte deur hoorde ik Roberts vroegere echtgenote iets in de keuken doen; misschien sleepte ze een kruk over het linoleum of deed ze een kastdeur open en weer dicht. Ik vouwde het vel in drieën en stopte het in mijn binnenzak. Toen bukte ik me en wroette nog eens in de onderste la. Niets, of althans niets meer in Roberts handschrift, al vond ik wel belastingformulieren die eruitzagen alsof ze amper uit de envelop waren gehaald.

Het leek gek, maar aangezien de deur goed dichtzat en Kate nog druk bezig leek te zijn in de keuken, bukte ik me, haalde de boeken van Roberts planken en voelde erachter. Stof streek langs mijn hand. Ik diepte een rubberen bal op die van een van de kinderen geweest zou kunnen zijn en inmiddels stofjonkies had gekregen: pluizige balletjes die, zo besefte ik met iets als een huivering, uit menselijke huidcellen bestonden. Ik zette telkens vijf of zes boeken op de vloer, zodat als Kate onverwacht de deur opendeed, ze weinig zou zien wat van zijn plaats was gehaald en ik altijd nog kon zeggen dat ik naar de boeken zelf had gekeken.

Ik vond echter niet meer papieren; er was niets achter de boeken verstopt en ook niet (ik bladerde er een paar snel door) erin. Even zag ik mezelf zitten, alsof ik in de deuropening stond, in een interieur dat zorgvuldig was opgebouwd uit donkere vormen, verlicht door een enkele gloeilamp aan het plafond, een fel licht, een onharmonieus, suggestief interieur in de stijl van Bonnard. Pas nu viel het me op dat er geen foto's aan de wanden van Roberts werkkamer hingen, geen ansichtkaarten, geen aankondigingen van exposities, geen kleine doeken die niet waren verkocht op een expositie. Dat was vreemd, voor de werkkamer van een schilder, maar misschien had hij alles bewaard voor zijn atelier.

Toen ik me weer over de boekenplanken boog, zag ik dat er toch iets aan een wand te zien was: geen schilderij of foto, maar haastig met potlood genoteerde cijfers en een paar woorden, naast de kast, zodat er vanuit de deuropening niets van te zien was. Even dacht ik dat het de lengte en leeftijd van Roberts kinderen zouden kunnen zijn, de data waarop ze een bepaalde lengte hadden bereikt, maar de aantekeningen zaten laag, zelfs voor een klein kind. Ik hurkte met *Seurat en de Parijzenaars* nog in mijn hand naast de boeken. De aantekeningen waren inderdaad met potlood gemaakt, waarschijnlijk nummer 5B of 6B, donker en zacht voor dicht arceerwerk. Ik tuurde ernaar. '1879', stond er, en daarachter twee woorden: 'Étretat. Vreugde'.

Ik las het een paar keer. De cijfers en letters waren slordig op de muur geschreven; Robert moest op de vloer zijn gaan liggen om ze te noteren, en dan nog moest het lastig geweest zijn om het netjes te doen. Hij moest zijn lange benen hebben opgetrokken, als een kind, zo klein was de kamer. Of had iemand anders die aantekening gemaakt? Ik vond dat de krullerige É en V en de stoklengte van de g op Roberts handschrift leken, op het slordige, ferme handschrift van al die briefjes aan zichzelf die ik had gelezen, de afgeschreven cheques. Ik pakte de aanzet tot een brief uit mijn binnenzak en hield hem ernaast, ter vergelijking. De g was onmiskenbaar hetzelfde, net als de krachtige, duidelijke kleine t. Waarom zou een volwassen man, een boom van een vent, gaan liggen om iets op de wand van zijn werkkamer te schrijven?

Ik stopte de brief, die al warm was geworden in mijn binnenzak, behoedzaam terug op zijn geheime plekje en ging op zoek naar een onbeschreven stuk papier. Ik herinnerde me de kladblokken in de onderste la en scheurde een vel af, waarop ik nauwgezet de notitie op de muur overnam. Ik dacht het woord 'Étretat' te kennen, maar ik zou het hoe dan ook later opzoeken.

De zoektocht naar papier had me op een idee gebracht; ik trok de prullenbak naar me toe en rommelde erin, waarbij ik om de paar seconden naar de deur gluurde. Ik vroeg me af wie hem zo vol had gepropt, Kate of Robert; waarschijnlijk Kate terwijl ze aan het opruimen was. Er zaten meer vodjes in met Roberts handschrift erop, en een stel tekeningetjes die studies hadden kunnen zijn voor een naaktportret, maar ook gedachteloos gezette krabbels. Er waren er een paar doormidden gescheurd; eindelijk een teken van de kunstenaar. Roberts briefjes aan zichzelf zeiden me niets, temeer daar ze maar uit een paar woorden bestonden en doorgaans over praktische zaken gingen. Ik bekeek er nog een: 'Wijn en bier halen voor morgenavond.' Ik durfde ze niet mee te nemen; als ik mijn zakken vulde, zou Kate het geritsel horen, en los daarvan was er de levensgrote en vernederende kans dat ik me zou schamen bij het horen van mijn eigen geritsel. Eén schaamte was genoeg; ik voelde door mijn jasje heen aan de brief. *Je was constant bij me, mijn muze...* Wie was zijn muze? Kate? De vrouw op zijn tekeningen in Goldengrove? Was dat 'Mary'? Het leek aannemelijk, en mogelijk zou Kate me over haar vertellen als ik er op een indirecte manier naar vroeg.

Ik nam de rest van de boeken met een paar tegelijk door, steeds luisterend of ik de deur hoorde, maar vond alleen wat papiertjes die bedoeld waren om een favoriete bladzij aan te geven, of wellicht een passage of beeld dat Robert in de les kon gebruiken, want er stak zo'n papiertje bij een kleurenreproductie van Manets *Olympia*. Ik had het origineel jaren eerder in Parijs gezien. Toen ik het papiertje wegtrok, keek ze naar me op, naakt en nietszeggend onverschillig. Achter de bovenste rij boeken vond ik een grote, opgepropte witte sok. Er was geen hoekje meer te doorzoeken, tenzij ik het kleed optilde. Ik gluurde achter de kast en het bureau en keek nog eens naar die datum op de wand. Een Frans woord, Étretat, een plaats. Wat was er in 1879 in Frankrijk voorgevallen, als er een verband was tussen de naam en de datum, al was het maar in Roberts geest? Ik probeerde me iets te herinneren, maar ik had nooit veel van de Franse geschiedenis geweten, of alles uit mijn geheugen gewist zodra ik op de middelbare school klaar was met het vak westerse beschaving. Was dat niet de tijd van de Commune van Parijs, of was dat eerder? Wanneer had baron Haussmann die grote boulevards van Parijs precies ontworpen? Rond 1879 had het impressionisme gebloeid, al kreeg het veel kritiek te verduren, zoveel wist ik wel van mijn museumbezoeken en de boeken die ik zo af en toe las, dus misschien was het een jaar van vrede en welvaart geweest.

Ik maakte de deur van de werkkamer open, blij dat Kate me niet vanaf de andere kant voor was geweest. De keuken leek onnatuurlijk licht na Roberts werkkamer; de zon was tevoorschijn gekomen en liet de druppels op de bomen flonkeren. Het had dus geregend terwijl ik Roberts papieren doorzocht. Kate stond aan het aanrecht salade te husselen; ze droeg een blauw koksschort over haar topje en spijkerbroek en haar wangen waren rood. De borden waren zachtgeel. 'Ik hoop dat u van zalm houdt,' zei ze op een toon alsof ik het niet moest wagen nee te zeggen.

'Ja,' zei ik naar waarheid. 'Ik ben er gek op, maar het was niet mijn bedoeling dat je je zo zou uitsloven voor de lunch. Dank je.'

'Het is geen moeite.' Ze legde sneetjes brood in een mand met een doek erin. 'Ik krijg nog maar zelden de kans voor volwassenen te koken, en de kinderen lusten eigenlijk alleen maar macaroni met kaas en spinazie. Ik mag nog blij zijn dat ze van spinazie houden.' Ze draaide zich om en glimlachte naar me, en ik werd getroffen door het vreemde van de situatie: de vroegere echtgenote van een van mijn patiënten, een vrouw die ik pas een paar uur geleden voor het eerst had ontmoet, een vrouw die ik amper kende en half vreesde, bereidde een maaltijd voor me. Haar glimlach, die vriendelijk en spontaan was, raakte me door de keuken heen. Ik wilde deemoedig mijn hoofd buigen.

'Dank je,' zei ik nog eens.

'Zet de borden maar op tafel,' zei ze en ze reikte ze me aan met haar slanke handen.

30 oktober 1877
Mon cher oncle,
Ik schrijf u deze ochtend om u namens ons allen te bedanken voor
uw aanwezigheid gisteravond en het genoegen dat u ons hebt
geschonken. Ook bedankt voor uw bemoedigende woorden met
betrekking tot mijn tekeningen, die ik u niet had getoond als mijn
schoonvader en Yves er niet op hadden aangedrongen. Ik werk in de
middagen hard aan een nieuw schilderij, maar het mag slechts als
een nederige poging worden beschouwd. Het doet me plezier dat u
mijn jeune fille *zo mooi vond; zoals ik u al had verteld, heeft mijn*
nichtje ervoor geposeerd en ze is een elfje. Ik hoop nog een schilderij
naar die tekening te maken, maar dan aan het begin van de zomer,
zodat ik mijn tuin als achtergrond kan gebruiken; die is schitterend
in die tijd van het jaar, wanneer er een overdaad aan rozen bloeit.
De hartelijke groeten,
Béatrice de Clerval

18

Marlow

Na de lunch, die zich grotendeels in stilte voltrok (maar het was een gemoedelijk zwijgen, vond ik), zei Kate dat ze nog veel te doen had, en ik begreep de hint en vertrok, zij het pas nadat we hadden afgesproken elkaar de volgende ochtend weer te zien. Ze sloot de zware voordeur achter me, maar toen ik me op het pad omdraaide, keek ze nog steeds door het glas. Ze glimlachte naar me, dook weg alsof ze er spijt van had, wuifde en verdween voordat ik het gebaar kon beantwoorden. Haar stenen pad glansde van de regen en ik liep voorzichtig terug naar het grind van de oprit. Toen ik in de auto stapte, voelde ik aan mijn binnenzak om te controleren of het gekreukte vel papier er nog in zat.

Op de een of andere manier voelde ik me triester dan ik me in tijden had gevoeld. Wanneer mijn patiënten mij bezochten, of ik hen, bevonden we ons in de anonieme omgeving van mijn praktijk of de hardnekkig vrolijke kamers van Goldengrove. Nu had ik een vrouw gesproken die alleen was, alleen en mogelijk zo depressief dat ze heel goed zelf als patiënt naar mijn praktijk had kunnen komen, maar in plaats daarvan had ik haar in haar eigen omgeving gezien, met de torenhoge hulst naast de voordeur, de bloemperken waarin haar tulpen bloeiden, de meubelstukken die haar grootmoeder haar had nagelaten, de geur van zalm en dille in haar keuken en de puinhopen van het leven van haar echtgenoot zichtbaar achter haar, en toch had ze het kunnen opbrengen naar me te glimlachen.

Ik reed terug door de voorjaarsachtige straten van haar buurt, de bomen en de vluchtige indrukken van interessante huizen, op mijn gevoel de route volgend waarlangs ik was gekomen. Ik stelde me voor hoe Kate een linnen jas aantrok, haar autosleutels van een haak pakte en de deur achter zich op slot draaide. Ik dacht eraan hoe ze eruit moest zien wanneer ze zich bukte om haar kinderen een nachtzoen te geven, met haar smalle, buigzame middel onder haar blauwe kleren. De kinderen zouden allebei blond zijn, net als zij, of de een zou blond zijn en de ander bedeeld met Roberts dikke, donkere lokken... maar daar bleef mijn verbeelding steken. Ze zou haar kinderen bij elk weerzien kussen, ook al waren ze maar kort van elkaar gescheiden geweest, dat wist ik zeker. Ik vroeg me af hoe Robert het verdroeg niet meer bij die drie exquise mensen te zijn die hij tot de zijnen had gemaakt, maar wat wist ik ervan? Misschien verdroeg hij het wel helemaal niet. Of misschien was hij vergeten hoe exquis ze waren. Ik had nooit een vrouw of een kind gehad, of twee kinderen, of een groot oud huis met een zonnige woonkamer. Ik zag mijn hand de borden van Kate aannemen – ze droeg geen ringen, alleen een dun gouden armbandje om haar ene pols. Wat wist ik ervan?

Bij het huis van de Hadleys aangekomen zette ik alle ramen open, legde het kladje uit Roberts werkkamer op het bureau, viel op het lelijke logeerbed en doezelde weg. Ik viel zelfs even echt in slaap. Midden in mijn droom vertelde Robert Oliver me over zijn leven met zijn vrouw, maar ik verstond er geen woord van en bleef hem maar vragen iets duidelijker te spreken. Er lag iets anders begraven in die droom, een herinnering: Étretat, de naam van een kustplaats in Frankrijk (waar precies?), het decor van Monets beroemde klifschilderijen, die iconische bogen, blauw en groen water, groene en paarse rotsen.

Ten slotte stond ik, niet uitgerust, op en trok een oud overhemd aan. Ik pakte het boek dat ik aan het lezen was, een biografie van Newton, en reed naar de stad om iets te eten. Ik vond een paar goede restaurants; in een ervan, dat witte lichtjes achter alle ramen had, alsof het Kerstmis was, at ik een bord aardappelkoekjes met verschillende bijgerechten. De vrouw die aan de bar zat, glimlachte en sloeg haar mooie benen andersom over elkaar, en de man die zich een paar minuten later bij haar voegde, zag eruit als een zakenman uit New York. Een merkwaardig stadje, vond ik, en toen mijn pinot noir effect begon te krijgen, beviel het me nog beter.

Toen ik na de maaltijd door de straten liep, vroeg ik me af of ik Kate zou kunnen tegenkomen, wat ik in dat geval tegen haar zou zeggen, hoe ze zou reageren wanneer we elkaar na ons gesprek van vanochtend weer tegen het lijf liepen, en toen schoot me te binnen dat ze thuis moest zijn, bij haar kinderen. Ik stelde me voor dat ik terugreed naar haar buurt om door die hoge ramen te gluren. Er zou een zacht licht uit vallen, de struiken rondom zouden al donker zijn en het dak zou erboven lijken te zweven. Binnen zou het een bijouteriekistje zijn: Kate die met haar twee juwelen van kinderen speelde, haar haar glanzend onder het lamplicht. Of ik zou haar zien bij het keukenraam, waar ze zalm voor me had gemaakt; ze deed de afwas nadat ze de kinderen in bed had gestopt, genietend van de stilte. In een roes stelde ik me voor dat ze me tussen de struiken hoorde en de politie belde, de handboeien, de vruchteloze verklaringen, haar woede, mijn schande.

Om mezelf te kalmeren bleef ik even staan voor de etalage van een winkel vol manden en kennelijk handgeweven sjaals. Terwijl ik er stond, kreeg ik heimwee. Wat kwam ik hier ook in vredesnaam doen? Ik was eenzaam in dit lieflijke stadje; thuis was ik eraan gewend alleen te zijn. Ik bleef de met potlood geschreven woorden op Roberts muur maar voor me zien. Waarom had hij zijn atelier en zijn bibliotheek met impressionisten gevuld? Ik dwong mezelf nog een stukje te lopen onder het mom dat ik de avond nog niet als verloren beschouwde. Ik zou straks naar huis gaan, of naar het huis van de Hadleys, beter gezegd, in bed kruipen en over Newton lezen, die veilig uit een andere wereld kwam, een tijdperk zonder moderne psychiatrie – tragisch genoeg. Vóór Monet, vóór Picasso, vóór de antibiotica en vóór mijn eigen leven. Newton, goed en wel dood, zou beter gezelschap voor me zijn dan die schemerige straten met hun gerenoveerde panden, cafétafels en jonge stelletjes met sjaals en oorringen die hand in hand en in een wolk muskusachtig parfum langs me liepen. Mijn eigen jeugd lag ver achter me, en ik wist niet hoe de afstand me had beslopen, of wanneer.

Aan het eind van de straat maakten de winkeltjes plaats voor een parkeerterrein en vervolgens, nogal verrassend, een feestelijk uitziende club die een topless bar bleek te zijn. Hoewel er een uitsmijter bij de deur stond, had de gelegenheid niet het armzalige dat zulke tenten in Washington uitstraalden. Niet dat ik er veel vanbinnen had gezien, eentje maar, in mijn studententijd, maar ik was er wel eens langsgereden en was in elk geval op de hoogte van het bestaan van die clubs. Ik aarzelde even. De uitsmijter was keurig gekleed, als een heer, alsof zelfs de striptenten in dit stadje naar een hoger plan waren getild. Hij keek me aan met een vriendelijke, verwachtingsvolle, begrijpende glimlach, als een financieel adviseur bij een bank. Was het een uitnodiging? Wilde ik een hypotheek aanvragen?

Ik vroeg me af of ik niet gewoon naar binnen zou gaan, want ik zou niet weten waarom niet. Ik dacht ook terug aan het enige echt mooie model van mijn schildercursus in Washington: een afstandelijk, uitgebalanceerd naakt tegenover de groep, in gedachten heel ver weg, waarschijnlijk bij haar huiswerk of de afspraak bij de tandarts, haar borsten delicaat omhoogwijzend, haar professionele houding, de lichte siddering die het enige teken was van haar behoefte zich te bewegen tijdens het urenlange vasthouden van een pose.

'Nee, dank u,' zei ik tegen de uitsmijter, maar mijn stem leek me gesmoord door ouderdom en gêne. Hij had me niet eens binnen gevraagd, me nog geen foldertje gegeven, dus waarom sprak ik hem dan aan? Ik klemde de biografie steviger onder mijn arm, liep door en sloeg de hoek om zodat ik niet nog eens langs hem hoefde te lopen, langs hem en zijn feestelijke entree. Was hij lang geleden al gewend geraakt aan de taferelen en geluiden binnen, zodat het voor hem geen zware taak meer was om buiten in het toenemende duister te zitten, absoluut geen beproeving om het te missen? Dwaalden zijn gedachten uiteindelijk af, zelfs verveeld door wat als opwindend bedoeld was?

In het stille huis van de Hadleys lag ik nog uren wakker in mijn bed naast het andere, lege bed. Ik voelde en hoorde de sparren, dennen en rododendrons langs het raam schrapen, dat een stukje openstond, de groene berg ginds in de nacht, het uitbotten van de natuur waaraan ik geen deel leek te hebben. En wanneer, vroeg mijn rusteloze lichaam aan mijn boordevolle brein, had ik toestemming gegeven om buitengesloten te worden?

Toen ik de volgende ochtend op Kate's veranda stond, voelde ik niet méér gêne, maar een soort vertrouwdheid, een ongedwongenheid zelfs, alsof ik een oude vriendin kwam bezoeken of zelf een oude vriend was die het stoepje op liep om aan te bellen. Ze deed prompt open en weer was het alsof ik een decor in stapte, maar nu had ik de voorstelling al een keer gezien en wist ik waar alle rekwisieten stonden. De zon scheen onbelemmerd de kamer in. Verder waren er maar twee dingen anders: ten eerste stond er een drijfschaal met zorgvuldig geschikte roze en witte bloemen op de tafel bij de ramen, en ten tweede droeg Kate nu een saffraangele, katoenen blouse op haar spijkerbroek, met dezelfde sieraden met toermalijnen. De vorige dag had ik gedacht dat ze blauwe ogen had; nu waren ze turkooiskleurig, groot en helder. Ze glimlachte, maar het was een gereserveerde, beleefde glimlach, de erkenning van een probleem, en dat probleem was ik, mijn hernieuwde aanwezigheid in haar huis, mijn behoefte haar meer vragen te stellen over de echtgenoot die er niet meer woonde.

Toen ze koffie had ingeschonken, ging ze op de bank tegenover me zitten. 'Ik vind dat we dit vandaag moeten zien af te ronden,' zei ze rustig, alsof ze erover had nagedacht hoe ze het kon zeggen zonder mijn gevoelens te kwetsen of de hare te tonen.

'Ja, natuurlijk,' zei ik om duidelijk te maken dat ik bereid was de hint te vatten. 'Uiteraard. Je bent al zo gastvrij geweest. Bovendien moet ik morgenavond terug naar Washington, als het even kan.'

'Dus je gaat niet naar Greenhill College?' Ze balanceerde haar koffiekop op haar smalle knie, alsof ze me een kunstje voordeed. Hoewel ze me nu tutoyeerde, klonk ze beleefd, onderhoudend, wat me deed vermoeden dat ik die dag niet meer, maar minder van haar zou krijgen.

'Vind je dat ik erheen moet? Wat zou ik er vinden?'

'Ik weet het niet,' gaf ze toe. 'Ik weet zeker dat er nog genoeg mensen zijn die hem hebben gekend, maar het zou niet goed voelen als ik je zelf met hen in contact bracht. En ik betwijfel of hij zijn stemmingen op school liet blijken, maar zijn beste schilderij hangt er wel. Het zou in een topmuseum moeten hangen; hij had het goed kunnen verkopen. Ik ben niet de enige die het zijn beste schilderij vindt, al heb ik het nooit mooi gevonden.'

'Waarom niet?'

'Ga zelf maar kijken.'

Ik nam haar elegante, tengere gestalte op. Ik vond dat ik moest weten hoe Roberts ziekte zich voor het eerst had gemanifesteerd, en de tijd begon te dringen. En ik moest weten wie zijn donkerharige muze was, ik wilde het in elk geval weten. 'Zou je je verhaal van gisteren willen voortzetten?' vroeg ik zo vriendelijk mogelijk. Als het niet snel genoeg naar informatie over het begin van zijn problemen en de daaropvolgende behandeling leidde, kon ik haar behoedzaam naar die belangrijker kwesties sturen wanneer ze eenmaal op dreef was. Ik knikte zonder iets te zeggen, al had ze nog niet geantwoord. Buiten streek een kardinaal neer in het zonlicht; een tak deinde.

19
Kate

Ons leven in New York kabbelde voort, of het was in een flits voorbij. We woonden die vijf jaar op drie verschillende adressen: eerst een tijdje in mijn flat in Brooklyn, vervolgens in een piepkleine kamer aan West Seventy-second Street bij Broadway, een kast met een aanrecht dat uit een kleinere kast klapte, en ten slotte op de benauwde bovenste verdieping van een huis in de Village. Ik vond al die buurten even leuk, met hun wasserettes en kruideniers en zelfs hun eigen daklozen; alles wat er vertrouwd aan werd.

Tot ik op een dag wakker werd en dacht: ik wil trouwen. Ik wil een kind. Het was echt bijna zo simpel: ik ging 's avonds jong en ongebonden naar bed, zorgeloos, met minachting voor het burgerlijke bestaan van anderen, en toen ik de volgende ochtend om zes uur opstond om te douchen en me aan te kleden voor mijn redactiebaantje, was ik een ander mens. Of misschien kwam het idee pas bij me op tussen het drogen van mijn haar en het aantrekken van mijn rok: ik wil met Robert trouwen, een ring om mijn vinger en een kindje, en dat kindje krijgt Roberts krullen en mijn kleine handen en voeten, en dan wordt het leven mooier dan het ooit is geweest. Het was alsof dat visioen opeens zo echt voor me was dat ik alleen die laatste stap nog maar hoefde te zetten om het waar te maken, waarna ik compleet gelukkig zou zijn. Het kwam niet in me op gewoon zwanger te worden en een vrijeliefdesbaby in Manhattan te krijgen, zoals mijn moeder half gekscherend had kunnen zeggen. Ik associeerde baby's met het huwelijk en het huwelijk met de lange termijn, kinderen die opgroeiden op driewielers en groene gazons – dat had ik tenslotte in mijn eigen jeugd gekend. Ik wilde net als mijn moeder zijn, me bukken om sokken aan te trekken en de veters van donkerrode schoenen te strikken. Ik wilde zelfs de jurken van haar jeugd dragen, die vereisten dat je met je benen netjes naast elkaar naar één kant ging zitten. Ik wilde een boom met een schommel in de achtertuin.

Zoals het niet in me opkwam kinderen te krijgen zonder dat ik een trouwring droeg, kwam het evenmin in me op dat ik een kind zou kunnen grootbrengen in de overweldigende stad waarvan ik was gaan houden. Het is moeilijk uit te leggen, want ik was er heel zeker van geweest dat ik niets anders wilde dan dit leven in Manhattan, schilderen, 's avonds na het werk vrienden ontmoeten in een café om over schilderen te praten en Robert 's avonds laat in zijn blauwkatoenen boxershort in het atelier van een vriend zien schilderen terwijl ik op het tekenbord op mijn schoot schetste en de volgende ochtend gapend opstaan om naar mijn werk te gaan en pas echt wakker worden terwijl ik onder de onvolgroeide bomen naar de ondergrondse liep. Dat was mijn realiteit, en die kleintjes met krullen die er nog niet eens waren, het recht niet eens hadden mijn dagdromen te bevolken, zeiden dat ik het allemaal achter me moest laten. En nu, jaren later, zijn zij het enige – dat wij ze het leven hebben gegeven, ondanks al het verdriet, de angst, ondanks het verlies van Robert, de overbevolking van deze arme planeet en mijn schuldgevoel omdat ik daaraan heb bijgedragen – mijn kinderen zijn het enige waar ik nooit spijt van heb gehad.

Robert wilde niets van ons leven in New York opgeven. Ik denk dat het de overredingskracht van het lichaam was die hem er afstand van liet doen, zogenaamd voor mij. Mannen vinden het ook heerlijk om kinderen te maken, al beweren ze minder sterke gevoelens te hebben dan vrouwen. Ik denk dat hij zich liet meeslepen door mijn passie voor het hele gebeuren. Hij verlangde niet echt naar het groene stadje of de baan bij die kleine academie, maar ik denk dat hij ook wel wist dat het vrije leventje dat wij hadden opgebouwd niet eeuwig kon duren. Hij had al succes geboekt, geëxposeerd met een docent van zijn academie en een stel schilderijen verkocht in de Village. Zijn moeder, een weduwe uit New Jersey, die nog truien en vesten voor hem breide en hem Bob-bié noemde met haar Franse accent, had besloten dat hij toch een groot kunstenaar zou worden; ze had hem zelfs een deel van zijn erfenis van zijn vader gestuurd opdat hij kon schilderen.

Ik denk dat Robert zich onoverwinnelijk voelde door al dat beginnersgeluk. Het was ook beginnerstalent. Iedereen die zijn werk zag, leek zijn gave te zien, of zijn traditionalisme nu wel of niet mooi werd gevonden. Hij gaf les aan een groep eerstejaars op de academie waaraan hij was afgestudeerd, en dag in, dag uit produceerde hij die vroege werken die nu in een aantal collecties zijn opgenomen – ze zijn echt schitterend, hoor. Dat vind ik nog steeds.

Rond de tijd dat ik aan kinderen begon te denken, werkte Robert aan wat hij nogal gewichtig zijn 'Degas-serie' noemde: de jonge meisjes die hun spieren opwarmden aan de barre van de School of American Ballet, sierlijk en erotisch maar niet echt opwindend, zoals ze hun dunne armen en benen strekten. Hij zat uren in het Metropolitan Museum, die winter, om Degas' jonge ballerina's te bestuderen, want hij wilde hetzelfde zijn en toch anders. Op Roberts doeken was altijd iets afwijkends te zien: een grote vogel die door het raam achter de meisjes de balletstudio binnen probeerde te komen, of een ginkgoboom die langs de muur van de studio groeide en werd gereflecteerd door de eindeloze spiegelwanden. Een galerie in SoHo verkocht er twee en vroeg om meer. Ik schilderde ook, drie keer per week na mijn werk, wat er ook gebeurde – ik weet nog hoe gedisciplineerd ik toen was; ik had het gevoel dat ik misschien niet zo goed was als Robert, maar dat mijn werk met de week aan kracht won. Op zaterdagmiddag gingen we soms met onze ezels naar Central Park om samen te schilderen. We hielden van elkaar – in de weekends bedreven we twee keer per dag de liefde, dus waarom zouden we geen kinderen maken? Hij liet zich ook meeslepen door de nieuwe manier waarop ik met hem vrijde, daar ben ik zeker van, want dat aspect van ons leven was altijd heel belangrijk voor hem, en hij was gefascineerd door het gevoel dat er een kiem tussen ons werd overgebracht, de naderende bloei van onze verbintenis.

We trouwden in een kerk aan Twentieth Street. Ik wilde alleen voor de wet trouwen, maar we hielden een bescheiden katholieke ceremonie om Roberts moeder een plezier te doen. Mijn eigen moeder kwam uit Michigan over met mijn twee beste vriendinnen van de middelbare school, en Roberts moeder en zij vonden elkaar aardig en zaten dicht bij elkaar, de twee weduwes, tijdens de mij vreemde mis, waarbij Roberts moeder een kind erbij kreeg naast haar 'enig kind'. Mijn schoonmoeder had bij wijze van huwelijkscadeau een trui voor me gebreid, wat best afschuwelijk klinkt, maar het was jarenlang een van mijn gekoesterde schatten: gebroken wit, met een kraagje als paardenbloempluis. Voor mij was het toch al liefde op het eerste gezicht geweest. Ze was een lange, graatmagere, opgewekte vrouw die me om voor mij onnaspeurbare redenen accepteerde en ervan overtuigd was dat mijn handjevol woordjes in haar moedertaal kon uitgroeien tot een vloeiende beheersing, als ik mijn best maar deed. Roberts vader, programmadirecteur van het Marshallplan, had haar weggehaald uit een naoorlogs Parijs dat ze niet leek te missen. Ze was er nooit meer naar teruggekeerd, en haar hele leven draaide om de baan als verpleegkundige waarvoor ze in de Verenigde Staten was opgeleid en om haar zoon, het wonderkind.

Robert leek me niet anders door en tijdens de huwelijksvoltrekking, de handeling van het trouwen; hij was ongecompliceerd blij daar met mij te zijn, had geen last van zijn pak, met de enige stropdas die hij bezat scheef op zijn overhemd en verf onder zijn nagels. Hij was vergeten naar de kapper te gaan, wat ik heel graag van hem had gewild voordat we voor een katholieke priester en mijn moeder kwamen te staan, maar hij was de ring tenminste niet kwijtgeraakt. Toen ik naar hem keek terwijl we de mij onbekende geloften uitspraken, had ik het gevoel dat hij net zo was als altijd: zichzelf, eeuwig zichzelf, alsof hij net zo goed met mij en onze vrienden in ons stamcafé had kunnen staan, waar hij nog een biertje nam en over perspectivische problemen discussieerde. Het stelde me teleur. Ik had gewild dat hij als een ander mens naast me zou staan, getransformeerd zelfs, door de openingsnoot van deze nieuwe fase in ons leven.

Na de dienst gingen we naar een restaurant in het hart van de Village, waar we onze eigen vriendenkring troffen – iedereen zag er ongewoon schoon uit en een paar vrouwen liepen op hakken. Mijn broer en zus waren er ook, overgekomen uit het westen. Iedereen gedroeg zich een beetje vormelijk en onze vrienden gaven onze moeders een hand of zelfs een zoen. Toen er eenmaal wat wijn was gedronken, begonnen Roberts studiegenoten dubbelzinnige toosten uit te brengen, wat me verontrustte, maar onze moeders waren er niet door gechoqueerd; ze zaten zij aan zij, met rode wangen, te lachen als tienermeisjes. Ik had mijn moeder lang niet meer zo blij gezien, en dat maakte dat ik me iets beter voelde.

Robert nam niet de moeite elders een baan te zoeken tot ik er een paar maanden om had gezeurd; ik wilde dat we nu dat knusse stadje zouden vinden met de huizen die we op een dag misschien zouden kunnen betalen. Hij solliciteerde zelfs helemaal niet. De baan in Greenhill diende zich aan via een van zijn docenten doordat hij toevallig bij die docent langsging om te vragen of hij soms zin had om mee te gaan lunchen, en tijdens de lunch vertelde de docent toevallig over een baan waar hij net iets over had gehoord, een baan waarvoor hij Robert kon aanbevelen – hij, de docent, had een oude vriend, een beeldhouwer en keramist, die aan Greenhill doceerde. Het was een fantastische plek voor een kunstenaar, vertelde hij Robert tijdens de lunch: North Carolina zat vol kunstenaars die het echte, pure leven leidden, geheel gericht op de kunst, en Greenhill College had banden met het oude Black Mountain College doordat een paar oud-leerlingen van Josef Albers na de opheffing van Black Mountain de kunstacademie op Greenhill hadden opgericht; het zou prachtig uitkomen, en Robert kon er schilderen. Misschien ik ook wel, trouwens, en het klimaat was er aangenaam en... Nou ja, hij zou een brief voor Robert schrijven.

In feite krijgt Robert de meeste goede dingen in zijn leven op die manier, door geluk, en hij heeft vaak geluk. De politieman ziet zijn snelheidsovertreding door de vingers en verlaagt de boete van honderdtwintig naar vijfentwintig dollar. Hij dient te laat een verzoek in voor een beurs en krijgt de beurs, plus een aanvullende beurs voor materiaal. Mensen vinden het heerlijk om dingen voor hem te doen omdat hij al blij lijkt zonder hun hulp, zonder enig besef van zijn eigen behoeften of hun verlangen hem te helpen. Ik heb het nooit begrepen. Ik dacht dat het een soort bedriegen was wat hij deed, mensen onopzettelijk om de tuin leiden, maar nu denk ik soms dat het leven domweg compenseert wat hem ontbreekt.

Tegen de tijd dat we naar Greenhill verhuisden, was ik zwanger. Ik wees Robert erop dat alle grote liefdes in mijn leven begonnen met overgeven. Ik kon zelfs nauwelijks aan iets anders denken. Ik pakte alles uit ons appartement in de Village in en gaf veel weg aan de vrienden die in ons oude leven daar bleven (achterbleven, dacht ik meewarig). Robert had gezegd dat hij een stel vrienden zou regelen om te helpen met het inladen van de vrachtauto die we hadden gehuurd, maar hij was het vergeten, of zij waren het vergeten, en uiteindelijk plukten we een paar tieners van straat die tegen betaling alles de trap af zeulden. Ik had alles zonder hulp ingepakt, want Robert had op het laatste moment van alles en nog wat moeten doen op de academie en in zijn atelier. Toen het appartement leeg was en we het hadden schoongemaakt om onze borgsom van de huurbaas terug te kunnen krijgen, reed Robert met de vrachtwagen naar zijn atelier en sleepte dozen vol schildersmaterialen en armen vol doeken naar beneden. Hij had niet één van zijn eigen kledingstukken ingepakt, nog geen pot of pan, besefte ik later; alleen die onmisbare dingen uit zijn atelier. Ik ging mee om in de vrachtwagen de wacht te houden voor als de parkeerpolitie kwam.

Terwijl ik daar zat, in de hete augustuszon die op het stuur scheen, aaide ik over mijn buik, die al bol was, niet door de baby die nu volgens de schema's in de kliniek zo groot was als een pinda, maar door mijn eten en overgeven, mijn nieuwe slapheid en zachtheid, mijn onverschilligheid ten opzichte van het allemaal inhouden. Terwijl ik mijn hand over mijn buik liet glijden, voelde ik een smeltende hunkering naar het persoontje dat daar binnen groeide, het leven dat ons wachtte. Ik had nog nooit zoiets gevoeld – ik hield het zelfs geheim voor Robert, vooral omdat ik het hém niet had kunnen uitleggen. Toen hij met de laatste lading sjofele dozen beneden kwam, met de laatste ezel, keek ik door het raam van de vrachtwagen naar hem en zag dat hij blaakte van vrolijkheid, energie en een eigenheid die niets met mij te maken had. Het enige waar hij aan dacht, was hoe hij die delen van zijn eigen leven kon opstapelen tussen onze aftandse meubelen in de laadruimte. Op dat moment voelde ik sterker dan ooit het begin van een fout, en het was alsof mijn kind tegen me had gefluisterd: zal hij wel voor ons zorgen?

5 november 1877

Mon cher oncle,

Neem het me alstublieft niet kwalijk dat ik u niet eerder heb
teruggeschreven; uw broer, uw neef en twee van de bedienden zijn
zwaar verkouden geweest, bijna de hele huishouding, kortom, en ten
gevolge daarvan heb ik het heel druk gehad. Er is niets echt
zorgwekkends eigenlijk, anders had ik u wel eerder geschreven.
Iedereen is aan de beterende hand en uw broer heeft zijn dagelijkse
wandelingetjes voor de spijsvertering in het Bois met zijn knecht
weer hervat. Ik weet zeker dat Yves vandaag met hem meegaat;
papa's gezondheid gaat hem net zo ter harte als u. We hebben het
nieuwe boek dat u had gestuurd al een tijd uit en ik lees nu
Thackeray. Ik lees papa er ook uit voor. Ik kan nu weinig nieuws
sturen, want ik heb veel te doen, maar ik denk vol genegenheid aan
u...
Béatrice de Clerval

20

Kate

Een paar kilometer ten noorden van Washington stopten we bij een rustplaats om te lunchen en onze benen te strekken. Als ik alleen maar aan mijn benen dacht, kreeg ik al kramp in mijn voeten. Op de rustplaats stonden picknickbanken en een groep eiken; Robert controleerde het gras op hondenpoep, ging liggen en viel in slaap. Hij was de vorige avond laat thuisgekomen van het inpakken van zijn atelier en was toen nog lang opgebleven, waarschijnlijk om te tekenen en cognac te drinken, want dat rook ik toen hij tussen de nog niet ingepakte lakens van ons bed rolde. Ik zou moeten rijden, dacht ik, want hij zou achter het stuur in slaap kunnen sukkelen.

Ik ergerde me flink, want ik was tenslotte zwanger, en had hij geholpen met de voorbereidingen, zelfs maar zoiets simpels gedaan als lang genoeg slapen voor een lange, zware rit? Ik ging naast hem in het gras liggen, maar raakte hem niet aan. Ik zou tegen het eind van de dag te moe zijn om nog te rijden, maar als hij nu sliep, kon hij het misschien van me overnemen wanneer ik suf werd. Hij droeg een oud, geel overhemd met de bovenste knoopjes los, zodat het kraagje aan de rechterkant opstond, waarschijnlijk een van zijn aankopen uit de kringloopwinkel, van een stof die ooit van goede kwaliteit was geweest en nu prettig zacht was van sleetsheid. In het borstzakje zat een papiertje, en omdat ik daar maar lag zonder iets te doen te hebben, maar hem niet wilde wekken, stak ik behoedzaam mijn hand uit en pakte het. Het moest natuurlijk een tekening zijn, en dat was het ook. Ik vouwde hem open – het was een schets van een vrouwengezicht, vaardig, in dik potlood.

Ik wist meteen dat ik haar nog nooit had gezien. Ik kende de vriendinnen uit de Village die model voor hem zaten, en de kleine ballerina's wier ouders formulieren hadden getekend waarin ze Robert toestemming gaven hun dochters te tekenen of te schilderen, en ik kende de improvisaties van zijn brein. Deze vrouw was een onbekende voor mij, maar Robert begreep haar goed – die indruk spatte van het papier af. Ze keek naar me zoals ze naar Robert moest hebben gekeken, onder zijn hand, met een blik van herkenning in haar stralende ogen, ernstig en liefdevol. Ik voelde zijn kunstenaarsblik op haar rusten. Zijn talent en haar gezicht waren niet van elkaar te onderscheiden, en toch was ze een echte vrouw, iemand met een sierlijk gevormde neus en wangen, een iets te vierkante kin en donker haar, zo warrig en krullend als dat van Robert zelf, en een mond die op het punt stond te glimlachen, maar indringende ogen. Die ogen vlamden van het papier; ze waren groot en glanzend en zonder enige poging tot zelfverhulling. Het was het gezicht van een verliefde vrouw. Ik voelde me voor haar bezwijken. Ze zou net zo goed iets kunnen zeggen als zonder enige waarschuwing een hand uitsteken om je wang aan te raken.

Ik was altijd zeker geweest van Roberts trouw aan mij, niet alleen omdat zijn omgeving hem totaal ontging, maar ook omdat hij een soort aangeboren verantwoordelijkheidsgevoel zou hebben. Kijkend naar dit gezicht, dat met liefde was getekend, voelde ik me jaloers, enorm van jaloezie en toch klein, vernederd door mijn eigen zekerheid dat Robert van mij was. Hij was mijn echtgenoot, mijn huisgenoot, mijn zielsgenoot, de vader van het plantje in mijn omwoelde aarde, de minnaar die me zijn lichaam zonder remmingen had laten aanbidden na mijn jaren van betrekkelijke eenzaamheid, degene voor wie ik mijn oude zelf had opgegeven. Wie was zij, die nul? Kende hij haar van de academie? Was ze een van zijn leerlingen, of een jonge collega? Of had hij gewoon een andere tekening gekopieerd, het werk van een ander? Het gezicht was niet echt jeugdig; in plaats daarvan zei het dat jeugd geen kwestie meer was wanneer de kwestie schoonheid zo finaal was opgelost. Was ze in feite ouder dan Robert, die ouder was dan ik, mogelijk een vrouwelijk model met wie hij een speciale verwantschap voelde, maar dat hij nooit had aangeraakt, zodat ik, als ik hem daarvan beschuldigde, alleen mezelf zou verlagen? Of had hij haar niet alleen getekend, maar ook aangeraakt en dacht hij dat ik het niet zou begrijpen omdat ik een minder groot kunstenaar was?

Toen besefte ik met een steek van woede dat ik in de drie maanden sinds ik zwanger was geraakt en sinds ik was begonnen met het inpakken en opschonen van onze fysieke, praktische levens geen potlood of penseel meer had vastgehouden. Ik had het niet eens gemist, wat nog erger was. De laatste maanden was het hectisch geweest op mijn werk, en mijn leven thuis was meer dan vol geweest met plannen maken en klusjes doen. Had Robert die schoonheid getekend terwijl ik druk bezig was alles te regelen? Waar en wanneer had hij haar leren kennen? Ik zat op het keurig gemaaide gras van de rustplaats, in de sussende schaduw van de eiken boven mijn hoofd en schouders, voelde takjes en mieren door de dunne stof van mijn jurk heen en vroeg me eindeloos af wat ik moest doen.

Ten slotte wist ik het antwoord. Ik wilde helemaal niets doen. Als ik diep genoeg nadacht, kon ik mezelf er misschien van overtuigen dat ze een wezen uit zijn verbeelding was, aangezien hij ook wel eens uit zijn hoofd tekende. Als ik Robert suggestieve vragen stelde, zou ik me minder begeerlijk maken in zijn ogen. Het zou van mij de zwangere, drammende, paranoïde echtgenote maken, zeker als die vrouw niets betekende, en anders kon ik iets ontdekken wat ik niet wilde weten, wat ik domweg niet wilde weten omdat het ons nieuwe leven kapot kon maken. Als ze in New York woonde, hadden we haar al achtergelaten, en als Robert er om de een of andere reden naar terugkeerde, zou ik met hem meegaan. Ik vouwde het lieflijke gezicht weer op en stopte het terug in Roberts borstzakje. Hij sliep altijd zo vast dat je hem door elkaar kon schudden of minutenlang tegen hem kon praten zonder enig resultaat, dus ik was niet bang dat hij wakker zou worden.

De rit naar North Carolina, de volgende dag, was spectaculair; ik zat achter het stuur, slaakte een vreugdekreet, boog me opzij en wekte Robert. We reden Greenhill vanuit het noorden binnen, door een lange pas in de Blue Ridge Mountains, en volgden een kleinere snelweg in oostelijke richting naar Greenhill College. De school staat eigenlijk in Shady Creek, in een bergketen die de Craggies wordt genoemd. Robert was er wel eens doorheen gekomen tijdens een vakantie met zijn ouders, lang geleden, maar herinnerde zich er weinig van, en ik was nog nooit zo zuidelijk geweest. Robert zei dat hij het laatste stuk wilde rijden, dus ruilden we van plaats. Het was vroeg in de middag en het landschap waarin we over een kleine weg omhoogklommen leek te soezen in de zon, met grote, oude boerderijen en velden in riviervalleien en uitgestrekte bossen, in nevelen gehulde bergtoppen aan de einder en het plotselinge razen van een rivier in een bedding onder rododendrons. De lucht die de broeierige cabine binnenkwam was koel, gekoeld als in een grot of koelkast; hij zinderde op onze gezichten en streelde onze handen.

Robert minderde vaart voor een bocht, leunde uit zijn raam en wees naar een houten bord: GREENHILL COLLEGE, GESTICHT ALS CRAGGY FARM SCHOOL IN 1889. Ik maakte er een kiekje van met het fototoestel dat mijn moeder me had gegeven toen ik naar New York verhuisde. Het bord, dat werd omlijst door grijze natuursteen, stond in een weiland vol gras en varens met donkere struiken er vlak achter, en een pad het bos in. Het was, dacht ik, alsof we waren uitgenodigd in een landelijk paradijs; ik verwachtte Daniel Boone of zo iemand met zijn geweer en zijn hond uit het bos te zien komen. Ik kon bijna niet geloven dat we nog maar een dag tevoren uit New York waren gekomen, of dat New York zelfs maar bestond. Ik probeerde me voor te stellen hoe onze vrienden nu van hun werk naar huis liepen of stonden te wachten in de snikhete ondergrondse, het aanhoudende geraas van het verkeer, de stemmen in de lucht. Dat was er allemaal niet meer. Robert stopte langs de kant van de weg en we stapten uit zonder iets te zeggen. Hij liep naar het handgesneden bord met de zorgvuldig geschilderde letters – het werk van leerlingen van de kunstacademie? Ik nam een foto van hem terwijl hij met zijn armen over elkaar geslagen triomfantelijk tegen het bord leunde, nu al een boerenkinkel. De motor van de vrachtwagen tikte en dampte in het stof. 'We kunnen altijd nog omkeren en teruggaan,' zei ik ondeugend om hem aan het lachen te maken.

Hij lachte inderdaad. 'Naar Manhattan? Maak je een geintje?'

15 november 1877
Cher oncle et ami,
Denk alstublieft niet dat ik u vergeten zou zijn omdat ik u niet heb
geschreven! Uw brieven zijn heel lief en schenken ons allen vreugde,
en ik koester de brieven die u aan mij hebt geschreven – ja, ik maak
het goed. Yves gaat twee weken naar de Provence, wat betekent dat
er veel voorbereidingen in huis moeten worden getroffen. Het
ministerie stuurt hem erheen om een plan op te stellen voor het
postkantoor dat volgend jaar aan hem zal worden overgedragen.
Papa maakt zich veel zorgen om Yves' vertrek en zegt dat we een
manier moeten bedenken om de regering over te halen mensen met
een blinde vader vrij te stellen van verre reizen. Hij zegt dat Yves
zijn wandelstok is en dat ik zijn ogen ben. U zou kunnen denken
dat we dat als een last ervaren, maar doe dat alstublieft niet; geen
jonge vrouw heeft ooit een lievere schoonvader gehad dan ik, zoals ik
terdege besef. Ik ben bang dat hij zal wegkwijnen zonder Yves, al
hoeft hij het maar betrekkelijk kort zonder hem te stellen, en ik durf
niet naar mijn zuster te gaan voordat Yves terug is. Misschien kunt
u ons een avond komen opvrolijken; ik weet zelfs zeker dat papa
erop zal staan! Intussen bedank ik u ook voor de penselen in uw
pakje voor mij. Het zijn de mooiste die ik ooit heb gezien en Yves is
blij dat ik iets nieuws heb om mee te werken gedurende zijn
afwezigheid. Mijn portret van de kleine Anne is af, evenals twee
gezichten op de tuin in de naderende winter, maar ik lijk niet aan
iets nieuws te kunnen beginnen. Uw penselen zullen mijn inspiratie
zijn. De moderne, natuurlijke stijl van de landschapsschilders bevalt
me immens goed, mij wellicht beter dan u, en ik probeer die te
treffen, al kun je in dit seizoen natuurlijk niet veel beginnen.
    Intussen de warmste groeten van uw toegenegen
Béatrice Vignot-de Clerval

21

Marlow

Kate had haar koffiekop met het bramenmotief op een tafeltje bij haar elleboog gezet. Ze maakte een gebaartje alsof ze me vroeg of ze haar verhaal mocht onderbreken. Ik knikte en leunde meteen achterover; ik vroeg me af of ik tranen in haar ogen zag opwellen. 'Laten we even pauzeren,' zei ze, hoewel ik de indruk had dat we dat al deden. Ik hoopte alleen maar dat ze bereid zou zijn verder te vertellen. 'Wil je Roberts atelier zien?'

'Werkte hij vaak thuis?' Ik deed mijn best niet te happig op het aanbod in te gaan.

'Nou ja, ook op school,' zei ze. 'Vooral op school, natuurlijk.'

De hal boven was tevens een kleine bibliotheek, met een verschoten karpet en ramen die uitkeken over het uitgestrekte gazon. Nog meer romans, bundels korte verhalen, encyclopedieën. Aan een kant stond een tafel met tekenmaterialen, potloden in een pot, een groot, opengeslagen schetsboek – met een schets van ramen, zo te zien. Was dit eindelijk een glimp van Robert? Maar Kate zag me kijken. 'Mijn werkplek,' zei ze bondig.

'Je zult wel veel lezen,' opperde ik.

'Ja. Robert vond zelfs dat ik te veel las. En veel van die boeken zijn van mijn ouders geweest.'

Het waren dus haar boeken, niet de zijne. Ik zag verschillende deuren, sommige open, met zorgvuldig opgemaakte bedden erachter, andere dicht. In een van de kamers zag ik – eindelijk – het speelgoed van de kinderen, vrolijk op de vloer slingerend. Kate deed een dichte deur open en liet me binnen.

De geur van terpentine hing er nog, en die van olieverf – ik vroeg me af hoe zo'n nauwgezette huisvrouw als zij leek te zijn (nog netter dan mijn moeder) die geur op haar bovenverdieping had kunnen verdragen. Misschien vond ze hem wel prettig, net als ik. We liepen zonder iets te zeggen naar binnen; ik kreeg meteen een begrafenisgevoel bij de kamer. De kunstenaar die hier kortgeleden nog had gewerkt was niet dood, maar hij lag nu ver weg in een bed naar het plafond van een psychiatrische kliniek te staren. Kate liep naar de grote ramen en klapte een reeks houten luiken open, en het zonlicht waarom Robert Oliver deze kamer moest hebben gekozen, stroomde naar binnen. Het viel op de wanden, op doeken die omgekeerd in een hoek tegen elkaar stonden, op een lange tafel en blikken vol penselen. En het viel op een mooie, verstelbare ezel waarop nog een bijna voltooid schilderij stond, een schilderij dat mijn zintuigen schokte.

Bovendien waren de wanden behangen met afbeeldingen van schilderijen, voornamelijk ansichtkaarten uit musea, die elk tijdperk van de westerse kunst besloegen. Ik zag tientallen werken die ik kende en vele die me onbekend waren. Van elke vierkante centimeter sprongen de gezichten, weiden, jurken, bergen, zwanen, hooibergen, vruchten, schepen, honden, handen, borsten, ganzen, vazen, huizen, dode fazanten, Madonna's, ramen, hoeden, bomen, paarden, weggetjes, heiligen, windmolens, soldaten en kinderen me tegemoet. De impressionisten hadden de overhand; ik kon moeiteloos talloze werken van Renoir, Degas, Monet, Morisot, Sisley en Pissarro aanwijzen, maar er waren ook schilderijen die duidelijk impressionistisch waren, maar voor mij nieuw.

De kamer zelf zag eruit alsof de bewoner halsoverkop was vertrokken: op de tafel lag een hoopje penselen waarin de verf was gehard – goede penselen, nu onbruikbaar – naast een lap vol vlekken. Hij had niet eens goed schoongemaakt, mijn patiënt die zich in een kliniek nog dagelijks douchte en schoor. Zijn voormalige echtgenote stond in het midden van de ruimte, met de zon op haar duinblonde haar. Ze straalde van de zon, van jeugdige schoonheid die begon te vervagen en, zo dacht ik, van woede.

Ik bleef naar haar kijken toen ik naar de ezel liep. Roberts vertrouwde onderwerp keek vanaf het doek de kamer in, de vrouw met de donkere krullen, rode lippen en heldere ogen. Ze droeg een gewaad dat een ouderwetse nachtjapon of peignoir kon zijn, een lichtblauw kledingstuk met ruches dat amper op zijn plaats werd gehouden door haar witte hand. Het was een levendig, romantisch portret, hoogst sensueel – eerlijk gezegd werd het voor sentimentaliteit behoed door de onverbloemde erotiek van de welving van een van haar borsten, die werd opgeduwd door de onderarm waarmee ze haar peignoir dichthield. Tot mijn verbazing hield de hand met het kledingstuk ook een penseel vast, waarvan de haren in kobaltblauw waren gedoopt, alsof ze zelf midden in een penseelstreek was betrapt, werkend aan een eigen doek. De achtergrond werd gevormd door een zonnig raam met stenen kozijnen en ruitvormige paneeltjes, in de verte gevuld met leiblauw water en wolken boven zee. De rest van de achtergrond, de kamer waarin de vrouw stond, was onvoltooid en liep rechtsboven over in het kale doek.

Het gezicht kwam me vertrouwd voor, evenals het prachtig krullende, levende donkere haar, maar twee aspecten van dit werk weken af van de portretten die Robert onafgebroken in zijn kamer op Goldengrove schilderde. Het eerste was de stijl, de penseelvoering, het aangezette realisme; Robert had voor dit schilderij afstand gedaan van zijn soms grove halen, zijn moderne versie van het impressionisme. Het realisme deed op sommige plekken bijna fotografisch aan; de textuur van de huid, bijvoorbeeld, had de gladheid van de laatmiddeleeuwse periode, de aandacht voor delicate oppervlakken. Het deed me zelfs denken aan de prerafaëlieten en hun gedetailleerde vrouwenportretten; het had ook dezelfde mythische uitstraling, met het loshangende kledingstuk en de lengte en luister van de breedgeschouderde vrouw. Een paar fijne zwarte krulletjes waren ontsnapt en streken langs haar wang en hals. Ik vroeg me af of hij het niet inderdaad naar een foto had geschilderd, maar was hij het soort schilder dat ooit bereid is foto's te gebruiken?

Het tweede dat me verbaasde, nee, ontzette, eigenlijk, was de gezichtsuitdrukking van de vrouw. Op de meeste schetsen die Robert in de kliniek van haar had gemaakt, keek ze ernstig, somber zelfs, of in elk geval peinzend – en soms boos, zoals ik al had gezegd. Hier, op een doek dat kennelijk het grootste deel van de tijd achter luiken in het donker stond, lachte ze. Ik had haar nog nooit zien lachen. Ondanks haar ontklede toestand was het geen wulpse lach, maar een vreugdevolle, intelligente blijdschap, een scherpzinnige levenslust, een natuurlijke beweging van haar lieflijke mond, een glimp van tanden, sprankelende ogen. Ze was volkomen, bijna verschrikkelijk levend op het doek; ze leek op het punt te staan in beweging te komen. Haar zien was haar levende huid willen aanraken, ja, ernaar verlangen haar naar je toe te trekken en haar lach bij je oor te horen. Het zonlicht viel in stralen over haar heen. Ik geef het toe: ik begeerde haar. Het was een meesterwerk, een van de meest briljant geconcipieerde en uitgevoerde hedendaagse portretten die ik ooit in het echt had gezien. Ook al was ze nog niet af, ze moest, zag ik in een oogopslag, weken of maanden werk hebben gekost. Maanden.

Toen ik weer naar Kate keek, kon haar minachting me niet ontgaan. 'Ze bevalt jou ook wel, zie ik,' zei ze, en ik hoorde kilte in haar toon. Ze leek klein en vermoeid, verschrompeld zelfs, naast de vrouw op het doek. 'Vind je mijn ex-man getalenteerd?'

'Geen twijfel mogelijk,' antwoordde ik. Ik merkte dat ik zachter praatte, alsof hij vlak achter ons kon staan luisteren; ik herinnerde me de geringschatting die ik zo vaak op zijn gezicht had gezien wanneer ik iets over zijn tekeningen en schilderijen tegen hem zei. Dit voormalige stel mocht dan nu uiteengedreven zijn door hun moeilijke geschiedenis, maar ze konden allebei een verbitterde minachting uitstralen, dat stond vast. Ik vroeg me af of ze elkaar wel eens zo hadden aangekeken. Kate keek naar de meer dan levensechte vrouw op de ezel, die stralend langs ons heen keek. Opeens had ik het gevoel dat ze Robert Oliver zocht, haar schepper, dat zij hem ook achter ons zag staan. Ik keek bijna over mijn schouder om te zien of het waar was. Het maakte me nerveus, en ik vond het niet echt erg toen Kate de luiken sloot en de vrouw weer in het schemerdonker lachte. We liepen het atelier uit en Kate sloot de deur. Wanneer zou ik de moed hebben haar naar de identiteit van de vrouw op het portret te vragen? Wie was het model geweest? Ik had het moment voorbij laten gaan; ik was bang dat als ik ernaar vroeg, Kate helemaal niet meer met me zou willen praten.

'Je hebt het atelier zo gelaten als het was,' merkte ik zo achteloos mogelijk op.

'Ja,' beaamde ze. 'Ik neem me telkens voor er iets aan te doen, maar ik denk dat ik niet precies weet wát. Ik wil het allemaal niet gewoon opslaan of weggooien. Als Robert weer een vast adres heeft, kan ik het allemaal inpakken en naar hem toe sturen voor de inrichting van zijn nieuwe atelier. Als hij ooit weer een vast adres krijgt.' Ze meed mijn blik. 'De kinderen zijn binnenkort aan eigen slaapkamers toe. Of misschien richt ik eindelijk een atelier voor mezelf in. Ik heb er nooit een gehad. Ik ging altijd gewoon met mijn ezel de hort op, maar dat betekende dat ik alleen bij mooi weer kon werken, en toen de kinderen kwamen...' Ze maakte haar zin niet af. 'Robert bood me wel eens een hoekje van zijn atelier aan, of hij zei dat hij op de academie kon werken en ik hier, maar ik wilde geen hoekje, en ik wilde al helemaal niet dat hij nog meer tijd op de academie zou doorbrengen.'

Iets in haar toon gaf me het gevoel dat ik beter niet kon vragen waarom niet, dus liep ik zwijgend achter haar aan de trap af. Haar rug in de goudgele blouse was smal en recht, haar lichaam stevig in bedwang gehouden, alsof ze me tartte begeerte of zelfs maar nieuwsgierigheid te voelen, alsof die damesachtige vijandigheid zich tegen me zou keren zodra ik mijn blik over haar heen liet glijden. Ik keek dus door het raam, naar een beuk die een rozig licht op de trap wierp. Kate ging me voor naar de woonkamer, waar ze kordaat op de bank ging zitten. Ik begreep dat ze verder wilde gaan met onze taak, en ik ging tegenover haar zitten en probeerde me te concentreren.

14 december

Mon cher oncle,

We hebben gisteren gezelschap gehad, en het speet me dat u er niet bij kon zijn om er met ons van te genieten; afgezien van de gebruikelijke vrienden had Yves ook Gilbert Thomas uitgenodigd, een schilder van uitstekende komaf die talent schijnt te hebben, al is hij vorig jaar afgewezen door de Salon, wat hem erg dwarszat. Monsieur Thomas kan maar een jaar of tien ouder zijn dan ik; ik schat hem op eind dertig. Hij is charmant en intelligent, maar op sommige momenten heeft hij een boosheid in zich die me niet bevalt, zeker niet wanneer hij het over andere schilders heeft. Hij was wel zo vriendelijk naar mijn werk te vragen, en ik denk dat Yves het idee had dat hij me zou kunnen helpen, net als u. Hij leek oprecht getroffen door mijn portret van de kleine Marguerite, het nieuwe kamermeisje over wie ik u heb verteld, die een heel lichte huid heeft en goudblond haar, en ik beken dat het vleiend was zijn lovende woorden te horen. Hij zei dat hij dacht dat ik grootse dingen zou kunnen doen, gezien mijn talent, en complimenteerde me met mijn weergave van het model. Op dat moment vond ik hem aardig, zij het een tikje zelfverzekerd (ik zal het niet pompeus noemen, want dan geeft u me later weer een standje voor mijn snobisme). Zijn broer en hij zijn van plan een grote nieuwe verkoopgalerie te beginnen en me dunkt dat hij uw werk daar graag zou exposeren. Hij heeft Yves beloofd nog eens met zijn broer terug te komen, en dan moet u er ook bij zijn.

Er was ook een kostelijke man in het gezelschap, ene Monsieur Dupré, ook een kunstenaar, maar dan een die voor de geïllustreerde bladen werkt. Hij was in Bulgarije geweest, waar ze kortgeleden

een revolutie hebben meegemaakt. Ik hoorde hem tegen Yves zeggen
dat hij van uw werk had gehoord. Hij had een paar van zijn
prenten voor ons meegebracht, die heel gedetailleerd zijn en allerlei
schermutselingen en gevechten voorstellen, met cavalerie en
schitterende uniformen, maar hij maakt ook kalmere taferelen met
boerenmensen in klederdracht. Hij zegt dat Bulgarije bergachtig is
en momenteel tamelijk onveilig voor journalisten, maar vol
schitterende panorama's. Hij werkt aan een serie die hij 'Les Balkans
Illustrés' noemt. Hij is zelfs getrouwd met een Bulgaars meisje met
de bekoorlijke naam Yanka Georgieva, en hij heeft haar naar Parijs
gehaald om Frans te leren. Ze kon er die avond niet bij zijn omdat
ze zich onwel voelde, maar hij heeft haar naam voor me
opgeschreven. Ik betrapte mezelf erop dat ik zulke oorden graag met
eigen ogen zou willen zien. Eigenlijk is het maar saai nu Yves zo
hard werkt, en ik was blij dat we een dinertje hier thuis hadden. Ik
hoop echt dat u er de volgende keer bij zult zijn.

Ik moet nu rennen, maar ik verheug me op wat u maar te
schrijven hebt aan uw toegewijde
Béatrice de Clerval

22

Kate

We kregen een groot, groen huis van de school. Toen de lessen begonnen, was Robert vaker van huis dan ooit, en hij schilderde nu ook 's avonds op onze zolder. Ik kwam er liever niet vanwege de dampen, dus bleef ik er weg. Ik was in die periode onafgebroken ongerust om de baby, misschien doordat ik hem in me voelde spartelen en schoppen – 'Je voelt het leven,' zei de vrouw van een van de docenten tegen me. Als het kind niet bewoog, was ik er zeker van dat het ziek was of, nog waarschijnlijker, dood. Ik kocht geen bananen meer bij de kruidenier waar ik met onze nieuwe, stokoude auto naartoe pufte, want ik had gelezen dat er een gruwelijk chemisch goedje in zat dat geboorteafwijkingen kon veroorzaken. In plaats daarvan toog ik af en toe naar Greenhill met een grote mand, die ik vulde met biologische vruchten en yoghurt die we ons eigenlijk niet konden veroorloven. Hoe konden we een kind laten studeren als we niet eens gezonde druiven konden betalen?

Het was me allemaal een raadsel. Ik had alle hoop weer verloren dat ik iets anders zou worden dan een verschrikkelijke, hopeloze moeder, verveeld, ongeduldig en aan de valium. Was het ons maar nooit gelukt een kind te verwekken, dacht ik; het was een nobele wens, in het belang van dat arme kind, dat er maar het beste van moest zien te maken met mij als moeder en zijn ellendige lot een kunstenaar als vader te hebben – god, misschien was Roberts sperma wel aangetast door alle verfdampen die hij had ingeademd. Daar had ik nog niet aan gedacht. Ik kroop met een boek in bed en huilde. Ik had Robert nodig, en toen we die avond zaten te eten, vertelde ik hem over al mijn angsten en hij knuffelde en kuste me en verzekerde me dat er niets was om me zorgen over te maken, maar na het eten had hij een vergadering op school over het aanstellen van een nieuwe specialist in regionale volkskunst. Hij leek me nooit genoeg te geven, en dat leek hij ook niet erg genoeg te vinden.

In feite trok Robert zich steeds vaker in zijn zolderkamer terug wanneer hij geen lesgaf, en vermoedelijk merkte ik daardoor heel lang niet dat hij er ook sliep. Op een ochtend merkte ik dat hij niet naar beneden was gekomen voor het ontbijt en begreep dat hij de hele nacht had geschilderd, zoals hij soms deed, en pas tegen de ochtend naar bed was gegaan – het kwam geregeld voor dat ik wakker werd in een leeg bed, want kort nadat we het huis hadden betrokken, had hij een oude bank op zijn zolder gezet. Die dag kwam hij rond het middaguur tevoorschijn, met haar dat recht op zijn hoofd piekte. We lunchten samen en 's middags vertrok hij om les te geven.

Ik denk dat ik me die dag vooral herinner omdat ik een paar ochtenden later werd gebeld door de academie. Ze wilden weten hoe het met Robert was, want zijn studenten hadden gemeld dat hij twee dagen achter elkaar 's ochtends geen les in het atelier had gegeven. Ik probeerde me voor de geest te halen wat hij de afgelopen dagen had gedaan, maar het lukte niet; ik liep zelf rond in een waas van vermoeidheid en mijn buik was nu zo bol dat ik me amper diep genoeg kon bukken om ons bed op te maken. Ik zei dat ik het hem zou vragen zodra ik hem zag, maar dat ik dacht dat hij niet thuis was.

Eerlijk gezegd had ik zelf uitgeslapen en aangenomen dat hij was weggegaan voordat ik opstond, al begon ik daar nu aan te twijfelen. Ik liep naar de korte trap naar Roberts zolder en deed de deur open. De trap leek in mijn ogen zo hoog als de Mount Everest, maar ik hees mijn jurk een stukje op en begon aan de klim. Het viel me in dat dit de weeën op gang zou kunnen brengen, maar wat dan nog? Ik, of liever gezegd het kind, was al in de veilige zone; de verloskundige had me een week eerder opgewekt meegedeeld dat ik de baby kon krijgen 'wanneer ik maar wilde'. Ik werd heen en weer geslingerd tussen het verlangen het gezichtje van onze zoon of dochter te zien en de hoop op uitstel van de dag waarop mijn kind me onvermijdelijk in de ogen zou kijken en zou weten dat ik geen idee had wat ik deed.

Boven aan de trap zat geen deur, en toen ik de laatste tree op klauterde, kon ik de hele zolder zien. Er hingen twee gloeilampen aan het plafond, die allebei nog brandden. Flets middaglicht viel door het dakraam. Robert lag op de bank te slapen. Zijn ene arm hing tot op de vloer, met de hand gedraaid, elegant en barok. Zijn gezicht lag begraven in de kussens. Ik keek op mijn horloge: het was vijf over halftwaalf. Tja, hij had waarschijnlijk tot zonsopkomst doorgewerkt. Zijn ezel stond met de rug naar me toe en er hing nog een sterke verflucht. Ik wilde kokhalzen, alsof ik weer de ochtendmisselijkheid van het eerste trimester had, maar maakte in plaats daarvan rechtsomkeert en waggelde de trap weer af. Ik legde een briefje voor Robert op het aanrecht dat hij de academie moest bellen, at iets en ging wandelen met mijn vriendin Bridgette, die ook zwanger was. Ze verwachtte haar tweede en was nog niet zo tonrond als ik, en we hadden elkaar beloofd minstens drie kilometer per dag te lopen.

Toen ik thuiskwam, stonden de resten van Roberts lunch op tafel en was het briefje weg. Hij belde me om te zeggen dat hij later zou komen omdat hij besprekingen had met studenten en misschien op de academie zou eten. Ik ging naar de eetzaal daar, maar zag hem niet. Die nacht hoorde ik in mijn dromen de zoldertrap kraken, en de nacht daarna en die daarna weer. Als ik me in bed omdraaide, lag hij soms vlak naast me. Soms was hij al weg als ik laat in de ochtend wakker werd. Ik wachtte op de baby en op hem, al maakte ik me meer zorgen om de baby. Uiteindelijk werd ik bang dat ik Robert niet zou kunnen vinden wanneer mijn weeën begonnen. Ik bad dat hij op zolder aan het schilderen of slapen zou zijn wanneer de pijn begon, zodat ik me naar het trapgat kon slepen om zijn naam te gillen.

Op een middag nadat ik mijn wandeling had gemaakt, die had gevoeld als een tocht van dertig kilometer, belde de academie weer. Het speet ze dat ze het moesten vragen, maar had ik Robert gezien? Ik zei dat ik hem zou gaan zoeken. Toen ik terugrekende, kreeg ik het idee dat hij in geen dagen had geslapen, althans niet in ons bed, en dat hij nauwelijks thuis was geweest. Ik had de trap wel eens 's nachts horen kraken, en dan veronderstelde ik dat hij als een razende aan het schilderen was, misschien om extra werk af te maken voordat de baby kwam. Ik klauterde weer naar boven en zag hem op zolder languit op zijn rug liggen, langzaam en diep ademhalend, zelfs een beetje snurkend. Het was vier uur 's middags en ik vroeg me af of hij die dag wel was opgestaan. Wist hij dan niet dat hij les moest geven, dat hij een vrouw met een mammoetbuik moest steunen? Mijn woede laaide op en ik sleepte me naar de bank om hem wakker te schudden, maar bleef toen staan. De ezel stond naar het grote dakraam gekeerd en ik had een glimp op-

gevangen van wat erop stond en van de schetsen waarmee de vloer bezaaid lag.

Ik herkende haar op slag, alsof we elkaar op straat tegenkwamen nadat we elkaar een tijd niet hadden gezien. Ze glimlachte naar me met
licht naar beneden wijzende mondhoeken en glanzende ogen, een gezichtsuitdrukking die ik kende van de schets die ik maanden eerder op
de rustplaats uit Roberts zak had getrokken. Het was een portret tot
aan het middel, gekleed. Ik kon nu ook hoe zien hoe verrukkelijk haar
lichaam was, slank, sterk, vol, met iets bredere schouders dan je zou
verwachten en een buigzame hals. Van dichtbij gezien had het schilderij iets vaags, een ruwe verfhuid, hoewel de vormen echt en massief
waren – impressionisme, of iets wat eraan grensde. Ze droeg een beige jurk met ruches en rode strepen die de ronding van haar borsten
volgden, een kledingstuk uit een ander tijdperk, een kostuum, en haar
haar was opgestoken met een rood lint eromheen; mijn favoriete mee-
kraprood, ik wist precies welke tube hij voor die details had gebruikt.
De schetsen op de vloer waren studies voor dit schilderij, en ik zag in
een oogopslag dat het een van Roberts beste werken was. Het was elegant, maar ook vol ingehouden beweging. Ik had zelden een zo briljant getroffen menselijke gelaatsuitdrukking gezien; de vrouw stond op
het punt te bewegen, zacht te lachen, haar ogen neer te slaan onder
mijn blik.

Ik draaide me ziedend om naar de bank, al had ik op dat moment
niet kunnen zeggen of ik kwaad was vanwege de vrouw op het schilderij, Roberts extreme talent of het feit dat hij door de telefoontjes
heen sliep van de werkgever van wie we in de toekomst afhankelijk
waren voor yoghurt en luiers. Ik schudde hem door elkaar. Terwijl ik
het deed, schoot me te binnen dat hij had gezegd dat ik hem nooit
wakker mocht schudden; het maakte hem bang, zei hij, want hij had
ooit een waar gebeurd verhaal gehoord over iemand die gek was geworden doordat hij uit zijn slaap was opgeschrokken. Deze keer kon
het me niets schelen. Ik schudde hem ruw door elkaar, zijn brede schouder vervloekend, zijn vergeetachtigheid, de wereld waarin hij sliep,
droomde en schilderde... en andere vrouwen bewonderde, vrouwen met
een slanke taille. Waarom was ik met zo'n slonzige, egoïstische man
getrouwd? Het kwam voor het eerst bij me op dat het allemaal mijn
schuld was, dat ik geen mensenkennis had.

Robert bewoog en mummelde. 'Wat?'

'Hoezo, wat?' zei ik. 'Het is bijna vier uur. Je hebt je verslapen. Voor de zoveelste keer.'

Tot mijn voldoening leek hij te schrikken. 'O, shit,' zei hij terwijl hij zich moeizaam overeind hees. 'Hoe laat is het, zei je?'

'Vier uur,' antwoordde ik afgemeten. 'Ben je van plan je baan te houden, of zullen we dit kind in troosteloze armoede opvoeden? Jij mag het zeggen.'

'O, hou op.' Hij trok de oude dekens traag van zijn lichaam, alsof ze vijfentwintig kilo per stuk wogen. 'Je hoeft niet zo op je strepen te staan.'

'Dat doe ik niet,' zei ik, 'maar de academie zou het wel kunnen doen, als je eindelijk eens terugbelt.'

Hij keek me kwaad aan terwijl hij over zijn hoofd wreef, maar zei niets, en ik voelde een brok in mijn keel schieten. Als puntje bij paaltje kwam, zou ik er alleen voor kunnen komen te staan, of misschien was ik al alleen. Hij stond op, trok zijn schoenen aan en liep de trap af. Ik volgde hem omzichtig, bang te struikelen, topzwaar, ellendig. Ik wilde zo dicht mogelijk bij hem blijven, de krullen op zijn achterhoofd kussen, zijn schouder vastpakken om niet te wankelen en te vallen, hem op zijn donder geven en mijn nagels in zijn rug zetten. Heel even voelde ik zelfs een flits van lang onderdrukte fysieke begeerte, een besef van mijn gezwollen borsten en middel, maar hij liep een stuk voor me uit en ik hoorde hoe hij zich naar de keuken haastte. Toen ik daar aankwam, was hij aan het bellen. 'Dank je, dank je,' zei hij. 'Ja, het zal wel een virusje zijn. Het is morgen vast over. Dank je, dat zal ik doen.' Hij hing op.

'Heb je je ziek gemeld?' Ik was van plan geweest naar hem toe te lopen, mijn armen om zijn nek te slaan, me te verontschuldigen voor mijn humeurigheid, soep voor hem te maken, opnieuw te beginnen. Hij werkte tenslotte hard, hij was druk aan het schilderen, natuurlijk was hij moe. In plaats daarvan klonk mijn stem vlak en vals.

'Het gaat je niets aan wat ik heb gezegd, als je zo tegen me praat,' zei hij en hij trok de koelkast open.

'Ben je opgebleven om te schilderen?'

'Natuurlijk ben ik opgebleven om te schilderen.' Hij maakte mijn weerzin nog groter door een pot augurken en een fles bier te pakken. 'Ik ben schilder, weet je nog?'

'Wat houdt dat in?' Ik sloeg onwillekeurig mijn armen over elkaar.

Ik had een hele richel om ze op te laten rusten.

'Wat dat inhoudt? Wat ik zeg.'

'Houdt dat in dat je telkens dezelfde vrouw schildert?'

Ik had gehoopt dat hij me vuil aan zou kijken, dat hij koeltjes zou zeggen dat hij geen idee had waar ik het over had, dat hij schilderde wat hij schilderde, waar hij zich ook maar toe geroepen voelde, maar tot mijn ontzetting wendde hij zijn blik af en maakte met een strak gezicht zijn bier open. Hij leek de augurken vergeten te zijn. Het was niet bepaald de eerste ruzie in onze bijna zes jaar samen, of zelfs in de afgelopen week, maar het was wel de allereerste keer dat hij mijn blik meed.

Ik kon me niets ergers voorstellen dan zijn schuldbewuste gezicht, zijn afgewende blik, maar het volgende moment gebeurde er iets wat nog erger was: hij keek op zonder me te zien, zijn blik op een punt net boven mijn schouder gericht, en zijn gezicht werd zachter. Ik werd bekropen door het afschuwelijke gevoel dat iemand achter me geluidloos in de deuropening was opgedoken; mijn nekharen gingen zelfs overeind staan. Ik deed mijn uiterste best om me niet om te draaien terwijl hij met zijn niets ziende, zachte ogen stond te staren. Opeens werd ik bang om meer te weten. Als hij verliefd was geworden op een ander, zou ik er snel genoeg achter komen. Ik wilde alleen nog maar gaan liggen, mijn kind dicht bij me voelen en uitrusten.

Ik liep de keuken uit. Als hij door zijn eigen onverantwoordelijke gedrag zijn baan kwijtraakte, kon ik altijd nog bij mijn moeder in Ann Arbor gaan wonen. Ik zou een meisje krijgen en wij, drie generaties vrouwen, zouden van geen wijken weten en voor elkaar zorgen tot mijn dochter groter was en een beter leven kon gaan leiden. Ik ging naar onze slaapkamer, zakte op het bed, dat piepte onder mijn gewicht, en trok het dekbed over me heen. Tranen van zwakheid sijpelden uit mijn ogen en liepen over mijn wangen. Ik veegde ze weg met mijn mouw.

Een paar minuten later hoorde ik Robert naderen en deed mijn ogen dicht. Hij ging op de rand van het bed zitten, waardoor het nog verder doorzakte. 'Het spijt me,' zei hij. 'Ik bedoelde het niet gemeen. Ik ben gewoon afgepeigerd van het lesgeven en 's nachts werken.'

'Waarom doe je het dan niet iets kalmer aan?' vroeg ik. 'Ik zie je nooit meer. Trouwens, het lijkt alsof je meer slaapt dan werkt.' Ik wierp een steelse blik op hem. Zijn gezicht leek weer normaal. Ik dacht dat ik me die vreemde uitdrukking had verbeeld.

'Niet 's nachts,' zei hij. 'Ik kan 's nachts niet slapen. Ik word meegesleurd door een golf, een vloedgolf, en het voelt alsof ik die helemaal moet uitbuiten. Ik overweeg een nieuwe serie, iets met veel portretten, en het voelt alsof ik niet kan slapen tot ik eraan heb gewerkt. Dan ben ik zo moe dat ik wel moet uitslapen. Ik denk dat ik drie nachten wakker ben gebleven.'

'Je kunt het iets kalmer aan doen,' zei ik nog eens. 'Je zult trouwens wel moeten als het kind komt.' Wat nu elk moment kon gebeuren, voegde ik er in stilte aan toe, al was ik te bijgelovig om het hardop te zeggen.

Hij streelde mijn haar. 'Ja,' zei hij, maar het klonk afwezig en ik had de indruk dat hij weer elders zat met zijn gedachten. Een paar van mijn vriendinnen met kinderen hadden me bij de zandbak verteld dat aanstaande vaders wel eens 'flipten' voordat het kind er was; ze lachten erom, alsof het niets voorstelde. 'Maar als ze het kind dan zien...' voegden ze eraan toe, en dan knikte iedereen. Blijkbaar maakte de eerste glimp van een baby alles weer goed. Misschien zou het met Robert net zo gaan. Hij zou een ochtendmens worden, op redelijke tijden schilderen, automatisch zijn baan behouden en tegelijk met mij gaan slapen. We zouden gaan wandelen met de kinderwagen en de baby 's avonds samen instoppen. Ik kon ook weer gaan schilderen, en we konden een rooster opstellen, zodat we om beurten voor het kind konden zorgen en schilderen. Misschien konden we het kind toch een tijdje bij ons op de kamer houden, en van de tweede slaapkamer een atelier voor mij maken.

Ik dacht erover na hoe ik dit aan Robert kon uitleggen, hoe ik erom kon vragen, maar ik was te moe om naar de woorden te zoeken. Trouwens, wat voor vader zou hij zijn als hij zulke dingen niet spontaan voor en met me deed? Het baarde me nu al zorgen dat hij nooit leek te beseffen hoeveel of hoe weinig geld we hadden, meestal weinig, of wanneer de rekeningen betaald moesten worden. Ik had het altijd zelf gedaan, en dan likte ik voldaan aan de postzegels en plakte ze recht in de bovenhoek van de enveloppen, ook al wist ik dat wanneer ze bij de geadresseerden werden bezorgd, ons saldo bijna in het rood zou duiken. Robert gaf een kneepje in mijn schouder. 'Ik ga nog even aan mijn schilderij werken,' zei hij. 'Als ik weer aan de slag ga, kan ik het misschien morgen afmaken.'

'Is het een studente?' Ik dwong mezelf het te vragen, fel, bang dat ik het later niet meer zou kunnen.

Hij keek er niet van op. De vraag leek niet eens tot hem door te dringen; er was geen schuldbesef. 'Wie?'

'De vrouw op de schilderijen boven.' Ik dwong mezelf weer de woorden uit te spreken, maar had er meteen spijt van. Ik hoopte dat hij geen antwoord zou geven.

'O, ik gebruik geen model,' zei hij. 'Ik probeer me haar gewoon voor te stellen.' Het was gek; ik geloofde hem niet, maar ik dacht ook niet dat hij loog. Ik besefte met een gevoel van naderend onheil dat ik van nu af aan naar alle jonge gezichten op de campus zou kijken, naar alle donkere krullenbollen. Alleen klopte het niet. Hij had haar al geschetst voordat we uit New York vertrokken, of in elk geval voordat we hier waren aangekomen. Ik wist zeker dat het hetzelfde gezicht was.

'De jurk is zo moeilijk goed te krijgen,' voegde hij er even later aan toe. Hij fronste zijn voorhoofd, krabde langs zijn haargrens en wreef over zijn neus: normaal, afwezig, gepreoccupeerd. God, dacht ik, ik ben een paranoïde dwaas. Die man is een kunstenaar, een waarachtig kunstenaar met zijn eigen visie. Hij doet wat hij wil, wat er maar in hem opkomt, en met geniale resultaten. Dat wil niet zeggen dat hij met een student slaapt, of met een model in New York. Hij is er sinds de verhuizing niet eens meer geweest. Dat wil niet zeggen dat hij geen goede vader zal zijn.

Hij stond op, boog met zijn lange lijf naar me over om me een kus te geven en bleef bij de deur staan. 'O, dat was ik vergeten je te vertellen. De academie heeft mij aangewezen voor de solo-expositie van volgend jaar. We mogen om de beurt, zie je, maar ik had niet gedacht dat ze mij zo snel aan bod zouden laten komen. Het museum in de stad werkt eraan mee. Ik krijg ook opslag.'

Ik ging rechtop zitten. 'Wat geweldig... Dat had je me nog niet verteld.'

'Nou, ik hoorde het gisteren pas. Of eergisteren, misschien. Ik wil dit schilderij ervoor maken, dat in elk geval, en misschien de hele serie.' En weg was hij. Ik bleef glimlachend achter en dook nog een halfuurtje onder het dekbed. Misschien had ik net als Robert wel een dutje verdiend.

Maar de volgende keer dat ik hem op zolder ging zoeken, zag ik dat hij de verf tot op het doek had afgeschraapt, als voorbereiding op het schoonmaken voor een nieuw schilderij; misschien was de roodgestreepte jurk uiteindelijk toch niet gelukt. Ik had bijna het gevoel dat ik me dat gezicht een tweede keer had ingebeeld, die blik vol spijtige liefde voor hem.

18 december
Mon cher oncle et ami,
Wat aardig van u dat u gisteren precies kwam toen het begon te
regenen, wat altijd een voorbode is van een sombere avond. Het was
heerlijk om u te zien en uw verhalen te horen. En vandaag regent
het weer!
Kon ik de regen maar schilderen – hoe zou je zoiets aanpakken?
Het is Monsieur Monet ongetwijfeld gelukt, en mijn nicht
Mathilde, die dol is op alles uit Japan, heeft een serie prenten in
haar salon waar Franse kunstenaars niet aan kunnen tippen, maar
misschien is de regen in Japan opbeurender dan in Parijs. Wat zou
ik niet graag willen weten dat de hele natuur zich aan mijn penseel
aanbood, zoals ze dat aan Monet lijkt te doen, ook al laten sommige
mensen zich onaardig uit over hem, zijn collega's en hun
experimenten. Mathildes vriendin Berthe Morisot exposeert met
hen, zoals u misschien weet, en ze geniet al bekendheid (misschien
heeft ze zich te veel blootgegeven op tentoonstellingen; daar is moed
voor nodig). Ging het maar weer sneeuwen – het mooie deel van de
winter laat dit jaar veel te lang op zich wachten.
Gelukkig kreeg ik uw brief vanochtend. Het was lief van u zowel
papa als mij te schrijven. Ik verdien uw vriendelijke woorden over
mijn vorderingen niet, maar mijn atelier op de veranda helpt wel:
ik verdrijf er de tijd wanneer papa slaapt. De post bracht ons
vanochtend ook het bericht dat Yves minstens twee weken later
terugkomt, een zware slag voor ons allemaal, maar vooral voor
papa. Het lijkt me beter om geen kinderen te hebben, zoals wij, dan
maar één, zoals mijn schoonvader, als dat enige kind zo dierbaar is
en toch telkens van huis wordt weggeroepen. Ik leef met papa mee,

maar we zitten samen bij het vuur, hand in hand, en lezen hardop Villon. Zijn hand is nu zo broos dat hij zou kunnen dienen als een studie in ouderdom voor Leonardo of een klassieke Romeinse beeldhouwer. Wat fijn dat uw grote doek vordert en dat uw artikelen in nog grotere kring verspreid zullen worden – ik sta op mijn recht net zo trots te zijn als een echte bloedverwante.

Accepteer alstublieft de gelukwensen van uw liefhebbende nichtje,
Béatrice

23

Kate

Ingrid werd op 22 februari geboren, in de kraamkliniek van Greenhill. Voor mij kan niets ooit het moment ontluisteren waarop ik besefte dat ze levend en gezond was, prachtig zelfs, en later het moment waarop ik haar handje mijn vinger voelde omklemmen. En ik was niet ten onder gegaan aan mijn rit door de vlammen. Robert raakte haar aan met een vingertop die bijna zo groot was als haar neus. Ik huilde met hem mee, merkte ik, en toen ik naar hem keek, voelde ik een liefde voor hem die zo straalde dat ik mijn blik moest afwenden van zijn gezicht, dat een gloed had als van een gouden ring. Ik besefte nu pas wat liefde was; ik kon niet kiezen van wie van die twee mensen, het piepkleine kind of de hoog oprijzende man, ik het meest hield. Waarom had ik Roberts goddelijkheid niet eerder gezien, die nu was gereproduceerd in het hoofdje dat op mijn huid rustte, de groen met bruine ogen die zo ongelovig in het rond keken?

We vernoemden haar naar mijn lang geleden gestorven grootmoeder uit Philadelphia. Ingrid sliep redelijk goed door, en na die eerste nacht zetten we het patroon voort. Robert en Ingrid sliepen en ik keek naar hen, of ik las, of ik liep door het huis, maakte de badkamer schoon of sliep samen met hen. Robert leek te vermoeid om op te blijven om te schilderen; de baby wekte ons drie keer per nacht, wat niets was, zo verzekerde ik hem, maar hij vond het uitputtend. Ik zei dat hij haar ook mocht voeden en hij lachte slaperig en zei dat hij het wel zou doen, als hij het kon, maar dat zijn melk, als hij die kon produceren, niet lekker zou zijn. 'Te veel giftige stoffen,' zei hij. 'Al die verf.'

Ik voelde een zweempje ergernis dat jaloezie had kunnen zijn – hoorde ik zelfvoldaanheid in zijn stem? In mijn bloedsomloop circuleerde geen verf, alleen maar gezond voedsel en de vitaminen voor pas bevallen vrouwen waarvan ik nog steeds vond dat we ze niet konden betalen, maar die ik de baby niet wilde onthouden. De liefde, aanbidding bijna, die ik in het kraambed voor Robert had gevoeld, was in de dagen daarna weggeëbd, verflauwd met de pijn in mijn buik en beenspieren, en ik voelde het wegglippen, me bewust van het verlies. Het was als het zichtbare eind van een kalverliefde, maar dan veel droeviger, en het liet een leegte achter, want nu wist ik tot welke gevoelens ik in staat was, niet op mijn vijftiende, maar na mijn dertigste, en ze waren weg, weg. Maar dan zag ik Robert de baby in zijn ene arm houden, al tamelijk handig, terwijl hij met zijn vrije hand at, en hield ik weer van allebei – Ingrid draaide net haar hoofdje om naar hem op te kijken, en haar ogen waren vol verwondering, dezelfde die ik altijd had gevoeld bij de aanblik van die monumentale man met zijn hoekige gezicht en dikke, krullende haar.

Thuis vroeg ik weinig van Robert. Hij gaf een vroege zomercursus om wat extra geld te verdienen en ik was hem dankbaar. Na een tijdje begon hij weer 's avonds laat op zolder te schilderen, en soms bleef hij in het atelier op de academie slapen. Overdag leek hij niet meer te slapen, voor zover ik wist, ondanks onze doorwaakte nachten met Ingrid. Hij liet me een paar kleine doeken zien, stillevens met stokjes en stenen die hij de leerlingen had opgegeven en zelf ook had geprobeerd, en ik glimlachte en weerhield me ervan te zeggen dat ze er doods uitzagen. *Nature morte*, aan die Franse term deden ze me denken. Een paar jaar eerder had ik er met hem over kunnen discussiëren, hem een beetje kunnen stangen, erover met hem in debat kunnen gaan omdat ik wist dat hij van dat soort aandacht hield; ik had tegen hem kunnen zeggen dat een slappe fazant het enige was wat er nog aan ontbrak. Nu zag ik er ons brood in, in plaats van alleen takken en stenen, en ik hield mijn mond. Ingrid had babyvoeding nodig, liefst biologische wortels en spinazie, en uiteindelijk zou ze misschien naar Barnard willen, en mijn enige pyjama was zo versleten dat er een gat in de knie was gevallen.

Op een ochtend in juni, toen Robert al weg was om les te geven, besloot ik de stad in te gaan voor een paar onnodige boodschappen, vooral om de sleur van wandelingetjes met de kinderwagen over de campus te doorbreken. Ik kleedde Ingrid aan en zette haar in de box terwijl ik een trui, de autosleutels en mijn tas pakte. Mijn sleutels hingen niet aan de haak bij de achterdeur, en ik wist meteen dat Robert ze moest hebben gepakt terwijl ik nog zat te ontbijten. Als hij heel laat was, ging hij wel eens met de auto naar school, en hij wist zelden waar zijn eigen sleutels waren. Ik kreeg het warm van ergernis.

In een laatste, wanhopige poging beklom ik de zoldertrap om te zien of Roberts sleutels tussen de rommel op zijn tafel lagen; het was vaak een stilleven van proppen papier, pennen, servetten uit de kantine, telefoonkaarten en zelfs geld. Ik was zo gericht op wat ik zocht dat ik niet meteen besefte wat ik zag; ik keek nog steeds naar de rommelige tafel, hopend op de sleutels, mijn uitje, een vondst in het halfdonker. Toen trok ik aan het lichtkoord, langzaam. Ik was al een paar maanden niet meer helemaal boven in het huis geweest, bedacht ik, misschien zelfs niet meer sinds de geboorte van Ingrid, die nu vier maanden was. Het was een oud plattelandshuis, zoals ik al had gezegd. Het dak was vanbinnen niet afgewerkt, de balken en latten lagen bloot. De zolder besloeg de korte lengte van het huis en het was er hels benauwd op warme dagen, waarvan er gelukkig niet al te veel waren in de bergen. Ik wendde mismoedig mijn blik af, overzag de vertrouwde rommel op de tafel nog eens en keek toen weer om me heen.

Ik kan mijn eerste indruk niet goed beschrijven, maar voordat ik me kon inhouden, slaakte ik een kreet, want ik zag overal een visioen van een vrouw, een vrouw die op elk oppervlak van het atelier voorkwam, in kleine onderdelen en versies, ontleed en in stukken gesneden, maar dan zonder bloed. Ik kende haar gezicht al, en ik zag het tientallen keren herhaald, glimlachend, ernstig, in verschillende formaten en stemmingen weergegeven, soms met haar haar hoog opgestoken, soms met een rood lint erin, of een donker hoedje of mutsje erop, in een laag uitgesneden jurk of met haar haar los en haar borsten bloot, wat een tweede schok voor me was. Soms was het alleen een hand met gouden ringetjes om de vingers, of een ouderwetse hoge knoopschoen, of zelfs alleen maar een studie van een enkele vinger, een blote voet of, tot mijn afgrijzen, een gedetailleerd getekende, samengetrokken tepel, een welving van een naakte rug, schouder of bil, de donkere schaduw van haar tussen gespreide dijen, en dan weer – nog verrassender door het contrast – een keurig dichtgeknoopte handschoen, het sombere zwarte lijfje van een jurk, een hand met een waaier of een boeket bloemen erin, een omhuld, mysterieus lichaam, en dan weer haar gezicht, en profil, in driekwart, en face, met donkere ogen, bedroefd.

Het hout waarop hij had geschilderd, was gladgeschuurd – de zolder was niet afgewerkt, maar het hout was niet ruw – zodat hij fijne details kon aanbrengen. Hij had de achtergrond van de collage zacht grijsblauw gemaakt en er randen met lentebloemen in verwerkt, die minder fel realistisch waren dan alle afbeeldingen van de vrouw, maar exquis herkenbaar: rozen, appelbloesem en goudenregen, bloemen waar Robert en ik allebei dol op waren en die hier op de campus groeiden. De balken waren versierd met lange guirlandes in rood en blauw, een trompe-l'oeileffect dat me deed denken aan behang in victoriaanse slaapkamers.

De twee kleinste zolderwanden waren gevuld met landschappen, los genoeg geschilderd om een hommage aan het impressionisme te kunnen zijn, en op allebei figureerde de vrouw. Het ene landschap was een strand met links hoog oprijzende kliffen. Ze stond alleen in de verte naar de zee te staren. Ze had een parasol over haar schouder en een met bloemen beladen blauwe hoed op haar hoofd, maar toch moest ze een hand boven haar ogen houden; de zon scheen oogverblindend op het water. Het andere landschap stelde een wei voor met toetsen kleur die zomerbloemen moesten zijn, en de vrouw lag op een elleboog steunend in het hoge gras een boek te lezen, met haar parasol boven haar hoofd en haar lieflijke gezicht in de gloed van haar roze gedessineerde jurk. Deze keer had ze tot mijn verrassing een kind bij zich, een meisje van een jaar of drie, vier, dat bloemen boven aan de steel afplukte, en ik vroeg me prompt af of die variatie was ingegeven door Ingrids komst in ons leven. Het maakte mijn hart iets minder verkrampt.

Ik zakte op Roberts krakende bureaustoel. Vooral toen ik naar het meisje in de wei keek, met haar jurk en hoedje en wolk donkere krullen, was ik me er sterk van bewust dat ik Ingrid niet veel langer wakker en alleen in haar box beneden kon laten zitten. Er was nog een lege hoek, een schuin stuk dak dat Robert nog niet had benut. De rest was helemaal bedekt met volle kleuren en schoonheid, overlopend van de aanwezigheid van die vrouw. Ze stond ook afgebeeld op de onvoltooide doeken op Roberts ezels; op een ervan zat ze gehuld in een donkere stof die nog maar half was geschilderd, een mantel, een sjaal, haar gezicht beschaduwd en haar ogen vol... wat was het? Liefde? Angst? Ze keek me aan en ik wendde mijn blik af. Het andere doek was nog angstaanjagender. Hierop was haar gezicht te zien naast een ander gezicht, dat van een dode vrouw die slap tegen haar schouder hing. De dode vrouw, die een vergelijkbaar kostuum droeg, had grijs haar en een rode wond in het midden van haar voorhoofd; een donker gat, diep, klein en op de een of andere manier gruwelijker dan welke bloedige, gapende wond ook had kunnen zijn. Het was de eerste keer dat ik dat tafereel zag.

Ik bleef nog een lange minuut zitten. Zolder, doeken – ik wist dat het het beste werk van zijn penseel was dat ik ooit had gezien. Het was excellent, geconcentreerd, maar gaf ook een indruk van een passie die op uitbreken stond, een woeste poging tot beheersing. Het had dagen, nachten, weken, waarschijnlijk maanden gekost. Ik dacht aan de blauwe kringen onder Roberts ogen, hoe de huid van zijn wangen en voorhoofd vouwen kreeg van de spanning. Hij had me een paar keer gezegd dat hij zich zo wilskrachtig voelde, dat hij alleen nog maar wilde schilderen en schilderen en geen slaap meer nodig leek te hebben, en ik was jaloers geweest; ik liep de hele dag half slapend rond na een nacht met Ingrid aan de borst. We konden die zolder vol overweldigende schilderijen niet verkopen, maar misschien kon Robert de twee schilderijen exposeren. Eigenlijk bad ik dat niemand anders die ontstellende buitensporigheid ooit te zien zou krijgen. Hoe moesten we het aan de academie uitleggen? Nee, hij zou alles een keer moeten overschilderen, in elk geval voordat we hier weggingen. Bij de gedachte dat al dat overdadige, stralende werk gewist zou worden, kreeg ik pijn in mijn maag. Geen ander zou het ooit begrijpen.

Het ergste was nog wel dat, wie het ook was, ík het niet was. En ze scheen een kind te hebben met net zulk donker, krullend haar als Ingrid. Roberts haar – geërfd? Het was ongegrond, een bespottelijke gedachte. Ik moest vermoeider zijn dan ik had beseft. De vrouw had tenslotte zelf ook krullend donker haar, net als Robert. Toen diende zich een nog ergere mogelijkheid aan: misschien wilde Robert op de een of andere manier zélf die vrouw zijn; misschien was dit een portret van hemzelf als de vrouw die hij wilde zijn. Wat wist ik welbeschouwd van mijn man? Maar Robert was zo immens mannelijk, altijd al geweest, dat ik die veronderstelling niet langer dan een seconde serieus kon nemen. Ik wist niet wat me meer zorgen baarde: het niet-aflatende werk dat bijna elke vierkante centimeter vulde van die muren die op me af leken te komen, of het feit dat hij me nooit uit eigen beweging had verteld over de vrouw die zijn dagen beheerste.

Ik stond op en doorzocht de zolder gehaast. Met bevende handen schudde ik de dekens uit op de bank waar Robert blijkbaar nog maar zelden sliep. Wat verwachtte ik daar te vinden? Er sliep geen andere vrouw met hem, althans niet in mijn huis. Er viel geen liefdesbrief op de vloer, alleen Roberts horloge, dat hij kwijt was. Ik rommelde in de berg op tafel, de papieren – er zaten schetsen tussen voor de portretten en randen rondom me. Ik vond de sleutels, aan de ring met de messing muntjes die ik hem een paar jaar eerder had gegeven, en stopte ze in de zak van mijn spijkerbroek.

Naast de bank stonden stapels bibliotheekboeken die in een lawine weggleden, voornamelijk grote kunstboeken. Hij kwam altijd met boeken en foto's thuis, dus dit was tenminste geen verrassing, maar het waren er wel erg veel geworden, en ze gingen bijna allemaal over het Franse impressionisme. Ik had niet geweten dat hij het zo boeiend vond, afgezien van zijn obsessie voor Degas toen we nog in New York woonden. Er waren boeken over de grote kunstenaars van de stroming en hun voorgangers: Manet, Boudin, Courbet, Corot. Sommige waren van verre universiteiten geleend. Er waren ook boeken over de geschiedenis van Parijs, over de Normandische kust, over Monets tuinen in Giverny, over negentiende-eeuwse dameskleding, over de Parijse Commune, over keizer Lodewijk Napoleon, de nieuwe inrichting die baron Haussmann aan Parijs gaf, de Parijse Opéra, Franse chateaus en de jacht, over waaiers en boeketten in de geschiedenis van de schilderkunst. Waarom had Robert die interesses nooit met bij besproken? Wanneer waren al die boeken ons huis binnengeslopen? Had hij ze allemaal gelezen, alleen maar om een zolder te beschilderen? Robert was geen historicus; voor zover ik wist, las hij alleen kunstcatalogi en soms een misdaadroman.

Ik pakte een biografie van Mary Cassatt. Het moest allemaal op de een of andere manier voor zijn expositie zijn, voor de inspiratie, een project waarover hij me niet had verteld. Had ik het te druk gehad met het kind om hem ernaar te vragen? Of was zijn project zo verstrengeld met zijn gevoelens voor het model dat hij nooit had genoemd dat hij zich er niet toe kon zetten er met me over te praten? Ik keek weer om me heen, naar de vloedgolf aan beelden, scherven van een spiegel, opgehouden voor één markante vrouw. Hij had haar nauwgezet aangekleed naar de modes in die boeken: schoenen, handschoenen, witte onderkleding met ruches. Toch was ze voor hem duidelijk een echt mens, een levend facet van zijn bestaan. Ik hoorde Ingrid brullen en besefte dat er maar een paar minuten waren verstreken sinds ik de trap naar de zolder had beklommen, een vluchtige nachtmerrie.

Ik reed met Ingrid naar de stad en duwde haar wandelwagen voor me uit tussen de gepensioneerden, toeristen en mensen met lunchpauze. Ik leende *Max en de maximonsters* bij de bibliotheek om het haar voor mijn eigen plezier te kunnen voorlezen; telkens als ik het omslag zag, voelde ik me weer een kind. Ik leende een biografie van Van Gogh die uitgestald stond. Het werd tijd dat ik me weer ging ontwikkelen, en ik wist niets van hem, behalve de bekende legendes. Ik kocht een zomerjurk bij een van de boetieks. Hij was gelukkig in de uitverkoop, crèmekleurige katoen met viooltjes, ouderwets, heel anders dan de spijkerbroek en effen T-shirts waarin ik meestal liep. Ik overwoog Robert te vragen me erin te schilderen op onze veranda of in de wei achter de huizen op de campus, en moest me toen tot het uiterste verzetten tegen de gedachte aan het donkerharige kind op de zoldermuur. 'Verder nog iets?' vroeg de verkoopster terwijl ze wat gratis wierookstokjes inpakte voordat ze ze in de tas stopte.

'Nee, nee, dank je. Dat was het.' Ik zette Ingrid recht in haar wandelwagen omdat bukken hielp de prikkende tranen achter mijn oogleden in bedwang te houden.

22 december 1877

Mon cher oncle et ami,

Dank u voor uw vriendelijke brief, die ik nauwelijks verdien maar zal koesteren wanneer ik aanmoediging behoef in mijn bescheiden schilderpogingen. Het is echt een grijze dag, en ik dacht er de aandacht enigszins van af te kunnen leiden door u te schrijven. We verwachten u, vanzelfsprekend, met Kerstmis, en zullen ons erop verheugen, op welke dag en hoe laat u ook maar kunt komen, en Yves hoopt dan ook een paar dagen thuis te komen, al is het verre van zeker of hij toestemming zal krijgen voor een langere vakantie en zal hij in het nieuwe jaar terug moeten keren naar het zuiden om zijn werk daar af te maken. Ik denk dat we het vrij sober gaan vieren; papa is weer verkouden.

Ik kan u verzekeren dat er niets zorgwekkends met hem is, maar hij wordt snel moe en zijn ogen doen hem meer pijn dan anders. Ik heb hem net geholpen in zijn zitkamer te gaan liggen met warme kompressen en toen ik voor het laatst in de kamer keek, brandde de haard knus en was hij in slaap gevallen.

Ik ben zelf vandaag een beetje moe en kan me op niets anders richten dan het schrijven van brieven, hoewel het schilderen gisteren goed ging doordat ik een goed model heb gevonden, mijn andere kamermeisje Esmé; toen ik haar een keer vroeg of ze uw geliefde Louveciennes kende, vertelde ze me schuchter dat zij uit het dorp ernaast komt, dat Grémière heet. Yves zegt dat ik de bedienden niet moet kwellen door hen voor mij model te laten zitten, maar waar kan ik anders zo'n geduldig model vinden? Vandaag is ze echter boodschappen gaan doen en moet ik opletten of ik papa hoor terwijl ik u zit te schrijven.

U, die mijn atelier hebt gezien, weet dat niet alleen mijn ezel en werktafel daar staan, maar ook dit bureau, dat ik al sinds mijn kindertijd heb; het is van mijn moeder geweest, die de panelen zelf heeft beschilderd. Ik doe mijn correspondentie altijd hier, waar ik door het raam kan kijken. U kunt zich vast wel voorstellen hoe drassig de tuin vanochtend is; ik kan nauwelijks geloven dat het hetzelfde paradijsje is waar ik afgelopen zomer een aantal taferelen heb geschilderd, maar de tuin is zelfs nu nog mooi, zij het kaal. Stel u die zomerse tuin voor, mijn wintertroost, mon ami, doe het voor mij, als u wilt.
Vol genegenheid,
Béatrice de Clerval

24

Kate

Toen Robert thuiskwam, zei ik niets tegen hem over de zolder. Hij was moe van een dag lesgeven en we zaten zwijgend aan de linzensoep die ik had gemaakt, terwijl Ingrid vrolijk appelmoes en worteltjes over haar kleren spuugde. Ik voerde haar, veegde haar mond telkens weer met een vochtig washandje schoon en probeerde moed te verzamelen om Robert iets over zijn werk te vragen, maar ik kon het niet. Hij steunde met zijn hoofd in zijn ene hand en had donkere kringen onder zijn ogen, en ik voelde dat er iets voor hem was veranderd, al wist ik niet wat of hoe het anders was dan al het andere. Af en toe keek hij langs me heen naar de deuropening van de keuken, met een wanhopige flakkering in zijn ogen, alsof hij iemand verwachtte die maar niet kwam, en ik voelde weer die huivering van verwarring en angst en dwong mezelf zijn blik niet te volgen.

Na het eten ging hij naar bed en sliep veertien uur achter elkaar. Ik maakte de keuken schoon, stopte Ingrid in bed, zat 's nachts met haar op en werd de volgende ochtend samen met haar wakker. Ik overwoog Robert te vragen of hij zin had om met me te wandelen, maar toen ik terugkwam van mijn bezoek aan het postkantoor op de campus was hij weg; het bed was onopgemaakt en er stond een half leeggegeten kom ontbijtvlokken op tafel. Ik ging voor de zekerheid naar de bloeiende zolder en ving wel weer een glimp op van de caleidoscopische vrouw, maar niet van Robert.

Na drie dagen kon ik er niet meer tegen, en ik zorgde dat Ingrid haar dutje lag te doen toen Robert na zijn middaglessen thuiskwam. Ze zou te lang slapen en 's avonds te laat opblijven, maar dat was geen hoge prijs voor de kans de wereld weer op zijn pootjes te krijgen. Toen Robert binnenkwam, had ik thee voor hem klaarstaan. Hij ging aan tafel zitten. Zijn gezicht zag vermoeid en grauw, en een kant hing een beetje slap, alsof hij op het punt stond in slaap te vallen, te gaan huilen of een lichte beroerte te krijgen. Ik wist dat hij moe moest zijn en vroeg me af of het niet egoïstisch van me was een serieus gesprek met hem te willen voeren. Het was natuurlijk ten dele ook in zijn belang; er was echt iets mis en ik moest hem helpen.

Ik zette onze kopjes op tafel en ging zo rustig mogelijk zitten. 'Robert,' begon ik, 'ik weet dat je moe bent, maar zouden we even kunnen praten?'

Hij keek over zijn thee naar me, met zijn piekhaar en norse gezicht. Het drong tot me door dat hij zich niet had gewassen; hij zag er niet alleen moe uit, maar ook vies. Ik zou mijn beklag moeten doen over het feit dat hij zoveel werkte, of het nu lesgeven of het beschilderen van zolders was. Hij putte zichzelf gewoon uit. Hij zette zijn kopje neer. 'Wat heb ik nou weer gedaan?'

'Niets,' zei ik, maar het brok in mijn keel werd al groter. 'Helemaal niets. Ik maak me gewoon zorgen om je.'

'Dat hoeft niet,' zei hij. 'Waarom zou je je zorgen maken om mij?'

'Je bent oververmoeid,' zei ik, vechtend tegen het brok. 'Je werkt zo hard dat je uitgeput lijkt, en we zien je bijna nooit.'

'Dat wilde je toch?' grauwde hij. 'Je wilde dat ik een goede baan zou nemen om jou te onderhouden.'

Hoe ik ook mijn best deed me te vermannen, de tranen sprongen me in de ogen. 'Ik wil dat je gelukkig bent, en ik zie hoe moe je bent. Je slaapt de hele dag en schildert de hele nacht.'

'Wanneer kan ik anders schilderen, als ik het niet 's nachts doe? Trouwens, dan slaap ik meestal ook.' Hij haalde kwaad een hand door zijn haar. 'Denk je dat er echt iets uit mijn vingers komt?'

Opeens maakte de aanblik van dat onverzorgde, vettige haar me ook boos. Ik werkte tenslotte net zo hard. Ik sliep nooit meer dan een paar uur achter elkaar, ik deed alle saaie huishoudelijke klusjes, ik had geen kans om te schilderen tenzij ik nog minder ging slapen en dat kon niet, dus schilderde ik niet. Hoeveel werk er ook uit zijn vingers kwam, ik was degene die het mogelijk maakte. Hij hoefde nooit af te wassen, een wc te boenen of een maaltijd te bereiden; daarvan had ik hem bevrijd. En toch lukte het me zo nu en dan mijn haar te wassen, in de veronderstelling dat het hem iets uit zou maken. 'En nog iets,' zei ik botter dan ik had gewild. 'Ik ben op zolder geweest. Wat moet dat allemaal voorstellen?'

Hij leunde achterover en keek me strak aan, bewegingloos, en toen rechtte hij zijn krachtige schouders. Voor het eerst in al onze jaren samen was ik bang voor hem, niet voor zijn genialiteit, zijn talent of zijn vermogen me te kwetsen, maar gewoon bang, op een subtiele, dierlijke manier. 'Op zolder?' zei hij.

'Je hebt er veel geschilderd,' probeerde ik iets omzichtiger, 'maar niet op doek.'

Hij zweeg even en spreidde toen zijn ene hand op tafel. 'Nou en?'

Ik had hem bovenal naar de vrouw zelf willen vragen, maar in plaats daarvan zei ik: 'Ik dacht dat je je voorbereidde op je expositie.'

'Dat doe ik ook.'

'Maar je hebt nog maar anderhalf doek geschilderd,' merkte ik op. Het was niet wat ik wilde bespreken. Mijn stem begon weer te beven.

'Dus nu moet je ook nog bijhouden hoeveel werk ik maak? Kun je me ook vertellen wat ik moet schilderen, als je toch bezig bent?' Hij schoot plotseling overeind op de kleine keukenstoel. Zijn aanwezigheid vulde de hele keuken.

'Nee, nee,' zei ik en de wreedheid van zijn woorden, en die van mijn eigen zelfverraad, maakte dat de tranen over mijn wangen stroomden. 'Ik wil je niet voorschrijven wat je moet schilderen. Ik weet dat je datgene moet schilderen waar je behoefte aan hebt. Ik maak me gewoon zorgen om je. Ik mis je. Het maakt me bang je zo uitgeput te zien.'

'Nou, bespaar me je zorgen maar,' zei hij. 'En blijf weg van mijn zolder. Ik heb al genoeg aan mijn hoofd zonder dat ik ook nog eens word bespioneerd.' Hij nam een slokje thee, zette het kopje neer alsof hij walgde van de smaak en beende de keuken uit.

Op de een of andere manier was zijn weigering met me te blijven praten nog het schokkendst voor me. Ik werd bekropen door het bittere gevoel in een nachtmerrie te zijn beland. Ik ploeterde me erdoorheen en liep zonder erbij na te denken achter hem aan. 'Robert, blijf staan! Niet zomaar weglopen!' Ik haalde hem op de gang in en pakte zijn arm.

Hij schudde me van zich af. 'Raak me niet aan.'

Mijn zelfbeheersing begaf het volkomen. 'Wie is het?' jammerde ik.

'Wie is wie?' vroeg hij. Zijn gezicht betrok, hij maakte zich van me los en ging naar onze slaapkamer. Ik keek vanuit de deuropening naar hem, met een gezicht dat droop van de tranen, een snotneus en hoorbare snikken, heel vernederend, terwijl hij op het bed ging liggen dat ik die ochtend had opgemaakt en een quilt over zich heen trok. Hij deed zijn ogen dicht. 'Laat me met rust,' zei hij zonder ze weer open te doen. Tot mijn ontzetting viel hij in slaap waar ik bij stond. Ik stond in de deuropening, smoorde mijn snikken en zag hoe zijn ademhaling eerst langzamer werd en toen zacht en regelmatig. Hij sliep als een kind, en boven schrok Ingrid met een kreet wakker.

25

Marlow

Ik stelde me de tuin van Béatrice voor. Hij moest klein en rechthoekig zijn geweest; in het boek dat ik vond over laatnegentiende-eeuwse Parijse schilderijen stond geen werk van Clerval, maar er was een intiem tafereel van Berthe Morisot van haar man en dochter op een bank in de schaduw. Volgens de tekst had Morisot met haar gezin in Passy gewoond, een deftige nieuwe voorstad. Ik stelde me Béatrice' tuin voor aan het eind van de herfst, met al bruin en geel geworden bladeren, waarvan er een paar door een zware regenbui aan het leistenen pad waren geplakt. De klimop langs de achtermuur had de kleur van bourgogne – *vigne vierge*, stond er naast een schilderij van een soortgelijke muur: de originele wilde wingerd. Er zouden wat rozen staan, waarvan nu alleen kale bruine stelen restten, hondsrozen rond een zonnewijzer. Ik dacht erover na en verwierp de zonnewijzer. In plaats daarvan concentreerde ik me op de drassige bloemperken, de resten van chrysanten of een andere zware bloem, donker van de regen, en in het midden wat struiken en een bank in een formele opstelling.

De vrouw die van achter haar bureau over dat alles uitkeek, zou zesentwintig zijn, een rijpe leeftijd voor die tijd, en vijf jaar getrouwd maar kinderloos; het ontbreken van kinderen moest een geheime kwelling zijn, te oordelen naar haar liefde voor haar nichtjes. Ik zag haar aan het door haar moeder beschilderde bureau zitten, haar wijde, lichtgrijze rok (droegen dames toen niet 's middags een andere jurk dan 's ochtends?) golvend over de stoel, kant rond haar hals en polsen, een zilverkleurig lint om de knot in haar dikke haar. Zijzelf zou allesbehalve grijs zijn, met duidelijke, krachtige gelaatstrekken, zelfs in het matte licht, haar donkere, glanzende haar, rode lippen en ogen die zich droefgeestig op het papier richtten dat deze natte ochtend al haar favoriete gezelschap was geworden.

26

Kate

Die hele zomer sliep Robert te pas en te onpas, gaf les, schilderde op de gekste tijden en hield me op afstand. Na een tijdje huilde ik niet meer stiekem en raakte ik eraan gewend. Ik hardde me enigszins, in mijn liefde voor hem, en wachtte af.

In september werd het ritme van het studiejaar hervat en kwamen mijn vriendinnen van de campus weer bij elkaar. Wanneer ik met Ingrid naar bevriende echtgenotes van docenten ging om thee te drinken en te praten, luisterde ik naar hun gebabbel over hun echtgenoten en bracht onschuldige nieuwtjes in om te laten merken hoe normaal alles bij ons thuis was. Robert gaf dit semester drie ateliercursussen. Robert hield van chili. Ik moest dat recept zien te vinden.

Heimelijk verzamelde ik ook informatie, als vergelijkingsmateriaal. De mannen van die vrouwen schenen samen met hen op te staan, of nog vroeger, om hard te lopen. Een van de vrouwen had een man die op woensdagavond altijd kookte omdat hij die dag minder lesuren had. Toen ik dat hoorde, vroeg ik me af of Robert ooit opmerkte wanneer het woensdag was, of een andere dag van de week. Hij had in elk geval nog nooit gekookt, tenzij je het opendraaien van blikken meetelde. Een van mijn vriendinnen had een man die twee avonden per week op de kinderen paste om haar wat tijd voor zichzelf te gunnen. Ik had hem precies op tijd binnen zien waaien om hun kind van twee op te halen. Hoe wist hij hoe laat het was, en waar hij moest zijn? Ik hield me stil en glimlachte met de anderen mee om de kleine tekortkomingen van hun echtgenoten. *Raapt hij zijn kleren niet op?* wilde ik zeggen. *Dat is nog niets.* En voor het eerst vroeg ik me af hoe de vrouwen die zelf doceerden zich redden – ik kende er een die alleenstaande moeder was en voelde me onverwacht triest en schuldig omdat wij in dit gezellige groepje bij elkaar zaten terwijl zij lesgaf. We hadden nooit moeite gedaan haar bij onze kring te betrekken. Onze eigen leventjes waren zo vrij – we draaiden de dubbeltjes wel om, maar werkten er niet voor. Toch leek mijn leven niet zo vrij als dat van mijn vriendinnen, en ik vroeg me af hoe dat zo was gekomen.

Op een dag in die herfst kwam Robert bijna extatisch thuis en kuste me op mijn kruin voordat hij me vertelde dat hij was ingegaan op een uitnodiging om een semester in het noorden te komen doceren, al snel, in januari. Het was een goede positie met een goed salaris aan Barnett College, op een steenworp afstand van New York. Barnett had een beroemd museum en stelde schilders als gastdocent aan; hij noemde een paar groten die hem waren voorgegaan. Hij hoefde maar één cursus te geven, de rest was eigenlijk een retraite om te kunnen schilderen. Hij zou voltijds kunnen schilderen, meer dan dat, zelfs.

Ik begreep even niet wat hij bedoelde, al snapte ik wel dat ik blij voor hem moest zijn. Ik legde de theedoek die ik vasthield neer. 'Hoe moet het dan met ons? Het wordt niet eenvoudig om met een hummeltje een paar maanden elders te gaan wonen.'

Hij keek me aan alsof het niet eens in hem was opgekomen. 'Ik dacht gewoon...' zei hij langzaam.

'Wat dacht je?' Waarom was ik alleen om die blik zo kwaad op hem, om die gefronste wenkbrauwen?

'Nou, ze hebben niets gezegd over het meebrengen van een gezin. Ik dacht dat ik alleen zou gaan om hard te werken.'

'Je had op zijn minst kunnen vragen of je de mensen met wie je toevallig samenwoont mee mocht brengen.' Mijn handen beefden en ik verstopte ze op mijn rug.

'Je hoeft niet zo vijandig te doen. Je weet niet hoe het ís om niet te kunnen schilderen,' zei hij, hoewel ik niet beter wist of hij was al weken aan het schilderen.

'Nou, slaap dan niet de hele tijd,' adviseerde ik hem, al sliep hij niet meer overdag. Ik begon me zelfs zorgen te maken omdat hij weer hele nachten opbleef in het atelier en zo weinig leek te slapen, al kon ik hem niet anders meer voor me zien dan horizontaal uitgestrekt.

'Je steunt me gewoon niet.' Roberts neus en wangen waren wit weggetrokken en hij keek gespannen, maar hij was er tenminste eens helemaal bij met zijn aandacht. 'Natuurlijk zou ik Ingrid en jou heel erg missen. Jullie zouden halverwege naar me toe kunnen komen. En we zouden de hele tijd contact houden.'

'Jou steunen?' Ik wendde me af, keek strak naar het houtwerk en vroeg me af wat voor soort man ervoor zou kiezen omwille van zijn werk een heel semester weg te gaan zonder zelfs maar met me te overleggen of me te vragen of ik alleen wilde achterblijven met een klein kind. Wat was dat voor man? De keukenkastjes waren allemaal netjes dicht. Ik vroeg me af of ik, als ik er maar lang genoeg naar keek, kon voorkomen dat ik ontplofte. Ik vroeg me af of het mogelijk was om met een krankzinnige samen te leven zonder zelf krankzinnig te worden. Misschien zou ik ook een genie kunnen worden, al wist ik niet zeker of ik dat wilde als ze er van dichtbij zó uitzagen. Eerlijk gezegd had ik hem zonder meer laten gaan als hij het me had gevraagd, als hij met me had overlegd. Ik verdrong het beeld van een donkerharige muze – waarom moest ze zo levensecht zijn? Waarom wilde hij zo dicht bij New York zijn? Het zou goed voor hem kunnen zijn weg te gaan, zich te concentreren op zijn werk, het gevoel te hebben dat hij iets tot stand bracht en zijn grote serie af te maken, en daardoor te genezen.

'Je had het me kunnen vragen,' zei ik en ik hoorde mijn eigen stem als een grauw, een vals bijten tot op het bot, het ene lid van de roedel dat zich uiteindelijk tegen het andere keert. 'Maar nu de zaken er zo voor staan, moet je maar doen wat je wilt. Ga je gang. Ik zie je in mei wel weer.'

'Val dood,' zei Robert langzaam, en ik dacht dat ik hem nog nooit zo woedend had gezien, of in elk geval zo ingehouden woedend. 'Dat zal ik doen.' Toen deed hij iets vreemds. Hij stond op en draaide twee of drie keer langzaam in de rondte, alsof hij de keuken uit wilde lopen maar niet meer wist waar de deur zat. Op de een of andere manier vond ik dat nog beangstigender dan alles wat eraan vooraf was gegaan. Opeens zag hij de uitweg en ik zag hem pas twee dagen later weer terug. Telkens wanneer ik Ingrid optilde, moest ik huilen en verborg ik mijn tranen voor haar. Toen Robert terugkwam, zei hij niets over ons gesprek, en ik vroeg hem niet waar hij was geweest.

Op een ochtend kwam Robert naar beneden terwijl ik het ontbijt aan het maken was; voor Ingrid en mezelf, bedoel ik. Zijn haar was schoon en nat en rook naar shampoo. Hij legde vorken op tafel. De volgende dag kwam hij weer op tijd voor het ontbijt naar beneden. Op de derde dag gaf hij me een ochtendzoen en toen ik naar de slaapkamer ging om iets te pakken, zag ik dat hij het bed had opgemaakt; slordig, maar toch. Het was oktober, mijn lievelingsmaand, met goudgele bomen waar de wind de bladeren af liet dwarrelen. Robert leek bij ons teruggekeerd te zijn; ik wist niet hoe of waarom, maar voelde me uiteindelijk te blij om ernaar te vragen. Ik kon me niet heugen wanneer hij voor het laatst op tijd naar bed was gegaan, maar dat deed hij die week, of liever gezegd, hij ging tegelijk met mij naar bed, en we vrijden met elkaar. Ik vond het verbijsterend dat zijn lichaam niet was veranderd door het krijgen van een kind. Het was nog net zo mooi als altijd, groot, warm, gebeeldhouwd, en zijn haar lag wild op het kussen. Ik schaamde me voor mijn aangetaste, door het kind afgesabbelde lijf en fluisterde dat in zijn oor, maar hij smoorde mijn twijfels met zijn hartstocht.

In de weken daarna begon Robert na de lessen te schilderen in plaats van 's nachts, en hij kwam naar beneden om te eten wanneer ik hem riep. Soms werkte hij in zijn atelier op de campus, vooral aan de grotere doeken, en dan zette ik Ingrid in de wandelwagen en liep erheen om hem op te halen voor het avondeten. Dat waren gelukzalige momenten, wanneer hij zijn penselen wegzette en met ons mee naar huis liep. Ik was blij als we vriendinnen tegenkwamen en zij ons samen zagen, ons drietjes, ordelijk en compleet en op weg naar huis voor het maal dat ik al klaar had staan, warm gehouden onder tweedehandse porseleinen deksels. Na het eten schilderde hij op zolder, maar niet erg lang, en soms ging hij in bed liggen lezen terwijl ik met mijn hoofd onder zijn kin genesteld doezelde.

Robert werkte in zijn atelier en op zolder (ik keek er af en toe wanneer hij er niet was) aan een serie stillevens, schitterend weergegeven en vaak met een komisch element, iets wat niet klopte. Het vreemde, broedende portret en het grote schilderij van de donkerharige vrouw met het hoofd van haar dode vriendin op haar schouder stonden omgekeerd tegen de zolderwand en ik zorgde er wel voor dat ik er niet naar vroeg. De schuine wanden waren nog uitbundig versierd met haar kleren en lichaamsdelen. Naast de bank lagen weer tentoonstellingscatalogi en soms een biografie, maar niets meer over de impressionisten of Parijs. Bij vlagen dacht ik dat ik zijn chaotische obsessie had gedroomd, die zelf had bedacht, wat dat ook mocht inhouden. Alleen de al te kleurrijke zolder herinnerde me eraan dat het echt was geweest. Wanneer ik de twijfels weer voelde opkomen, ging ik er niet kijken.

Op een ochtend, Ingrid kon al kruipen, stond Robert pas om twaalf uur op, en die nacht hoorde ik hem boven ijsberen en schilderen. Hij schilderde twee nachten door zonder te slapen en verdween toen een dag en een nacht met onze auto. Vlak na het ontbijt kwam hij terug. Ik had tijdens zijn afwezigheid zelf ook niet veel geslapen, en ik had me een paar keer met tranen in mijn ogen afgevraagd of ik de politie niet moest bellen, maar het briefje dat hij had achtergelaten, weerhield me ervan. 'Lieve Kate,' had hij geschreven, 'maak je om mij geen zorgen. Ik moet gewoon in de wei slapen. Het is niet te koud. Ik neem mijn ezel mee. Ik ben bang dat ik anders gek word.'

Het weer was inderdaad zacht, het geschenk van warmte in de late herfst in de Blue Ridge dat ons soms is gegund. Hij kwam thuis met een nieuw landschap, een subtiel schilderij van velden net onder de uitlopers van de bergen en de zonsondergang. In het bruine gras liep een gestalte, een vrouw in een lange witte jurk. Ik kende haar vormen zo goed dat ik ze onder mijn handen had kunnen voelen: de lijn van haar middel, hoe de stof van haar rok viel, de ronding van haar borsten onder prachtige brede schouders. Ze draaide zich net om, zodat haar gezicht zichtbaar was, maar het was zo ver weg dat er geen uitdrukking op te zien was, alleen een aanduiding van donkere ogen. Robert sliep tot de avond door en miste zijn atelierles van die ochtend en een vergadering 's middags, en de volgende dag belde ik de arts van het gezondheidscentrum op de campus.

27

Marlow

Ik stelde me haar leven voor.

Ze mag niet zonder chaperonne de deur uit. Haar man is de hele dag weg, maar ze kan hem niet opbellen; die vreemde uitvinding, de telefoon, zal in Parijs nog zeker vijfentwintig jaar op zich laten wachten. Vanaf de vroege ochtend, wanneer haar echtgenoot het huis verlaat in zijn zwarte pak, hoge hoed en overjas om met de door paarden getrokken bus over de brede boulevards van baron Haussmann naar zijn werk te gaan, het leiden van het postbedrijf in een groot gebouw in het centrum van de stad, tot hij thuiskomt, moe en soms vaag naar drank ruikend, ziet of hoort ze niets van hem.

Als hij zegt dat hij heeft overgewerkt, kan ze niet nagaan waar hij is geweest. In gedachten neemt ze mogelijkheden door, die uiteenlopen van stemmige vergaderzalen waar mannen in pak, met een wit overhemd en een zachte zwarte stropdas net als de zijne, zich om een lange tafel scharen, tot wat ze voor zich ziet als de nadrukkelijk smaakvolle versieringen van een bepaald soort club waar een vrouw die alleen een zijden hemdje, een korset, petticoats met ruches en hooggehakte muilen aanheeft (maar er verder fatsoenlijk uitziet, met goed gekapt haar) hem met zijn hand over de bovenste helft van haar blanke borsten laat strijken – tafereeltjes die ze alleen vaag kent van gefluister, een suggestie in een paar romans, niet bepaald een onderdeel van haar opvoeding.

Ze kan niet bewijzen dat haar man dergelijke gelegenheden bezoekt, en misschien doet hij dat ook niet. Het is haar niet duidelijk waarom dat terugkerende beeld haar nauwelijks jaloers maakt, maar haar juist een gevoel van opluchting schenkt, alsof ze een last deelt. Ze weet dat er een voornaam alternatief is voor zulke uitersten: restaurants waar mannen, voornamelijk mannen, hun middagmaaltijd gebruiken, of zelfs de avondmaaltijd, en met elkaar praten. Hij hoeft soms niet meer te eten als hij thuiskomt, en dan meldt hij vriendelijk dat hij een uitstekende *poulet roti* of *canard à l'orange* heeft gegeten. Er zijn ook *cafés chantants* waar zowel mannen als vrouwen respectabel kunnen zitten, en andere cafés waar hij in zijn eentje kan zitten met *Le Figaro* en een laatste kop koffie. Of misschien werkt hij echt gewoon over.

Thuis is hij attent; wanneer ze samen eten, baadt en kleedt hij zich voor het avondmaal; wanneer zij al heeft gegeten en hij buiten de deur heeft gedineerd, trekt hij zijn kamerjas aan en gaat bij het haardvuur zitten roken, of hij leest haar voor uit de krant; soms kust hij haar met een exquise tederheid in haar nek wanneer ze over haar werk gebogen zit, kantklossen of jurkjes borduren voor het nieuwe kind van haar zuster. Hij gaat met haar naar de opera in het fonkelnieuwe Palais Garnier en soms naar de betere gelegenheden om een orkest te horen of champagne te drinken, of naar een bal in het hart van de stad waarvoor ze een nieuwe jurk van turkooiskleurige zijde of rozerood satijn aantrekt. Hij laat blijken dat hij er trots op is haar aan zijn arm te hebben.

Bovenal moedigt hij haar aan te schilderen en knikt goedkeurend bij het zien van zelfs haar ongebruikelijkste experimenten met kleur en licht, grove penseelstreken in de stijl die ze met hem op de radicalere nieuwe tentoonstellingen heeft gezien. Hij zou haar natuurlijk nooit radicaal noemen; hij zegt altijd tegen haar dat ze gewoon schilderes is en moet doen wat haar goed lijkt. Ze legt hem uit dat ze vindt dat de schilderkunst de natuur en het leven moet weergeven, dat de met licht gevulde nieuwe landschappen haar ontroeren. Hij knikt, al voegt hij er omzichtig aan toe dat hij niet zou willen dat ze te véél over het leven aan de weet kwam; de natuur is een geschikt onderwerp, maar het leven is wreder dan ze kan bevatten. Hij denkt dat het goed voor haar is om thuis iets bevredigends omhanden te hebben; hij houdt zelf ook van kunst, ziet dat ze talent heeft en wil dat ze gelukkig is. Hij kent de charmante Morisots en heeft de Manets ontmoet, en hij zegt altijd dat het een degelijke familie is, ondanks Édouards reputatie en zijn immorele experimenten (hij schildert vrouwen van losse zeden), die hem mogelijk te modern maken, wat zonde is, gezien zijn onmiskenbare talent.

Yves bezoekt zelfs veel galeries met haar. Ze brengen elk jaar een bezoek aan de Salon, samen met bijna een miljoen anderen, en luisteren naar de roddels over favoriete doeken en die waar de critici zich neerbuigend over uitlaten. Ze dwalen soms door de zalen in het Louvre, waar ze kunstacademiestudenten schilderijen en beelden ziet kopiëren en waar zelfs wel eens vrouwen zonder chaperonne rondlopen (dat moeten Amerikanen zijn). Ze kan zich er moeilijk toe zetten naakten in zijn bijzijn te bewonderen, en zeker niet de heldhaftige mannen; ze weet dat ze zelf nooit naar een naaktmodel zal schilderen. Ze heeft haar opleiding genoten in het privéatelier van een academieschilder, waar ze gipsen beelden kopieerde, in aanwezigheid van haar moeder, voor haar huwelijk. Ze heeft in elk geval hard gewerkt.

Soms vraagt ze zich af of Yves het zou begrijpen als ze besloot een schilderij voor de Salon in te zenden. Hij heeft nooit iets neerbuigends gezegd over de paar schilderijen op de Salon die door een vrouw zijn gemaakt, en hij juicht alles toe wat zijzelf op het doek zet. Op dezelfde manier klaagt hij nooit over het huishouden, dat ze heel goed bestiert, al merkt hij eens per jaar beleefd op dat hij iets graag een tikje minder doorbakken zou willen hebben of dat hij het prettig zou vinden als ze wat anders op de tafel in de hal zette. In het donker kennen ze elkaar af en toe op een heel andere manier, met warmte, een vurigheid zelfs die ze koestert, maar waar ze overdag niet aan durft te denken, behalve dat ze hoopt dat ze op een ochtend wakker zal worden in het besef dat ze al een tijdje die keurig opgevouwen schone doeken voor in haar onderkleding niet meer nodig heeft gehad, de warme kruiken, het glaasje sherry dat de scherpe kantjes van haar maandelijkse krampen wegneemt.

Maar het is nog niet gebeurd. Misschien denkt ze er te vaak aan, of te zelden, of op de verkeerde manier; ze probeert er helemaal niet meer aan te denken. In plaats daarvan zal ze wachten op een brief, en die brief zal haar belangrijkste afleiding zijn van die ochtend. De post wordt tweemaal daags bezorgd door een jonge man in een korte blauwe jas. Ze hoort hem ondanks de regen aanbellen, en ze hoort Esmé opendoen. Ze zal niet gretig doen; ze is ook niet gretig. De brief zal op een zilveren dienblaadje naar haar boudoir worden gebracht terwijl ze zich kleedt voor haar middagafspraken. Ze zal hem openmaken voordat Esmé weg is en hem in haar bureau stoppen om later nog eens te lezen. Ze is nog niet zover gegaan de brieven in het lijfje van haar jurk te stoppen, ze op haar lichaam te dragen.

Intussen zijn er andere brieven te schrijven en te beantwoorden, menu's samen te stellen, de afspraken bij de coupeuse, de warme sprei voor haar schoonvader die ze voor Kerstmis af hoopt te hebben. En dan is haar schoonvader zelf er ook nog, de geduldige oude man: hij vindt het prettig als ze hem zelf zijn drankjes en boeken komt brengen nadat hij zijn dutje heeft gedaan, en ze verheugt zich zelfs op het moment dat hij haar hand streelt met zijn eigen, doorschijnend geaderde hand, haar met vrijwel lege ogen aankijkt en haar bedankt voor haar zorgen. Er zijn de bloeiende planten die ze zelf water geeft in plaats van het door de bedienden te laten doen, en bovenal is er de kamer naast de hare, oorspronkelijk een serre, met haar ezel en verf.

Het nieuwe meisje dat tegenwoordig haar model is, niet Esmé, maar de jongere Marguerite, die een zacht gezicht en stroblond haar heeft dat Béatrice mooi vindt, is eigenlijk nog een kind. Ze is begonnen aan een schilderij waarop het meisje bij het raam zit met een stapel naaiwerk; ze doet graag iets met haar handen terwijl ze model zit, dus laat Béatrice haar met alle plezier boordjes en petticoats verstellen, als ze haar gebogen goudkleurige hoofd maar stilhoudt.

Het is er heel licht; zelfs als de regen langs de vele ruiten stroomt, kunnen ze er nog een beetje werken: Marguerites handen bewegen over de tere witte kledingstukken, het katoen en kant, en Béatrice buigt zich over vormen en kleuren, geeft weer hoe de ronde jonge schouders zich over de naald buigen, hoe de jurk en het schort zich plooien. Ze zeggen geen van beiden iets, maar ze zijn verenigd door de rust van vrouwen die zich van hun taak kwijten. Op zulke momenten heeft Béatrice het gevoel dat haar schilderen een deel is van het huishouden, een verlengstuk van het lunchgerecht dat suddert in de keuken en de bloemen die ze schikt voor de eettafel. Ze mijmert over het schilderen van de dochter die ze niet heeft in plaats van dit stille meisje dat ze aardig vindt, maar amper kent; ze stelt zich voor dat haar dochter gedichten voorleest terwijl zij schildert, of over haar vriendinnen babbelt.

Wanneer ze echt werkt, tobt ze zelfs niet meer over het belang van haar schilderijen, of ze goed zijn, of ze Yves ooit zal durven voorleggen of ze er een zal inzenden naar de Salon – daar zijn ze ook nog niet goed genoeg voor, en dat zullen ze waarschijnlijk nooit worden ook. Ze vraagt zich ook niet meer angstig af of haar leven een diepere betekenis heeft. Ze heeft er nu genoeg aan zich te concentreren op het blauw van de jurk van het meisje, dat ze eindelijk perfect heeft weten te mengen op haar palet, de krullende penseelstreek die kleur geeft aan de jonge wang, het wit dat ze de volgende ochtend zal toevoegen (er moet meer wit bij, en een beetje grijs, om dat regenachtige herfstlicht te treffen, maar het is al bijna tijd voor de lunch).

Het schilderen vult haar ochtenden, maar de middagen dat ze geen zin heeft om ermee door te gaan, geen bezoek ontvangt en ook niet zelf op bezoek gaat, kunnen een beetje leeg zijn. De personages in het boek dat ze leest, doen onmiskenbaar doods aan, dus schrijft ze in plaats daarvan de brief die ze in haar hoofd heeft opgesteld, het antwoord op de brief die nu in een vakje van haar beschilderde bureau ligt. Ze kruist haar enkels en stopt ze onder haar stoel. Ja, haar bureau staat bij het raam; ze heeft het er dit voorjaar neergezet, om van het uitzicht op de tuin te kunnen genieten.

Terwijl ze schrijft, ziet ze dat het een van die vreemde dagen is die je in de herfst soms hebt in Parijs: de stromende regen gaat over in natte sneeuw en dan in echte sneeuw. *Effet de neige, effet d'hiver* – dat heeft ze vorig jaar op een expositie gelezen waar een paar nieuwe schilders niet alleen zonlicht en groene weiden toonden, maar ook stillevens met sneeuw; ze hadden revolutionaire dingen bereikt, buiten in de kou. Ze had deemoedig voor die doeken gestaan die in de kranten werden beschimpt. Sneeuw die op de grond ligt, heeft spikkels grijs. Er kan blauw in zitten, afhankelijk van de lichtval, het tijdstip van de dag en de lucht; er kan oker en zelfs bruin of lavendel in zitten. Zelf ziet ze sneeuw al een jaar niet meer als wit; ze kan zich het moment waarop ze het zag, kijkend naar haar tuin, nog bijna voor de geest halen.

Nu valt de eerste sneeuw van de winter plotseling voor haar ogen; de regen is zonder enige waarschuwing getransformeerd. Ze houdt op met schrijven en veegt haar pen af aan de flanellen inktlap bij haar elleboog, zonder inkt aan haar mouw te krijgen. De verlepte tuin is al bedekt met subtiele kleuren; het is echt niet wit. Beige, vandaag? Zilver? Kleurloos, als zoiets bestaat? Ze verschikt haar papier, doopt haar pen in de inkt en schrijft verder. Ze vertelt degene met wie ze correspondeert over de manier waarop de sneeuw zich op de takken vlijt, hoe de struiken, waarvan er een aantal het hele jaar groen blijft, bij elkaar kruipen onder hun gewichtloze sluier van niet-wit, over de bank, die het ene moment nog kaal in de regen stond en het volgende een fijn, zacht kussen kreeg. Ze voelt hem lezen, hoe hij de brief met zijn sierlijke, ouder wordende handen openvouwt. Ze ziet hoe zijn ogen, met hun ingehouden warmte, haar woorden indrinken.

Wanneer de postbode komt, later, is er weer een brief van hem, een die verloren is gegaan voor het nageslacht, maar haar iets vertelt over hemzelf, of over zijn eigen tuin, die nog niet is bedekt met sneeuw – hij heeft hem eerder die dag geschreven, of de vorige avond; hij woont in het hart van de stad. Misschien beklaagt hij zich – met een humoristische charme – over de leegte van zijn eigen leven; hij is al jaren weduwnaar, en hij heeft geen kinderen. Kinderloos, schiet haar soms te binnen, net als zij. Zijzelf is jong genoeg om zijn dochter te kunnen zijn, zijn kleindochter zelfs. Ze vouwt zijn brief glimlachend op, vouwt hem weer open en leest hem nog eens.

28

Kate

Robert stemde ijzig toe in een bezoek aan de campusdokter, maar ik mocht niet met hem mee. Het gezondheidscentrum was op loopafstand van ons huis, zoals alles, en in weerwil van mezelf keek ik Robert vanaf de veranda na. Hij liep met kromme schouders en zette de ene voet voor de andere op een manier alsof elke beweging hem zeer deed. Ik bad tot wat ik maar kon verzinnen dat hij mededeelzaam of radeloos genoeg zou zijn om de arts al zijn symptomen te vertellen. Misschien moesten ze onderzoeken doen. Hij zou uitgeput kunnen zijn door een ziekte in zijn bloed, de ziekte van Pfeiffer of, god verhoede het, leukemie. Alleen zou dat de donkerharige vrouw nog niet verklaren. Als Robert me niets over het bezoek vertelde, zou ik zelf naar de dokter moeten gaan om uitleg te geven, en misschien zou ik dat stiekem moeten doen om Robert niet kwaad te maken.

Na de afspraak was hij blijkbaar rechtstreeks naar zijn lessen gegaan, of gaan schilderen in het atelier op de campus, want ik zag hem pas tegen het avondeten terug. Hij vertelde me niets tot ik Ingrid in bed had gestopt, en toen moest ik hem nog zelf vragen wat de dokter had gezegd. Hij zat in de woonkamer, of eigenlijk zat hij niet, maar hing hij met een ongeopend boek op de bank. Toen ik hem aansprak, hief hij zijn hoofd. 'Hè?' Hij leek van heel ver naar me te kijken, en een kant van zijn gezicht leek een beetje te hangen, iets wat ik al eerder had opgemerkt. 'O. Ik ben niet gegaan.'

Woede en verdriet welden in me op, maar ik haalde diep adem. 'Waarom niet?'

'Laat me met rust, ja?' zei hij met zwakke stem. 'Ik had geen zin. Ik had werk te doen en ik heb al drie dagen geen tijd gehad om te schilderen.'

'Ben je gaan schilderen?' Dat zou in elk geval een teken van leven zijn.

'Wil je mijn gangen nagaan?' Hij kneep zijn ogen tot spleetjes en hield het boek als een schild voor zijn borst. Ik vroeg me af of hij het naar me toe zou gooien. Het was een foto-essay over wolven dat hij eerder dat jaar in een opwelling had gekocht. Dat was ook een verandering, dat hij regelmatig nieuwe boeken kocht die hij niet las. Hij was altijd te zuinig geweest om iets te kopen wat niet tweedehands was, en hij gaf sowieso weinig geld uit, behalve dan aan de grote, goed gemaakte schoenen waar hij zo dol op was.

'Helemaal niet,' zei ik omzichtig. 'Ik maak me gewoon zorgen om je gezondheid en ik zou het prettig vinden als je naar de dokter ging om je te laten onderzoeken. Ik denk dat je je al beter zou voelen als je ging.'

'Denk je dat?' zei hij bijna hatelijk. 'Je dénkt dat ik me dan beter zal voelen. Heb je wel enig idee hoe ik me voel? Weet je bijvoorbeeld hoe het voelt om niet te kunnen schilderen?'

'Zeker,' zei ik. Ik probeerde niet uit mijn slof te schieten. 'Ik kom er zelf maar zelden aan toe. Nooit, eigenlijk. Ja, ik weet hoe dat voelt.'

'En weet je hoe het is om over iets na te denken en te malen tot je... Laat maar,' besloot hij.

'Tot je wat?' Ik probeerde het rustig te zeggen, alleen maar over te brengen dat ik goed kon luisteren.

'Tot je niets anders meer ziet en aan niets anders meer kunt denken?' Zijn stem klonk zacht en zijn ogen flitsten naar de deur. 'Er zijn zoveel verschrikkelijke dingen gebeurd in het verleden, ook met kunstenaars, zelfs met kunstenaars zoals ik, die probeerden een normaal leven te leiden. Kun je je voorstellen hoe het is om daar continu aan te denken?'

'Ik denk ook wel eens aan verschrikkelijke dingen,' zei ik eerlijk, al klonk het me als een nogal vreemde afdwaling in de oren. 'Iedereen heeft zulke gedachten. De geschiedenis staat bol van de verschrikkingen. Mensen maken vreselijke dingen mee. Ieder weldenkend mens piekert erover, en zeker mensen met kinderen, maar daarom hoef je jezelf nog niet ziek te maken met zulke gedachten.'

'Stel dan dat je nog maar aan één iemand denkt? Dag en nacht?'

Ik kreeg kippenvel, al had ik niet kunnen zeggen of het van angst was of van de jaloezie die ik voelde opkomen. Dit was het moment waarop hij ons leven zou verwoesten. 'Wat bedoel je?' perste ik eruit.

'Iemand om wie je had kunnen geven,' zei hij, en zijn ogen dwaalden weer door de kamer. 'Maar ze bestond niet.'

'Wat zeg je?' Ik voelde een grote leegte in mijn geest; er kwam geen eind aan.

'Ik zal morgen wel naar de dokter gaan,' zei hij nukkig, als een klein kind dat berust in zijn straf. Ik wist dat hij door de knieën was gegaan omdat ik dan geen vragen meer zou stellen.

De volgende dag ging hij weg, kwam terug, sliep en stond op voor de lunch. Ik stond zwijgend naast de tafel. Ik hoefde er niet naar te vragen. 'Hij kon niets lichamelijks vinden, nou ja, hij heeft bloed afgenomen om te zien of ik geen bloedarmoede of zo heb, maar hij wil dat ik me door een psychiater laat onderzoeken.' Hij slingerde de woorden weloverwogen de keuken in, waardoor er iets in doorklonk wat aan minachting grensde, maar ik wist dat het feit dat hij het me had verteld betekende dat hij bang was, en dat hij naar de psychiater zou gaan. Ik liep naar hem toe, sloeg mijn armen om hem heen en aaide hem over zijn hoofd, die dikke krullen en zijn massieve voorhoofd. Ik voelde die verbazende geest eronder, de enorme gaven die ik altijd had bewonderd. Ik raakte zijn gezicht aan. Ik hield van dat hoofd, dat stugge, weerbarstige haar.

'Het komt vast wel goed,' zei ik.

'Ik doe het voor jou,' zei hij zo zacht dat ik het maar net verstond, en toen sloeg hij zijn armen stevig om mijn middel en leunde naar voren om zijn gezicht tegen me aan te drukken.

29

1878

De sneeuw is in de loop van de nacht dichter geworden. Die ochtend geeft ze het menu voor het avondeten door, stuurt een briefje aan haar coupeuse en gaat de tuin in. Ze wil zien hoe de heg eruitziet, en de bank. Op het moment dat ze de achterdeur van het huis dichtdoet en voor het eerst in de sneeuwvlaag stapt, vergeet ze al het andere, zelfs de brief die ze in haar jurk heeft gestopt. De boom die de oorspronkelijke bewoners tien jaar eerder hebben geplant, is behangen met sneeuw; een vogeltje zit op een muur, met zijn veren zo opgezet dat hij twee keer zo groot lijkt. De sneeuw dringt van bovenaf haar rijglaarzen binnen terwijl ze zich een weg baant tussen de sluimerende bloemperken en het verschrompelde prieel door. Alles ziet er anders uit. Ze herinnert zich hoe haar broers als kind in de sneeuwbanken lagen terwijl zij boven door een raam toekeek, zwaaiend met hun armen en spartelend met hun benen. Ze stompten elkaar en ploeterden in het wit waarin hun wollen jassen en lange, gebreide kousen wegzonken. Was het wel wit?

Ze neemt een flinke schep – als een dessert, *Mont Blanc* – in haar gehandschoende hand, stopt hem in haar mond en slikt iets van de smaakloze kou door. De bloemperken zullen in de lente weer geel worden, en dat daar roze en crèmekleurig, en onder de boom zullen de blauwe bloempjes opkomen waar ze al haar hele leven van houdt en die onlangs zijn meegebracht van het graf van haar moeder. Als ze een dochter had, zou ze met haar naar de tuin gaan op de dag dat die bloemen bloeiden en haar vertellen waar ze vandaan zijn gekomen. Nee – ze zou elke dag, twee keer per dag, met haar dochter naar buiten gaan, de zon en het prieel in, of de sneeuw; ze zou met haar op de bank zitten en een schommel voor haar laten maken. Of voor hem, haar zoontje. Ze bedwingt de prikkende tranen, draait zich woest om naar de sneeuw op de achtermuur en trekt er een lange streep in met haar hand. Achter de muur staan bomen, en daarachter is het bruinige waas van het Bois de Boulogne. Als ze de jurk van het meisje op haar schilderij afmaakt met meer wit, met de snelle stippen die ze tegenwoordig graag zet, zal dat het hele tafereel opfleuren.

Een scherpe rand van de brief onder haar kleding prikt in haar huid. Ze veegt de sneeuw van haar handschoenen, opent haar mantel en haar kraagje en pakt hem, zich bewust van de achterkant van het huis achter haar, de ogen van de bedienden, maar die hebben het op dit uur extra druk in de keuken of met het luchten van de salon en slaapkamer van haar schoonvader terwijl hij aan het raam van zijn kleedkamer zit, te blind om zelfs haar donkere gestalte in de witte tuin nog te kunnen onderscheiden.

In de brief wordt ze niet bij haar naam genoemd, maar bij een koosnaampje. De afzender vertelt haar over zijn dag, zijn nieuwe schilderij en de boeken bij zijn haardvuur, maar tussen de regels door hoort ze hem iets heel anders zeggen. Ze zorgt dat haar vingers in de natte handschoenen de inkt niet raken. Ze heeft elk woord van de brief al in haar geheugen geprent, maar ze wil het krullende zwarte bewijs weer zien, zijn handschrift met de constante achteloosheid, zijn zuinige gebruik van de lijnen. Het is diezelfde achteloze directheid die ze in zijn schetsen ziet, een zelfbewustheid die anders is dan haar eigen gedrevenheid, fascinerend, verwonderlijk zelfs. Zijn woorden zijn ook zelfbewust, alleen reikt hun betekenis verder dan je op het oog zou denken. Het *accent aigu* een enkele pennenstreek, een streling; het *accent grave* krachtig, achteroverhellend, een waarschuwing. Hij schrijft zelfverzekerd, ook verontschuldigend over zichzelf: *Je*, schrijft hij, met de hoofdletter J aan het begin van zijn kostelijke zinnen als een diepe, gespierde ademhaling, gevolgd door een snelle, ingehouden e. Hij schrijft over haar en hoe ze hem nieuw leven heeft geschonken – toevallig? vraagt hij – en in zijn laatste paar brieven noemt hij haar met haar toestemming *tu*, met een respectvolle T aan het begin van een zin en een tere u, als een hand die een vlammetje beschermt.

Ze houdt het vel bij de randen vast en vergeet de klank van de zinnen even om het plezier ze weer met nieuwe onbevangenheid te lezen. Hij wil haar leven niet verstoren, hij weet dat hij haar op zijn leeftijd weinig aantrekkelijks te bieden heeft; het enige wat hij wil, is ademen in haar aanwezigheid en haar nobelste gedachten aanmoedigen. Hij waagt het te hopen dat zij hem, hoewel ze er misschien nooit over zullen spreken, in elk geval ziet als een toegewijde vriend. Het spijt hem dat hij haar lastigvalt met onwaardige gevoelens. Het maakt haar bang dat hij, onder de lange krul van zijn *pardonne-moi* met het verfijnde streepje, vermoedt dat ze de zijne al is.

Ze krijgt koude voeten; de sneeuw trekt door haar laarzen. Ze vouwt de brief op, stopt hem op zijn geheime plekje en legt haar gezicht tegen de bast van de boom. Ze kan er niet lang blijven staan, voor het geval iemand die wel scherp ziet door een raam achter haar kijkt, maar ze moet even de tijd nemen om tot zichzelf te komen. Het beven in de kern van haar wezen is niet veroorzaakt door zijn woorden, met hun sierlijke terugtrekkende beweging, maar door zijn zekerheid. Ze heeft al besloten deze brief niet te beantwoorden, maar ze heeft nog niet besloten hem nooit meer te lezen.

30

Kate

Robert stond erop alleen naar de psychiater te gaan, en toen hij terugkwam, vertelde hij me langs zijn neus weg dat hij wat medicijnen op
proef had gekregen en de naam en het nummer van een therapeut. Hij
zei niet of hij van plan was de therapeut te bellen of de medicijnen te
slikken. Ik kon er niet achter komen waar hij ze had gelaten en besloot me een paar weken nergens mee te bemoeien. Ik zou gewoon afwachten wat hij deed en hem op alle mogelijke manieren bemoedigen.
Uiteindelijk dook het potje op in ons medicijnkastje in de badkamer:
lithium. Ik hoorde de pillen 's ochtends en 's avonds rammelen wanneer hij een dosis nam.

Binnen een week leek Robert kalmer en hij begon weer te schilderen, al sliep hij nog minstens twaalf van de vierentwintig uur en at hij
in een waas. Ik was blij dat hij zijn atelierlessen zonder verdere onder-
brekingen bleef geven en dat ik geen verontrusting had opgemerkt bij
de academie, al wist ik niet goed hoe die mij had moeten bereiken. Op
een dag zei Robert tegen me dat de psychiater mij wilde spreken en dat
hij, Robert, dat een goed idee vond. Hij had die middag een afspraak
– ik vroeg me af waarom hij het nu pas vertelde – en toen het zover
was, zette ik Ingrid in haar autostoeltje, want er was geen tijd meer om
een oppas te zoeken. De bergen stroomden langs en terwijl ik ze voorbij zag komen, besefte ik dat ik al een tijd niet eens meer in de stad was
geweest. Mijn leven draaide om het huis, de zandbak en de schommels,
als het buiten warm genoeg was, en de supermarkt verderop langs de
weg. Terwijl Robert reed, keek ik naar zijn ernstige profiel. Uiteindelijk vroeg ik hem waarom hij dacht dat de psychiater me wilde spreken.
'Hij hoort graag het perspectief van een gezinslid,' zei hij. Toen voegde hij eraan toe: 'Hij vindt dat het tot nog toe goed gaat. Met de lithium.' Het was voor het eerst dat hij het medicijn met name noemde.

'Vind jij dat ook?' Ik legde mijn hand op zijn dij en voelde de spieren spannen toen hij remde.

'Ik voel me wel goed,' zei hij. 'Ik denk dat ik het niet lang nodig zal hebben. Ik zou alleen niet zo moe willen zijn – ik moet de energie hebben om te schilderen.'

Om te schilderen, dacht ik, maar ook om bij ons te zijn? Hij viel na het eten in slaap zonder even met Ingrid te spelen, en wanneer ik 's ochtends met haar ging wandelen, sliep hij vaak nog. Ik deed er het zwijgen toe.

De kliniek was een lang, laag gebouw van duur uitziend hout met jonge boompjes in kartonnen kokers eromheen. Robert liep nonchalant naar binnen en hield de deur voor me open omdat ik Ingrid droeg. De wachtkamer, die dienst leek te doen voor meer artsen, was ruim, met een grote vlek zonlicht aan een kant. Na een tijdje kwam er een man uit een kamer die naar Robert glimlachte en knikte en mijn naam zei. Hij had geen witte jas aan, en geen status onder zijn arm; hij droeg een jasje en een das op een gestreken kaki broek.

Ik keek vragend naar Robert, die zijn hoofd schudde. 'Alleen jij,' zei hij. 'Hij wil met jou praten. Als hij me nodig heeft, roept hij me er wel bij.'

Ik liet Ingrid dus bij Robert achter en volgde dokter... Nou ja, wat doet zijn naam er ook toe? Hij was vriendelijk en van middelbare leeftijd en hij deed zijn werk. Zijn kamer hing vol ingelijste diploma's en getuigschriften en hij had een bijzonder net bureau, met maar één los vel papier erop, dat door een bronzen presse-papier op zijn plaats werd gehouden. Ik ging tegenover het bureau zitten, met lege handen, zo zonder Ingrid. Ik had er nu spijt van dat ik haar niet mee had genomen en ik was bang dat Robert zijn handen weer voor zijn gezicht zou slaan in plaats van op te letten terwijl zij langs stopcontacten en bloemstukken kroop, maar toen ik dokter Q opnam, constateerde ik dat ik hem aardig vond. Hij had een vriendelijk gezicht dat me deed denken aan dat van mijn grootvader in Michigan. Hij sprak met een diepe stem, met keelklanken, alsof hij als tiener van elders was gekomen en zijn accent onherkenbaar was afgesleten tot een licht schrapen over de medeklinkers.

'Fijn dat u vandaag kon komen, mevrouw Oliver,' zei hij. 'Het helpt me om met naaste verwanten te praten, vooral in het geval van nieuwe patiënten.'

'Ik doe het graag,' zei ik naar waarheid. 'Ik maak me echt zorgen om Robert.'

'Vanzelfsprekend.' Hij verschoof de presse-papier, leunde achterover in zijn stoel en keek me aan. 'Ik weet dat dit moeilijk voor u moet zijn. Neem alstublieft van me aan dat ik Robert scherp in de gaten hou en dat ik ervan overtuigd ben dat het eerste medicijn dat we hebben geprobeerd goed werkt.'

'Hij is in elk geval rustiger,' erkende ik.

'Kunt u me vertellen wat u het eerst opviel aan zijn gedrag dat anders leek, of dat u zorgen baarde? Robert heeft me verteld dat u degene was die wilde dat hij naar een dokter ging.'

Ik vouwde mijn handen en dreunde onze problemen op, Roberts problemen, de duizelingwekkende hoogte- en dieptepunten van het afgelopen jaar.

Dokter Q luisterde zwijgend, zonder van gezichtsuitdrukking te veranderen, en zijn gezicht stond onmiskenbaar vriendelijk. 'En hij lijkt u stabieler op de lithium?'

'Ja,' zei ik. 'Hij slaapt nog erg veel, en dat vindt hij vervelend, maar hij lijkt bijna altijd in staat zijn bed uit te komen om les te geven. Hij klaagt dat hij niet kan schilderen.'

'Het duurt even om aan nieuwe medicijnen te wennen, en het kost tijd om uit te vinden welke medicatie helpt, en in welke dosering.' Dokter Q verschoof de presse-papier nog eens peinzend, nu naar de linkerbovenhoek van het vel papier. 'Ik denk dat het in het geval van uw man belangrijk is dat hij een tijdje lithium blijft slikken, en waarschijnlijk zal hij het permanent moeten blijven gebruiken, of iets anders als dit niet precies blijkt te zijn wat we willen. Het proces zal vrij veel geduld vragen van zijn kant, en van de uwe.'

Ik voelde een nieuwe ongerustheid. 'Bedoelt u dat u denkt dat hij die problemen altijd zal houden? Kan hij niet stoppen met de medicijnen wanneer hij beter is?'

De dokter legde het bronzen blok midden op het papier. Opeens dacht ik aan dat kinderspelletje, steen, papier en schaar, waarin het ene voorwerp het van het andere kon winnen, maar iets anders altijd weer van de winnaar kon winnen, een fascinerende cirkelgang. 'Het kost tijd om een correcte diagnose te stellen, maar ik denk dat Robert waarschijnlijk...'

Toen noemde hij de naam van een aandoening, eentje waarvan ik alleen vaag had gehoord, en die ik associeerde met naamloze dingen, dingen die niets met mij te maken hadden, dingen waarvoor mensen met elektroshocks werden behandeld, of die maakten dat ze zelfmoord pleegden. Ik probeerde even die woorden te koppelen aan Robert, mijn man. Mijn hele lichaam voelde koud. 'Vertelt u me dat mijn man geestesziek is?'

'We weten niet echt welk deel van een aandoening geestesziekte is en wat door omgevingsfactoren of de persoonlijkheid wordt veroorzaakt,' bracht dokter Q ertegen in, en voor het eerst vervloekte ik hem; hij draaide eromheen. 'Robert kan stabiliseren door de medicatie, of misschien moeten we een paar andere dingen proberen. Ik denk dat u mag verwachten dat hij vrij ver komt, gezien zijn intelligentie, zijn toewijding aan de kunst en zijn gezin.'

Maar het was al te laat. Voor mij was Robert Robert niet meer. Hij was iemand met een diagnose. Ik wist nu al dat niets ooit meer zoals vroeger zou worden, hoe ik ook mijn best deed hetzelfde voor Robert te voelen als voorheen. Mijn hart brak, om hem, maar nog meer om mezelf. Dokter Q had me mijn dierbaarste bezit afgepakt, en hij wist duidelijk niet hoe dat voelde. Hij kon me er niets voor in ruil geven, alleen de aanblik van zijn hand die zijn lege bureau ordende. Had hij maar het fatsoen gehad zijn verontschuldigingen aan te bieden.

31

Kate

Robert werd suf van de lithium. Op een dag botste hij op weg naar het museum in de stad tegen een andere auto op – goddank had hij niet hard gereden. Daarna gaf dokter Q hem een ander medicijn, in combinatie met iets tegen paniekaanvallen. Robert vertelde me die dingen wanneer ik erover doorvroeg, wat ik zo vaak mogelijk deed zonder hem te ergeren.

Tegen half december leek het nieuwe middel zo goed te werken dat hij weer kon schilderen en op tijd voor zijn lessen kon zijn, en hij leek weer op de energieke Robert van vroeger. In die periode werkte hij in het atelier op de campus, waar hij een paar keer per week tot laat bleef. Toen ik hem een keer met Ingrid opzocht, was hij geconcentreerd bezig aan een portret: de vrouw uit mijn nachtmerries. Ze zat in een leunstoel, met haar handen gevouwen op haar schoot. Het was een van de briljante portretten die hem zijn grote expositie in Chicago zouden opleveren. Dit was nu eens een redelijk vrolijk portret; ze was in het geel gekleed en glimlachte in zichzelf alsof ze een binnenpretje had; haar blik was zacht en op de tafel naast haar stond een bloeiende tak in een vaas. Ik was zo opgelucht toen ik hem weer aan het werk zag, en nog met vrolijke kleuren ook, dat ik me bijna niet meer afvroeg wie ze was.

Dat maakte de schok des te groter toen ik Robert een paar dagen later wat koekjes kwam brengen die Ingrid en ik samen hadden gebakken en zag dat hij aan hetzelfde schilderij werkte, maar nu naar een levend model. Ze zag eruit als een studente, en ze zat op een klapstoel, niet weggezakt in dikke, met damast beklede kussens. Mijn hart stokte even in mijn keel. Ze was jong en knap en Robert praatte tegen haar alsof hij haar stil wilde houden terwijl hij de hoek van hoofd en schouder overschilderde, maar ze had niets van de vrouw op zijn zolder. Ze had kort, blond haar en lichte ogen en ze droeg een voetbalshirt van het college. Alleen haar prachtige lijf en vierkante kaken maakten haar in de verte tot een zusje van de vrouw met de krullen die ik voor het eerst op een schets uit zijn zak had gezien. Bovendien leek Robert zich niet opgelaten te voelen door mijn komst: hij begroette Ingrid en mij met een zoen en stelde het meisje aan me voor als een van de vaste ateliermodellen, een studentenbijbaantje. Het meisje zelf leek voller te zijn van Ingrid en het feit dat de tentamens bijna waren afgelopen dan van Robert. Het was duidelijk dat hij haar alleen voor de pose gebruikte, en ik wist nog net zo weinig als tevoren.

Ik herinner me maar een paar momenten van Roberts vertrek naar de staat New York, begin januari. Hij hield Ingrid lang vast, en ik zag dat ze al zo groot was dat ze haar benen gedeeltelijk om zijn middel kon slaan, dat kind met Roberts lange lijf en zijn stugge, donkere haar. Het andere moment dat ik me herinner, is dat ik het huis weer in liep nadat zijn auto over de oprijlaan in het bos was verdwenen – het moet daarna zijn geweest, tenzij ik weigerde nog een seconde langer op de veranda in de kou te blijven staan om hem na te kijken. Ik herinner me dat ik naar binnen ging om de ontbijtboel af te ruimen en mezelf in stilte, maar toch in afgemeten, duidelijke woorden afvroeg: is dit een scheiding? Maar er was geen antwoord in mijn eigen hoofd of in de warme keuken, waar het naar appelmoes en toast rook. Alles leek normaal, zij het somber. Er ging zelfs een zucht van verlichting door het huis. Ik had me in het verleden gered, en ik zou me nu ook redden.

Roberts berichten waren meestal op een ansicht gekrabbeld en net zo goed voor Ingrid bedoeld als voor mij, en zijn telefoontjes kwamen ook onregelmatig, maar tamelijk vaak. De winter in het noorden van de staat New York was guur, maar de sneeuw was prachtig, impressionistisch. Hij was een keer bijna bevroren toen hij buiten werkte. Het hoofd van de academie had hem verwelkomd. Hij had een kamer in het gastenverblijf van het instituut en hij had een mooi uitzicht op het bos en het plein voor het hoofdgebouw. Zijn studenten waren misschien wel boeiend, maar voor het grootste deel ongetalenteerd. Er was te weinig ruimte in het atelier, maar hij schilderde. Hij was die ochtend om vier uur naar bed gegaan.

Vervolgens een tijdje niets, een korte stilte, waarna de berichten weer kwamen. Ik was blijer met zijn kaarten dan met onze telefoongesprekken, waarin er een onuitgesproken spanning tussen ons hing, een kloof die nog moeilijker te overbruggen was wanneer we elkaars gezicht niet konden zien. Ik probeerde hem niet vaker te bellen dan hij mij. Hij stuurde een keer een schets voor Ingrid, alsof hij wist dat ze die taal het best begreep. Ik hing hem aan de muur van haar kamer. Het was een voorstelling van gotische gebouwen, hopen sneeuw en kale bomen. Als Ingrid 's nachts huilde, nam ik haar bij me en werden we de volgende ochtend wakker in een omgewoeld bed. Eind februari vloog Robert naar huis voor zijn wintervakantie en Ingrids verjaardag. Hij sliep veel en we vrijden met elkaar, maar we hadden geen moeilijke gesprekken. Begin april had hij weer vakantie, zei hij, maar hij had besloten in het noorden te blijven om te schilderen. Ik maakte geen bezwaar. Als hij bij thuiskomst in de zomer meer werk af had, was hij misschien makkelijker in de omgang.

Toen Robert weer weg was, kwam mijn moeder logeren, en ze stuurde me elke dag naar het zwembad op de campus. Ik was dat jaar veel gewicht van na de bevalling kwijtgeraakt, en de rest ging eraf terwijl ik door het water ploegde en me herinnerde hoe het had gevoeld, nog maar zo kort geleden, om jong en optimistisch te zijn. Tijdens dat bezoek zag ik voor het eerst het beven van de handen van mijn moeder, de gesprongen adertjes op haar wangen en de lichte zwelling van haar enkels. Ze hielp me nog net zo kwiek als altijd; zolang zij er was, stonden de borden altijd schoon in het droogrek, werden Ingrids talloze katoenen pakjes gewassen en opgevouwen en werd Ingrid zelf zo vaak voorgelezen als ze maar wilde.

Toch was er iets van mams fysieke zelfvertrouwen weg, en toen ze weer in Michigan was, vertelde ze me dat ze niet meer naar buiten durfde als het glad was. Ze stapte de voordeur uit om naar de supermarkt of de tandarts te gaan, of om vrijwilligerswerk te doen bij de bibliotheek, maar dan zag ze dat het glad was, ging weer naar binnen en belde mij uiteindelijk. Op een dag vertelde ze me dat ze al bijna een week niet buiten was geweest. Ik wilde niet afwachten, alleen, met de vraag die me nu 's ochtends vroeg wekte, en toen ik het aan Robert vroeg, zei hij zonder enige aarzeling ja, mam moest bij ons komen wonen.

Ik had er niet van mogen opkijken, maar dat deed ik wel. Ik denk dat ik was vergeten hoe genereus hij was, hoe hij vaker ja zei dan nee, zijn gewoonte zijn jasjes aan vrienden of zelfs onbekenden te geven. Het maakte mijn liefde voor hem sterker terwijl ik op hem wachtte, ver van die koude campus in New York. Ik bedankte hem vanuit het diepst van mijn hart, vertelde dat de azalea's in bloei kwamen en dat alles groen werd. Hij zei dat hij snel thuiskwam en we leken allebei over de telefoon te glimlachen.

Toen ik mam belde, stribbelde ze niet tegen, zoals ik had verwacht, maar zei dat ze erover na zou denken. Als ze het deed, wilde ze een groter huis voor ons kopen. Ik had nooit geweten dat ze zoveel geld had, maar het was zo, en daar kwam nog bij dat iemand het jaar ervoor had aangeboden haar huis te kopen. Ze zou erover nadenken. Misschien was het niet zo'n gek idee. Hoe was het met Ingrids koutje?

32

1878

In mei staat Yves erop dat zijn oom hen naar Normandië vergezelt, eerst naar Trouville en dan naar een dorp bij Étretat, een stil oord waar ze al een paar keer zijn geweest en waar ze het heerlijk hebben gehad. Het is papa's idee zijn broer mee te nemen, maar Yves spant zich ervoor in. Béatrice heeft bedenkingen: kunnen ze niet gewoon met zijn drieën gaan, zoals voorheen? Ze kan zelf voor papa zorgen, en het huis dat Yves altijd huurt heeft maar een kleine logeerkamer, zonder salon voor oom Olivier als papa in zijn gebruikelijke vertrekken verblijft. Als ze papa elders onderbrengen, kan hij niets vinden, of hij zou 's nachts van de trap kunnen vallen. Het is al lastig genoeg voor hem om te reizen, al is hij een toonbeeld van geduld en geniet hij van de zon en de bries van het Kanaal op zijn gezicht. Ze smeekt Yves er nog eens over na te denken.

Maar Yves houdt voet bij stuk. Hij zou midden in de vakantie weggeroepen kunnen worden voor zaken, en dan heeft zij in elk geval Olivier om haar bij te staan. Gek: Olivier is nog ouder dan papa, maar wat gezondheid en beweeglijkheid betreft, lijkt hij vijftien jaar jonger. Olivier was pas na de dood van zijn vrouw grijs geworden, heeft Yves haar een keer verteld, maar dat was een paar jaar voordat zij de familie leerde kennen. Olivier is sterk en levendig voor zijn leeftijd; hij kan behulpzaam zijn. Yves klaagt er nooit over dat de zorg voor papa op hun schouders drukt, maar door erop te staan dat Olivier hen vergezelt, doet hij dat indirect wel een beetje.

Ze stribbelt weer tegen, nu zwakjes, en drie weken later zitten ze in een trein die langzaam het Gare Saint-Lazare uit rijdt. Yves legt een plaid over papa's benen en Olivier leest het kunstnieuws uit de krant voor. Hij lijkt Béatrice' blik te mijden. Ze is er dankbaar voor, want zijn aanwezigheid vult de kleine ruimte tot ze het liefst een andere coupé zou willen zoeken. Hij lijkt jonger te zijn geworden in de maanden sinds ze begonnen te corresponderen; voordat ze de kust bereiken, ziet zijn gezicht er al gebruind uit. Zijn dikke, zilvergrijze baard is keurig verzorgd. Hij vertelt dat hij in het Forêt de Fontainebleau heeft geschilderd en zij vraagt zich af of hij aan haar heeft gedacht terwijl hij met zijn ezel de paden volgde of op de open plekken stond die zij waarschijnlijk nooit zal zien. Heel even benijdt ze de bomen die zich rond hem schaarden, het gras dat waarschijnlijk onder zijn lange lijf lag toen hij rustte, en ze richt zich onmiddellijk op andere gedachten. Is ze niet gewoon jaloers op het feit dat hij kan reizen en schilderen wanneer hij maar wil, zijn aanhoudende vrijheid?

Achter het raam van de trein waait as voorbij tussen haar en de velden vol jong groen, flitsen van kronkelend water. Yves houdt het raam gesloten tegen de kolenrook en het stof, al wordt het te warm in de coupé. Ze kijkt naar koeien onder een groep bomen, een veld dat is bespikkeld met rode klaprozen en wit met gele margrieten. Ze heeft zich ontdaan van haar handschoenen, haar hoed en het bijpassende jak, want ze zijn onder elkaar, allemaal familie, en de gordijnen tussen hen en de gang zijn dichtgetrokken. Ze leunt achterover, doet haar ogen dicht, voelt Oliviers blik en hoopt dat haar man niets zal merken, maar wat zou hij moeten merken? Niets, helemaal niets, en zo zal ze het houden; niets tussen haar en die man met zilverwit haar die Yves al sinds zijn geboorte kent en die nu familie van haar is.

Ver voor hen, op de locomotief, loeit de stoomfluit, net zo hol als zij zich voelt. Het leven zal nog lang duren, voor haar althans. Is dat geen goede zaak? Heeft ze niet altijd het gevoel gehad dat de tijd zich als een lieflijke vlakte voor haar uitstrekte? Stel dat – ze opent haar ogen en kijkt strak naar een dorpje in de verte, een lichte veeg, een kerktoren ver weg tussen de akkers – stel dat die vlakte noch kinderen, noch Olivier herbergt? Stel dat ze zijn brieven moet missen, zijn hand op haar haar – ze kijkt hem recht aan, nu Yves een tweede krant openslaat, en het schenkt haar voldoening te zien dat ze hem aan het schrikken heeft gemaakt. Hij wendt zijn aantrekkelijke gezicht naar het raam en pakt zijn boek op. Er is zo weinig tijd. Hij zal tientallen jaren eerder sterven dan zij. Stel dat dat op zich voldoende was om haar verzet op te geven?

33

Kate

Uiteindelijk kostte het mam nog een paar jaar om een beslissing te nemen, haar huis te verkopen en al haar boeken uit te zoeken. Gedurende die tijd bleven Robert en ik in het huis op de campus wonen. Ik ging een keer naar Michigan om haar te helpen het grootste deel van mijn vaders bezittingen weg te geven, en we huilden samen. Ik liet Ingrid bij Robert achter en hij leek goed voor haar te zorgen, al was ik bang dat hij zou vergeten waar ze was of haar in haar eentje buiten zou laten spelen.

Die herfst ging Robert tien dagen naar Frankrijk, zijn beurt om even te ontsnappen. Hij wilde de grote musea nog eens zien, zei hij; hij was er sinds zijn studietijd niet meer geweest. Hij kwam zo verkwikt en enthousiast terug dat ik vond dat het het geld waard was geweest. Hij had ook een vrij belangrijke expositie in Chicago, in januari, op uitnodiging van een van zijn vroegere docenten; we vlogen er met het hele gezin naartoe, een schrikbarende kostenpost, en in de loop van een dag of twee zag ik dat Robert een soort beroemdheid begon te worden.

In april kwamen de bloemen waar Robert en ik van hielden weer op de campus. Ik ging het bos in om de wilde bloemen te zien en we liepen door de tuinen van het college om Ingrid de bloeiende perken te laten zien. Aan het eind van de maand kocht ik een testje bij de supermarkt en zag een roze lijn in een wit ovaaltje verschijnen. Hoewel we samen hadden besloten dat we nog een kind wilden, zag ik ertegen op om het aan Robert te vertellen. Hij was vaak vermoeid of wanhopig, maar hij leek blij met mijn nieuws en ik dacht dat Ingrids leven compleet zou worden. Wat had het voor zin om maar één kind te hebben? Deze keer kregen we te horen dat het een jongen werd, en ik kocht een jongenspop voor Ingrid die ze kon vasthouden en verschonen. In december reden we weer naar de kraamkliniek. Ik baarde het kind met een soort felle, efficiënte concentratie en we namen hem mee naar huis: Oscar. Hij was blond en leek op mijn moeder, al hield Robert vol dat hij meer op zijn eigen moeder leek. Beide moeders kwamen een paar weken helpen (de mijne, die nog in Michigan woonde, logeerde bij de buren), en ze vonden het leuk om erover te bakkeleien. Ik liep weer achter de kinderwagen, en had altijd wel een kind in mijn armen of op mijn schoot.

Ik heb een onuitwisbaar beeld van Robert uit de tijd toen onze kinderen klein waren en we op de campus woonden. Ik weet niet waarom mijn herinneringen aan hem uit die tijd zo levendig zijn. Het was weliswaar een perfecte piek in ons leven, maar in die tijd begon Robert vanbinnen ook echt in te storten, denk ik. Zelfs iemand met wie je dezelfde kamers bewoont, iemand die je elke dag naakt ziet en door een halfopen deur op de wc hebt zien zitten, kan na een tijdje vervagen tot een omtrek, maar Robert is die hele tijd toen de kinderen klein waren en voordat mam bij ons kwam wonen ingevuld, met kleuren en texturen. Hij had een dikke bruine trui waar hij zo ongeveer in woonde als het koud was, en ik zie de zwarte en kastanjebruine draden waarvan hij was gebreid nog voor me, van dichtbij, en de dingetjes die erin bleven haken: stof en zaagsel, twijgjes, allerlei ruwe materiaaldeeltjes die hij oppikte in zijn atelier op de academie, van zijn wandelingen en van zijn schilderuitstapjes.

Ik had die trui tweedehands voor hem gekocht, kort nadat we elkaar hadden leren kennen. Hij was in prima staat en kwam uit Ierland, gebreid door iemand met sterke handen, en hij ging nog jaren en jaren mee – langer dan ons huwelijk zelfs. De trui vulde mijn armen wanneer Robert thuiskwam. Wanneer ik zijn ellebogen streelde, streelde ik de mouwen. Hij droeg er een oud T-shirt met lange mouwen of een uitgelubberde katoenen coltrui onder, altijd in een kleur die met de trui vibreerde; gerafeld scharlaken of diepgroen, niet noodzakelijkerwijs erbij passend, maar op de een of andere manier altijd boeiend. Zijn haar was lang of kort; het krulde over het boordje van de trui of was zacht en borstelig geschoren in zijn nek, maar de trui was altijd hetzelfde.

Mijn leven bestond in die tijd voornamelijk uit aanrakingen; ik denk dat het zijne uit kleuren en lijnen bestond, waardoor we elkaars wereld niet goed konden zien, of hij mijn aanwezigheid niet goed kon voelen. De hele dag door raakte ik schone borden en kommen aan wanneer ik ze wegzette, en de hoofdjes van de kinderen, glibberig van de shampoo in de badkuip, en hun zachte gezichtjes, en ik schraapte poep van hun kontjes met kippenvel, ik voelde de hete noedels, het zware natte wasgoed dat ik in de droger stopte en de stenen van ons stoepje als ik acht minuten de tijd had om te lezen terwijl de kinderen vlak achter mijn boek in het stekelige verse gras speelden, en wanneer er een viel, raakte ik dat gras aan, de modder en de geschaafde knie, en de plakkerige pleisters, en de natte wang, en mijn spijkerbroek, en de losgeraakte veter.

Wanneer Robert thuiskwam na zijn lessen raakte ik zijn bruine trui en zijn krullende, losse lokken haar aan, zijn stoppelkin, zijn achterzakken, zijn vereelte handen. Ik zag hem de kinderen optillen en voelde door het te zien hoe zijn ruwe gezicht langs hun tere huid streek en hoe fijn ze het vonden. Op die momenten leek hij helemaal bij ons te zijn, en daar was zijn aanraking het bewijs van. Als ik niet uitgeput was na zo'n dag, raakte hij me aan om me iets langer wakker te houden en dan tastte ik naar zijn gladde, onbehaarde flanken, het zachte, stugge haar tussen zijn benen en zijn platte, volmaakte tepels. Dan leek hij niet meer naar me te kijken en eindelijk mijn wereld van de tastzin te betreden, in die bewegende ruimte tussen ons in, tot we die overbrugden met een vurige vertrouwdheid, een routine van bevrijding. In die periode leek ik onder de menselijke sappen te zitten: de druppende melk, de straal in mijn nek wanneer ik Oscar net iets te vroeg verschoonde, het schuim op mijn dijen en het spuug op mijn wang.

Misschien werd ik op die manier bekeerd tot de tastzin en liet ik de wereld van het zien achter me, hield ik daarom op met tekenen en schilderen nadat ik het jarenlang vrijwel dagelijks had gedaan. Door mijn gezin; hoe ze aan me likten en op me sabbelden, me kusten en aan me trokken en dingen op me morsten: vruchtensap, urine, sperma en modderwater. Ik waste mezelf keer op keer, ik waste de bergen vuile kleren, ik verschoonde de bedden en de zoogkompressen. Ik boende en waste de lichamen. Ik wilde weer schoon worden, iedereen schoonmaken, maar vlak voordat ik de energie had om alles te wassen, kwam er altijd een ander soort goedheid, een onderdompeling.

En toen gingen we huizen kijken, als grote mensen, en we stuurden mijn moeder foto's van voorveranda's, en ten slotte, in de zomer dat

Ingrid vijf was en Oscar anderhalf, betrokken we ons nieuwe huis. Het was wat ik altijd had gewild: twee schattige kinderen, een tuin met een schommel die Robert ten slotte ophing nadat ik er een paar maanden om had gezeurd, een stadje met een naam die al groen klonk en in elk geval een van ons beiden met een goede, vaste baan. Moeten we wel ooit krijgen wat we denken te willen hebben? En ik had mijn moeder. In haar eerste jaren bij ons werkte ze in de tuin, ze stofzuigde en las elke dag een paar uur op het terras, waar een iep de schaduwen van zijn blaadjes over haar zilvergrijze hoofd en de witte bladzijden van haar boek wierp. Vanaf die plek kon ze zelfs zien hoe Ingrid en Oscar rupsen vingen.

Ik denk dat die jaren juist goed voor ons waren doordát mijn moeder er was. Ik had gezelschap en Robert zette zijn beste beentje voor als zij erbij was. Hij bleef nog wel eens een paar nachten wakker, of hij sliep op de academie en leek daarna moe, en af en toe was hij een tijdje wrevelig waarna hij een paar dagen uitsliep, maar door de bank genomen was ons leven vredig. Robert had uit eigen beweging de chaos van zijn zolderatelier overgeschilderd voordat we van de campus vertrokken. Ik wist niet in hoeverre het allemaal te danken was aan de oranje plastic potjes in ons medicijnkastje. Hij vertelde van tijd tot tijd dat hij bij dokter Q was geweest, en dat was voor mij genoeg. Dokter Q kon mij natuurlijk niet helpen, maar kennelijk hielp hij mijn man wel.

Tijdens ons tweede jaar in het nieuwe huis gaf Robert les op een retraiteoord voor schilders in Maine. Hij vertelde er weinig over, maar ik had de indruk dat het hem goed had gedaan. We hadden samen plezier om de kinderen en als ik 's avonds niet te moe was, zocht Robert toenadering en was alles weer als vanouds. Ik scheurde zijn oude overhemden in drieën en gebruikte ze om de meubelen af te stoffen; als ik er een uit een willekeurige voddenbaal had getrokken, had ik nog geweten dat het van hem was, dat hij het was, door zijn geur die er nog in hing, zijn weefsel. Hij leek zijn werk prettig te vinden, en ik was parttime als kopijredacteur gaan werken, meestal vanuit huis, om te helpen ons deel van de hypotheek te betalen terwijl mijn moeder op de kinderen paste.

Op een ochtend nadat mijn moeder met de kinderen naar het park was gegaan en ik de ontbijtafwas had gedaan, ging ik naar boven om de bedden op te maken en aan het bureau in de hal te werken, en ik zag dat de deur naar Roberts atelier openstond. Hij was met zijn koffiebeker in zijn hand vertrokken terwijl ik opstond; hij zat in een fase waarin hij heel vroeg wakker werd en op de academie ging schilderen. Die ochtend zag ik dat hij iets op de vloer had laten vallen, een stuk papier dat vlak bij de open deur lag. Ik raapte het op zonder erbij na te denken. Robert liet vaak papieren slingeren: briefjes, lijstjes, tekeningen en verfrommelde servetten.

Wat ik op de vloer had gevonden, was ongeveer een kwart van een vel schrijfpapier, afgescheurd, alsof de schrijver gefrustreerd was geraakt. Die schrijver was Robert; het was zijn handschrift, maar netter dan anders. Ik heb die regels nog, verstopt in mijn bureau, al heb ik het origineel niet bewaard – dat heb ik uiteindelijk als een prop naar zijn hoofd gegooid, en hij ving het en stopte het in zijn zak, waarna ik het nooit meer heb gezien. Ik heb die regels nog doordat mijn instinct me ingaf aan mijn bureau te gaan zitten, ze voor mezelf over te schrijven en ze te verstoppen voordat ik Robert ermee confronteerde. Ik denk dat ik vaag de gedachte had dat ik die regels nog eens nodig zou kunnen hebben in de rechtbank, of dat ik ze in elk geval later zelf zou willen hebben, en dat ik de precieze tekst zou kunnen vergeten. 'Mijn liefste', stond er, maar het was geen brief aan mij en ik had de woorden nog nooit gezien, in die volgorde uit Roberts zwarte pen gevloeid.

Mijn liefste,
Ik heb net je brief ontvangen, die me ertoe beweegt je direct terug te
schrijven. Ja, ik ben eenzaam geweest, de afgelopen jaren, zoals je zo
meelevend laat doorschemeren. En hoe vreemd het ook mag lijken, ik
vind het jammer dat je mijn vrouw niet hebt gekend, hoewel jij en
ik elkaar in dat geval onder fatsoenlijke omstandigheden hadden
leren kennen en niet met deze onaardse liefde, als je me toestaat het
zo te noemen.

Ik wist niet dat Robert zo bloemrijk kon zijn in een brief, of hoe dan ook; zijn briefjes aan mij waren altijd kort en bondig geweest. Heel even maakte die verrassing me misselijker dan het feit dat het een liefdesbrief was. In die hoffelijke, bijna ouderwetse toon school een Robert die ik nauwelijks herkende, een galante Robert die zijn galanterie nooit had verspild aan zijn vrouw, van wie hij wenste dat de geadresseerde van de brief haar kende, of ooit had gekend.

Ik stond met zijn woorden in mijn handen in de zonnige bibliotheek en vroeg me af wat ik las. Hij was eenzaam geweest. Hij had een
onaardse liefde gevonden. Die liefde moest natuurlijk wel 'onaards' zijn,
want hij was getrouwd, hij had twee kinderen en was mogelijk ook
krankzinnig. En ik dan? Was ik niet eenzaam geweest? Maar ik had
niets onaards, alleen de realiteit van de wereld waarin ik het moest zien
te rooien, de kinderen, de afwas, de rekeningen, Roberts psychiater.
Dacht hij dat ik de echte wereld leuker vond dan hij?

Ik liep langzaam zijn atelier in en keek naar de ezel. Daar was de
vrouw. Ik dacht dat ik aan haar gewend was geraakt, aan haar aanwezigheid in ons leven. Het was een doek waar hij al weken aan werkte;
ze stond er alleen op, en haar gezicht was nog niet helemaal af, maar
ik had die grove, bleke ovaal zelf met de juiste trekken kunnen invullen. Hij had haar bij een raam gezet, staand, en ze droeg een onthullende, losse kamerjas, lichtblauw. In haar ene hand hield ze een penseel. Nog een paar dagen en ze zou naar hem glimlachen, of hem ernstig
aankijken, onverstoorbaar, met haar donkere ogen vol liefde. Ik was
gaan geloven dat ze denkbeeldig was, een verzinsel, een deel van de visie die zijn talenten aanstuurde. Dat was naïef geweest, te naïef, want
nu bleek dat mijn eerste gevoel klopte. Ze was echt en hij schreef haar.

Opeens wilde ik het atelier vernielen, zijn schetsblokken verscheu-
ren, de vrouw in wording op de vloer smijten, haar vuilmaken en ver-
trappen, de posters en hapsnap opgehangen ansichtkaarten van de
muur rukken. Het was zo'n cliché dat ik ervan afzag, die vernedering
van me net zo te gedragen als een jaloerse echtgenote in een film. En
er was ook iets geniepigs, een heimelijkheid die als een drug door mijn
brein trok: als Robert niet wist dat ik iets wist, kon ik meer te weten
komen. Ik legde het papier op mijn bureau, al met de bedoeling de
brief voor mezelf over te schrijven en het origineel weer op de vloer
achter de open deur van zijn atelier te leggen, voor het geval hij het
zou missen. Ik stelde me voor hoe hij zich bukte om de brief op te rapen met de gedachte: heb ik die laten vallen? Dat was op het nippertje. Dan zou hij hem in zijn zak stoppen, of in de la van zijn tafel.

Dat was dan ook mijn volgende zet: ik ging behoedzaam door de
laden van zijn tekentafel en legde alles wat ik had gepakt terug met de
nauwgezetheid van een archivaris: grote grafietstiften, grijze gumme-
tjes, nota's van olieverf, een halve reep chocola. Brieven, achter in een
van de laden, brieven in een handschrift dat ik niet kende, antwoor-

den op brieven zoals de zijne. *Lieve Robert. Robert, lieveling. Mijn lief-*
ste Robert. Ik heb vandaag aan je gedacht terwijl ik aan mijn nieuwe stil-
leven werkte. Vind jij stillevens de moeite waard? Waarom zou je iets schil-
deren wat meer dood dan levend is? Ik vroeg me af hoe je iets tot leven kunt
wekken met je hand, die mysterieuze kracht die als elektriciteit overspringt
tussen de aanblik en je oog, en dan je oog en je hand, en dan je hand en het
penseel, enzovoort. En terug naar je oog; het hangt allemaal af van wat je
kunt zien, nietwaar, want wat je hand ook kan doen, hij kan een zwakke
waarneming niet compenseren. Ik moet nu naar de les, maar ik denk altijd
aan je. Ik hou van je, hoor. Mary.

Mijn handen beefden. Ik was misselijk, ik voelde de kamer rondom
me tollen. Nu kende ik haar naam, en ze moest een student zijn, of
mogelijk een docent, al had ik in dat geval haar naam vermoedelijk wel
herkend. Ze moest naar de les. De campus wemelde van de studenten
die ik niet kende en zelfs nooit had gezien; zelfs in de tijd dat we er
woonden, kon ik ze niet allemaal hebben gezien. Toen herinnerde ik
me de schets die ik jaren geleden tijdens onze verhuizing naar Greenhill in zijn zak had gevonden. Dit speelde al heel lang; hij moest haar
nog uit New York kennen. Hij was in die tijd vaak naar het noorden
gereisd, ook voor zijn lange semester van afwezigheid – was hij gegaan
om haar te kunnen zien? Was dat de reden geweest voor zijn plotselinge verlof, zijn onwil ons mee te nemen? Natuurlijk was ze ook schilder, een kunstacademiestudente, een werkende schilder, een echte
schilder. Hij schilderde haar zelf met een penseel in haar hand. Natuurlijk schilderde ze, net als ik ooit had gedaan.

En toch... Mary, zo'n gewone naam, de naam van de vrouw met het
lammetje, de naam van de moeder van Jezus. Of van de Schotse ko-
ningin, of Bloody Mary, we nemen er nog een, of Maria Magdalena.
Nee, die naam stond niet altijd borg voor blauw met witte onschuld.
Het handschrift was groot en meisjesachtig, maar niet lomp; de spel-
ling was correct en de zinswendingen waren intelligent en soms zelfs
markant, vaak geestig, soms een tikje cynisch. Soms bedankte ze hem
voor een tekening of voegde een vaardige schets van eigen hand bij; er
was er een die een hele bladzij in beslag nam waarop mensen in een
café zaten met koppen en theepotten op de tafels. Een van de brieven
was een paar maanden oud, maar de meeste waren niet voorzien van
een datum en er zat er niet één in een envelop. Robert moest op de
een of andere manier zo slim zijn geweest ze weg te gooien, of mis-

schien had hij de brieven ergens anders opengemaakt en de enveloppen weggegooid, of droeg hij de brieven zonder envelop bij zich – er waren er een paar afgesleten, alsof ze in een zak hadden gezeten. Ze had het niet over afspraken of plannen om hem te zien, maar ze schreef een keer over een kus. Verder stond er eigenlijk niets erotisch in, al schreef ze vaak dat ze hem miste, van hem hield en over hem dagdroomde. In een van de brieven noemde ze hem 'onbereikbaar', wat me op het idee bracht dat er nooit iets méér tussen hen gebeurd hoefde te zijn.

En toch was alles gebeurd, als ze van elkaar hielden. Ik stopte de brieven weer in de la. Roberts eigen brief maakte me het meest van streek, maar ik vond er niet meer van hem, alleen maar van haar. En ik vond verder niets in het atelier, niets in zijn werkkamer, niets in zijn andere jasje en niets in zijn auto toen ik die ook doorzocht, 's avonds, onder het mom dat ik een zaklamp in het handschoenenvakje zocht – niet dat hij anders achter me aan was gekomen of het echt had opgemerkt. Hij speelde met de kinderen en glimlachte onder het avondeten; hij was energiek, maar zijn ogen waren ver weg. Dat was het verschil, het bewijs.

34

Kate

De volgende dag ging ik de confrontatie met Robert aan. Ik vroeg hem nog even te blijven nadat mijn moeder met de kinderen naar buiten was gegaan. Ik wist dat hij die dag pas 's middags les moest geven. De brieven had ik in het dressoir in de eetkamer verstopt, met uitzondering van de brief in Roberts handschrift, die ik in mijn zak stopte. Ik vroeg hem bij me aan tafel te komen zitten. Hij was ongedurig, want hij popelde om naar de academie te gaan, maar hij bleef roerloos zitten toen ik hem vroeg of hij wist dat ik wist wat er aan de hand was. Hij fronste zijn voorhoofd. Nu was ik degene die trilde, al wist ik nog niet of het van woede was of van angst. 'Hoe bedoel je?' Hij leek oprecht verbaasd te zijn. Hij had iets donkers aan, en zijn opmerkelijke aantrekkelijkheid overrompelde me zonder enige waarschuwing, zoals wel vaker: het vorstelijke lichaam, de krachtige trekken.

'Eerste vraag: zie je haar op de academie? Zie je haar dagelijks? Is ze misschien uit New York overgekomen?'

Hij leunde achterover. 'Zie ik wie op de academie?'

'Die vrouw,' zei ik. 'De vrouw die op al je schilderijen staat. Zit ze op de academie model voor je, of in New York?'

Zijn gezicht werd boos. 'Wat? Ik dacht dat we dit al hadden gehad.'

'Zie je haar elke dag? Of stuurt ze je van een afstand brieven?'

'Brieven?' Hij verbleekte en keek me perplex aan. Het moest schuldgevoel zijn.

'Zeg maar niets. Ik weet het.'

'Wat weet je dan?' Ik zag woede in zijn ogen, maar ook verbijstering.

'Ik weet het, want ik heb haar brieven gevonden.'

Hij gaapte me aan alsof hij sprakeloos was, alsof hij echt niet wist wat hij moest zeggen. Ik had hem zelden zo verbluft meegemaakt, althans in een reactie op iets van buiten hemzelf. Hij legde zijn handen op tafel, waar ze rustten op het glanzende hout, mams boenwerk. 'Je hebt brieven van haar gevonden?' Het gekke was dat hij niet beschaamd klonk. Als ik zijn gezicht en stem op dat moment had moeten beschrijven, had ik gezegd dat hij op de een of andere manier gretig leek, geschrokken, hoopvol. Het maakte me woedend; de klank van zijn stem deed me besteffen dat hij onbedwingbaar veel van haar hield, dat hij het heerlijk vond als ze alleen maar ter sprake kwam.

'Ja,' riep ik. Ik sprong op en pakte de bundel brieven van onder de placemats in het dressoir. 'Ja, ik weet zelfs hoe ze heet, stomme idioot! Mary, heet ze. Waarom bewaarde je die brieven thuis, als je niet wilde dat ik erachter kwam?' Ik smeet ze voor hem op tafel en hij pakte er een.

'Ja, Mary,' zei hij en toen keek hij op en glimlachte bijna, maar droevig. 'Dat is niets. Nou ja, niet niets, maar niet echt belangrijk.'

Ik barstte tegen wil en dank in tranen uit, niet zozeer om wat hij had gedaan, dacht ik, maar om wat hij mij had zien doen, dat dramatische tevoorschijn halen van brieven en ze voor hem op tafel gooien. Het was vernederender dan ik ooit had kunnen dromen. 'Vind je het niets dat je van een andere vrouw houdt? En dit dan?' Ik trok zijn eigen brieffragment uit mijn zak, onmiskenbaar in zijn handschrift, maakte er een prop van en gooide die naar zijn hoofd.

Hij ving hem op en streek hem glad. Ik meende ongeloof op zijn gezicht te zien. Toen leek hij weer bij zinnen te komen. 'Kate, wat kan het je in godsnaam schelen? Ze is dood. Dood!' Hij was wit weggetrokken rond zijn neus en lippen, en zijn gezicht was verstard. 'Ze is gestorven. Denk je dat ik er niet alles voor over zou hebben gehad om haar te redden, om haar door te laten gaan met schilderen?'

Nu snikte ik vooral van verwarring. 'Is ze dood?' Die ene gedateerde brief van Mary hield in dat ze een paar maanden tevoren nog in leven moest zijn geweest. Ik had vreemd genoeg de aanvechting om beleefd te zeggen: o, wat spijt me dat. Was ze betrokken geweest bij een auto-ongeluk? Waarom had hij de afgelopen maanden of weken niet aangeslagen geleken? Alles leek hetzelfde gebleven. Wat de relatie ook had ingehouden, misschien had hij er in feite zo weinig om gegeven dat hij niet om haar had gerouwd, maar dat leek me op zich verschrikkelijk: kon iemand zo gevoelloos zijn?

'Ja. Ze is dóód.' Hij gaf het woord een verbittering mee waartoe ik hem niet in staat had geacht. 'En ik hou nog van haar. Dat heb je verdomd goed gezien, als dat je voldoening schenkt. Ik snap niet waar je je druk om maakt. Ik hou van haar. En als jij niet begrijpt over wat voor soort liefde ik het heb, ga ik het je niet uitleggen.' Hij stond op.

'Het schenkt me geen voldoening.' Nu ik eenmaal huilde, kon ik er niet meer mee ophouden. 'Het maakt het juist erger. Ik weet niet wat je hebt gedaan of wat je bedoelt. Je weet niet half hoe hard ik mijn best heb gedaan om je te begrijpen, maar het is voorbij, Robert, en dat schenkt me voldoening – dat schenkt me wél voldoening.' Ik pakte onze Chinese vaas van het dressoir, waar hij altijd stond, veilig buiten het bereik van kinderhanden, en gooide hem door de kamer. Hij brak aan hartverscheurende scherven in de schouw, onder de portretten van de ouders van mijn vader, degelijke mensen uit Cincinnati. Ik had meteen spijt van de vernieling. Ik had overal spijt van, behalve van mijn kinderen.

35

1878

Het dorp waarin ze verblijven is stiller dan het nabijgelegen Étretat, maar Yves zegt dat het hem juist daarom beter bevalt; hij vond hun dag in Trouville nog onrustiger; er moeten daar 's zomers net zoveel mensen op de promenade lopen als op de Champs-Élysées, zegt hij tegen Béatrice. Ze kunnen altijd met een huurkoets naar Étretat gaan voor wat ingehouden elegantie, als ze willen, maar dit groepje huizen op loopafstand van het brede strand bevalt hun allemaal en de meeste dagen brengen ze daar vredig door, wandelend over de kiezelstenen en het zand.

Béatrice leest papa elke avond Montaigne voor in de gehuurde salon met de goedkope damasten stoelen en planken vol schelpen. De beide mannen, die vlakbij zitten, luisteren of praten op gedempte toon. Ze is ook aan een nieuw borduurwerk begonnen, dat een kussen moet worden voor Yves' kleedkamer, een verjaardagscadeau. Ze wijdt zich dag in, dag uit aan die taak, haar zintuigen tot het uiterste belastend boven de fijne, kleine goudkleurige en paarse bloemetjes. Ze werkt er graag aan als ze op de veranda zit. Als ze haar hoofd heft, ziet ze de zee, de grijsbruine kliffen met groene toppen links en uiterst rechts, de bladderende hokjes van de vissers en de op het strand getrokken boten, de wolken boven een stormachtige horizon. Om de paar uur regent het, waarna de zon weer doorbreekt. Het wordt elke dag iets warmer, tot een regenachtige ochtend hen plotseling binnenhoudt; de volgende dag is het nog zonniger.

Haar bezigheden helpen haar Olivier te ontlopen, maar op een middag komt hij bij haar op de veranda zitten. Ze kent zijn gewoontes, en nu wijkt hij ervan af. 's Ochtends en in de namiddag schildert hij op het strand, als het weer het toelaat. Hij heeft haar gevraagd hem te vergezellen, maar haar overhaaste smoezen – ze heeft geen doek geprepareerd – komen er altijd tussen en dan gaat hij alleen, vrolijk, fluitend, en wanneer hij langs haar loopt, op haar stoel op de veranda, tikt hij tegen zijn hoed.

Ze vraagt zich af of hij kwieker loopt omdat zij kijkt; ze heeft weer dat vreemde gevoel dat hij jaren jonger wordt onder haar blik. Of komt het gewoon doordat ze heeft geleerd door zijn jaren heen te kijken, die nu transparanter voor haar zijn, doordat ze nu door die jaren heen ziet hoe die hem hebben gevormd? Wanneer hij wegloopt, kijkt ze altijd naar zijn rechte rug, die zich, in zijn favoriete oude schilderkloffie, in de richting van het strand van haar verwijdert. Ze probeert haar kennis van hem ongedaan te maken, hem weer te zien als de oude oom van haar man die toevallig de vakantie met hen doorbrengt, maar ze weet te veel van zijn gedachten, zijn zinswendingen, zijn toewijding aan zijn eigen werk en zijn respect voor het hare. Natuurlijk stuurt hij haar in dit huis geen brieven, maar er zweven woorden tussen hen in; zijn schuine handschrift, zijn plotselinge gedachtesprongen op papier, zijn strelende 'tu' op de bladzij.

Vandaag heeft hij geen ezel, maar een boek onder zijn arm. Hij zakt naast haar op een grote stoel alsof hij zich vast heeft voorgenomen zich niet te laten afwijzen. Ondanks alles is ze blij dat ze de lichtgroene jurk met gele ruches langs de hals heeft aangetrokken waarin ze, zoals hij een paar dagen eerder zei, op een narcis lijkt; ze zou willen dat hij nog dichterbij zat, zodat zijn schouder in het grijze jasje langs de hare zou kunnen strijken, maar ze zou ook willen dat hij wegging, dat hij de trein terug naar Parijs nam. Haar keel wordt dichtgeknepen. Hij ruikt naar iets aangenaams van zijn toilet, een zeep of eau de cologne die ze niet kent; ze vraagt zich af of hij die geur al jaren gebruikt, en of die met de jaren is veranderd. Het boek op zijn schoot blijft dicht en ze weet zeker dat hij niet van plan is erin te lezen, een vermoeden dat wordt bevestigd wanneer ze de titel ziet, *Romeins recht*; ze herkent het uit de saaie kast binnen. Hij heeft het natuurlijk van de plank gegrist voordat hij naar haar toe ging, een list die maakt dat ze glimlacht boven haar borduurwerk. 'Bonjour,' zegt ze, naar ze hoopt met de neutraliteit van een huisvrouw.

'Bonjour,' zegt hij terug. Ze zitten even zwijgend bij elkaar en dat, denkt ze, is het bewijs, het probleem zelfs. Als ze echt onbekenden waren, of gewone familieleden, waren ze al een gesprek over ditjes en datjes begonnen. 'Mag ik je iets vragen, kindlief?'

'Natuurlijk.' Ze pakt haar fraai bewerkte schaartje met de ooievaars-snavel en knipt haar draad af.

'Ben je van plan me de hele maand te blijven ontlopen?'

'We zijn hier pas zes dagen,' zegt ze.

'En een half. Of zes dagen en zeven uur,' verbetert hij haar. Het effect is zo komisch dat ze opkijkt en glimlacht. Zijn ogen zijn blauw en niet oud genoeg om haar tegen te staan, wat wel het geval zou moeten zijn. 'Dat is al veel beter,' zegt hij. 'Ik had gehoopt dat de straf geen vier weken zou duren.'

'Straf?' vraagt ze zo welwillend als ze kan. Ze probeert vergeefs de draad door het oog van de naald te steken.

'Ja, straf. En waarvoor? Voor het op afstand bewonderen van een jonge kunstenares? Na al mijn goede manieren zou je me toch wel een beetje hartelijkheid kunnen gunnen.'

'U begrijpt het wel, denk ik,' begint ze, maar het wil niet lukken met de naald.

'Sta me toe.' Hij pakt de naald en de fijne goudkleurige borduurzijde, die hij met zorg door het oog steekt, waarna hij ze aan haar terug-geeft. 'Oude ogen, zie je. Ze worden scherper in het gebruik.'

Ze moet er wel om lachen. Het is dat sprankje humor tussen hen, zijn vermogen tot zelfspot, dat haar meer dan wat ook doet bezwijken. 'Juist. Kunt u dan met uw scherpe blik begrijpen dat het me onmoge-lijk is...'

'Mij zoveel aandacht te gunnen als je aan een kiezel in je mooie schoentje zou besteden? Je zou zelfs méér aandacht aan de kiezel be-steden, dus misschien moet ik gewoon nog lastiger worden.'

'Nee, alstublieft...' Ze is weer in de lach geschoten. Ze vervloekt de vreugde die op zulke momenten tussen hen in sprankelt, het genoe-gen dat zichtbaar zou kunnen worden voor anderen. Begrijpt die man dan niet dat hij deel uitmaakt van haar familie? En dat hij bejaard is? Ze voelt weer hoe ongrijpbaar leeftijd is. Wat hij haar nu al heeft ge-leerd, is dat mensen zich vanbinnen niet oud voelen, althans niet voor-dat het lichaam zijn ellendige tol eist; daarom lijkt papa oud, hoewel hij jonger is, terwijl deze kunstenaar met zijn witte haar en zilvergrij-ze baard niet schijnt te weten hoe hij zich moet gedragen.

'Niet doen, *ma chère*. Ik ben veel te oud om nog kwaad te kunnen en je echtgenoot staat vierkant achter onze vriendschap.'

'Waarom zou hij niet?' Ze doet haar best om gepikeerd te klinken, maar het vreemde genot van zijn nabijheid is te sterk en onwillekeurig glimlacht ze weer naar hem.

'Goed dan. Je hebt jezelf in een hoek geredeneerd. Als er dan toch geen bezwaren zijn, kun je morgenochtend met me meegaan om te schilderen. Mijn vissersvriend aan het strand zegt dat het zulk mooi weer wordt dat de vissen in zijn boot zullen springen. Ikzelf dacht dat ze juist op regenachtige dagen hoger sprongen.' Hij imiteert het dialect van de kust en ze lacht. Hij gebaart naar het water. 'Het staat me niet aan dat je hier met al dat borduurwerk zit te verkwijnen. Een groot kunstenares in wording moet eropuit trekken met haar ezel.'

Nu voelt ze een blos vanuit haar hals optrekken. 'Plaag me niet.'

Hij wordt meteen ernstig en pakt haar hand, alsof hij er niet bij nadenkt, niet om haar in te palmen. 'Nee, nee, ik meen het. Als ik jouw talenten had, zou ik geen minuut verspillen.'

'Verspillen?' Ze is half boos, half in staat te huilen.

'O, kind toch. Ik ben echt tactloos.' Hij kust verontschuldigend haar hand en laat hem los voordat ze bezwaar kan maken. 'Je weet toch hoeveel vertrouwen ik heb in je werk? Niet verontwaardigd zijn. Ga morgen gewoon met me mee om te schilderen, dan merk je weer hoe graag je het doet en vergeet je mij en mijn onhandige uitspraken helemaal. Ik zal je alleen naar het goede uitzicht vergezellen, afgesproken?'

Dat kwetsbare jongetje is weer zichtbaar in zijn ogen. Ze haalt een hand over haar voorhoofd. Ze kan zich niet voorstellen dat ze meer van iemand zou houden dan van hem, nu; niet van zijn brieven, niet van zijn beleefdheid, maar van de man zelf en alle jaren die hem hebben gepolijst en hem zowel zelfbewust als broos hebben gemaakt. Ze slikt en haalt de naald secuur door haar borduurlinnen. 'Ja. Graag. Ik ga met u mee.'

Wanneer ze drie weken later teruggaan naar Parijs, neemt ze vijf kleine doeken mee van het water, de boten en de lucht.

36

Kate

Robert ging niet meteen weg, en ik ook niet; ik was beslist niet van plan mijn moeder en kinderen te ontwortelen of het huis te verlaten waarvan ik had gedroomd en was gaan houden en dat we dankzij mijn moeder hadden kunnen kopen. Nadat ik die vaas kapot had gegooid, pakte Robert zijn bundeltje brieven, stopte het in zijn zak en vertrok zonder zelfs maar een tandenborstel of schone kleren mee te nemen. Misschien had ik een beter gevoel over hem gehad als hij zo verstandig was geweest eerst naar boven te gaan om zijn koffer te pakken.

Ik zag hem een paar dagen niet en wist niet waar hij was. Ik zei alleen tegen mijn moeder dat we flinke ruzie hadden gehad en aan een adempauze toe waren, en ze reageerde bezorgd, maar neutraal; ik zag dat ze dacht dat het wel zou overwaaien. Ik probeerde mezelf ervan te overtuigen dat hij bij Mary was, waar die ook woonde, maar ik kon het gevoel niet van me afschudden dat hij de waarheid had gesproken toen hij zo verbitterd zei dat ze dóód was. Hij leek niet in staat te zijn tot echte rouw. Dat was bijna het ergste. Dat de verhouding was afgebroken door haar dood, verzachtte mijn pijn niet. Integendeel: het achtervolgde me en gaf me een griezelig gevoel dat ik niet van me af kon zetten.

Op een ochtend die week zat ik op het trapje van de veranda te lezen – ik kon mijn hoofd er niet echt bij houden – en mijn moeder zat in de stoel op het terras ons verstelwerk te doen terwijl we allebei op de kinderen letten, die de tuin te veel water gaven, toen Robert zonder enige aankondiging kwam aanrijden en uit zijn auto stapte. Ik zag dat hij dingen achterin had gestouwd: ezels, tekenmappen en dozen. Mijn hart bonsde in mijn keel. Hij liep over het pad en ging naar mijn moeder toe om haar een zoen te geven en te vragen hoe het met haar ging. Ik wist dat ze tegen hem zei dat het goed ging, al was ik een dag eerder nog met haar bij de dokter geweest omdat ze weer duizelig was. En al wist ze nu dat hij op het punt stond ons te verlaten.

Toen liep Robert langzaam over het pad naar mij toe en even nam ik hem van top tot teen op: zijn grote lichaam dat niet slank en niet dik was, de spieren die zichtbaar bewogen onder zijn broek en overhemd. Zijn kleren leken slonziger dan anders, en hij was nog slordiger met zijn verf omgegaan, waardoor zijn opgerolde mouwen vol rode spatten zaten en zijn kaki broek besmeurd was met witte en grijze vegen. Ik zag de huid van zijn gezicht en hals, die begon te verouderen, de rimpeltjes onder zijn ogen, het diepe bruin-groen van zijn ogen, zijn dikke haar, de engelachtige krullen met zilveren draden erin, zijn omvang, zijn afstandelijkheid, zijn zelfstandigheid en zijn eenzaamheid. Ik wilde opspringen en me in zijn armen storten, maar hij had mij moeten omhelzen. Ik bleef dus zitten waar ik zat, me nietiger voelend dan ooit, opgesloten in een lijst, een te kleine, te schone vrouw met steil haar die hij had veronachtzaamd in zijn grote zoektocht naar de kunst, in wezen een nul. Hij was zelfs vergeten me te vertellen wat hij precies zocht.

Hij bleef bij het trapje staan. 'Ik wil even een paar dingen pakken.'

'Goed,' zei ik.

'Wil je dat ik terugkom? Ik mis jou en de kinderen.'

'Als je terugkwam,' zei ik zacht en ik probeerde mijn stem niet te laten beven, 'zou je dan echt terugkomen of zou je nog steeds met een geest leven?'

Ik was bang dat Robert weer kwaad zou worden, maar na een korte stilte zei hij alleen maar: 'Hou erover op, Kate. Je kunt het niet begrijpen.'

Ik wist dat als ik iets gilde als 'Ik kan het niet begrijpen? Kan ík het niet begrijpen?', ik nooit meer zou ophouden met gillen, ook al waren mijn moeder en de kinderen erbij. Ik kromde mijn vingers dus in mijn boek tot het pijn deed en liet hem erlangs, en na een tijdje kwam hij terug met zijn spreekwoordelijke biezen, of eigenlijk een oude weekendtas uit een van onze kasten.

'Ik blijf een paar weken weg. Ik bel je nog,' zei hij. Hij gaf de kinderen een kus, gooide Oscar in de lucht en liet zijn overhemd vochtig worden van hun natte kleren. Hij treuzelde. Ik haatte hem zelfs om zijn verdriet. Ten slotte stapte hij in de auto en reed weg. Pas toen vroeg ik me af hoe hij wekenlang vrij kon krijgen van zijn werk. Het was nog niet in me opgekomen dat hij zijn werk er ook aan zou kunnen geven.

Het bleek een van de laatste dagen te zijn dat mijn moeder zich goed voelde. Haar huisarts liet ons naar zijn praktijk komen en vertelde dat ze leukemie had, in een vergevorderd stadium. Ze kon nog chemotherapie krijgen, maar daar zou ze zich waarschijnlijk alleen maar nog ellendiger door gaan voelen. In plaats daarvan nam ze dus een brochure over hospitiumzorg aan en pakte mijn arm stevig beet toen we weggingen, om me te behoeden voor mijn eigen verdriet.

37

Kate

Ik zal een stuk overslaan. Ik sla het over, maar ik wil wel vertellen hoe
Robert terugkwam. Ik belde hem die avond op en hij kwam terug en
bleef zes weken, zo lang duurde het tot mijn moeder zo zwak was dat
er bijna niets meer van haar over was. Hij bleek niet verder weg te zijn
gegaan dan de campus, al heeft hij me nooit verteld waar hij daar sliep;
misschien in een atelier of in een van de leegstaande huizen. Ik vroeg
me af of ons oude huis daar nog leegstond. Misschien sliep hij tussen
onze eigen schimmen, onder een stapel dekens op de vloer, in de kamers waar Ingrid en Oscar vlak na hun geboorte hadden gelegen.

Gedurende de korte periode dat hij terug was om me met mijn moeder te helpen, bivakkeerde hij in zijn atelier, maar hij was kalm en vriendelijk en maakte soms een uitstapje met de kinderen, zodat ik bij mijn
moeder kon zitten, die pijnstillers slikte en dutjes deed, steeds langere dutjes. Ik vroeg hem niet naar zijn werk. Ik dacht dat hij en ik samen zouden wachten tot de verpleegkundigen van het hospitium zouden komen voor de stervensbegeleiding. Alles was geregeld en mijn
moeder had me zelfs geholpen het te regelen; ze zou zeggen wanneer
het zover was, me een teken geven, en dan zou ik het nummer bellen
dat bij de telefoon in de keuken lag.

Maar uiteindelijk waren alleen Robert en ik erbij, en dat was echt
het eind van ons huwelijk, tenzij je de eerdere breuken meetelt, of de
schaarser wordende telefoongesprekken van erna, of zijn verdwijning
naar Washington, of mijn verzoek tot echtscheiding, waarna ik zijn
werkkamer meer dan een jaar meed, of de dag waarop ik zijn werkkamer eindelijk begon uit te mesten, of de dag waarop ik bijna al zijn
schilderijen van de Melancholieke Maîtresse wegstopte, of hoe je haar
ook maar wilt noemen. Of zelfs het moment dat ik hoorde dat hij was
gearresteerd omdat hij een schilderij had willen vernielen, of later, toen

ik hoorde dat hij zich vrijwillig had laten opnemen in een psychiatrische kliniek. Of toen ik besefte dat ik zijn moeder in elk geval een beetje wilde helpen met zijn rekeningen, dat ik nog steeds wilde dat hij beter zou worden, als dat mogelijk was, zodat hij op een dag naar de diploma-uitreikingen en bruiloften van de kinderen zou kunnen komen.

Als je huwelijk niet is gestrand, of als je partner is gestorven in plaats van je te verlaten, besef je niet dat mislukte huwelijken zelden een afgerond eind kennen. Ze lijken op sommige boeken, zo'n verhaal waarvan je bij de laatste bladzij denkt dat het is afgelopen, maar dan komt er nog een nawoord, en daarna blijf je je afvragen hoe het met de personages zou gaan, of je stelt je voor hoe ze hun leven voortzetten zonder jou, waarde lezer. Tot je het grootste deel van zo'n boek vergeten bent, moet je je blijven afvragen hoe het iedereen is vergaan nadat je het hebt dichtgeslagen.

Maar als er al sprake was van een afgerond einde tussen Robert en mij, dan viel het op de dag dat mijn moeder overleed, want ze stierf eerder dan we hadden gedacht. Ze lag op de bank in de woonkamer, in de zon. Ze had me zelfs een kopje thee voor haar laten zetten, maar toen liet haar hart haar in de steek. Dat is niet de klinische term, maar zo noem ik het in gedachten omdat het mijne mij ook in de steek liet, en in mijn haast om bij haar te komen liet ik het blad met thee op de vloer vallen. Ik knielde bij haar en pakte haar armen terwijl onze harten ons in de steek lieten en het was verschrikkelijk, en verschrikkelijk om te zien, maar het ging heel snel, en het was nog veel verschrikkelijker geweest als ik er niet bij was geweest om het te zien en haar vast te houden na al die jaren dat ze voor mij had gezorgd.

Toen het voorbij was en zij niet langer zichzelf was, sloeg ik mijn armen om haar heen en drukte haar tegen me aan, en toen vond ik eindelijk mijn stem terug. Ik riep Robert, ik schreeuwde zijn naam, al was ik nog steeds bang dat ze er last van zou hebben. Hij moet de toon hebben gehoord, in zijn werkkamer achter de keuken, want hij rende de woonkamer in. Mijn moeder woog al bijna niets meer en ik hield haar moeiteloos in mijn armen, met mijn wang tegen de hare, deels omdat ik haar dan niet meteen weer hoefde te zien. In plaats daarvan keek ik op naar Robert. Wat ik op zijn gezicht las, beëindigde ons huwelijk samen met het leven van mijn moeder. Zijn ogen waren uitdrukkingsloos. Hij zag ons niet, mij met haar levenloze lichaam in mijn

armen. Hij vroeg zich niet af hoe hij me kon troosten, die eerste momenten, of hoe hij haar eer kon bewijzen, en of hij zelf om haar rouw-
de. Ik zag duidelijk dat hij naar een ander keek, naar iets wat hem
zichtbaar afgrijzen inboezemde, iets wat ik niet kon zien en met geen
mogelijkheid zou kunnen begrijpen omdat het nog erger was dan dit,
het ergste moment van mijn leven. Hij was er niet.

November 1878
Parijs
Très chère Beátrice,
Dank je voor je ontroerende brief. Ik wil er niet aan denken dat ik weer een avond met jou heb gemist, ook niet in ruil voor het beste van Molière; vergeef me mijn afwezigheid. Ik vraag me een tikje afgunstig af of het stijlvolle duo Thomas er ook weer was; misschien is het de wetenschap dat zij in leeftijd dichter bij je staan dan ik die maakt dat ik je wil beschermen. Het bevalt me niet hoe ze tegenwoordig om je heen hangen, en, nu we het er toch over hebben, naar je werk kijken, dat alleen door kennersogen mag worden gezien (dus niet de hunne). Vergeef me mijn onbetamelijke narrigheid. Als ik mezelf ervan kon weerhouden te schrijven, zou ik dat zeker doen, maar de schoonheid van deze ochtend is me te veel, zodat ik die met jou moet delen. Je zult nu wel bij je raam zitten, met je borduurwerk of wellicht een boek in je hand, misschien wel het boek dat ik je de laatste keer heb gegeven. Toen ik zo indiscreet was je handen te bewonderen, zei je dat ze te groot waren, maar ze zijn verrukkelijk, vaardig en in verhouding met je elegante lengte. Bovendien lijken ze niet alleen vaardig, maar zijn ze het ook, in het hanteren van penseel en potlood, en ongetwijfeld in al het andere dat je doet. Als ik ze in de mijne kon houden (die tenslotte nog groter zijn, maar minder vaardig), zou ik ze een voor een kussen, respectvol.

Vergeef me; ik vergeet nu al dat ik van plan was je over de schoonheid van de ochtend te vertellen. Ik ben vanochtend helemaal naar het Jeu de Paume gelopen om mijn avond in het theater af te schudden, het was laat geworden. Ik heb het gevoel, lieve kind, dat

ik uiteindelijk toch niet geschikt ben om het vaak laat te maken,
aangezien ik altijd vroeg wakker word. Ik was liever aan jouw
zijde geweest, gisteravond, en misschien zal ik je morgenavond weer
voorlezen bij een knapperend haardvuur of helemaal niets zeggen
om je gedachten te kunnen zien. Ga eens zo zitten wanneer ik niet
bij je kan zijn.

Ik dwaal weer af. Op weg naar het Jeu de Paume zag ik een
mussenfamilie die werd gevoerd door een oude heer die nog getuige
had kunnen zijn geweest van de laatste charge van Napoleon, toen
hij er nog magnifiek uitzag met zijn hoed scheef op zijn hoofd. Je
zult wel lachen om mijn onschuldige fantasietjes. Er liep ook een
jonge priester door het park (in een andere wereld had hij ons de
zegen kunnen geven), die zijn gewaad ongeduldig voor zich uit
schopte; hij had onmiskenbaar haast. En ik, die dat niet had, ging op
een bank zitten om een minuut of tien te dromen, ondanks de kou,
en misschien kun je een paar van mijn gedachten wel raden. Lach
alsjeblieft niet om het smachtende karakter ervan.

Nu ik weer thuis ben, me heb opgewarmd en heb ontbeten, moet
ik me opmaken voor een dag vol besprekingen en werk, waarbij ik
onophoudelijk aan je zal denken en jij mij glad zult vergeten, maar
morgen heb ik nieuws voor je, hoop ik, nieuws dat je blij zal maken,
en zeker één van mijn besprekingen gaat over dat nieuws, maar ook
over het nieuwe schilderij, dat ik mogelijk zal inzenden voor de
Salon van dit jaar. Vergeef me mijn poging tot geheimzinnigheid,
maar ik wil het graag met je bespreken en het is zó belangrijk dat ik
je moet smeken morgenochtend tussen tien en twaalf uur naar mijn
atelier te komen, als je tijd hebt, voor een zakelijke kwestie, een van
het hoogste fatsoen, aangezien Yves me heeft aangespoord jouw
goedkeuring voor het werk te vragen. Ik voeg het adres en een
plattegrondje hierbij; je zult de straat schilderachtig vinden, maar
niet onaangenaam.

Tot ons weerzien kus ik je slanke hand met respect en wacht op
een welkom standje, en een bevestiging van onze afspraak, aan het
adres van je toegewijde vriend
O.V.

38

Marlow

Ik nam afscheid van Kate met welgemeende dank en mijn aantekeningen veilig in mijn koffertje. Ze gaf me hartelijk een hand, maar mijn vertrek leek haar ook op te luchten. Ik stopte aan de rand van de stad bij een koffietentje, maar bleef in mijn auto zitten en pakte mijn mobiele telefoon. Ik hoefde niet lang te zoeken. De telefoniste van Greenhill College klonk vriendelijk, familiair; ik hoorde geritsel op de achtergrond, alsof ze onder het werk zat te lunchen. Ik vroeg naar de kunstacademie en werd doorverbonden met een al even toeschietelijke secretaresse daar. 'Neem me niet kwalijk dat ik zomaar bel,' zei ik. 'Ik ben dokter Andrew Marlow. Ik werk aan een artikel voor *Art in America* over een van uw vroegere docenten, Robert Oliver. Inderdaad. Ja, ik weet dat hij weg is; ik heb hem zelfs al in Washington gesproken.'

Ik voelde zweet langs mijn haargrens, al was ik tot op dat moment volkomen kalm geweest; het speet me dat ik een specifiek tijdschrift had genoemd. De vraag was nu: wisten ze op de academie dat Robert was gearresteerd en in een kliniek was opgenomen? Ik hoopte maar dat het incident in de National Gallery alleen de lokale pers had gehaald. Ik dacht aan Robert, als een gevallen reus op zijn bed uitgestrekt, met zijn armen achter zijn hoofd en zijn enkels gekruist; hij staarde naar het plafond. *Praat maar met wie u wilt.*

'Ik kom vandaag door Greenhill,' ging ik opgewekt verder, 'en ik weet dat het kort dag is, maar ik vroeg me af of een van zijn collega's vanmiddag of morgenochtend misschien tijd heeft om me iets over zijn werk te vertellen. Ja. Dank u.'

De secretaresse ging even weg en kwam verrassend snel terug; ik stelde me een atelier op de bovenverdieping van een pakhuis voor waar ze naar iedereen aan een ezel kon lopen om iets te vragen, maar dat beeld kon niet kloppen. 'Professor Liddle? Dank u wel. Zeg alstublieft tegen hem dat het me spijt dat ik hem zo overval en dat ik niet te veel van zijn tijd in beslag zal nemen.' Ik verbrak de verbinding, ging het koffietentje in, bestelde ijskoffie en veegde met het papieren servet het zweet van mijn voorhoofd. Ik vroeg me af of de jongen achter de toonbank aan me kon zien dat ik een leugenaar was. 'Vroeger niet,' wilde ik tegen hem zeggen. 'Het is er langzaam in geslopen.' Nee, dat klopte niet helemaal. 'Het is me kortgeleden per ongeluk overkomen.' Een ongeluk dat Robert Oliver heette.

Het was geen lange rit naar de academie, hooguit twintig minuten, maar doordat ik zo gespannen was, leek er geen eind aan te komen: een grote koepel lucht boven de bergen, snelwegen met enorme velden vol wilde bloemen erlangs, roze met wit, die ik niet thuis kon brengen, glad asfalt. 'U mag zelfs met Mary praten,' had Robert tegen me gezegd. Het was niet moeilijk te onthouden wat hij tegen me had gezegd, want het was maar zo weinig.

Er waren maar drie mogelijkheden, dacht ik. De eerste was dat zijn toestand zo was verergerd sinds zijn breuk met Kate dat hij wanen had gekregen en nu dacht dat een dode vrouw nog leefde, al had ik daar niet echt symptomen van gezien. Als hij werd geplaagd door wanen, zou hij toch niet zo welbewust kunnen blijven zwijgen? Een tweede mogelijkheid was dat hij een ingewikkeld web van leugens voor Kate had gesponnen en dat Mary nog leefde, of... Maar de derde mogelijkheid wilde niet echt vorm krijgen in mijn geest, en ik gaf het op rond de tijd dat ik naar de afslag van het college moest uitkijken.

De omgeving voldeed niet aan mijn voorstelling van het achterland van Appalachia; misschien moest je daarvoor verder van de snelweg af zijn. Greenhill College was verantwoordelijk voor de verzorgde landweg die ik insloeg, stond er op een bord, en als om het te bewijzen was er een groepje jonge mensen in oranje hessen verwaarloosbare hoeveelheden afval aan het rapen in de greppel naast de berm. De weg kronkelde de bergen in, langs een bord dat, zo begreep ik, Kate me moest hebben beschreven, verweerd grijs snijwerk op een stenen voetstuk, en toen reed ik over de oprijlaan van het college.

Dit was ook niet het achterland, al stonden er oude blokhutten, half verscholen achter groepjes dennen en rododendrons. Een grote, officieel uitziende zaal bleek de kantine te zijn; erachter lagen houten studentenhuizen en bakstenen lesgebouwen op een helling en daarachter was naar alle kanten alleen maar bos; ik had nog nooit een campus gezien die helemaal omringd was door bossen. De bomen op het terrein waren nog groter dan die op Goldengrove, voornaam, verwilderd – eiken die langs de stormachtige lucht schraapten, een hoge plataan, sparren als wolkenkrabbers. Drie studenten speelden in een volmaakte driehoek met een frisbee op het gras en een docent met een goudblonde baard gaf les op de galerij; zijn studenten hielden hun schriften op hun gekruiste benen. Het was idyllisch; ik wilde zelf weer studeren, opnieuw beginnen. En Robert Oliver had een aantal jaar in dit paradijsje gewoond, ziek en regelmatig depressief.

De kunstacademie bleek een betonnen doos aan een kant van de campus te zijn; ik parkeerde ervoor en keek naar de expositieruimte ernaast, een lange, smalle blokhut met een kleurig beschilderde deur. Op een bord werd een tentoonstelling van studenten aangekondigd. Ik had niet verwacht dat ik zo zenuwachtig zou zijn. Waar was ik bang voor? Ik kwam in wezen om een ander te helpen. Als ik niet eerlijk was over mijn beroep, of de relatie met voormalig schilderdocent Robert Oliver, was dat omdat ik wist dat ik anders geen informatie zou krijgen. Of minder informatie, mogelijk veel minder.

De secretaresse bleek een student te zijn, of althans jong genoeg om nog te studeren, met brede heupen, in een spijkerbroek en een wit T-shirt. Ik zei tegen haar dat ik een afspraak had met Arnold Liddle, en ze bracht me via een aantal gangen naar een kantoor met een deur, waarachter ik iemand met zijn benen op zijn bureau zag zitten. Het waren schriele benen in een verschoten grijze broek met kousenvoeten eronder. Toen we binnenkwamen, zakten de benen en brak degene die zat te telefoneren zijn gesprek bruusk af – het was een gewone, ouderwetse telefoon, niet draadloos, en het duurde even voordat hij het spiraalsnoer van zijn arm had gewikkeld. Toen stond hij op en gaf me een hand. 'Professor Liddle?' vroeg ik.

'Zeg maar Arnold, alsjeblieft,' verbeterde hij me. De secretaresse was al weg. Arnold had een levendig, smal gezicht en van zijn haar was niet veel meer over dan een rossig waas in zijn nek. Hij had blauwe ogen, groot en vriendelijk, en zijn neus was lang en rood. Hij glimlachte, bood me een stoel in de hoek aan, tegenover de zijne, en legde zijn voeten weer op het bureau. Ik had zin om mijn schoenen ook uit te trekken, maar deed het niet. Het was een rommelige kamer; er hingen ansichtkaarten van exposities op een prikbord en achter het bureau prijkten een grote poster van Jasper Johns en kiekjes van een paar magere kinderen die zich in evenwicht hielden op hun fietsen. Arnold nestelde zich dieper in zijn stoel, alsof hij het daar heerlijk vond. 'Wat kan ik voor u doen?'

Ik vouwde mijn handen en probeerde ontspannen over te komen. 'Je receptioniste heeft misschien al gezegd dat ik wat mensen interview over het werk van Robert Oliver. Ze dacht dat jij me zou kunnen helpen.' Ik nam Arnold nauwlettend op.

Hij zweeg alsof hij erover nadacht, maar er leek hem geen lichtje op te gaan. Misschien had hij toch niets gehoord of gelezen over het incident in de National Gallery. Het luchtte me enigszins op.

'Zeker,' zei hij ten slotte. 'Robert is zes jaar mijn collega geweest en ik ken zijn werk vrij goed, denk ik. Ik zal niet zeggen dat we echt vrienden waren, want hij was nogal op zichzelf, maar ik heb altijd respect voor hem gehad.' Hij leek niet te weten hoe het nu verder moest, en het verbaasde me dat hij me niet naar mijn geloofsbrieven vroeg, of waarom ik belangstelling had voor Robert Oliver. Ik vroeg me af wat de secretaresse hem had verteld; wat het ook was, hij leek er genoegen mee te nemen. Had ze *Art in America* ook genoemd? Stel dat de hoofdredacteur zijn kamergenoot was geweest op de academie?

'Robert heeft hier veel goed werk gemaakt, hè?' vroeg ik op goed geluk.

'Eh, ja,' beaamde Arnold. 'Hij was heel productief, een soort superman, altijd aan het schilderen. Het moet me van het hart dat ik zijn schilderijen niet erg oorspronkelijk vind, maar hij is een goed tekenaar – geweldig, zelfs. Hij heeft me eens verteld dat hij op de academie een tijdje abstract had gewerkt, maar dat het hem niet beviel; hij zal er snel genoeg van hebben gehad, denk ik. Hier heeft hij voornamelijk aan twee of drie series gewerkt. Even denken... Er was er een over ramen en deuren, een soort interieur van Bonnard, maar dan realistischer, snap je? Daar heeft hij er een paar van geëxposeerd bij de ingang van ons centrum hier. Er was er een met stillevens, briljant, als je van stillevens houdt; vruchten, bloemen, tinnen kroezen, een beetje in de stijl van Manet, maar altijd met iets vreemds erin, zoals een stopcontact of een potje aspirine, weet ik veel. Iets ongerijmds. Technisch uitstekend. Hij heeft er een grote expositie mee gehad hier, en het Greenhill Art Museum heeft er minstens één gekocht, evenals andere musea.' Arnold rommelde in een blikje op zijn bureau; hij haalde er een potloodstompje uit en draaide het tussen twee vingers heen en weer. 'Voordat hij wegging, had hij een paar jaar aan een nieuwe serie gewerkt, en daarvan heeft hij hier een individuele expositie gehad. Die serie was, laat ik het maar eerlijk zeggen, bizar. Ik heb hem in het atelier aan een van die doeken zien werken. Hij werkte meestal thuis, denk ik.'

Ik probeerde niet al te nieuwsgierig te lijken; het was me inmiddels gelukt mijn notitieboekje te pakken en me in journalistieke kalmte te hullen. 'Was die serie ook traditionalistisch?'

'Zeker, maar dan heel vreemd. Op alle schilderijen stond in wezen hetzelfde afgebeeld, een nogal gruwelijk tafereel van een jonge vrouw met een oudere vrouw in haar armen. De jonge vrouw kijkt ontsteld naar de oudere vrouw, die, nu ja, door haar hoofd is geschoten, je ziet dat ze dood is. Een soort victoriaans melodrama. Kleding, haar, ongelooflijk gedetailleerd, met wat zachte toetsen en wat realisme, een mengeling. Ik weet niet wie hij ervoor heeft laten poseren, studenten misschien, al heb ik hem nooit met een model aan die serie zien werken. Er is nog één schilderij uit die serie hier in de expositieruimte; hij heeft het geschonken voor de hal toen er werd gerenoveerd. Er hangt ook iets van mij; alle docenten van toen zijn vertegenwoordigd, dus ze moesten ook veel vitrines voor keramiek bouwen en zo. Kent u Robert Oliver goed?' vroeg hij plotseling.

'Ik heb hem een paar keer gesproken, in Washington,' zei ik omzichtig. 'Ik kan niet zeggen dat ik hem goed ken, maar ik vind hem boeiend.'

'Hoe is het met hem?' Arnold nam me scherper op dan me eerder was opgevallen; hoe had de intelligentie in zijn lichte ogen me kunnen ontgaan? Hij was een ontwapenend mens, losjes en gezellig, met zijn magere armen en benen uitgestrekt op het bureau; je moest hem wel aardig vinden, en nu was ik ook bang voor hem.

'Tja, ik begrijp dat hij tegenwoordig aan nieuwe tekeningen werkt.'

'Hij komt zeker niet terug? Ik heb nooit iets gehoord over terugkomen.'

'Hij heeft het niet gehad over plannen om terug te gaan naar Greenhill,' gaf ik toe. 'Het is althans niet ter sprake gekomen, dus misschien wil hij het wel... Ik weet het niet. Denk je dat hij het leuk vond om les te geven? Hoe ging hij met zijn studenten om?'

'Nou, hij is er met een studente vandoor gegaan, hè?'

Het overviel me. 'Wat?'

Hij leek het grappig te vinden. 'Heeft hij je dat niet verteld? Nou ja, ze studeerde niet hier. Naar het schijnt heeft hij haar leren kennen toen hij een semester aan een andere academie doceerde, maar nadat hij met verlof was gegaan, hoorden we opeens dat hij bij haar in Washington was ingetrokken. Ik geloof dat hij niet eens officieel zijn ontslag heeft ingediend. Ik weet niet wat er is gebeurd. Hij kwam gewoon niet meer terug. Heel slecht voor zijn carrière als docent. Ik heb me altijd afgevraagd hoe hij zich dat kon permitteren. Hij leek me niet iemand die ergens nog een potje met geld had, maar je weet maar nooit, denk ik. Misschien verkochten zijn schilderijen goed genoeg, dat is een reële mogelijkheid. Hoe dan ook, het was heel jammer. Mijn vrouw kende de zijne wel, en ze zei dat zijn vrouw er nooit met een woord over had gerept. Ze woonden al een tijdje in de stad, niet meer op de campus. Het is een prachtmens, die vrouw van hem. Ik kan me niet voorstellen wat die ouwe Bob bezielde, maar... nou ja. Mensen worden soms gek.'

Ik vond het moeilijk om een samenhangend commentaar op dit verhaal te leveren, maar Arnold leek het niet te merken. 'Tja, ik wens Robert hoe dan ook alle goeds. Diep in zijn hart was het een goeie vent, dat vond ik tenminste altijd. Hij is een van de groten, denk ik, en waarschijnlijk konden ze hem hier niet houden. Dat is mijn theorie.' Hij zei het zonder enige verbittering, alsof de plek die niet bij machte was geweest Robert te behouden voor hem, Arnold, zo gerieflijk was als de stoel waarin hij zich had genesteld. Hij keek peinzend naar zijn potloodstompje en begon iets te tekenen op een notitieblok. 'Wat is het thema van je artikel?'

Ik dacht ingespannen na: moest ik Arnold vragen hoe die voormalige studente heette? Ik durfde het niet. Ik dacht weer dat zij zijn muze moest zijn geweest, de vrouw op het schilderij die Kate zo tegenstond. *Mary?* 'Nou, ik richt me vooral op Olivers vrouwenportretten,' zei ik.

Als Arnold er het type voor was geweest, had hij minachtend gesnoven. 'Daar heeft hij er genoeg van gemaakt, lijkt me. Zijn expositie in Chicago bestond voornamelijk uit vrouwen, of telkens dezelfde vrouw, met zwarte krullen. Daar heb ik hem er ook een paar van zien schilderen. De catalogus moet hier nog ergens liggen, als zijn vrouw hem niet heeft weggehaald. Ik heb hem een keer gevraagd of het iemand was die hij kende, maar hij gaf geen antwoord, dus ik weet ook niet wie er voor die serie model heeft gezeten. Dezelfde studente, misschien, al woonde ze hier niet, zoals ik al zei. Of... ik weet het niet. Rare vogel, die Robert... Hij had zo'n manier om antwoord te geven waardoor je pas later doorhad dat je niets uit hem had gekregen.'

'Leek hij... Is je iets bijzonders aan hem opgevallen voordat hij vertrok?'

Arnold liet zijn schets op het bureau vallen. 'Iets bijzonders? Nee, dat lijkt me niet, afgezien dan van die laatste serie bizarre schilderijen – ik zou niet zo over het werk van een collega mogen praten, maar ik sta erom bekend dat ik er geen doekjes om wind en ik zal eerlijk zijn: ik flipte er een beetje op. Robert heeft een groot talent voor het schilderen in negentiende-eeuwse stijlen; zelfs als je niet van imitaties houdt, moet je zijn vaardigheid bewonderen. Die stillevens waren ongelooflijk, en ik heb ook eens een soort impressionistisch landschap van hem gezien. Niet van echt te onderscheiden. Hij heeft een keer tegen me gezegd dat alleen de natuur belangrijk was, dat hij conceptuele kunst haatte – ik maak ook geen conceptueel werk, maar ik háát het niet – en toen dacht ik: waarom maak je dan in vredesnaam allemaal van die zware, victoriaanse schilderijen? Als dat vandaag de dag niet conceptueel is, weet ik het ook niet meer; door het te doen maak je al een statement. Maar dat zal hij jou vast ook allemaal wel hebben verteld.'

Ik begreep dat ik niet veel meer uit Arnold zou krijgen. Hij bestudeerde schilderijen, geen mensen; hij leek voor me op te flakkeren en te vervagen, zo slim, ijl en goedmoedig als Robert Oliver intens, massief en getroebleerd was. Als ik het voor het zeggen had, dacht ik, zou ik zonder aarzelen die norse, subtiele Oliver als vriend kiezen.

'Als je aantekeningen wilt maken, kan ik je Bobs schilderij wel laten zien,' zei Arnold. 'Veel meer is er tegenwoordig niet van hem te vinden hier, vrees ik. Zijn vrouw is op een dag zijn kamer komen uitruimen en ze heeft alle schilderijen meegenomen die hij in het atelier had achtergelaten. Ik was er niet bij, maar ik heb het van horen zeggen. Misschien had hij gewoon geen zin om het zelf te doen en waren die schilderijen hier anders eeuwig gebleven – wie zal het zeggen? Ik geloof niet dat hij zo'n hechte band had met iemand hier. Kom mee, ik ben sowieso aan een wandeling toe.'

Hij haalde zijn lange benen uit elkaar, als een ooievaar, en we liepen samen naar buiten. Het zonlicht achter de voordeur was schitterend fel, hardnekkig; ik vroeg me af hoe een kunstenaar het volhield in zo'n betonnen kamertje, maar misschien had Arnold geen keus, en hij leek er het beste van te maken.

39

Marlow

Ik liep met Arnold mee naar de expositieruimte in de blokhut naast de academie, die vanbinnen groot en modern bleek te zijn, met een verborgen vleugel erachter van glas en witgekalkte raamkozijnen, een aanbouw die het troetelkind was geweest van een architect op weg naar een plaatselijke onderscheiding. De entree, die een daklicht had, hing vol schilderijen, en er stonden zacht verlichte vitrines met keramiek.

Toen Arnold naar een groot doek aan de muur tegenover de deur wees, begreep ik op slag wat hij bedoelde; het was bizar, afschuwelijk levend en toch overdramatisch, zo gekunsteld als een victoriaans decorstuk. Er stond een vrouw op afgebeeld in wapperende rokken en een strak lijfje, haar slanke lichaam naar voren gebogen. Ze knielde op een straat met ruwe klinkers; zoals Arnold had aangekondigd, had ze een misselijkmakend dode, oudere vrouw in haar armen. Het gezicht van de oudere vrouw was vaalgrijs, met dichte ogen en een verslapte mond, en er zat een kogelgat in haar voorhoofd, er was een duidelijk zichtbare, gruwelijke tunnel in geboord, en aan een kant van haar losgeraakte haar en sjaal droogde de bloedstroom al op.

De jonge vrouw droeg elegante kleren, maar haar lichtgroene jurk was vuil en gescheurd, en er zaten bloedvlekken op de voorkant waar ze het hoofd van de vermoorde vrouw tegen zich aan drukte. Haar glanzende, krullende haar was losgeraakt en haar hoed was aan de linten op haar schouder gezakt. Ze boog haar gezicht over dat van de dode vrouw, waardoor ik de glanzende ogen waaraan ik al zo gewend was geraakt niet kon zien. De achtergrond was vager, maar het leek een muur te zijn, een smalle straat in een stad, een winkel met een opschrift waarvan de letters onleesbaar door elkaar liepen in de verf, gestalten in rood en blauw die bij elkaar kropen, maar onherkenbaar. Aan een kant lag iets opgetast, bruin, beige – houtblokken? Zandzakken? Een houthandel?

Het hele tafereel was fascinerend, maar ook opzettelijk dik aangezet, leek me, zowel afstotelijk als aangrijpend. Er hing een geur van angst en wanhoop omheen. De pose, het verdriet erin, herinnerde me aan mijn eerste blik op de Pietà van Michelangelo: een werk dat zo bekend was dat je het niet meer onbevangen kon zien, of alleen als je nog jong genoeg was. Ik had het tijdens een reis naar Italië na de middelbare school gezien; het hing toen nog niet achter glas, dus ik werd slechts door een koord en een afstand van ongeveer anderhalve meter van de figuren gescheiden. Het daglicht dat op Maria en Jezus viel, raakte hen met verschillende schakeringen, en het was alsof ze allebei leefden, met kloppend bloed in hun aderen, niet alleen de rouwende moeder, maar ook de zojuist gestorven zoon. Het ongelooflijk ontroerende ervan was dat hij niet dood was. Voor mij, als ongelovige, was het geen vooraankondiging van de herrijzenis, maar een weergave van Maria's ontzetting, en van het kwijnende leven dat je in het ziekenhuis ziet bij een jong iemand die door een verschrikkelijke verwonding uit het leven is weggerukt. Op dat moment leerde ik het verschil tussen genialiteit en al het andere.

Wat me vooral trof aan Roberts schilderij, nog los van de gruwelijkheid van het tafereel, was dat het een verhaal vertelde, terwijl ik verder alleen maar portretten van de vrouw had gezien. Maar wat was het verhaal? Mogelijk had Robert helemaal geen modellen gebruikt; ik herinnerde me dat Kate had gezegd dat hij soms naar zijn eigen fantasie tekende en schilderde. Het was ook mogelijk dat hij wel modellen had gebruikt, maar het verhaal had verzonnen, een idee dat werd geschraagd door de negentiende-eeuwse kledij. Was de vrouw die haar vermoorde moeder vasthield uit zijn fantasie ontsproten? Misschien had hij zelfs zijn eigen lichte en donkere kant geschilderd, de twee helften van zijn psyche die door ziekte van elkaar waren gescheiden. Ik had niet van Robert Oliver verwacht dat hij hele verhalen zou bedenken.

'Jij vindt het ook niet mooi, hè?' Het leek Arnold genoegen te doen. 'Het is heel kunstig gemaakt,' zei ik. 'Waar hangt jouw werk?'

'O, aan die muur,' zei Arnold. Hij wees naar een groot doek achter ons, bij de deur. Hij ging ervoor staan en sloeg zijn armen over elkaar. Het was abstract; grote, zachte, in elkaar vervloeiende lichtblauwe vlakken en een zilverig waas over het geheel, alsof je een vierkante kiezel in het water had gegooid die concentrische vierkanten veroorzaakte. Het sprak me eigenlijk wel aan. Ik wendde me tot Arnold en zei: 'Dit vind ik echt mooi.'

'Dank je,' zei hij opgewekt. 'Ik werk nu in geel.' We keken samen naar het blauw, naar Arnolds kind van een paar jaar eerder, hij met zijn hoofd liefdevol schuin; ik zag dat hij er al een tijdje niet goed meer naar had gekeken. 'Zo,' zei hij.

'Ja, ik moet je weer aan het werk laten gaan,' zei ik dankbaar. 'Je hebt me een grote dienst bewezen.'

'Als je Robert weer ziet, doe hem dan de groeten van me,' zei hij ten afscheid. 'Zeg dat we hem hier niet vergeten zijn, wat er ook is gebeurd.'

'Dat zal ik zeker doen,' zei – loog? – ik.

'Stuur me een kopie van dat artikel, als je eraan denkt,' voegde hij eraan toe terwijl hij me uitwuifde.

Ik knikte, schudde mijn hoofd en verdoezelde mijn vergissing door terug te wuiven voordat ik in de auto stapte, maar Arnold was al weg. Ik bleef even achter het stuur zitten en probeerde mijn handen niet voor mijn gezicht te slaan. Toen stapte ik weer uit, langzaam, me bewust van de ogen van het gebouw die op me waren gericht, en liep de expositieruimte weer in. Ik liep doelbewust langs de schilderijen in de entree, de sokkels met glanzende kommen en vazen, de linnen en wollen wandtapijten. Ik kwam in de grote zaal en keek naar de schilderijen van de studenten die er hingen, een voor een; ik las de bijschriften zonder er iets van in me op te nemen, staarde naar een waas van rood, groen en goud – bomen, vruchten, bergen, bloemen, kubussen, motorfietsen, woorden, een wirwar aan doeken, sommige uitstekend, andere verbazend klungelig. Ik bekeek alles tot de kleuren voor mijn ogen dansten en keerde toen langzaam terug naar Roberts schilderij.

Ze was er nog, natuurlijk, over haar vreselijke last gebogen, het geknakte hangende hoofd met het kogelgat telkens weer aan de groene welving van haar borst drukkend, haar gezicht gespannen van verdriet in plaats van verslapt, haar kaken op elkaar geklemd tegen de tranen, de donkere wenkbrauwen gefronst in een edel, ziedend, ongelovig verdriet, een woede die ook zichtbaar was in de lijn van haar schouder en haar rokken, die nog trilden van haar snelle beweging: ze was op de smerige straat geknield en had het kostbare lichaam gevangen. Ze kende de dode vrouw en hield van haar; dit was geen abstracte barmhartigheid. Het was een ongelooflijk schilderij. Wat ik ook had geleerd, ik kon op geen stukken na bevatten hoe Robert die emotie, die beweging, in verf had kunnen treffen; ik zag een paar penseelstreken die hij had gebruikt, de menging van de kleuren, maar het leven waarmee hij de levende vrouw had bezield en de levenloosheid waarmee hij de dode had weergegeven, gingen mijn begrip te boven. Dat het voortkwam uit zijn verbeeldingskracht, maakte het des te gruwelijker. Hoe kon de academie dit beeld dag in, dag uit, voor de studenten laten hangen?

Ik keek naar haar tot ze op het punt leek te staan een smartelijke kreet te slaken, om hulp te roepen of weg te lopen, of haar lieflijke rug en middel schrap te zetten in een poging het zware lichaam op te tillen en weg te dragen. Er kon elk moment iets gebeuren; dat was het opmerkelijke. Hij had het moment van de eerste schrik gevangen, de totale omwenteling, het ongeloof. Ik bracht een hand naar mijn keel en voelde mijn eigen warmte daar. Ik wachtte tot ze haar hoofd zou heffen. Zou ik – dat was de vraag – zou ik in staat zijn haar te helpen, als ze opkeek? Ze was vlak bij me, ademend en echt, in die seconde van onwezenlijke kalmte voor de totale ontreddering, en ik wist dat ik machteloos was. Pas toen besefte ik wat Robert tot stand had gebracht.

40

Marlow

Het kostte me uren om tot een besluit te komen, die middag. Tegen de tijd dat ik weer bij Kate aankwam, schemerde het al; ik was weer een dag kwijt en zou de volgende ochtend vroeg naar Washington terug moeten rijden, en snel ook, want ik had die avond een afspraak. Ik was niet uit Greenhill vertrokken, maar had rusteloos gewandeld en in de stad gegeten, waarna ik op het laatste moment niet de bergweg van de Hadleys was ingeslagen, maar rechtsomkeert had gemaakt en naar de andere kant van de vallei was gereden. De bomen doemden hoog boven me op in Kate's buurt en er scheen licht door de ramen van de gotische huizen; er sloeg een hond aan. Ik reed langzaam haar inrit op. Het was nog niet laat, maar het was niet beleefd meer om nog bij iemand aan te komen zetten. Waarom had ik niet van tevoren gebeld, verdomme? Wat bezielde me? Maar ik kon me niet meer bedwingen.

Toen ik op haar veranda stapte, floepte het buitenlicht automatisch aan, en ik verwachtte bijna dat er een alarm zou gaan loeien. In de woonkamer brandde een enkele lamp. Verder was er geen teken van leven, al zag ik ook een gloed in de kamers achterin. Ik hief mijn hand om aan te bellen, bedacht me met mijn laatste beetje gezond verstand en klopte hard aan.

Een schaduw dook op uit een deur achterin en kwam dichterbij; het was Kate. Haar tengere gestalte gleed in en uit het lamplicht, met glanzend haar en behoedzame bewegingen. Ze tuurde gespannen door het glas, leek me te herkennen maar daar extra waakzaam door te worden, liep naar de deur en maakte hem langzaam open.

'Neem me niet kwalijk,' zei ik. 'Het spijt me dat ik je nog zo laat kom lastigvallen, en ik ben niet gek geworden...' Al was ik daar nog niet zo zeker van, en het klonk erger dan als ik niets had gezegd, nu het er eenmaal uit was. 'Ik ga morgenochtend weg, weet je, en... Wil je me alsjeblieft de andere schilderijen laten zien?'

Ze liet haar hand van de deurklink vallen en draaide haar hoofd om me recht aan te kijken. Ik zag verdriet op haar gezicht, minachting, een laatste-strohalmblik maar ook een oneindig geduld. Ik bleef koppig staan, met de seconde wanhopiger. Ze kon me nu elk moment de toegang weigeren, zeggen dat ik wel degelijk gek was geworden, opmerken dat ze niet wist waar ik het over had, dat ik hier niets te zoeken had, dat ze liever had dat ik wegging. In plaats daarvan stapte ze opzij om me binnen te laten.

Er hing een diepe rust in het huis en ik voelde me een indringer van de ergste soort, onhandig en lomp. Wat had het haar gekost om die rust te scheppen? Ik zag gerieflijkheid om me heen, lamplicht, volmaakte orde, een zacht ademen van hout en bloemen dat de ademhaling van de kinderen zelf had kunnen zijn; waarschijnlijk lagen ze boven te slapen, en hun ongeziene kwetsbaarheid maakte mijn schuldgevoel nog eens zo groot. Ik zag ertegen op die trap te beklimmen en echt hun zachte gezucht te horen, maar tot mijn verrassing opende Kate een deur in de eetkamer en ging me voor een trap af: naar de kelder. Het rook er naar stof, droge aarde en oud, dor hout. We liepen langzaam de trap af; ondanks de ene gloeilamp boven mijn hoofd had ik het gevoel dat we in het duister afdaalden. De geur herinnerde me aan iets uit mijn jeugd; vreemd prettig, een plek waar ik op bezoek was geweest of had gespeeld. Kate's slanke gestalte liep voor me uit; ik keek naar haar goudbruine kruin in het kale, maar toch ontoereikende licht en ze leek me te ontglippen, een droom in. In een hoek lag een stapel hout, in een andere stonden een oud spinnewiel, plastic emmers, lege aardewerken bloempotten.

Kate leidde me zonder iets te zeggen naar een grote houten kast aan de andere kant van de ruimte. Ik deed de deur open, nog steeds als in een droom, en zag dat de kast speciaal was ingericht om doeken netjes in op te bergen zonder dat ze elkaar raakten, als een droogrek in een atelier, en dat hij vol schilderijen stond. Ze hield de deur voor me open met een hand die wit afstak tegen het hout. Ik stak mijn arm uit, pakte voorzichtig een schilderij in de gonzende schemering en zette het tegen de muur. Toen pakte ik er nog een, en nog een, tot de kast leeg was en er acht grote, ingelijste doeken tegen de muren stonden. Sommige moesten afkomstig zijn van Roberts exposities; ik vroeg me af of hij er veel andere had verkocht en in wat voor huizen en musea ze waren beland.

Het licht was slecht, zoals ik al zei, maar dat maakte de schilderijen des te echter. Op zeven ervan was een versie afgebeeld van het tafereel dat ik die middag in de expositieruimte van Greenhill College had gezien: de vrouw die zich over het lichaam van een beminde boog, soms een close-up van de twee gezichten naast elkaar, immens op het doek, het nog jonge gezicht met krachtige trekken boven het oudere, grauwe gezicht. Soms was het hetzelfde tafereel, maar begroef de jonge vrouw haar snikken in de nek van de dode alsof ze haar bloed dronk of het vermengde met haar tranen; melodramatisch, ja, maar ook hartbrekend ontroerend. Op een ander doek stond ze rechtop met een zakdoek tegen haar lippen gedrukt, het lichaam aan haar voeten, verwilderd om zich heen kijkend, zoekend naar hulp – was het vlak voor of vlak na het moment dat op het schilderij van Greenhill College was vastgelegd? Het ging maar door. Telkens weer werd de vrouw met de krullen overmand door verbijstering, afgrijzen en verdriet. Het verhaal keek niet voor- of achteruit; ze zat voor altijd opgesloten in die ene gebeurtenis.

Het achtste schilderij was het grootst, en heel anders, en Kate was er al voor gaan staan. Het was een portret van top tot teen van drie vrouwen en een man in een vreemd vormelijke opstelling, van een adembenemend realisme, met niets van Roberts gebruikelijke negentiende-eeuwse stempel; nee, dit was onmiskenbaar hedendaags, net als het sensuele schilderij dat ik in Roberts oude atelier had gezien, twee verdiepingen hoger. De man stond op de voorgrond, en achter hem stonden rechts twee vrouwen en links een, en alle vier keken ze ernstig naar de beschouwer. Ze droegen moderne kleding: de vrouwen een spijkerbroek en een pastelkleurige, zijdeachtige blouse, de man een gescheurde trui en een kaki broek. Ik herkende iedereen, op één na. De kleinste vrouw was Kate, haar haar in de kleur van oud goud langer dan ze het nu droeg, haar blauwe ogen groot en ernstig, elk sproetje op zijn plaats, haar rug recht. Naast haar stond een vrouw die ik niet kende, ook jong en veel langer, langbenig, met steil, rossig haar en scherpe gelaatstrekken, haar handen in de voorzakken van haar spijkerbroek gepropt. Links van de man stond een vertrouwde figuur, vrouwelijk onder niet-vertrouwde, moderne grijze zijde en verwassen spijkerstof, op blote voeten, haar krachtige gezicht zoals ik het in mijn dromen zag, haar donkere krullen tot over haar schouders. Toen ik haar in kleren uit mijn eigen tijd zag, verkrampte mijn hart bij het idee dat ik haar echt zou kunnen vinden.

De man op het schilderij was Robert Oliver, uiteraard. Het was bijna alsof hij er zelf stond: zijn warrige haar en versleten kleren, zijn immense, groenige ogen. Hij leek zich maar half bewust van de vrouwen die hem omringden; hij was zijn eigen belangrijkste onderwerp, de voorgrond, zoals hij met een matte weerstand uit het doek keek, weigerend iets van zichzelf aan de beschouwer prijs te geven. In feite was hij alleen, ondanks de drie gratiën rondom hem. Het was een gênant schilderij, vond ik, schaamteloos, egocentrisch, raadselachtig. Kate stond er bijna net zo naar te kijken als ze erop was afgebeeld, met grote ogen en haar tengere lichaam zo recht als dat van een ballerina. Ik liep aarzelend naar haar toe, ging naast haar staan en sloeg een arm om haar heen. Ik wilde haar alleen maar troosten. Ze keek me aan met iets cynisch in haar ogen, bijna glimlachend.

'Je hebt ze niet vernietigd,' zei ik.

Ze keek me strak aan, zonder mijn arm af te schudden. Ze had de schouders van een vogel, holle botjes. 'Robert is een groot kunstenaar. Hij was een vrij goede vader en een vrij slechte echtgenoot, maar ik weet dat hij groots is. Ik heb het recht niet ze te vernietigen.'

Er klonk niets nobels in haar stem; het was een zakelijke, feitelijke mededeling. Toen stapte ze achteruit en bevrijdde zich van mijn arm: de deur sloeg dicht. Ze glimlachte niet. Ze streek haar haar glad terwijl ze naar het grootste schilderij keek.

'Wat ga je ermee doen?' vroeg ik uiteindelijk.

Ze begreep me. 'Ze bewaren tot ik het weet.'

Het klonk zo logisch dat ik niet doorvroeg. Ik vermoedde dat ze met die verontrustende beelden de studie van haar kinderen ooit zou kunnen betalen, als ze het goed aanpakte. Ze hielp me de schilderijen weer in hun vakken te zetten en we deden samen de deur dicht. Toen liep ik weer achter haar aan de houten trap op en door de woonkamer naar de veranda. Daar bleven we staan. 'Je mag doen wat je wilt,' zei ze. 'Wat je maar goeddunkt.' Ik wist dat ze bedoelde dat ik haar toestemming had om Robert uiteindelijk te vertellen dat ik zijn vrouw had gesproken, dat ik zijn kinderen niet had gezien, of alleen in fotolijstjes, dat ik het vriendelijke, schone huis had gezien waarin hij had gewoond en de schilderijen die ze bewaarde voor een toekomst die ze niet kon voorspellen.

We zeiden geen van beiden iets, en toen maakte ze zich iets langer – al had ze zich verder moeten uitrekken naar de wang van Robert Oliver – en gaf me een bezadigde zoen op mijn wang. 'Behouden terugreis,' zei ze. 'Rij voorzichtig.' Ze zond geen ander signaal uit.

Ik knikte, niet in staat iets te zeggen, liep het trapje af en hoorde haar deur voor het laatst achter me in het slot vallen. Eenmaal op de weg zette ik de autoradio aan, schakelde hem weer uit en zong luidkeels in de stilte, nog luider, en sloeg met mijn hand op het stuur. Ik zag Roberts schilderijen voor me, glanzend onder het kale peertje, en ik wist dat ik ze mogelijk nooit meer zou zien. Maar ik had mijn leven opengebroken, of misschien had zij dat voor me gedaan.

41

1878

De buitenkant van zijn atelier in de rue Lamartine oogt bescheiden. Ze kijkt ernaar vanuit haar koets. Ze had zich gisteren voorgenomen haar meisje mee te brengen, maar op het laatste moment voordat ze van huis ging besefte ze dat ze geen getuigen wilde. In haar overbodige briefje aan de huishoudster staat dat ze naar een vriendin is en dat er om twaalf uur een dienblad naar haar schoonvader gebracht moet worden.

De gevel van het gebouw is maar al te echt, en ze slikt moeizaam onder de strik van haar hoedje; ze heeft de linten te strak aangetrokken. Het is laat in de ochtend; in de straten is het een bedrijvigheid van koetsen, hoefgeklepper van paardenspannen, bezorgkarren. Obers zetten de stoelen in rechte rijen voor hun cafés en een oude vrouw veegt de stoep. Béatrice kijkt naar de vrouw, die gehavende handschoenen en een opgelapte rok draagt. De vrouw neemt wat kleingeld aan van een man met een lange sloof en loopt door met haar bezem en emmer.

Op het papiertje in haar tas staan een huisnummer en een schets van het pand. Hij heeft haar uitgenodigd om zijn nieuwe, grote doek te komen bekijken, dat hij volgende week naar de jury van de Salon wil sturen, dus ze moet nu komen of tot later wachten, en wie weet of het schilderij wordt aangenomen? Het is een doorzichtige smoes; ze zal het werk later met Yves bekijken, weet ze, of het nu wel of niet in de Salon komt te hangen, maar Olivier heeft al een paar keer geschreven over zijn inzending, een onhandelbaar groot doek, zijn onzekerheid erover. De gedachte aan het schilderij, zijn gevecht ermee, is hun gezamenlijke zorg geworden, bijna een gezamenlijke onderneming. Hij zal een portret van een jonge vrouw inzenden, heeft hij haar de laatste keer verteld. Béatrice durft niet te vragen wie het is; het zal ongetwijfeld een model zijn. Hij heeft ook overwogen in plaats daarvan een vroeger landschap in te zenden. Ze weet het allemaal en is er trots op dat ze erbij betrokken is, dat haar raad wordt gevraagd; dat is haar magere rechtvaardiging voor het feit dat ze hier alleen naartoe is gegaan, met haar nieuwe hoedje. Bovendien zoekt ze hem niet in zijn huis op; hij heeft haar alleen naar zijn atelier gelokt, en misschien zijn daar meer mensen, die onder het genot van een verfrissing de schilderijen bestuderen.

Ze vraagt de koetsier over een uur terug te komen en tilt haar rokken op om uit te stappen. Ze heeft een pruimkleurig wandelkostuum aangetrokken met daaroverheen een mantel van blauwe wol, afgezet met grijs bont. Haar hoedje past bij de mantel; het heeft het nieuwe model, uitgevoerd in blauw fluweel met een zilvergrijze voering, zwaarbeladen met blauwzijden vergeet-mij-nietjes, cichorei, lupines – wonderbaarlijk echt, als een hoed die in een weiland is versierd. Haar spiegel thuis heeft haar verteld dat haar wangen al blozen en dat haar ogen stralen van iets als schuldgevoel.

Ze ziet hoe haar in zwart leer gestoken voet de koets het eerst verlaat en naast een plasje slijmerig water op het plaveisel stapt. Dit is een deel van de stad waar ook problemen zijn geweest, beseft ze, en ze probeert zich de buurt acht jaar eerder voor te stellen, met opgestapelde barricades en misschien zelfs lijken, maar haar fantasie laat zich niet afleiden; ze kan alleen aan de man denken die ergens boven op haar wacht. Kan hij haar zien? Ze denkt erom dat ze niet omhoogkijkt. Met haar rokken opgenomen in een gehandschoende hand loopt ze naar de deur, klopt aan en ziet dan dat ze gewoon naar binnen moet gaan; er is geen bediende die open kan doen. Binnen voert een sleetse trap haar naar zijn atelier op de tweede verdieping. Niet één van de dichte deuren die ze op de andere verdiepingen passeert, gaat open. Ze kijkt naar zijn naam en komt even op adem (haar korset zit strak) voordat ze op de deur klopt.

Olivier doet prompt open, alsof hij met zijn oren gespitst achter de deur op haar stond te wachten, en ze kijken elkaar woordeloos aan. Ze hebben elkaar meer dan een week niet in de ogen gekeken, en in die tijd heeft iets tussen hen zich verdiept. Hun ogen vinden elkaar onvermijdelijk over dat besef heen, en ze ziet dat hij zich bewust is van de verandering. Zij van haar kant voelt de schrik om zijn ouderdom, want ze heeft hem een tijdje niet gezien en heeft hem steeds beter als man leren kennen, objectief gezien; hij is aantrekkelijk, de middelbare leeftijd maar net voorbij, en toch heeft hij diepe groeven van zijn neusvleugels naar zijn mondhoeken en rimpels onder zijn ogen, en is zijn haar licht zilverkleurig.

Achter zijn gezicht ziet ze de jongere man die hij ooit moet zijn geweest, en die jongere man beantwoordt haar blik als van achter een masker dat hij nooit heeft willen dragen, kwetsbaar en expressief, de onthullende ogen nog altijd helder, maar niet zo helder als ze geweest moeten zijn; de onderste oogleden hangen, met rode randjes, en het blauw is troebel, verdund. Hij heeft zijn haar opzij gekamd vanaf de roze scheiding, ziet ze wanneer hij zich over haar hand buigt. Er zit nog een beetje bruin in zijn baard, een warmte bij de haarwortels, en zijn lippen voelen ook warm aan op de rug van haar hand. Tijdens dat korte contact voelt ze zijn wezen: niet de verliefde jongen die door zijn ogen kijkt, en evenmin de oude man. Nee, ze voelt de kunstenaar zelf, leeftijdloos en midden in een lang opgespaard leven. Zijn aanwezigheid trekt door haar heen als het onverwachte geluid van een klok, zodat ze toch weer naar adem moet snakken.

'Kom toch binnen, alsjeblieft,' zegt hij. '*Entrez, je vous en prie.* Mijn atelier.' Hij tutoyeert haar niet. Hij houdt de deur voor haar open en ze ziet nu pas dat hij een oud pak aanheeft, sjofeler dan de kleren die ze van hem kent, met een open linnen schilderskiel over het jasje. De mouwen van de kiel zijn opgestroopt, alsof ze zelfs hem te lang zijn. Er zitten wat verfspatten op de voorkant van zijn witte overhemd, en zijn stropdas is van zwarte zijde, ook tot op de draad versleten. Hij heeft zich niet op haar bezoek gekleed; hij staat haar toe hem te zien zoals hij echt is wanneer hij werkt. Ze loopt het atelier in, ziet dat er verder niemand is en voelt zijn nabijheid bij de deur. Hij sluit hem zacht achter haar, alsof hij geen aandacht wil vestigen op het punt dat ze beiden begrijpen, de mogelijke aantasting van hun beider reputatie. De deur is dicht. Het is gebeurd. Ze zou meer spijt willen voelen, meer schaamte; ze wijst zichzelf erop dat de buitenwereld hem nog altijd gewoon als een familielid kan beschouwen, een waardige oudere man die heel goed de echtgenote van zijn neef kan uitnodigen om een schilderij te bezichtigen.

Het lijkt echter alsof hij door het sluiten van de deur een andere heeft geopend, waardoor er een lange ruimte vol daglicht en lucht tussen hen is ontstaan. Dan komt hij in beweging en zegt: 'Mag ik je jas aannemen?'

Ze herinnert zich de gewone gebaren, maakt de linten van haar

hoedje los en tilt het recht omhoog van haar hoofd om haar opgestoken haar niet in de war te maken. Ze knoopt haar mantel bij de keel
los en vouwt hem in de lengte dubbel, binnenstebuiten om het kwetsbare bont te beschermen. Ze reikt ze hem beide aan en hij loopt ermee weg, een andere deur door. Nu ze alleen in het atelier staat, voelt
ze de versterkte intimiteit van een kamer zonder zijn bewoner. Het
atelier is vol licht dat door hoge ramen valt, schoon vanbinnen en vol
vuile strepen vanbuiten, en boven haar hoofd zit een barok dakraam.
Ze hoort de geluiden van de straat beneden: gedempt gebons, geratel,
schrapend metaal en paardenhoeven, maar allemaal zo zwak dat ze niet
meer in het bestaan ervan hoeft te geloven, en ze hoeft geen gedachte meer te wijden aan haar koetsier, die nu iets warms drinkt in een
stalhouderij verderop in de straat, waar hij misschien andere koetsiers
kent. Hij zal het komende uur ook niet aan haar denken. Olivier komt
terug en gebaart naar zijn schilderijen, waar ze opzettelijk niet naar
heeft gekeken. 'Ik heb niets gecensureerd,' zegt hij. 'Je bent een zuster
in de kunst.' Hij zegt het zonder vertoon, verlegen bijna, en ze glimlacht en wendt haar blik af.

'Dank u. Ik vind het een eer dat u het atelier zo hebt gelaten als het
is.' Maar ze heeft moed nodig om naar de schilderijen te kijken.

Hij wijst. 'Dit heeft vorig jaar in de Salon gehangen. Misschien herinner je het je nog, of vlei ik mezelf met die gedachte?' Ze herinnert
het zich nog goed; het is een landschap van drie of vier handlengten
breed, een subtiel stuk, een zwevend veld met een laag witte en gele
bloemen op het oppervlak, een grazende koe aan de rand, bruin met
groene bomen. Het is een beetje ouderwets, nogal in de stijl van Corot, denkt ze, en ze roept zichzelf tot de orde: hij schildert zoals hij altijd heeft geschilderd, en hij is goed, maar het wijst haar weer op de
jaren die hen scheiden. 'Je vindt het mooi, maar je denkt dat het pas-
sé is,' zegt hij.

'Nee, nee,' stribbelt ze tegen, maar hij steekt een hand op om haar
tot zwijgen te brengen.

'Onder vrienden,' zegt hij, 'mag alleen eerlijkheid bestaan.' Zijn ogen
zijn heel blauw; waarom dacht ze dat ze oud waren? Nu stralen ze een
vitaliteit uit die meer is dan alleen jeugd.

'Goed dan,' zegt ze. 'Dan bevalt de gedurfdheid van dit schilderij
me beter.' Ze kijkt naar een groot doek dat op de vloer staat. 'Gaat u
dit inzenden?'

'Nee, helaas.' Hij lacht nu – de realiteit van zijn lichaam naast het hare. Zolang ze maar niet echt naar hem kijkt, voelt ze weer de aanwezigheid van de jonge man in dat lichaam. 'Dit is iets te gedurfd, zoals je al zei; misschien accepteren ze het niet.' Het is een schilderij met een boom op de voorgrond. Eronder zit een jongeman in een modieus pak met een hoed op in het gras, zijn benen achteloos over elkaar geslagen en zijn lange handen bungelend over zijn knie. Het perspectief is zo geraffineerd dat ze om de boom heen wil lopen om erachter te kijken. De penseelvoering is moderner dan die van het schilderij met de koe; hier ziet ze een invloed.

'Getuigt dit van uw bewondering voor het werk van Monsieur Manet?'

'Bewondering tegen wil en dank, lieve kind, ja. Je hebt een scherpe blik. De jury van de Salon zou het aanstootgevend kunnen vinden omdat het geen doel heeft.'

'Wie is die jongen?'

'De zoon die ik nooit heb gehad.' Hij zegt het luchtig, maar ze kijkt onderzoekend naar zijn gezicht, verbaasd, bang voor onthullingen. 'O, zo denk ik gewoon aan hem, mijn peetzoon uit Normandië, die nu in Parijs woont. Ik zie hem een paar keer per jaar en dan maken we een stevige wandeling. Een lieve jongen, de zoon van een paar jonge vrienden van me. Hij zal een goed arts zijn, over een paar jaar; hij studeert onophoudelijk. Ik ben de enige die hem de natuur in kan krijgen voor een beetje lichaamsbeweging, en ik geloof dat hij denkt dat het míj goeddoet, zijn arme oude peetvader; daarom gaat hij mee, onder het voorwendsel dat hij voor zijn eigen gezondheid doet wat ik zeg. Zo proberen we allebei elkaar voor het lapje te houden.'

'Het is heel goed,' zegt ze ernstig.

'Och, ja.' Hij legt een hand op haar pruimkleurige mouw. 'Kom, ik laat je de rest zien en dan gaan we theedrinken.'

De andere schilderijen zijn moeilijker om naar te kijken, maar ze vertrekt geen spier; half ontklede modellen, de rug van een naakte vrouw, sierlijk, onvoltooid – wil dat zeggen dat die vrouw een dezer dagen weer naar het atelier zal komen om zich nog eens voor hem te ontkleden? Is ze ooit zijn minnares geweest? Zo zijn die kunstenaars toch? Ze probeert er niet aan te denken, behalve dan als medekunstenaar, het zich niet aan te trekken. Modellen zijn vaak vrouwen van losse zeden, zoals iedereen weet, maar zij is zelf alleen naar de privévertrekken van een man gekomen, zijn atelier – ze is toch geen haar beter? Ze sluit zich af voor haar eigen angst en loopt door naar de stillevens, vruchten en bloemen, jeugdwerk, zoals hij haar uitlegt. Ze vindt ze een beetje saai, maar wel vaardig en verfijnd; ze ziet de oude meesters. 'Vlak voordat ik deze maakte, was ik in Holland geweest,' zegt hij. 'Ik heb ze laatst tevoorschijn gehaald om te zien of ze de tand des tijds hadden doorstaan. Ze zijn antiek, hè?'

Ze geeft bewust geen antwoord. 'En uw inzending voor dit jaar? Heb ik die al gezien?'

'Nog niet.' Hij loopt door de lange ruimte, voorbij de twee sleetse leunstoelen en het ronde tafeltje waarop hij, zo veronderstelt ze, de thee zal serveren. Tegen de muur steunt een doek met een laken erover, een groot werk; hij moet het met beide handen optillen. Hij zet het tegen een stoel. 'Weet je zeker dat je het wilt zien?'

Voor het eerst wordt ze angstig, bijna bang voor de man zelf, die vertrouwde figuur die ze nu op een volkomen nieuwe manier begrijpt door zijn brieven, zijn openhartigheid, hoe hij zich blootgeeft en de vreemde reactie van haar eigen hart wanneer ze naast hem staat. Ze kijkt hem vragend aan, maar weet niet wat de vraag is. Waarom aarzelt hij om haar zijn schilderij te laten zien? Wellicht is het een echt choquerend naakt, of een ander onderwerp dat ze zich niet kan voorstellen. Ze voelt de aanwezigheid van haar man, afkeurend, met zijn armen over elkaar geslagen om aan te geven dat ze te ver is gegaan, maar Olivier heeft haar in zijn brief geschreven dat Yves wil dat ze dit schilderij ziet. Ze weet niet wat ze moet denken of zeggen.

Wanneer Olivier het laken wegtrekt, snakt ze naar adem. Het geluid is voor hen beiden hoorbaar. Het is haar schilderij, haar kamermeisje met het goudblonde haar dat zit te werken, haar eigen rozerode bank, de penseelstreken die ze los en vrij wilde maken, maar toch ziend, alziend. 'Je begrijpt wel waarom ik ervoor heb gekozen dit schilderij dit jaar in te zenden voor de Salon,' zegt hij. 'Het is van een betere kunstenaar dan ik.'

Ze slaat haar handen voor haar gezicht. Ze ziet wazig door de gênante tranen in haar ogen. 'Wat bedoelt u?' Haar stem klinkt haar zwak in de oren. 'Neemt u een loopje met me?'

Hij keert zich naar haar om, snel in zijn bezorgdheid. 'Nee, nee... Ik wilde je niet kwetsen. Ik heb het laatst meegenomen nadat je afscheid van ons had genomen. Je moet het me laten inzenden. Yves staat er vierkant achter en wil alleen dat je over je privacy waakt door een andere naam te gebruiken, maar het is opmerkelijk; je hebt er iets ouds en iets heel nieuws in laten versmelten. Toen ik het zag, wist ik dat de jury dit schilderij moest zien, ook al zou het te modern kunnen worden bevonden. Ik wilde je alleen maar overreden.'

'En Yves weet dat u het hebt meegenomen?' Op de een of andere manier wil ze de naam van haar echtgenoot niet hardop zeggen, hier in de vertrekken van een andere man.

'Ja, natuurlijk. Ik heb het hem eerst gevraagd, maar jou niet, want ik wist dat hij ja zou zeggen en jij nee.'

'Ik zeg inderdaad nee,' zegt ze, en de tranen lopen over en stromen over haar gezicht. Ze voelt zich vernederd, zij, die zelden huilt, zelfs niet wanneer ze alleen is met haar man. Ze kan niet uitleggen hoe het voelt om dit intieme schilderij in een vreemde omgeving te zien, of, bovenal, het te horen prijzen. Ze veegt de tranen van haar gezicht en zoekt haar zakdoek in het fluwelen tasje aan haar pols. Hij is dichterbij gekomen en haalt iets uit zijn jasje. Nu veegt hij met zorg over haar gezicht, bettend, drogend, met handen die jarenlang penseel, potlood en paletmes hebben gehanteerd. Hij sluit zijn handen behoedzaam om haar ellebogen, alsof hij ze weegt, en trekt haar dan naar zich toe.

Voor het eerst legt ze haar hoofd in zijn hals, op zijn wang, denkend dat het voor hen beiden toelaatbaar is omdat hij haar troost. Hij streelt haar haar en nek, en zijn hand laat een spoor van tintelingen na. Zijn vingertoppen glijden over de massa vlechten op haar achterhoofd, die hij aanraakt zonder de zorgvuldige schikking in de war te maken, en dan slaat hij zijn arm om haar schouders. Hij trekt haar tegen zijn borst, zodat ze een hand op zijn rug moet leggen om haar evenwicht te bewaren. Hij streelt haar wang, haar oor; hij is al zo dichtbij dat zijn mond de hare eerder vindt dan zijn hand. Zijn lippen zijn warm en droog, maar vrij dik, als zacht geworden leer, en zijn adem smaakt naar koffie en brood. Ze is vaak gekust, maar alleen door Yves, dus de onbekendheid van die andere lippen is het eerste wat tot haar doordringt; daarna beseft ze pas dat die lippen vaardiger zijn dan die van haar echtgenoot, vasthoudender.

Het is zo ondenkbaar dat hij haar kust en zij hem wil kussen dat er een golf van hitte over haar gezicht en hals trekt, dat een vuist zich in haar balt, een begeerte die ze nog nooit als begeerte heeft gekend. Hij heeft haar nu bij haar bovenarmen gepakt, alsof hij bang is dat ze zich van hem los zal maken. Zijn greep is stevig, en weer voelt ze de jaren voordat ze hem kende, waarin hij die kracht heeft opgebouwd door gewoon te leven en te werken.

'Het mag niet,' wil ze zeggen, maar de woorden verdwijnen onder zijn lippen, en ze weet niet of ze bedoelt dat hij haar schilderij niet naar de Salon mag sturen of dat hij haar niet mag kussen. Uiteindelijk duwt hij haar zachtjes van zich af. Hij siddert, net zo nerveus als zij.

'Vergeef me,' zegt hij met verstikte stem. Zijn ogen houden de hare vast, maar zonder iets te zien. Nu ze hem weer kan bekijken, ziet ze dat hij echt oud is. En dapper, beseft ze. 'Ik wilde je niet nog dieper kwetsen. Ik vergat mezelf.'

Ze gelooft hem; hij vergat zichzelf, kon alleen nog maar aan haar denken. 'U hebt me niet gekwetst,' zegt ze zo zacht dat ze het zelf bijna niet kan horen. Ze strijkt haar mouwen glad, haar tasje, haar handschoenen. Zijn zakdoek ligt aan hun voeten. Ze kan niet bukken in haar korset; ze is bang haar evenwicht te verliezen. Hij bukt om de zakdoek op te rapen, maar in plaats van hem aan haar te geven, stopt hij hem langzaam in zijn jasje. 'Het is mijn schuld,' zegt hij. Ze staart naar zijn schoenen, bruin leer met een beetje sleetse neuzen en op een ervan een spat gele verf langs de rand. Ze ziet de schoenen waarin hij werkt, zijn echte leven.

'Nee,' zegt ze zacht. 'Ik had niet moeten komen.'

'Béatrice,' zegt hij. Hij pakt ernstig haar hand, vormelijk. Ze herinnert zich met een steek van verdriet het moment waarop Yves haar ten huwelijk vroeg, jaren geleden, met diezelfde vormelijkheid. Ze zijn tenslotte oom en neef, dus waarom zouden ze niet dezelfde gebaren hebben, familietrekjes?

'Ik moet gaan,' zegt ze. Ze probeert haar hand los te trekken, maar hij houdt hem vast.

'Voordat je gaat, wil ik dat je begrijpt dat ik respect voor je heb en van je houd. Ik ben verblind door jou, door wie je bent. Ik zal nooit meer van je vragen dan je voeten te mogen kussen. Sta me toe je alles te vertellen, alleen deze ene keer.' De intensiteit van zijn stem ontroert haar, het contrast met zijn vertrouwde gezicht.

'U bewijst me een eer,' zegt ze hulpeloos. Ze kijkt zoekend om zich heen, maar herinnert zich dan dat haar mantel en hoed niet in het atelier zijn.

'Ik houd ook van je schilderijen, je intuïtie voor de kunst, en dat staat los van mijn liefde voor jou. Je hebt een schitterend talent.' Hij spreekt nu iets kalmer. Ze begrijpt dat hij, ondanks de aard van het moment, oprecht is. Hij is triest, ernstig, een man die al door de tijd is ingehaald en niet veel tijd meer overheeft. Hij blijft nog even voor haar staan en loopt dan naar de aangrenzende kamer om haar spullen te pakken. Ze strikt met bevende vingers de linten van haar hoedje; hij houdt haar mantel behoedzaam vast terwijl zij de bovenste knoop dichtmaakt.

Als ze weer naar hem kijkt, ziet ze zo'n groot gemis op zijn gezicht dat ze naar hem toe loopt zonder zichzelf toe te staan erover na te denken. Ze kust zijn wang, aarzelt, en dan zijn mond, snel, die tot haar spijt nu al vertrouwd voelt en smaakt. 'Ik moet nu echt weg,' zegt ze. Ze zeggen geen van beiden iets over thee of haar schilderij. Hij houdt de deur voor haar open en buigt zwijgend. Ze omklemt de trapleuningen tot helemaal beneden, op straat. Ze luistert, maar hoort zijn deur niet dichtgaan; misschien staat hij nog in de open deur boven in het pand. Haar koets komt op zijn vroegst over een halfuur terug, dus ze zal óf naar de stal aan het eind van de straat moeten lopen, óf een huurkoets moeten zoeken die haar thuis kan brengen. Ze leunt even tegen de muur van zijn gebouw, die ze door haar handschoen voelt, en probeert tot bedaren te komen. Het lukt.

Maar later, wanneer ze alleen in haar atelier zit en probeert alles op een rijtje te zetten, komt de kus terug. Hij vult de lucht rondom haar, stroomt door de hoge ramen, over het tapijt, de plooien van haar jurk en de bladzijden van haar boek. 'Begrijp alsjeblieft dat ik respect voor je heb en van je houd.' Ze kan het niet laten verdwijnen. De ochtend daarop wil ze dat ook niet meer. Ze bedoelt het niet kwaad – ze zal niemand kwaad doen – maar ze wil het moment zo lang mogelijk bij zich houden.

42

Marlow

Ik laadde voor zonsopkomst de auto in en dagdroomde me door Virginia, over snelwegen met bermen die nog groener waren geworden sinds de heenweg. Het was een zachte, frisse dag, met regen die een paar minuten viel en dan weer ophield, viel en ophield, en ik kreeg heimwee. Ik ging regelrecht naar mijn ene late afspraak aan Dupont Circle. De patiënt praatte; vanuit een ingesleten gewoonte stelde ik de juiste vragen. Ik luisterde naar hem, ik stelde zijn medicatie bij en ik liet hem gaan, overtuigd van de juistheid van mijn beslissingen.

Toen ik thuis was gekomen, in het donker, pakte ik snel uit en warmde soep uit blik op. Na het sombere vakantiehuis van de Hadleys – ik kon het nu toegeven; ik had het meteen gesloopt en er iets voor in de plaats gebouwd met twee keer zoveel ramen – leken mijn eigen kamers maagdelijk schoon, gastvrij, met lampen die volmaakt op elk schilderij schenen en linnen gordijnen die nog glad waren van de stomerij, een maand geleden. Het rook naar terpentijn en olieverf, geuren die me alleen opvallen als ik een paar dagen weg ben geweest, en naar de narcis die in de keuken bloeide; hij was tijdens mijn afwezigheid uitgekomen en ik gaf hem dankbaar water, maar ik lette goed op dat ik niet te veel gaf. Ik liep naar de oude encyclopedie van mijn vader, legde mijn hand op de rug van een van de delen en bedacht me. Er was nog tijd genoeg; ik nam een warme douche, deed de lichten uit en ging naar bed.

De volgende dag had ik het druk; mijn medewerkers op Goldengrove hadden me harder nodig dan ooit na mijn afwezigheid, met een paar van mijn patiënten was het niet zo goed gegaan als ik had gehoopt en de verpleegkundigen waren chagrijnig; mijn bureau lag vol papieren. Het lukte me in de eerste uren naar Robert Olivers kamer te gaan. Robert zat op een klapstoel te schetsen aan het werkblad dat als bureau en voorraadplank dienstdeed. Zijn brieven lagen naast hem, op twee stapeltjes; ik vroeg me af waarop hij ze had gesorteerd. Toen ik binnenkwam, sloeg hij zijn schetsboek dicht en keek me aan. Ik zag het als een goed teken; soms negeerde hij me volkomen, of hij nu werkte of niet, en dat kon hij verontrustend lang volhouden. Zijn gezicht stond vermoeid en gekweld en toen hij mijn gezicht had herkend, dwaalden zijn ogen naar mijn kleren.

Ik vroeg me af, misschien wel voor de honderdste keer, of zijn zwijgen mij de kans bood de mate waarin hij onder zijn ziekte leed te onderschatten; mogelijk was hij er veel erger aan toe dan ik kon beoordelen door hem te observeren, hoe nauwlettend ook. Ik vroeg me ook af of hij zou kunnen hebben geraden waar ik was geweest, en ik overwoog in de grote stoel te gaan zitten en hem te vragen zijn penseel schoon te maken en tegenover me op het bed te komen zitten en te luisteren naar mijn nieuws over zijn ex-vrouw. Ik kon zeggen: *Ik weet dat je haar van de vloer hebt getild toen je haar voor het eerst kuste.* Ik kon zeggen: *Er komen nog steeds kardinalen naar je voederplek en de berglaurier bloeit.* Ik kon tegen hem zeggen: *Ik weet nu nog beter dat je een genie bent.* Of ik kon vragen: *Wat betekent 'Étretat' voor jou?*

'Robert, hoe gaat het?' Ik bleef in de deuropening staan.

Hij richtte zich weer op zijn werk.

'Goed. Zo, ik moet naar een paar andere luitjes...' Waarom gebruikte ik dat woord? Ik had er een afkeer van. Ik nam snel de kamer in me op. Niets leek anders, gevaarlijk of overhoop gehaald te zijn. Ik wenste hem veel tekenplezier, wees hem erop dat het een zonnige dag beloofde te worden en ging weg met de hartelijkste glimlach die ik kon opbrengen, al keek hij niet.

Ik ploeterde me tot het eind van de dag een weg door de rondes en bleef langer om na het werk achterstallige administratie te doen. Toen de dagdienst was afgelost en de maaltijden van de patiënten werden afgeruimd, sloot ik de deur van mijn kantoor af en ging aan de computer zitten.

En zag wat ik me begon te herinneren. Het was een kuststad in Normandië in een gebied dat veel was geschilderd in de negentiende eeuw, vooral door Eugène Boudin en zijn rusteloze jonge protegé, Claude Monet. Ik vond de bekende beelden: de overweldigend ruige kliffen van Monet en de fameuze uitstekende krijtrots langs het strand, maar

Étretat had kennelijk meer schilders aangetrokken, veel zelfs, onder wie Olivier Vignot en zelfs Gilbert Thomas van het zelfportret met munten in de National Gallery; ze hadden beiden die kustlijn geschilderd. Het leek of vrijwel elke schilder die het zich kon veroorloven een van de nieuwe treinen naar het noorden te nemen zich aan Étretat had gewaagd; de grote en kleine meesters, de zondagsschilders en de aquarellisten uit de betere kringen. Monets kliffen staken boven alles uit in de geschiedenis van schilderijen van Étretat, maar hij had deel uitgemaakt van een traditie.

Ik vond een recente foto van het stadje; de uitstekende, boogvormige krijtrots zag er nog net zo uit als in de tijd van de impressionisten. Er waren nog altijd brede stranden met omgekeerde bootjes erop, kliffen met groen gras en straatjes met aan weerskanten voorname oude hotels en huizen, waarvan er veel al hadden kunnen staan toen Monet een paar meter verderop zat te schilderen. Het leek allemaal niets te maken te hebben met de krabbel op Robert Olivers muur, behalve misschien via zijn persoonlijke bibliotheek van werken over Frankrijk, waarin hij ongetwijfeld de naam van de stad en een paar afbeeldingen van het dramatische landschap moest zijn tegengekomen. Was hij er zelf geweest, om 'vreugde' te ervaren? Misschien tijdens de reis naar Frankrijk waar Kate het over had gehad? Ik vroeg me weer af of hij aan een lichte vorm van wanen zou kunnen lijden. Étretat was een doodlopend spoor, maar heel mooi. Het klif op mijn scherm liep in een boog af naar het Kanaal en verdween in het water. Monet had een verbijsterend aantal gezichten op dat klif geschilderd en Robert niet één, of er moest me iets zijn ontgaan.

De volgende dag was het zaterdag. Ik ging 's ochtends hardlopen, niet verder dan naar de dierentuin en weer terug, en intussen dacht ik na over de glimp die ik had opgevangen van de bergen rond Greenhill. Toen ik tegen de poort geleund mijn stijve hamstrings rekte, kwam het voor het eerst in me op dat het me misschien nooit zou lukken Robert beter te maken. En hoe zou ik weten wanneer ik mijn pogingen moest staken?

43

Marlow

De woensdag daarop lag er op Goldengrove een brief op me te wachten die volgens het retouradres in de bovenhoek van de envelop uit Greenhill kwam. Het was een net, regelmatig, vrouwelijk handschrift: Kate. Ik liep zonder eerst bij Robert of andere patiënten te gaan kijken naar mijn kantoor, deed de deur dicht en pakte mijn briefopener, een cadeau van mijn moeder toen ik mijn middelbareschooldiploma had gehaald; ik dacht vaak dat ik zoiets dierbaars niet in mijn nogal openbare kantoor moest bewaren, maar ik had hem graag in de buurt. De brief besloeg maar één vel en was, in tegenstelling tot het adres op de envelop, getypt.

Geachte dr. Marlow,
Hopelijk ontvangt u deze brief in goede gezondheid. Dank u voor uw bezoek aan Greenhill. Als ik u of (indirect) Robert heb kunnen helpen, ben ik daar blij om. Ik vind dat ik ons contact niet meer kan voortzetten, zoals u vast wel zult begrijpen. Ik heb onze gesprekken gewaardeerd en denk er nog steeds over na, en als Robert te helpen is, kan volgens mij alleen iemand als u dat.

Ik heb één ding voor u verzwegen toen u hier was, deels om persoonlijke redenen en deels omdat ik me afvroeg of het wel ethisch zou zijn, maar ik heb besloten het u toch te zeggen. Ik heb het over de achternaam van de vrouw die Robert de brieven heeft geschreven waarover ik u heb verteld. Ik had u niet gezegd dat er een op postpapier was geschreven, met haar volledige naam erop. Zij schilderde ook, zoals ik u al heb gezegd, en ze heette Mary R. Bertison. Dit is nog steeds een heel pijnlijk onderwerp voor me, en ik wist niet of ik u dit wel wilde toevertrouwen en of het zelfs niet verkeerd van me kon zijn om het te doen, maar als u echt wilt

proberen hem te helpen, moet ik u haar naam wel geven, vind ik.
Mogelijk kunt u meer aan de weet komen over wie ze was, al weet
ik niet precies wat voor nut dat zou kunnen hebben.
Ik wens u het allerbeste met uw werk, en vooral met uw pogingen
Robert te helpen.
Met vriendelijke groet,
Kate Oliver

Het was een ruimhartige, eerlijke, wrevelige, onhandige, vriendelijke brief; in elke regel hoorde ik Kate's vastbeslotenheid, haar beslissing te doen wat haar het juiste leek. Ze zou aan haar tafel in de bibliotheek boven hebben gezeten, misschien in de vroege ochtend, om zich koppig door haar pijn heen te typen en de envelop dicht te plakken voordat ze zich kon bedenken. Daarna had ze thee gezet in de keuken en de postzegel op de envelop geplakt. Ze zou hebben geleden onder haar inspanning voor Robert, maar ook tevreden zijn over zichzelf; ik zag hoe ze, in een strak topje en een spijkerbroek, met schitterende edelstenen in haar oren, de brief op een dienblad bij de voordeur legde en toen de kinderen ging wekken met een glimlach speciaal voor hen. Ik voelde opeens een steek van gemis.

De brief was echter weer de gesloten deur die ik eerder was tegengekomen, ook al kon die een andere openen, en ik moest haar wensen respecteren. Ik typte een kort antwoord, dankbaar en zakelijk, en stopte het in een envelop, die een personeelslid voor me zou posten. Kate had me geen e-mailadres gegeven, en ze had het mijne, dat op het kaartje stond dat ik haar in Greenhill had gegeven, evenmin gebruikt; blijkbaar wilde ze alleen die officiële, tragere communicatie tussen ons, echte epistels die in een anonieme vloed van correspondentie door het land reisden. Allemaal verzegeld. Zo hadden we het in de negentiende eeuw kunnen doen, dacht ik, beleefd en in het geheim gedachten uitwisselen op papier, gesprekken op afstand. Ik stopte Kate's brief in mijn persoonlijke archief, niet in Roberts dossier.

Wat volgde, was verrassend eenvoudig en had niets met speurwerk te maken. Mary R. Bertison woonde aan de rand van Washington en ze stond met haar volledige naam, groot en duidelijk, in de telefoongids, die vermeldde dat ze aan Third Street in Northeast Washington woonde. Anders gezegd: zoals ik al vermoedde, was het goed mogelijk dat ze nog leefde. Het was vreemd voor me om dit artefact uit het leven van de zwijgende Robert Oliver zo in de openbaarheid te zien. Er zou meer dan één vrouw met die naam in de stad kunnen wonen, veronderstelde ik, maar het leek me onwaarschijnlijk. Na de lunch sloot ik mijn deur weer tegen andere ogen en oren en belde het nummer. Mary Bertison zou thuis kunnen zijn, dacht ik, aangezien ze schilderde; anderzijds had ze vermoedelijk een baan overdag, net als ik – in mijn geval een bijbaantje van vijfenvijftig uur per week als psychiater. Haar toestel ging een keer of vijf, zes over, en elke keer werd mijn hoop zwakker – ik wilde haar verrassen. Toen kreeg ik een antwoordapparaat aan de lijn: 'Dit is het antwoordapparaat van Mary Bertison op nummer...' zei een vrouwenstem gedecideerd. Het was een prettige stem, misschien een tikje streng door de noodzaak een telefonisch bericht op te nemen, maar stevig in het gehoor liggend, een geoefende alt.

Nu bedacht ik dat ze misschien positiever zou reageren op een hoffelijk bericht dan op een onverwacht telefoontje dat het tijd zou geven over mijn verzoek na te denken. 'Hallo, mevrouw Bertison. U spreekt met dokter Andrew Marlow. Ik werk als psychiater in Goldengrove Residential Center in Rockville. Ik behandel momenteel een patiënt die naar ik heb begrepen een vriend van u is, een schilder, en ik vroeg me af of u ons een beetje zou willen helpen.'

Dat voorzichtige 'ons' maakte dat ik onwillekeurig in elkaar kromp. Dit was niet bepaald een teamproject, en de boodschap op zich was genoeg om haar bezorgd te maken, als ze Robert tenminste nog als een goede vriend beschouwde. Maar als hij met haar had samengewoond, of naar Washington was gegaan om bij haar te zijn, zoals Kate vermoedde, waarom was ze dan in vredesnaam niet al zelf naar Goldengrove gekomen? Anderzijds hadden de kranten niet vermeld dat hij in een psychiatrische kliniek was opgenomen. 'U kunt me hier meestal wel bereiken, en anders bel ik zo snel mogelijk terug. Het nummer is...' Ik sprak het duidelijk in, gaf ook het nummer van mijn pieper en hing op.

Daarna bracht ik een bezoek aan Robert, want ik had het gevoel dat er zichtbaar bloed aan mijn handen kleefde. Kate had niet tegen me gezegd dat ik Mary Bertison niet ter sprake mocht brengen, maar bij zijn kamer aangekomen vroeg ik me nog steeds af of ik het wel moest doen. Ik had iemand opgebeld die er anders misschien niet eens achter was gekomen dat Robert in een psychiatrische kliniek zat. *U mag zelfs met Mary praten*, had hij op zijn eerste dag in Goldengrove minachtend tegen me gezegd. Verder had hij echter niets gezegd, en er moesten wel twintig miljoen Mary's in de Verenigde Staten wonen. Misschien wist hij nog precies wat hij had gezegd, maar zou ik moeten uitleggen hoe ik aan haar achternaam was gekomen?

Ik klopte en riep, al stond de deur op een kier. Robert was aan het schilderen. Hij stond kalm bij zijn ezel met zijn penseel geheven en zijn brede schouders ontspannen; ik vroeg me even af of hij de afgelopen dagen misschien was opgeknapt. Moest hij hier echt zijn, alleen maar omdat hij niet wilde praten? Toen keek hij met gefronst voorhoofd op en zag ik het rood in zijn ogen, de onversneden teleurstelling die over zijn gezicht trok zodra hij me zag.

Ik ging in de leunstoel zitten en zei voordat ik het niet meer durfde: 'Robert, waarom vertel je het me niet gewoon?'

Het kwam er gefrustreerder uit dan ik had bedoeld. Hij leek ervan op te kijken, tot mijn heimelijke genoegen; hij had in elk geval gereageerd. Wat me minder blij maakte, was de flauwe glimlach om zijn lippen, waar ik iets in zag van triomf, overwinning, alsof mijn vraag bewees dat hij me weer had overtroefd.

Het maakte me zelfs al snel woedend, en dat bespoedigde mijn beslissing misschien. 'Je zou me bijvoorbeeld over Mary Bertison kunnen vertellen. Heb je overwogen contact met haar op te nemen? Of, een nog betere vraag, waarom is ze niet bij je op bezoek gekomen?'

Hij zette een stap naar me toe en hief de hand met het penseel voordat hij zichzelf weer in bedwang kreeg. Zijn ogen waren immens en vol van die gesmoorde intelligentie die ik erin had gezien op de dag dat we elkaar voor het eerst zagen, voordat hij had geleerd die voor me te versluieren. Hij kon echter niet reageren zonder zijn eigen spel te verliezen, en hij slaagde erin niets te zeggen. Ik voelde een sprankje medeleven; hij had zichzelf in die hoek geverfd, en nu moest hij er blijven zitten. Als hij me alleen maar te kennen gaf hoe woest hij op mij was, of op de wereld, of mogelijk op Mary Bertison, of als hij me vroeg hoe ik haar kende, zou hij het enige stukje privacy en macht opgeven dat hij voor zichzelf had behouden: het recht te zwijgen in het aangezicht van zijn kwelling. 'Goed,' zei ik – vriendelijk, hoopte ik. Ja, ik leefde met hem mee, maar ik wist dat hij nu ook een extra voordeel zou benutten; hij zou ruimschoots de tijd hebben om na te denken over mijn bezigheden, ernaar te raden, de mogelijke bronnen van Mary's achternaam aan zich voorbij te laten trekken. Ik overwoog hem te verzekeren dat ik het hem zelf zou vertellen als en wanneer ik die Mary had gevonden, en dat ik zou doorgeven wat ze me eventueel te vertellen had.

Ik had echter al zoveel prijsgegeven dat ik besloot me verder stil te houden; wat hij kon, kon ik ook. Ik bleef nog een minuut of vijf in stilte bij hem zitten terwijl hij met het penseel in zijn grote hand speelde en naar het doek staarde. Toen stond ik eindelijk op. Bij de deur keek ik nog even om, bijna boetvaardig; zijn warrige hoofd was gebogen, zijn blik op de vloer gericht, en zijn ellende overspoelde me als een vloedgolf. Ik werd er zelfs door achtervolgd in de gang en de kamers van mijn andere, gewonere (ik beken dat ik het zo voelde, al is het geen woord dat ik voor welk geval dan ook wil gebruiken) patiënten met hun gewonere afwijkingen.

Ik moest de hele middag patiënten bezoeken, maar de meeste waren redelijk stabiel en ik reed met een voldaan, bijna tevreden gevoel naar huis. Er hing een gulden waas over Rock Creek Parkway, en bij elke bocht glinsterde het water in zijn bedding. Ik bedacht dat ik een schilderij waaraan ik al de hele week werkte beter een tijdje kon laten rusten; het was een portret naar een foto van mijn vader en ik kreeg de neus en mond domweg niet goed, maar als ik een paar dagen aan iets anders werkte, ging het daarna misschien beter. Ik had nog wat tomaten, niet zo lekker in dit seizoen, maar glanzend genoeg, die nog wel een week goed zouden blijven. Als ik ze in het raamkozijn van mijn atelier legde, zouden ze een soort gemoderniseerde Bonnard kunnen opleveren of, als ik minder laatdunkend over mezelf sprak, een nieuwe Marlow. Het grote probleem was het licht, maar ik kon na mijn werk nog een beetje avondzon meepikken nu de dagen lengden, en als ik de fut had, zou ik zelfs nog vroeger kunnen opstaan en ook aan een ochtenddoek kunnen beginnen.

Ik werd zo in beslag genomen door mijn gedachten aan kleuren en hoe ik de tomaten moest rangschikken dat ik me nauwelijks herinnerde dat ik de auto de garage in draaide, een bedompte ruimte onder mijn appartementencomplex waarvoor ik bijna de helft betaalde van het bedrag dat ik aan huur voor mijn appartement kwijt was. Bij vlagen droomde ik van een andere baan, eentje waarvoor ik niet elke dag samen met alle andere chagrijnige bewoners van de voorsteden op de weg hoefde te zitten, zodat ik de auto weg kon doen, maar hoe zou ik Goldengrove in de steek kunnen laten? En het idee dat ik vijf dagen per week in mijn praktijk aan Dupont Circle zou zitten met patiënten die gezond genoeg waren om er zelf naartoe te komen, sprak me niet aan.

Ik was vol van al die dingen – mijn stilleven, de zonsondergang die weerkaatste in de druppels van Rock Creek, het humeur van mijn medeweggebruikers – en mijn handen zochten druk naar de sleutels in mijn zak terwijl ik naar boven liep; ik nam de trap, zoals altijd, voor wat extra lichaamsbeweging. Ik zag haar pas toen ik bijna bij mijn voordeur was. Ze leunde tegen de muur alsof ze er al een tijdje stond, ontspannen en toch ongeduldig, met haar armen over elkaar en haar laarzen klaar om weg te lopen. Ze droeg net als in mijn herinnering een spijkerbroek en een lange witte blouse, nu met een donkere blazer erop, en haar haar had de kleur van mahonie in het zwakke licht op de gang. Ik was zo verbluft dat ik als aan de grond genageld bleef staan; ik begreep toen wat die uitdrukking echt betekende, en ik zou het nooit meer vergeten.

'Jij,' zei ik, maar dat deed niets af aan mijn verwarring. Ze was onmiskenbaar het meisje uit het museum, het meisje dat samenzweerderig naar me had geglimlacht bij het stilleven van Manet in de National Gallery, het meisje dat aandachtig naar de *Leda* van Thomas Gilbert had gekeken en buiten nog eens naar me had geglimlacht. Ik had nog een keer aan haar gedacht, misschien twee keer, en was haar toen vergeten. Waar kwam ze vandaan? Het was alsof ze in een andere wereld leefde, als een engel of een fee, en weer was opgedoken zonder dat er tijd was verstreken, zonder menselijke verklaring.

Ze ging rechtop staan en stak haar hand uit. 'Dokter Marlow?'

44

Marlow

'Ja,' zei ik, balancerend met mijn sleutels slap in mijn vingers en mijn andere hand onzeker in de hare. Ik werd getroffen door de ingehouden felheid van haar gedrag en weer, onvermijdelijk, door haar uiterlijk. Ze was even lang als ik, ergens in de dertig en beeldschoon, maar niet op een conventionele manier; ze wás er. Het licht liet haar haar glanzen, de te rechte, te kort afgeknipte pony boven haar blanke voorhoofd, het lange, gladde, paarsachtig rode haar dat tot ver over haar schouders hing. Haar handdruk was stevig, en ik kromde in een reflex mijn vingers ten antwoord.

Ze glimlachte flauwtjes, alsof ze de situatie van mijn kant bekeek. 'Sorry dat ik u zo overval. Ik ben Mary Bertison.'

Ik kon mijn ogen niet van haar afhouden. 'Maar ik heb je in het museum gezien. De National Gallery.' Toen werd mijn verwarring even overstemd door teleurstelling: ze was niet de muze met de krullen uit Roberts droomleven. Toen voelde ik weer verwondering: ik had haar kortgeleden ook op een schilderij gezien, gekleed in spijkerbroek en een ruimvallende zijden blouse.

Nu fronste ze haar voorhoofd, zichtbaar zelf verward, en liet mijn hand los.

'Ik bedoel,' begon ik nog eens, 'we hebben elkaar al eens ontmoet, min of meer. Bij *Leda* en dat stilleven van Manet, je weet wel, met de glazen en de vruchten.' Ik voelde me een idioot. Hoe kwam ik erbij dat ze zich mij zou herinneren? 'Ik begrijp het – je – ja, je moet erheen zijn gegaan voor Roberts schilderij. Het schilderij van Gilbert Thomas, bedoel ik.'

'Nu weet ik het weer,' zei ze langzaam, en het was zonneklaar dat ze er de vrouw niet naar was om erover te liegen, om te vleien. Ze stond rechtop, zonder zich ervoor te schamen dat ze mijn domein was binnengedrongen, en keek me aan. 'U glimlachte, en buiten...'

'Kwam je voor Roberts schilderij?' vroeg ik.

'Ja, het schilderij dat hij aan stukken wilde snijden.' Ze knikte. 'Ik wist het nog maar net, want iemand had me een paar weken later het artikel gegeven, een vriend die het toevallig was tegengekomen. Ik lees meestal geen kranten.' Toen lachte ze, niet wrang, maar met een soort vrolijkheid om het vreemde van de situatie, alsof ze die gepast vond. 'Wat gek. Als u het had geweten, of ik, wie de ander was, hadden we elkaar daar meteen kunnen aanspreken.'

Ik vermande me en maakte de deur open. Het was beslist niet mijn gewoonte een patiënt in mijn eigen huis te bespreken; ik wist zelfs dat het geen goed idee was om die aantrekkelijke onbekende binnen te laten, maar mijn gastvrijheid en nieuwsgierigheid hadden al de overhand. Tenslotte had ik haar gebeld, en ze was vrijwel meteen gekomen, alsof ze op magische wijze was opgeroepen. 'Hoe heb je mijn adres gevonden?' Ik stond niet in de telefoongids, zoals zij.

'Internet. Het was niet moeilijk toen ik uw naam en nummer eenmaal had.'

Ik loodste haar voor me uit naar binnen. 'Kom. Nu je er toch bent, kunnen we net zo goed praten.'

'Ja, anders zouden we weer een kans laten glippen.' Haar tanden waren roomwit en glanzend. Ik herinnerde me haar zwierige beheersing weer, haar balans op laarzen en in spijkerbroek, de tere blouse onder haar jasje, alsof ze deels cowboy en deels verfijnde dame was.

'Ga zitten, alsjeblieft, en gun me even de tijd om mijn gedachten te ordenen. Wil je thee? Een sapje?' Ik besloot het feit dat ik haar binnen had gevraagd te compenseren door haar in elk geval geen alcohol te schenken, al begon ik zelf naar een borrel te verlangen, wat niets voor mij is.

'Graag,' zei ze heel beleefd en ze ging zo sierlijk zitten als een gast in een victoriaanse salon, zich met een enkele, vloeiende beweging in een van mijn linnen stoelen nestelend, met haar enkels gekruist, haar benen naar opzij en haar handen smal en elegant op haar schoot. Ze was een raadsel. Haar geoefende stemgeluid viel me weer op, haar welbewuste, verfijnde manier van praten. Haar stem was zacht, maar ook krachtig en ver dragend. Een docent, dacht ik weer. Ze volgde me met haar ogen. 'Ja, een sapje, graag, als het niet te veel moeite is.'

Ik ging naar de keuken, schonk twee glazen jus d'orange in, het enige sap dat ik in huis had, en legde wat crackers op een schaal. Toen ik met mijn blad voor me uit naar haar terugliep, dacht ik aan Kate, die in haar woonkamer in Greenhill voor mij had gedekt en mij de zalm naar de tafel had laten brengen. En later had ze me de achternaam van dit vreemde, sierlijke meisje gegeven, de sleutel waarmee ik haar kon vinden.

'Ik was er niet honderd procent zeker van of ik wel de goede Mary Bertison had,' zei ik terwijl ik haar een glas aanreikte, 'maar het kan geen toeval zijn dat jij rondhangt bij een schilderij dat Robert Oliver heeft geprobeerd kapot te snijden.'

'Natuurlijk niet.' Ze nam een slokje jus, zette het glas neer en keek me aan. De bravoure was weg; voor het eerst hadden haar ogen iets smekends. 'Neem me niet kwalijk dat ik u kom lastigvallen, maar ik heb al bijna drie maanden niets meer van Robert gehoord en ik was bang...' Ze zei niet 'verdrietig', maar haar plotselinge beheersing van haar beweeglijke gezicht riep bij mij de vraag op of dat geen betere omschrijving was geweest. 'Maar ik had nooit zelf contact met hem gezocht. We hadden heel erg ruzie gehad, ziet u. Ik dacht dat hij gewoon ergens was ondergedoken om te werken, om mij links te laten liggen, en dat ik uiteindelijk wel weer iets van hem zou horen. Ik heb weken in spanning gezeten en was heel verbaasd toen ik uw bericht kreeg, en aangezien de werkdag al was afgelopen, wist ik dat ik u niet op Goldengrove zou treffen, maar als ik geen nieuws van u hoorde, zou ik geen oog dichtdoen vannacht.'

'Waarom heb je mijn pieper niet geprobeerd?' vroeg ik. 'Niet dat ik het vervelend vind om je nu te spreken; ik ben heel blij dat je er bent.'

'Echt?' Ik zag dat ze mij op haar beurt vergaf dat ik zo glad had gedaan. Robert Oliver koos beslist boeiende vrouwen uit. Ze glimlachte. 'Ik heb uw pieper geprobeerd, maar hij staat uit.'

Ik controleerde het; ze had gelijk. 'Dat spijt me,' zei ik. 'Ik doe mijn best om dat nooit te laten gebeuren.'

'Het is ook beter dat we elkaar persoonlijk spreken.' De huiver was weg, het zelfbewustzijn terug, en de glimlach brak door. 'Zeg alstublieft dat Robert het goed maakt. Ik vraag niet of ik hem mag zien; dat wil ik eigenlijk ook niet. Als ik maar weet dat hij veilig is.'

'Ik denk dat hij bij ons veilig is, en dat het wel goed met hem gaat,' zei ik omzichtig. 'Voorlopig, en zolang hij bij ons blijft. Maar hij is ook depressief en soms geagiteerd. Wat mij vooral zorgen baart, is zijn weigering om mee te werken. Hij zegt niets.'

Ze beet op de binnenkant van haar wang en keek me aan terwijl ze het liet bezinken. 'Helemaal niets?'

'Nee. Behalve de eerste dag, toen heeft hij een paar dingen gezegd. Een daarvan was: "U mag zelfs met Mary praten als u wilt." Daarom heb ik de vrijheid genomen je te bellen.'

'Is dat alles wat hij ooit over me heeft gezegd?'

'Het is meer dan hij over wie dan ook heeft gezegd. Het is zo goed als alles wat hij tegen mij heeft gezegd. Hij noemde zijn ex-vrouw ook.'

Ze knikte. 'En zo hebt u me gevonden, doordat hij me noemde.'

'Niet precies.' Ik sprong intuïtief in het diepe. 'Kate heeft me je achternaam verteld.'

Ze schrok ervan, en tot mijn verbazing vulden haar ogen zich met tranen. 'Wat... lief van haar,' hakkelde ze. Ik stond op en pakte een tissue voor haar. 'Dank u.'

'Ken je Kate?'

'In zekere zin. Ik heb haar maar één keer gezien, heel kort. Zij wist niet wie ik was, maar ik wist wel wie zij was. Weet u, Robert heeft me een keer verteld dat Kate afstamde van quakers uit Philadelphia, net als ik. Onze grootouders zouden elkaar kunnen hebben gekend, of onze overgrootouders. Is dat niet gek? Ik vond haar aardig,' besloot ze terwijl ze haar wimpers bette.

'Ik ook.' Ik was niet van plan geweest het te zeggen.

'Kent u haar? Is ze hier?' Ze keek om zich heen alsof ze verwachtte dat Roberts ex-vrouw zich bij ons zou voegen.

'Nee, niet in Washington. Ze is zelfs helemaal niet bij Robert op bezoek geweest. Hij heeft nog niemand op bezoek gehad.'

'Ik heb altijd geweten dat hij alleen zou achterblijven.' Haar stem klonk nu nuchter, een tikje hardvochtig. Ze stopte de tissue in de zak van haar spijkerbroek, waarvoor ze haar been even moest strekken. 'Hij is niet echt in staat van iemand te houden, ziet u, en uiteindelijk komen zulke mensen altijd alleen te staan, hoeveel anderen vroeger ook van ze hebben gehouden.'

'Hield jij van hem? Of hou je van hem?' vroeg ik achteloos, maar zo vriendelijk als ik kon.

'O, ja. Zeker. Hij is heel bijzonder.' Ze zei het alsof het een kenmerkende eigenschap was, zoals bruin haar of flaporen. 'Vindt u ook niet?'

Ik dronk mijn glas leeg. 'Ik heb zelden iemand met zoveel talent gezien. Dat is een van de redenen waarom ik wil dat hij opknapt, beter wordt, maar ik begrijp een ding niet... een aantal dingen. Waarom merkte je niet eerder dat hij was verdwenen, en waarom wist je niet waarheen? Jullie woonden toch samen?'

Ze knikte. 'Ja, toen hij net naar Washington was gekomen. In het begin was het heerlijk om altijd bij hem te zijn, maar toen kreeg hij spijt. Hij zweeg tijden achter elkaar en werd boos om kleinigheden. Ik denk dat hij er spijt van had dat hij zijn gezin in de steek had gelaten, op een verschrikkelijke manier die hij niet onder woorden kon brengen, en ik denk dat hij wel wist dat hij niet meer terug kon, zelfs al zou zijn vrouw hem terug willen. Hij was niet gelukkig bij haar, ziet u,' voegde ze eraan toe alsof het vanzelfsprekend was. Ik vroeg me af of ze dat niet alleen maar wilde denken. 'We zijn al maanden uit elkaar. Hij belde me soms, of we probeerden samen te eten of naar een expositie of een film te gaan, maar het werd nooit iets. Diep in mijn hart wilde ik dat hij bij me terug zou komen, en hij had het altijd in de gaten en verdween dan weer. Uiteindelijk heb ik het opgegeven omdat dat beter voor me was; het gaf me gemoedsrust, een beetje, tenminste. Dat we een gigantische ruzie hadden gehad vlak voor de laatste keer dat hij bij me wegging, hielp ook. Het ging voor een deel over kunst, maar in feite over ons.'

Ze hief berustend een hand. 'Als ik hem met rust liet, zou hij me uiteindelijk zelf wel bellen, dacht ik, maar dat deed hij niet. Het probleem met mensen zoals Robert is dat ze onnavolgbaar zijn. Je kunt je niet voorstellen dat je ooit nog een ander zou willen, want iedereen verbleekt bij hem, anderen lijken saai. Ik heb het een keer tegen Robert gezegd, dat hij onnavolgbaar was, met al zijn gebreken, en hij lachte erom, maar het bleek waar te zijn.'

Ze zuchtte diep. Wanneer haar verdriet naar de oppervlakte kwam, leek ze tien jaar jonger, meisjesachtig, niet ouder of vermoeider; een opvallend trekje. Ze was beslist jong genoeg om mijn dochter te kunnen zijn, althans als ik op mijn twintigste was getrouwd en een dochter had gekregen, zoals sommigen van mijn klasgenoten van de middelbare school. 'Dus je had hem... hoe lang niet gezien toen hij werd gearresteerd?'

'Een maand of drie. Ik wist niet eens waar hij toen woonde; ik weet het nog steeds niet. Soms zat hij in het huis van een vriend of sliep hij bij iemand op de bank, denk ik, en hij zal wel eens in zo'n goor pension hebben overnacht. Hij had geen mobieltje, daar gruwt hij van, en ik wist niet hoe ik hem kon bereiken. Weet u of hij nog contact had met Kate?'

'Ik weet het niet,' bekende ik. 'Hij schijnt haar een paar keer te hebben gebeld om de kinderen te spreken, maar meer niet. Ik denk dat hij geleidelijk aan is ingestort, waardoor hij geïsoleerd raakte, wat waarschijnlijk is uitgemond in zijn idee een schilderij te beschadigen. De politie heeft na zijn arrestatie contact met haar opgenomen.' Ik stelde als van een afstand vast dat ik niet langer het gevoel had dat ik mijn beroepsgeheim schond door met Roberts vrouwen te praten.

'Is hij echt ziek?' Het viel me op dat ze 'ziek' zei, niet 'geestesziek' of 'gestoord'.

'Ja, hij is ziek,' zei ik, 'maar ik heb er vertrouwen in dat hij een stuk beter zou kunnen worden als hij alleen maar zou willen praten en zich wilde laten behandelen. Een patiënt moet zelf beter willen worden, tot op zekere hoogte, anders lukt het niet.'

'Dat geldt voor alles,' zei ze peinzend, waardoor ze jonger leek dan ooit.

'Heb je in de tijd dat je met hem samenwoonde gemerkt dat hij psychische problemen had?' Ik reikte haar de schaal met crackers aan en ze pakte er een, maar hield hem met twee handen vast in plaats van hem op te eten.

'Nee. Vaag. Ik bedoel, zo zag ik het niet. Ik wist dat hij wel eens medicijnen slikte als dingen hem van streek maakten of als hij gespannen was, maar dat doen zoveel mensen, en hij zei dat hij dan beter kon slapen. Hij heeft me nooit verteld dat hij ernstige problemen had, en hij heeft al helemaal niets gezegd over inzinkingen in het verleden. Ik denk niet dat hij die echt heeft gehad, ooit, anders had hij er wel iets over gezegd, want we vertelden elkaar alles.' Die laatste bewering kwam er strijdlustig uit, alsof ze dacht dat ik haar zou willen tegenspreken. 'Ik denk dat ik de problemen gewoon zag ontstaan zonder ze te herkennen.'

'Wat zag je dan?' Ik pakte ook een cracker. Het was een lange dag geweest, met deze verwarrende ontknoping bij mijn voordeur, en we waren nog niet klaar. 'Zag je dingen die je ongerust maakten?'

Ze streek bedachtzaam een lok haar achter haar oor. 'Hij was bovenal onvoorspelbaar. Soms zei hij dat hij voor het eten thuis zou komen en bleef dan de hele nacht weg, en soms zei hij dat hij met een vriend naar een toneelstuk of een vernissage ging en kwam vervolgens niet van de bank; hij hing maar een beetje te lezen tot hij in slaap viel, en ik durfde hem niet te vragen wat zijn wachtende vriend ervan zou vinden. Op een gegeven moment durfde ik hem helemaal niet meer naar zijn plannen te vragen omdat hij altijd zo geïrriteerd op zulke vragen reageerde, en ik durfde ook geen plannen meer samen met hem te maken omdat hij op het laatste moment van gedachten kon veranderen. In het begin dacht ik dat het kwam doordat we allebei aan onze vrijheid gewend waren, maar ik vond het niet leuk als hij me liet zitten. Ik vond het nog erger als we iets met andere mensen hadden afgesproken en hij die ook liet zitten. U begrijpt me wel.'

Ze viel stil en ik knikte bemoedigend tot ze doorging. 'We hadden bijvoorbeeld een keer in een restaurant afgesproken met mijn zus en haar man, die voor een congres in de stad waren, maar Robert kwam gewoon niet opdagen. Ik heb die hele maaltijd met ze uitgezeten, en elke hap was erger dan de vorige. Mijn zus is heel ordelijk en praktisch en ik denk dat ze verbijsterd was; ze reageerde in elk geval niet erg verbaasd toen Robert me had verlaten en zij me telefonisch kon opdweilen. Toen ik na dat etentje thuiskwam, lag Robert met zijn kleren aan op ons bed te slapen. Ik schudde hem wakker, maar hij wist niets meer van de afspraak. Hij weigerde de volgende dag ook nog erover te praten, of toe te geven dat hij fout zat. Hij weigerde consequent over zijn gevoelens te praten. Of fouten toe te geven.'

Ik zag ervan af haar erop te wijzen dat ze had gezegd dat Robert en zij elkaar alles vertelden. Ze keek mismoedig naar haar cracker en at hem ten slotte op, alsof de herinnering haar hongerig maakte. Toen veegde ze haar vingers kies af aan het servet dat ik haar had gegeven. 'Hoe kon hij zo onbeschoft zijn? Ik had hem gevraagd kennis te maken met mijn zus en zwager omdat ik dacht dat het serieus was tussen hem en mij. Hij had me verteld dat hij bij zijn vrouw weg was, dat ze hem toch al niet meer wilde, en dat hij het gevoel had dat we heel lang bij elkaar zouden blijven. Later vertelde hij dat ze echtscheiding had aangevraagd en dat hij had ingestemd. Niet dat we het over trouwen hadden, ik heb nooit willen trouwen, ik weet niet of ik er het nut wel van inzie, want ik geloof niet dat ik kinderen wil, maar Robert was mijn zielsverwant, bij gebrek aan een beter woord.'

Ik was bang dat ze weer tranen in haar ogen zou krijgen, maar ze schudde haar glanzende hoofd, opstandig, ontgoocheld, boos. 'Waarom vertel ik u dit allemaal? Ik ben hier gekomen om meer over Robert te horen, niet om u alles over mijn privéleven te vertellen.' Ze glimlachte weer, maar verdrietig, met neergeslagen ogen. 'Dokter Marlow, u kunt nog een steen aan de praat krijgen.'

Ik keek ervan op; het was wat mijn vriend John Garcia altijd tegen me zei, het compliment dat ik het meest waardeerde, een van de hoekstenen van onze lange vriendschap. Ik had die woorden nooit uit de mond van een ander gehoord. 'Dank je. Ik probeerde niets uit je te trekken wat je me niet zelf wilde vertellen, maar wat je tot nog toe hebt verteld, is al heel nuttig.'

'Eens zien.' Ze glimlachte nu echt, weer zwierig, tegen wil en dank vrolijk. 'U weet nu dat Robert medicijnen slikte voordat hij bij u kwam, als u dat niet al wist, en u voelt u iets beter nu u weet dat Robert zelfs niet over zijn gevoelens wilde praten met de vrouw met wie hij samenleefde, wat betekent dat u niet echt hebt gefaald.'

'Mevrouw, u bent beangstigend,' zei ik. 'En u hebt gelijk.' Ik zag geen reden om haar te vertellen dat ik die dingen ook al van Kate had gehoord.

Ze lachte hardop. 'Vertel me nu maar eens over uw Robert. Ik heb u ook over de mijne verteld.'

Ik vertelde haar alles, eerlijk en gedetailleerd, nu met een sterker gevoel dat ik mijn beroepsgeheim schond, wat beslist ook zo was. Ik vertelde haar natuurlijk niets van wat Kate me had verteld, maar ik beschreef uitgebreid hoe Robert zich had gedragen sinds hij bij me was gekomen. Het doel zou de middelen moeten heiligen; er waren nog veel dingen die ik aan en van haar wilde vragen, en iemand die zo scherp was, zo intens, zou ik met gelijke munt moeten betalen voor dat voorrecht. Ik besloot mijn verhaal met de verzekering dat Robert goed in de gaten werd gehouden op Goldengrove, dat ik het gevoel had dat hij daar voorlopig veilig was en dat hij niet de neiging leek te hebben zichzelf of anderen iets aan te doen, ook al was hij opgenomen omdat hij had geprobeerd een schilderij kapot te snijden.

Ze luisterde aandachtig, zonder me te onderbreken om vragen te stellen. Haar ogen waren groot en helder, openhartig, en ze hadden een vreemde kleur, als water, zoals ik me uit het museum herinnerde, met een donkerder rand eromheen die uit geraffineerd aangebrachte make-up kon bestaan. Zij had ook een steen aan de praat kunnen krijgen, en dat zei ik tegen haar.

'Dank u. Ik voel me gevleid,' zei ze. 'Ik heb een tijdje met het idee gespeeld therapeut te worden, eerlijk gezegd, maar dat is lang geleden.'
'In plaats daarvan ben je kunstschilder en docent geworden,' gokte ik. Ze gaapte me aan. 'O, dat was niet zo moeilijk uit te knobbelen. Ik zag je van opzij naar de verfhuid van *Leda* kijken, van heel dichtbij, iets wat normaal gesproken alleen een schilder zou doen, of een kunsthistoricus, eventueel. Ik zie jou niet als wetenschappelijk onderzoeker, dat zou je maar saai vinden, dus je moet schilderlessen geven, of iets anders met kunst doen om in je levensonderhoud te voorzien, en je hebt het zelfvertrouwen van een geboren docent. Ga ik al buiten mijn boekje?'

'Ja,' zei ze en ze verstrengelde haar vingers op haar in denim gestoken knie. 'En u bent ook schilder; u bent opgegroeid in Connecticut en dat schilderij boven de schouw daar is van uw hand, met de kerk uit uw stadje erop. Het is een goed schilderij, u bent serieus bezig en u hebt talent, zoals u heel goed weet. Uw vader was dominee, maar wel een vooruitstrevende, en hij was ook trots op u geweest als u geen geneeskunde was gaan studeren. Uw bijzondere belangstelling gaat uit naar de psychologie van de creativiteit en de stoornissen waar veel creatieve of zelfs geniale mensen, zoals Robert, mee te kampen krijgen, en daarom overweegt u uw volgende artikel aan hem te wijden. U bent zelf een ongebruikelijke combinatie van wetenschappelijk onderzoeker en kunstenaar, dus kunt u zulke mensen begrijpen, al bewaakt u uw eigen geestelijke gezondheid heel doelmatig. Lichaamsbeweging helpt; u loopt hard of u traint, en u doet het al jaren, wat verklaart waarom u er tien jaar jonger uitziet dan u bent. U houdt van orde en logica, daar drijft u op, dus het is niet zo erg dat u alleen bent en van die lange werkweken hebt.'

'Ophouden,' zei ik en ik drukte mijn handen tegen mijn oren. 'Hoe weet je dat allemaal?'

'Van internet, natuurlijk. Ik lees het af aan uw appartement, en wat ik van u zie. En uw monogram staat rechtsonder op het schilderij, hoor. Voeg de informatie van die drie bronnen samen, en dit is wat je krijgt. Trouwens, als meisje was ik gek op Sir Arthur Conan Doyle.'

'Ik ook.' Ik vroeg me af hoe het zou voelen om haar hand vast te houden, die lange vingers zonder ringen.

Ze glimlachte nog steeds. 'Weet u nog dat Sherlock Holmes een keer iemands hele persoonlijkheid en beroep, zijn hele historie, aflas aan een wandelstok die die man in zijn vertrekken had achtergelaten? En ik heb hier een heel appartement. Holmes had ook geen internet.'

'Ik geloof dat jij me beter dan wie ook zou kunnen helpen Robert te helpen,' zei ik peinzend. 'Ben je bereid me alles te vertellen wat je met hem hebt meegemaakt?'

'Alles?' Ze keek me net niet aan.

'Neem me niet kwalijk. Ik bedoelde alles waarvan jij denkt dat het me kan helpen inzicht in hem te krijgen.' Ik gunde haar nog niet de tijd ja of nee te zeggen. 'Weet je iets van het schilderij dat hij wilde vernielen?'

'*Leda?* Ja. Nou ja, iets. Een deel is giswerk, maar ik heb het opgezocht.'

'Wat zijn uw plannen voor het eten vanavond, mevrouw Bertison?'

Ze hield haar hoofd schuin en streek met haar vingertoppen langs haar mond alsof het haar verbaasde dat daar nog een restje van een glimlach zat. Toen ze haar gezicht draaide, verdiepten de vegen onder haar kristallijnen ogen zich tot grijsblauw, schaduwen op de sneeuw, een *effet de neige.* Haar huid was heel bleek. Ze zat rechtop in haar blazer, met haar mooie heupen en benen in de verschoten spijkerbroek tegen mijn bank en haar smalle schouders gespannen om een klap op te vangen. Deze jonge vrouw had weken, misschien wel maanden gerouwd, en zij had geen twee kinderen die haar konden troosten. Ik voelde weer die lelijke woede ten opzichte van Robert Oliver; mijn objectieve zorg als medicus verdween als sneeuw voor de zon.

Maar zij was niet boos. 'Het avondeten? Ik heb geen plannen, zoals gewoonlijk.' Ze vouwde haar handen. 'Ik vind het best, als we de rekening maar delen. Maar vraag me nu niets meer over Robert. Ik schrijf het liever op, als u het goedvindt, dan hoef ik niet meer te huilen waar een volslagen onbekende bij zit.'

'Ik ben alleen maar een onbekende,' zei ik, 'geen volslágen onbekende. Vergeet niet dat we samen in het museum zijn geweest.'

Ze keek me aan in mijn schemerige woonkamer; ze had gelijk, alles hier was heel ordelijk en logisch, nog even en ik zou opstaan om nog een lamp aan te doen, ik zou haar vragen of ik nog iets voor haar kon doen voordat we weggingen, ik zou me verontschuldigen en naar de wc gaan, mijn handen wassen en een zomerjas pakken. Tijdens de maaltijd zou Robert natuurlijk wel vluchtig ter sprake komen, maar we zouden het ook hebben over schilderen en schilders, over onze jeugd met Conan Doyle en de manier waarop we de kost verdienden. En ik hoopte dat we het toch over Robert Oliver zouden hebben, nu en tijdens latere ontmoetingen. Haar ogen waren expressief – niet gelukkig, maar wel enigszins geïnteresseerd in wat ze tegenover zich zagen, en ik had nog zeker twee uur aan de beste tafel op loopafstand om haar te laten glimlachen.

45

1878

Ma chère,
Mijn verontschuldigingen voor mijn onvergeeflijke gedrag. Het
werd niet ingegeven door een vooropgezet plan of gebrek aan respect,
geloof me, maar veeleer door een verlangen dat alleen jij de
afgelopen jaren nog bij me hebt kunnen wekken. Misschien zul je op
een dag begrijpen hoe een man die het eind van zijn leven
tegemoetziet zichzelf even volkomen kan vergeten, alleen nog maar
kan denken aan de plotselinge toename van wat hij moet verliezen.
Ik wilde je niet onteren, en je zou al moeten weten dat ik zuivere
motieven had om je te vragen naar het schilderij te komen kijken.
Het is een buitengewoon werk; ik weet dat je er nog veel meer zult
maken, maar sta me alsjeblieft toe dit eerste grote werk bij wijze
van boetedoening en verontschuldiging aan de jury voor te leggen.
Ik denk niet dat die geen oog zal hebben voor de verfijning,
subtiliteit en gratie van dit doek, maar als ze zo dwaas zijn het niet
te accepteren, is het in elk geval gezien, al is het maar door de
juryleden. Ik zal alles doen wat je me gebiedt ten aanzien van het
gebruik van je naam of een verandering daarvan. Sta me dit toe
opdat ik het gevoel mag hebben dat ik je talent, en jou, een kleine
dienst heb bewezen.
 Ik voor mij heb besloten het schilderij van mijn jonge vriend in te
zenden, aangezien je het bewonderde, maar dat zal ik uiteraard
onder mijn eigen naam doen, met een nog grotere kans op afwijzing.
We moeten ons op het ergste voorbereiden.
Je nederige dienaar,
O.V.

46

Mary

Er zijn een paar dingen uit mijn tijd met Robert Oliver die ik nooit recht heb kunnen zetten, niet eens voor mezelf, hoewel ik dat graag zou willen, mocht zoiets mogelijk zijn. Tijdens een van onze laatste ruzies zei Robert dat onze relatie van meet af aan verwrongen was geweest omdat ik hem van een andere vrouw had afgepakt. Het was een verschrikkelijke, flagrante onwaarheid, maar het was zeker waar dat hij al getrouwd was toen ik voor het eerst verliefd op hem werd en dat hij nog steeds getrouwd was toen ik voor de tweede keer verliefd op hem werd.

Toen ik vanochtend aan mijn zus Martha vertelde dat een psychiater me had gevraagd hem alles over Robert te vertellen wat ik maar kon bedenken, zei ze: 'Nou, Mary, dat is je kans om vijfentwintig uur achter elkaar over hem te praten zonder iemand te ergeren.' Ik zei: 'Jij bent de laatste aan wie ik het zal laten lezen.' Ik neem haar die bijtende, liefdevolle opmerking niet kwalijk; op het dieptepunt heb ik vooral op haar schouder uitgehuild. Ze is een geweldige zus, en ze heeft me altijd geduldig aangehoord. Als zij me niet had geholpen bij Robert weg te komen, had hij me misschien nog meer aangedaan. Anderzijds had ik, als ik haar advies had opgevolgd, veel kunnen missen waar ik nu geen spijt van heb. Mijn zus is een praktische vrouw, ze betreurt wel eens iets; ik zelden, al is Robert Oliver bijna de uitzondering op de regel.

Ik wil dit verhaal graag gedetailleerd vertellen, dus zal ik bij mezelf beginnen. Ik ben geboren in Philadelphia, net als Martha. Onze ouders gingen scheiden toen ik vijf was en Martha vier, en daarna verdween mijn vader geleidelijk uit ons leven: hij verliet onze buurt in Chestnut Hill en trok zich terug in Center City, in zijn pakken en zijn mooie, kale appartement waar we hem eerst elke week opzochten, toen om de week, en waar we voornamelijk tekenfilms keken terwijl hij stapels papier las die hij 'pleitinstructies' noemde. Zijn onderbroeken noemde hij 'boxers', en ik vond een keer een van zijn boxers onder zijn bed, verstrengeld met een andere boxer. Die was van beige kant. We wisten niet goed we ermee moesten doen, en het leek niet goed om ze daar te laten liggen, dus toen papa naar de winkel op de hoek ging om de zondagse *Inquirer* en onze bagels te halen, waar hij meestal een uur of drie, vier over deed, sjouwden we de twee boxers in een soeppan naar de achtertuin van zijn appartementencomplex en begroeven ze samen tussen het smeedijzeren hek en de door klimop overwoekerde boomstam.

Toen ik negen was, verhuisde papa van Philadelphia naar San Francisco, waar we hem eens per jaar opzochten. San Francisco was leuker; papa had er een flat hoog boven de zee, die onder een deken van mist lag, en we konden gewoon op het balkon de meeuwen voeren. Zodra Muzzy, onze moeder, vond dat we oud genoeg waren, stuurde ze ons er alleen met het vliegtuig naartoe. Toen gingen we nog maar om het jaar naar San Francisco, toen nog maar eens in de drie jaar en vervolgens nog maar af en toe, wanneer we er zin in hadden en Muzzy de reis wilde betalen, en uiteindelijk kreeg papa een baan in Tokyo. Hij verdween en stuurde ons een foto waarop hij met zijn arm om een Japanse vrouw stond.

Ik denk dat Muzzy blij was toen papa naar San Francisco verdween. Ze kon Martha en mij in alle vrijheid opvoeden, en dat deed ze met zoveel inzet en energie dat we geen van beiden ooit kinderen hebben gewild. Martha zegt dat ze weet dat ze zich verplicht zou voelen alles voor een kind te doen wat onze moeder voor ons deed, en meer, en dat het haar zou vervelen, maar ik denk dat we allebei stiekem wel weten dat we niet aan haar zouden kunnen tippen. Muzzy gebruikte de goedgevulde oude quakerbankrekening van haar ouders (we wisten nooit of die nu gevuld was met olie, haver, aandelen in een spoorwegmaatschappij of echt geld) om ons twaalf jaar naar een prima school van de quakers te sturen, een oord waar zoetgevooisde juffen met volmaakt gekapt grijs haar op hun knieën gingen zitten om te zien of het wel goed met je ging als iemand je met een blok had geslagen. We bestudeerden de geschriften van George Fox, gingen naar de bijeenkomsten en plantten zonnebloemen in een achterbuurt in het noorden van de stad.

Mijn eerste kennismaking met de liefde had plaats toen ik met andere quakers in de brugklas zat. De school had een dependance in een huis dat een halte van de ondergrondse was geweest; op zolder zat een onzichtbaar luik in de bodem van een oude kast. In dat huis zaten de eerste en de tweede klas middelbare school, en in die jaren bleef ik graag een paar minuten na wanneer iedereen weg was gegaan voor de middagpauze, om te luisteren naar de geesten van mannen en vrouwen die hun vrijheid tegemoet vluchtten. In februari 1980 (ik was toen dertien), bleef Edward Roan-Tillinger ook binnen in de pauze, en hij kuste me in de leeshoek van de eerste klas. Hier had ik al een paar jaar op gehoopt, en voor een eerste kus was het niet slecht, al voelde zijn tong aan als een taai stuk vlees en zag ik George Fox vanaf zijn portret aan de andere kant van de klas op ons neerkijken. Een week later had Edward zijn aandacht verplaatst naar Paige Hennessy, die steil rood haar had en op het platteland woonde. Het kostte me een paar weken, niet langer, om haar niet meer te haten.

Het is zonde als de geschiedenis van een vrouw alleen maar om mannen draait – eerst jongens, dan andere jongens en dan mannen, mannen en nog eens mannen. Het doet me denken aan onze geschiedenisboeken op school, die alleen maar over oorlogen en verkiezingen gingen, de ene oorlog na de andere; de saaie periodes daartussenin werden overgeslagen (onze docenten betreurden dit en lasten extra blokken in over de sociale geschiedenis en protestbewegingen, maar de boodschap van de boeken bleef hetzelfde). Ik weet niet waarom vrouwen hun verhaal vaak zo inkleden, maar ik geloof dat ik er nu zelf ook mee begonnen ben, misschien omdat u me hebt gevraagd niet alleen mijn omgang met Robert Oliver te beschrijven, maar ook wie ik zelf ben.

Mijn tienerjaren, om gedetailleerd te blijven, draaiden beslist niet alleen maar om jongens; ze draaiden ook om Emily Brontë en de Burgeroorlog, botanie in de glooiende parken van Philadelphia, wrijfafdrukken van grafstenen, *Paradise Lost*, breien, ijsjes en mijn wilde vriendin Jenny (die ik al naar de abortuskliniek bracht voordat ik zelfs maar mijn bloesje had uitgetrokken voor een jongen). In die jaren leerde ik schermen – ik was dol op de witte kleding en de zompige, klamme geur die in onze ondermaatse quakergymzaal hing, en op het moment waarop de punt van het floret het beschermvest van de tegenstander raakte – en ik leerde met een ondersteek te lopen zonder te morsen, tijdens mijn vrijwilligerswerk in het Chestnut Hill Ziekenhuis, en thee te schenken voor Muzzy's eindeloze liefdadigheidsbijeenkomsten en erbij te glimlachen, zodat haar liefdadige vriendinnen zeiden: 'Wat een snoezig dochtertje heb je, Dorothy. Was je eigen moeder ook blond?' – wat precies was wat ik wilde horen. Ik leerde oogschaduw op te smeren en een tampon zo in te brengen dat ik hem niet voelde (van een vriendin; Muzzy zou nooit zoiets hebben willen bespreken), en hoe ik de puck recht kon raken met mijn hockeystick, en hoe ik gekleurde popcornballetjes kon maken, en ik leerde Frans en Spaans spreken, verre van vloeiend, en ik leerde stiekem medelijden te hebben met een ander meisje als ik haar afwees, mocht dat nodig zijn, en ik leerde stoeltjes te stofferen met tapisserie. In de periferie van dat alles kwam ik er ook achter hoe verf onder mijn penseel voelde, maar dat zal ik nog even bewaren.

Ik dacht dat ik veel van die dingen zelfstandig had geleerd, of van mijn docenten, maar ik zie nu wel in dat ze altijd deel uitmaakten van Muzzy's alomvattende plan. Zoals ze elke avond tussen onze tenen en vingers boende in de badkuip, toen we nog klein waren, de tere vliesjes bereikte met een stevige vinger in een washandje, zo zorgde ze er ook voor dat haar dochters wisten dat ze de bandjes van hun beha altijd eerst strakker moesten trekken voordat ze hem aandeden, dat ze zijden blouses alleen in koud water mochten wassen, op de hand, en dat ze salade moesten bestellen in een restaurant. (Ik moet haar nageven dat ze ook wilde dat we de namen en jaartallen kenden van de belangrijkste Engelse vorsten en vorstinnen, de geografie van Pennsylvania en dat we wisten hoe de beurs in elkaar stak.) Ze ging gewapend met een notitieboekje naar onze ouderavonden, ze ging voor elk kerstfeest met ons naar de winkel om een nieuwe feestelijke jurk te kopen en ze verstelde onze spijkerbroeken zelf, maar liet ons haar knippen bij een speciale salon in Center City.

Tegenwoordig is Martha een glamourvrouw en kan ik er net mee door, al heb ik een lange fase gehad waarin ik alleen afgedragen oude kleren droeg. Muzzy heeft een tracheotomie ondergaan, maar wanneer we haar opzoeken (ze woont nog thuis, met een verzorgster op de eerste verdieping, en de bovenste verdieping is verhuurd aan een kleuterjuf) hijgt ze: 'O, meisjes, wat zijn jullie goed terechtgekomen. Wat ben ik daar dankbaar voor.' Martha en ik weten dat ze vooral zichzelf dankbaar is, maar desondanks voelen we ons groter dan levensgroot in die

kleine woonkamer vol antiek; we voelen ons groot en elegant en vol-
leerd, onoverwinnelijk, als Amazonen.

Maar waartoe diende al dat aankleden, polijsten, verfijnen en bandjes
verstellen? Dat brengt me weer op de mannen. Muzzy praatte niet over
mannen en seks, we hadden geen vader in huis die onze vriendjes kon
afschrikken of er zelfs maar naar kon vragen, en Muzzy's pogingen om
ons tegen jongens te beschermen waren te beleefd om veel voor te stellen. 'Als een jongen alles betaalt tijdens een afspraakje, wil hij er iets
voor terug,' zei ze.

'Muzzy...' – Martha sloeg zoals gewoonlijk haar ogen ten hemel –
'... dit zijn de jaren tachtig, hoor. We leven niet meer in 1955. Hallo.'

'Jij ook hallo. Ik weet heus wel welk jaar het is,' zei Muzzy dan welwillend, en vervolgens liep ze naar de telefoon om pompoentaart voor
Thanksgiving te bestellen, of haar zieke tante in Bryn Mawr te bellen,
of ze drentelde naar de lampenwinkel om te vragen of ze ook antieke
kandelaars repareerden. Ze beweerde altijd dat ze met plezier een baan
had gezocht, maar zolang ze onze opleiding zelf kon betalen (met 'zelf'
bedoelde ze de olie of haver op de bank) dacht ze dat ze zich het nut-
tigst kon maken door thuis voor ons te zorgen.

Ik dacht zelf dat ze ten dele ook thuis bleef zitten om ons in de gaten te kunnen houden, maar aangezien ze nooit naar jongens vroeg,
vertelden we haar niet veel, tenzij de jongen ons had meegevraagd naar
het eindexamenbal; in dat geval kwam hij welgeteld één keer bij ons
thuis, in zijn smoking, om haar een handje te geven en haar aan te
spreken met 'mevrouw Bertison'. ('Wat een aardige jongen, Mary,' zei
ze dan naderhand. 'Ken je hem al lang? Lobbyt zijn moeder niet voor
biologische groente op school of heb ik nu de verkeerde voor?') Door
dat ritueeltje voelde ik me minder schuldig, op de een of andere manier zelfs gesteund, als een jongen later op de avond een hand in de
laag uitgesneden rug van mijn jurk liet glijden, om maar iets te noemen. Hoe ouder ik werd, hoe minder ik Muzzy vertelde, en tegen de
tijd dat Robert Oliver in mijn leven kwam, was ik al volwassen geworden in een wereld die ik deelde met mezelf, af en toe een vriendin of
vriendje en mijn dagboeken. Robert heeft me in de tijd dat we samen-
woonden verteld dat hij zich ook al sinds zijn kindertijd eenzaam voelde, en ik denk dat dat een van de dingen was die me het meest voor
hem innamen.

47

Mary

Ik werkte eerst twee jaar in een boekwinkel voordat ik ging studeren, tot verontwaardiging van Muzzy, maar toen begon ik plichtsgetrouw, en met mijn eigen geld op zak, aan mijn studie.

Ik had het naar mijn zin op Barnett College. Kon ik maar zeggen dat ik als student vervuld was met levensangst, dat ik worstelde met de vraag hoe mijn toekomst eruitzag, de zin van mijn bestaan – verwend, beschut opgegroeid rijk meisje botst met grote boeken en gaat kapot aan haar eigen banaliteit. Of anders: verwend, beschut opgegroeid rijk meisje beseft dat Barnett meer van hetzelfde is, verkoopt haar bezittingen, vliegt uit om het echte leven te zien en slaapt tien jaar lang met hond op straat.

Misschien was ik niet verwend genoeg; Muzzy had duidelijk gemaakt dat Quaker Oats geen skivakanties en dure Italiaanse schoenen voor ons betaalde, en ze gaf ons een bescheiden kleedgeld. En misschien was ik niet beschut genoeg opgegroeid; de goede daden van de quakers, het huisvestingsproject in het noorden van Philadelphia, het opvanghuis voor mishandelde vrouwen en het bloedige braaksel in het Chestnut Hill Ziekenhuis hadden me allemaal in aanraking gebracht met het lijden op deze wereld. Het studieprogramma van Barnett leerde me niet veel nieuws, en ik werkte in de bibliotheek om Muzzy te helpen mijn studieboeken en de trein naar huis te betalen. Eigenlijk beleefde ik weinig meer dan de gebruikelijke studiecrises in verband met jongens en tentamens. Toch ontdekte ik er één ding dat geen mens me ooit meer af kan pakken, en in zekere zin was dat een crisis op zich, maar dan een van vreugde.

Ik had handenarbeid altijd leuk gevonden bij de quakers op school; ik vond onze pittige kleine docente met haar schorten vol paarse vlekken leuk, en zij vond mijn beschilderde kleipoppetjes leuk, de rechtstreekse afstammelingen van de nijlpaarden uit groep zes die in Muzzy's pronkkast stonden. Ik had op school nooit tot de artistieke uitblinkers behoord, dat groepje eenlingen die staatsprijzen wonnen en zich aanmeldden voor de Rhode Island School of Design of het Savannah College of Art and Design terwijl de rest van ons zich afvroeg of we toegelaten zouden worden op een van de prestigieuze universiteiten, maar op Barnett kwam ik meer te weten over de kunst in mezelf.

Het begon gek genoeg met een teleurstelling, een vergissing bijna. Ik was van plan af te studeren in de Engelse taal- en letterkunde, maar ik moest ook een bijvak op creatief gebied doen. Ik weet niet meer hoe het precies heette, creatieve expressie, geloof ik, en aan het begin van het tweede semester schreef ik me in voor een cursus poëzie schrijven, want de derdejaars die ik hoopte te veroveren was dichter en ik wilde me geen complete onbenul voelen in zijn gezelschap.

Die cursus bleek al vol te zitten, en ik werd doorverwezen naar een ander onderdeel van creatieve expressie, dat 'visueel begrip' heette. Pas veel later kwam ik erachter dat Robert Oliver, een geliefde gastschilder die voor straf dat semester de cursus moest geven, het stiekem 'visueel onbegrip' noemde. Het college ging er prat op dat ze studenten die geen kunstopleiding volgden in contact brachten met gevestigde kunstenaars, en visueel begrip was de enige last die Robert tijdens zijn verblijf op Barnett moest torsen, een cursus schilderen en kunstgeschiedenis die onwillige studenten uit alle richtingen trok. Op een ochtend in januari zat ik er zelf tussen, aan een lange tafel in het atelier.

De docent, Robert Oliver, was er nog niet en ik zat daar maar te proberen geen oogcontact te maken met mijn medecursisten, die ik geen van allen kende. Ik was altijd verlegen aan het begin van een cursus; om niemand aan te hoeven kijken, keek ik door de hoge, groezelige ramen. Erachter zag ik witte velden en een berg sneeuw in het raamkozijn. Het zonlicht viel naar binnen over een lange, rommelige rij ezels en krukken, de gehavende tafel, de gebutste vloer met verfvlekken en een stilleven met hoeden, gerimpelde appels en Afrikaanse beeldjes, gerangschikt op een verhoging voor in het atelier, op de kleurencirkels en museumaffiches. Ik herkende de gele stoel van Van Gogh en een verschoten Degas, maar niet de vierkanten in vierkanten, zinderend van kleur; Robert zou ons later vertellen dat het reproducties van het werk van Josef Albers waren. Mijn medecursisten praatten met elkaar, klapten met hun kauwgom, maakten aantekeningen of krabden aan hun middenrif. Het meisje naast me had paars haar; ze was me die ochtend in de eetzaal opgevallen.

Toen ging de deur van het atelier open en kwam Robert binnen. Hij was pas vierendertig, al had ik daar toen nog geen idee van. Ik dacht zoals alle jonge studenten dat hij en mijn andere docenten minstens vijftig moesten zijn; stokoud, dus. Hij was lang en door zijn vitale uitstraling leek hij nog groter dan hij toch al was. Hij had benige handen en een ingevallen gezicht zonder verder mager te zijn; onder zijn kleren had hij een massief, sterk lichaam (al was het dan waarschijnlijk oud). Hij had een dikke, smoezelige, diep goudbruine ribbroek aan met kale plekken op de knieën en dijen. Daarop droeg hij een geel overhemd met tot de ellebogen opgestroopte mouwen en een tot op de draad versleten olijfkleurig vest dat zo te zien zelfgebreid was. Dat was ook zo: zijn moeder had het voor zijn vader gebreid, in diens laatste jaren.

Ik kwam later zoveel over Robert te weten dat het nu moeilijk is mijn eerste indruk van hem uit de rest te distilleren. Hij had een diepe frons in zijn voorhoofd. Als hij niet zo nurks en verfomfaaid oogde, had hij interessant kunnen zijn, dacht ik dat eerste moment. Hij had een brede, beweeglijke mond met volle lippen, zijn huid was licht olijfkleurig, zijn neus was spits en lang, zijn haar donker, maar ook rossig en krullend, slecht geknipt; het kwam deels door die ouderwetse ruige bos dat ik hem ouder schatte dan hij in feite was.

Toen leek hij ons om de tafel te zien zitten, bleef even staan en glimlachte. Toen hij glimlachte, zag ik dat ik me had vergist en dat hij niet slordig en slechtgehumeurd was. Hij was zichtbaar blij ons te zien. Hij was een warm mens, een mens met een warme huid en warme ogen in oude kleren in zachte tinten. Als je hem zag glimlachen, kon je hem zijn gedateerde, slonzige uiterlijk vergeven.

Robert had twee boeken onder zijn arm; hij sloot de deur achter zich, liep naar het hoofd van de tafel en legde de boeken neer. We keken hem allemaal verwachtingsvol aan. Ik zag dat zijn handen een beetje verweerd waren, alsof ze zelfs nog ouder waren dan hij; het waren opmerkelijke handen, heel groot en zwaar, maar toch sierlijk. Hij droeg een brede trouwring van dof geworden goud.

'Goedemorgen,' zei hij. Zijn stem klonk sonoor en schor tegelijk. 'Dit is schilderen voor bijvakstudenten, ook wel "visueel begrip" genoemd. Ik vertrouw erop dat jullie het allemaal net zo leuk vinden om hier te zijn als ik' – het was een ironische leugen, maar op dat moment klonk hij geloofwaardig – 'en dat jullie in deze les op jullie plek zijn.' Hij vouwde een vel papier open en las langzaam en zorgvuldig onze namen op. Hij wachtte telkens even om te zien of hij een naam goed had uitgesproken en knikte wanneer hij een bevestiging had gekregen. Hij krabde aan zijn onderarmen; hij stond nog steeds aan het hoofd van de tafel. Hij had zwart haar op de rug van zijn handen en verf onder zijn nagels, alsof hij ze nooit echt schoon kon krijgen. 'Meer namen heb ik niet. Zijn er nog verstekelingen?'

Een meisje stak haar hand op. Ze had zich net als ik niet meer kunnen inschrijven voor een andere cursus, maar zij stond niet op de lijst, ik wel, en ze vroeg of ze mocht blijven. Robert leek erover na te denken. Hij krabde door zijn donkere lokken aan zijn haargrens. Hij had negen leerlingen, zei hij, minder dan hem in het vooruitzicht waren gesteld. Ja, ze mocht blijven. Ze had een briefje nodig van de decaan. Dat zou geen probleem zijn. Geen vragen meer? Geen problemen? Goed zo. Wie van ons had ooit eerder geschilderd?

Er werden aarzelend een paar handen opgestoken. Mijn handen bleven stevig op de tafel liggen. Ik zou er pas later achter komen hoe moedeloos hij van die eerste dagen van een beginnerscursus werd. Hij was net zo verlegen als ik, op zijn eigen manier, al wist hij dat in de les heel goed te verbergen. 'Zoals jullie weten, is ervaring geen vereiste voor deze cursus. Het is ook belangrijk niet te vergeten dat elke schilder elke dag van zijn leven een beginner is, op een heel concrete manier.' Die uitspraak was een misser, had ik hem kunnen vertellen; vooral eerstejaars hebben er de pest aan betutteld te worden, en de feministische elementen in de klas zouden hem dat 'zijn leven' als verwijzing naar alle kunstenaars zeker kwalijk nemen. Ik rekende mezelf tot die elementen, al zette ik het tijdens hoorcolleges niet op een sissen, zoals sommige andere studentes die ik kende. Waarschijnlijk kreeg hij een harde dobber aan deze klas. Ik sloeg hem met toegenomen belangstelling gade.

Nu leek hij echter een andere invalshoek te kiezen. Hij tikte op de boeken die voor hem op tafel lagen en ging zitten. Hij vouwde zijn met verf besmeurde handen alsof hij wilde gaan bidden en zuchtte. 'Waar moet je beginnen als het over schilderen gaat? Dat blijft een moeilijke vraag. De schilderkunst is bijna zo oud als de mensheid, als we op de rotstekeningen in Europa af mogen gaan. We leven in een wereld van vormen en kleuren, en natuurlijk willen we die reproduceren, al zijn de kleuren van onze moderne wereld een stuk feller geworden sinds de uitvinding van de synthetische kleuren. Kijk maar naar jouw T-shirt,' zei hij met een knikje naar een jongen die tegenover me zat, 'of, als je het me niet kwalijk neemt dat ik het als voorbeeld gebruik, naar jouw haar.' Hij gebaarde losjes met zijn grote, beringde hand naar het meisje met de paarse lokken en glimlachte naar haar. Iedereen lachte en het meisje grinnikte trots.

Opeens had ik het naar mijn zin. Ik genoot van dat begin-van-het-semestergevoel, de geur van verf, het winterse zonlicht dat het atelier in stroomde, de rijen ezels die wachtten op onze onbeholpen schilderijen en die slonzige, maar toch charmante man die ons allemaal wilde inwijden in de geheimen van kleur, licht en vorm. Ik kreeg weer hetzelfde fijne gevoel als in het handenarbeidlokaal op de middelbare school, een herinnering die niets te maken had met wat ik hier verder studeerde, maar die wel belangrijk was, nu ze weer terugkwam.

Ik herinner me de rest van die les niet meer; ik neem aan dat we naar Robert luisterden, die vertelde over de geschiedenis van de schilderkunst of de technische principes van de kunstvorm. Misschien liet hij de boeken rondgaan die hij had meegebracht, of wees hij naar de reproductie van de Van Gogh. We moeten uiteindelijk aan de ezels zijn gaan zitten, tijdens die les of de volgende. Op een gegeven moment (maar misschien pas tijdens de volgende bijeenkomst) moet Robert ons hebben laten zien hoe je verf uit een tube knijpt, hoe je een palet afschraapt en hoe je een figuur op doek schetst.

Ik herinner me wel dat hij een keer zei dat hij niet wist of het bespottelijk of geweldig was dat we probeerden in olie te werken terwijl de meesten van ons niets hadden geleerd over tekenen, perspectief of anatomie, maar dat we althans tot op zekere hoogte zouden leren hoe lastig deze kunstvorm was, en dat we ons de geur van de verf aan onze handen zouden herinneren. Zelfs wij zagen wel in dat het een experiment was, een beslissing van het instituut, niet van hemzelf, om een paar bijvakstudenten te laten schilderen voordat ze ook maar enige basiskennis hadden. Hij probeerde ons ervan te doordringen dat hij het niet erg vond.

Wat mij echter meer trof, was dat hij een opmerking maakte over de geur van verf aan onze handen, want dat vond ik een van de fijnste dingen van de lessen visueel begrip, net als tijdens de handenarbeidlessen op de middelbare school. Ik vond het heerlijk om aan mijn handen te snuffelen wanneer ik ze net voor het avondeten had gewassen, om mezelf keer op keer te bewijzen dat die verflucht onuitwisbaar was. Het was ook echt zo. Hij was met geen enkel soort zeep weg te wassen. Ik snuffelde tijdens andere colleges aan mijn handen en keek naar de verf die zich onder mijn nagels hechtte als ik ze niet goed schoonhield, zoals Robert ons opdroeg. Ik rook aan mijn handen op mijn kussen wanneer ik ging slapen, of wanneer ze om het zachte haar van de jonge dichter waren geklemd, met wie ik nu een relatie had. Geen parfum kon die indringende, olieachtige geur overstemmen of zelfs maar verdoezelen, die geur die zich elke dag op mijn huid vermengde met de al net zo penetrante geur van de terpentine waarmee je de verf er net niet af kreeg.

Voor mij ging er maar één ding boven het genot van die geur, en dat was het genot van het aanbrengen van verf op het doek. De vormen die ik bij Robert in de lessen schilderde, waren onmiskenbaar onbeholpen, alle moeite van mijn docente van de middelbare school ten spijt; ik schetste de ruwe vormen van kommen en wrakhout in het atelier, de Afrikaanse beeldjes, de vruchten die Robert op een dag meebracht en waar hij met zijn knoestige handen met de trouwring behoedzaam een toren van bouwde. Ik keek naar hem en wilde tegen hem zeggen dat ik nu al dol was op de geur van verf op mijn handen en al wist dat ik die nooit zou vergeten, al zou ik na deze cursus nooit meer schilderen; ik wilde hem laten weten dat we niet allemaal zo onverschillig tegenover zijn lessen stonden als hij misschien dacht. Ik dacht dat ik hem zulke dingen niet onder de les kon vertellen; ik zou me de spot op de hals halen van het meisje met het paarse haar en de atleet die zijn hardloopschoenen gebruikte wanneer we ons eigen stilleven moesten opbouwen. Anderzijds kon ik ook niet naar zijn spreekuur gaan om hem daar te vertellen dat ik de geur aan mijn handen waardeerde; dat was al net zo belachelijk geweest.

Ik keek dus toe en wachtte tot ik een echte vraag had, iets waar ik echt benieuwd naar was. Ik had nog geen vragen gehad; ik wist alleen dat ik onhandiger met potlood en penseel was dan mijn oude docente me ooit te verstaan had gegeven, en dat Robert Oliver mijn blauwe schaal met sinaasappels niet echt mooi had gevonden; de verhoudingen van de schaal klopten niet, zei hij op een dag, al waren de kleuren

van de sinaasappels goed gemengd, en daarna was hij meteen doorge-
lopen naar het doek van een ander, dat nog ergere gebreken vertoonde. Ik had er spijt van dat ik de schaal niet beter had getekend, dat ik
er niet meer tijd aan had besteed, in plaats van me zo gretig op de sinaasappels te storten.

Hier kon ik echter niets intelligents over vragen. Ik zou moeten leren tekenen, en tot mijn eigen verbazing begon ik me hierop toe te
leggen. Ik haalde boeken uit de bibliotheek en nam ze mee naar mijn
kamer, waar ik soms met potlood en papier ging zitten om appels en
kistjes, kubussen, paardenrompen en een onmogelijke tekening van het
hoofd van een sater van Michelangelo te kopiëren. Ik deed het verbluffend slecht, en ik bleef alles opnieuw tekenen tot een paar lijnen
makkelijker uit mijn hand leken te vloeien. Ik gaf me over aan fantasieën over de kunstacademie, tot Muzzy's verontrusting; ze had me
toegestaan naar de tafel te lopen met het buffet van bijvakken en elk
semester iets nieuws te proeven (muziekgeschiedenis, politicologie),
maar ze had gehoopt dat al die hapjes uiteindelijk naar een studie rechten of geneeskunde zouden leiden.

Aangezien de kunstacademie duidelijk nog ver weg was, begon ik
dingen uit mijn kamer te tekenen: de vaas die mijn oom jaren eerder
voor me had meegebracht uit Istanbul, het latwerk van de raampane-
len waarvan het studentenhuis rond 1930 was voorzien. Ik tekende takjes forsythia die mijn natuurminnende kamergenote meebracht van
haar wandelingen, en de sierlijke hand van mijn dichter wanneer hij
in bed lag te slapen terwijl mijn kamergenote bij haar vier uur durende hoorcollege wereldliteratuur zat. Ik kocht schetsboeken in verschillende formaten, die ik op mijn bureau kon laten liggen of in mijn boe-
kentas mee kon nemen. Ik ging naar het museum van de universiteit,
dat een verrassend goede collectie had voor een zo kleine onderwijs-
instelling, en probeerde te kopiëren wat ik daar zag: een prent van Matisse, een tekening van Berthe Morisot. Elke taak die ik mezelf opdroeg, had een speciale smaak, een smaak die sterker werd bij elke
nieuwe poging te leren tekenen; ik deed het deels voor mezelf en deels
om met een goede vraag bij Robert Oliver te kunnen aankloppen.

48

1878

Mijn liefste,

Ik heb net je brief ontvangen, die me ertoe beweegt je direct terug te schrijven. Ja, ik ben eenzaam geweest, de afgelopen jaren, zoals je zo meelevend laat doorschemeren. En hoe vreemd het ook mag lijken, ik vind het jammer dat je mijn vrouw niet hebt gekend, hoewel jij en ik elkaar in dat geval onder fatsoenlijke omstandigheden hadden leren kennen en niet in deze onaardse liefde, als je me toestaat het zo te noemen. Medelijden is het lot van iedere weduwnaar, en toch voelde ik geen medelijden uit je brief spreken, maar alleen een ruimhartig leedwezen omwille van mij dat je tot eer strekt als vriendin.

Je hebt gelijk: ik rouw om haar en zal dat altijd blijven doen, al is het de wijze waarop ze is gestorven die me het meest heeft gekweld, niet zuiver het feit dat ze niet meer leeft, en daar kan ik niet over praten, zelfs niet met jou, in elk geval nu nog niet. Op een dag zal ik het je vertellen, ik beloof het.

Ik zal evenmin proberen je te vertellen dat jij die leegte hebt gevuld, want geen mens vult de leegte die door een ander is achtergelaten; je hebt simpelweg mijn hart weer gevuld, en daarvoor ben ik je meer verschuldigd dan ik je, gezien je jaren en ervaring, kan uitleggen. Op het gevaar af hoogdravend te klinken, of zelfs neerbuigend — je vindt wel een manier om me te vergeven — verzeker ik je dat je op een dag zult begrijpen hoeveel troost mijn liefde voor jou me heeft gebracht. Ik ben er vrij zeker van dat je denkt dat jouw liefde voor mij me troost, maar wanneer je al zo lang leeft als ik, dan weet je dat het jouw toestemming om van je te houden is, mijn liefste, die de neerslachtigheid die ik met me meedraag heeft verlicht.

Tot slot ben ik dankbaar dat je mijn aanbod hebt aangenomen, en ik kan alleen maar hopen dat ik niet te vasthoudend ben geweest. En natuurlijk zullen we de door jou voorgestelde naam gebruiken: van nu af aan zal Marie Rivière mijn geëerde collega zijn, en dit schilderij zal vanuit mijn eigen hand en met alle discretie naar de jury gaan. Ik zal het morgen zelf gaan brengen, want de tijd dringt.

Met dankbaarheid, je

O.V.

Een postscriptum: Yves' vriend Gilbert Thomas is met zijn nogal stille broer Armand (jij kent hem ook wel, geloof ik) naar mijn atelier gekomen om een van mijn landschappen van Fontainebleau te kopen. Ik had enige tijd geleden toegezegd het via hun galerie te verkopen. Hij zou je kunnen helpen, denk je ook niet? Hij had buitengewoon veel bewondering voor je meisje met het gouden haar, al heb ik natuurlijk niets gezegd over haar ware schepper; hij merkte zelfs een keer of twee op dat de stijl hem aan iets deed denken, maar hij kon er niet op komen wat. Ik ben bang dat hij de prijzen van de schilderijen in zijn galerie zonder scrupules zal opdrijven, maar misschien ben ik te kritisch. En zijn bewondering voor jouw penseel pleit voor hem, ook al weet hij niet wie het vasthoudt – op een dag zou je hem wat werk kunnen verkopen, desgewenst.

49

Mary

Ten slotte besefte ik dat ik geen vraag voor Robert Oliver had, maar een soort portfolio. Ik had mijn schetsboek, dat vrij groot was en gevuld met saters en kistjes, en ik had mijn stillevens. Ik had losse vellen waarop ik een van de vrouwen van Matisse had getekend, die opgebouwd uit maar zes lijnen uitbundig op het papier danste (ik kon haar niet echt laten dansen, hoe vaak ik die zes lijnen ook natekende), en vijf versies van de vaas met een schaduw ernaast op tafel. Viel de schaduw op de goede plek? Was dat mijn vraag? Ik kocht een map van stevig karton bij de winkel in kunstenaarsbenodigdheden, stopte alles erin en wachtte tijdens de volgende les mijn kans af om een afspraak te maken met Robert Oliver.

Hij gaf ons nieuwe opdrachten: we zouden die week een pop schilderen en de week daarop een model. De pop moest buiten de lessen voltooid worden, en hij zou er commentaar op geven. Het idee een pop te moeten schilderen stond me tegen, maar toen hij haar pakte en op een houten poppenstoeltje zette, voelde ik me iets beter. Het was een antieke pop, slank en stram, van beschilderd hout, zo te zien, met verklit, donkergoudblond haar en starende blauwe ogen, maar ze had iets schranders en opmerkzaams in haar gezicht, wat me wel aanstond. Hij legde haar stramme handen op haar schoot en ze keek naar ons, wantrouwig en half levend. Ze droeg een blauwe jurk met een rafelige, roodzijden bloem op het kraagje gespeld. Robert Oliver wendde zich tot de klas. 'Ze is nog van mijn grootmoeder geweest,' zei hij. 'Ze heet Irene.'

Toen pakte hij een schetsboek en deed zwijgend voor hoe we haar vorm konden geven vanuit de samenhang van de lichaamsdelen: het ovale hoofd, de gelede armen en benen onder de jurk, de rechte romp. We moesten goed op het perspectief van de bovenbenen letten, zei hij, want we bekeken haar recht van voren. Haar rok verborg haar knieën, maar ze waren er wel; we moesten een manier verzinnen om de voorkant van de knieën onder de jurk te laten zien. We kwamen nu op het terrein van de draperie, zei hij, dat we dit semester niet zouden bestuderen omdat het domweg te ingewikkeld was. De oefening zou ons echter gevoel geven voor ledematen onder textiel, voor de massa van een lichaam in kleren. Het was niet slecht voor een schilder om daar eens over na te denken, verzekerde Robert ons.

Hij begon aan een voorbeeld te werken en ik keek naar hem. Ik keek naar de verschoten mouw, opgestroopt over de arm waarmee hij schetste, naar zijn groen-bruine ogen die heen en weer flitsten naar de pop terwijl de rest van zijn lichaam roerloos bleef, geconcentreerd op de prooi. De krullen op zijn achterhoofd waren geplet alsof hij erop had geslapen en was vergeten zijn haar te borstelen, en een piek aan de voorkant stak recht omhoog, als stug gras. Ik zag dat hij niet aan ons of zijn haar dacht, dat hij zich alleen maar bewust was van de pop met de rondingen van haar knieën onder haar tere jurk. Opeens wilde ik die onbewustheid zelf ook hebben. Ik was nooit onbewust; ik lette altijd op andere mensen en vroeg me altijd af of zij op mij letten. Hoe zou ik een kunstenaar als Robert Oliver kunnen worden als ik me niet kon verliezen ten overstaan van een hele groep mensen, me zo verliezen dat ik alleen nog maar oog had voor het probleem vlak voor me, het krassen van mijn potlood op het papier en de vloeiende lijnen die eruit voortkwamen? Ik voelde me wanhopig worden. Ik tuurde zo ingespannen naar zijn profiel met de lange neus dat ik een krans van daglicht rond zijn hele hoofd begon te zien. Ik kon hem met geen mogelijkheid mijn non-vraag stellen, hem mijn zogenaamde portfolio laten zien. Het zou me dieper krenken als hij de rest van mijn werk zag dan wanneer hij het nooit te zien zou krijgen. Ik had mijn eerste tekenlessen voor hoofdvakstudenten nog niet eens gehad; ik was een voorbeeld van de kunst-voor-bijvakkers, een amateur die stoeltjes kon stofferen en sonatines van Beethoven op de piano kon spelen. Hij bood mensen zoals ik dit stalenboek aan van de moeilijkheden van het echte schilderen: je hebt anatomie, je hebt draperie, je hebt schaduwen, je hebt licht, je hebt kleur. Jullie zullen er in elk geval achter komen hoe moeilijk het allemaal is.

Ik richtte me op mijn doek en maakte me klaar om te doen alsof ik de gelede pop schetste en inkleurde. Iedereen ging aan het werk,

zelfs de oneerbiedige studenten die het alleen serieus namen uit opluchting omdat ze even ergens waren waar het rustig was, in een lokaal waar je niets hoefde te zeggen, op een afstandje van het praten,
weg van het leven in het studentenhuis. Ik werkte ook, maar blindelings; ik bewoog mijn potlood en kneep de verf op mijn zorgvuldig
afgeschraapte palet, maar alleen omdat ik niet wilde dat iemand me
stil zag staan. Vanbinnen stond ik stil. Ik voelde de tranen in mijn
ogen opwellen.

Ik had die dag voorgoed met schilderen kunnen stoppen, nog vóór
ik goed en wel begonnen was, als Robert, die van ezel naar ezel liep,
niet plotseling vlak achter me was blijven staan. Ik hoopte dat ik niet
zou gaan beven; ik wilde hem vragen alsjeblieft niet te kijken naar wat
ik deed, en toen leunde hij over mijn schouder en wees met een van
zijn vreemd grote vingers naar het hoofd dat ik had geschetst. 'Heel
goed,' zei hij. 'Je bent hier indrukwekkend ver mee gekomen.' Ik kon
geen woord uitbrengen. Zijn gele katoenen overhemd was zo dichtbij
dat het mijn hele blikveld vulde toen ik mijn hoofd draaide om zijn
woorden in ontvangst te nemen. Zijn arm en wijzende hand waren gebruind. Hij was verbazend echt, lelijk, levend, zelfbewust. Ik voelde
dat wie ik was, alles waarmee ik was grootgebracht, allemaal even mie-
zerig en saai was, maar dat zijn nabijheid het heel even belangrijk maakte.

'Dank u,' zei ik dapper. 'Ik heb hard gewerkt; ik vroeg me zelfs af
of ik naar uw spreekuur zou kunnen komen om u een paar vragen te
stellen en u wat andere dingen te laten zien die ik heb gemaakt ter
voorbereiding op mijn tekenlessen in het nieuwe jaar.'

Terwijl ik het zei, draaide ik me verder om en keek hem aan. Zijn
hoekige gezicht was zachter dan ik tot dan toe had gedacht, een beetje vlezig rond de neus en kin, met een huid die begon te verslappen –
een gezicht dat snel zou verouderen omdat de eigenaar zich er niet van
bewust was. Ik voelde hoe stevig mijn eigen gladde gezicht was, de
boog van mijn kin en hals, de glans van mijn haar, zorgvuldig geborsteld en geknipt, met een glanzende, rechte onderrand. Hij was beangstigend, maar ook oud en versleten. Ik was nieuw en klaar voor de wereld. Misschien was ik in het voordeel. Hij glimlachte. Het was een
vriendelijke glimlach, maar geen persoonlijke; een warme glimlach, de
glimlach van een man die in feite geen hekel had aan mensen, al kon
hij ze helemaal vergeten terwijl hij een pop schetste. 'Zeker,' zei hij.

'Kom maar langs. Ik heb op maandag en woensdag van tien tot twaalf spreekuur. Weet je mijn kamer te vinden?'

'Ja,' jokte ik. Ik zou er wel komen.

Ongeveer een week nadat Robert Oliver me had uitgenodigd naar zijn kamer te komen, had ik genoeg moed verzameld om hem mijn portfolio te laten zien. Toen ik met mijn grote kartonnen map bij zijn deur kwam, stond die een stukje open, en ik zag zijn grote gestalte rondlopen in de piepkleine kamer. Ik liep timide langs het prikbord op zijn deur waar ansichtkaarten, cartoons en gek genoeg een losse handschoen aan waren geprikt en liep plompverloren naar binnen. Toen drong het tot me door dat ik had moeten kloppen. Ik draaide me om en bedacht me, want Robert had me al gezien. 'Hé, hallo,' zei hij.

Hij borg papieren op in een archiefkast, en ik zag dat hij ze plat in de lade schoof, niet in hangmappen, alsof hij ze alleen wilde verstoppen of van zijn bureau af wilde hebben en er niet om maalde of hij ze ooit nog terug zou kunnen vinden. Zijn kantoor was een janboel van notitieboekjes, tekeningen, schildermaterialen, onderdelen van stillevens (ik herkende er een paar uit onze klas), dozen met houtskool en pastelkrijt, snoeren, lege waterflessen, sandwichverpakkingen, schetsen, koffiebekers en papieren van de universiteit; overal lagen papieren.

De wanden waren bijna net zo vol: boven zijn bureau waren ansichtkaarten van steden en schilderijen geplakt, memo's en citaten (ik stond te veraf om ze te kunnen lezen), die de paar grote kunstaffiches eronder bijna helemaal bedekten. Ik herinner me dat er een affiche van de National Gallery bij was, voor de expositie *Matisse in Nice*, die ik zelf had gezien tijdens een uitstapje met Muzzy. Robert had dichtbeschreven Post-its over Matisse' dame in haar openvallende, gestreepte ochtendjas geplakt.

Ik herinner me ook dat er, om de een of andere reden (dat leek mij althans), een dichtbundel boven op de rotzooi op zijn bureau lag; het was Czeslaw Milosz' *Verzamelde gedichten* in vertaling, nieuw, en ik verbaasde me erover dat een schilder poëzie las, want mijn vriendje de dichter had me er tijdelijk van overtuigd dat alleen dichters dat mochten. Het was mijn eerste kennismaking met de gedichten van Milosz, die Robert prachtig vond en die hij me later zou voorlezen; ik heb de bundel nog die ik die dag op zijn bureau zag liggen. Het is een van de weinige cadeaus van Robert die ik heb bewaard; hij gaf zijn bezittingen net zo achteloos weg als hij zich die van anderen toe-eigende, een eigenschap die je voor gulheid kon aanzien tot je besefte dat hij nooit aan iemands verjaardag dacht of geleend geld teruggaf.

'Kom binnen,' zei Robert, die een stoel in een hoek vrijmaakte, wat hij deed door de papieren die erop lagen in de la van de archiefkast te schuiven. Hij duwde de la dicht. 'Ga zitten.'

Ik ging gehoorzaam zitten, tussen een aloëplant in een hoge pot en een soort oerwoudtrommel die hij een keer voor een stilleven in ons atelier had gebruikt. Ik kon de kralen en schelpen rondom wel dromen. 'Dank u dat ik langs mocht komen,' zei ik zo ontspannen als ik kon. In dat volle kamertje was zijn lichamelijke aanwezigheid nog imposanter dan in het atelier; de muren leken zich om hem heen te krullen, alsof zijn hoofd langs het plafond streek, het optilde. Hij had in elk geval met gemak twee tegenover elkaar liggende muren kunnen aanraken met uitgestrekte armen, met zijn enorme spanwijdte. Ik dacht aan het boek met Griekse mythes uit onze jeugd, waarin de goden werden afgeschilderd als menselijke wezens, maar dan groter. Hij tilde zijn kaki broek iets op boven de knieën, ging op zijn bureaustoel zitten en zwenkte mijn kant op. Zijn gezicht stond vriendelijk en leraarachtig, geïnteresseerd, al voelde ik dat hij afwezig was; hij luisterde niet echt.

'Natuurlijk. Met alle plezier. Hoe bevalt de cursus je en wat kan ik voor je doen?'

Ik frummelde aan de randen van mijn map en probeerde toen stil te zitten. Ik had me vaak afgevraagd wat hij tegen me zou zeggen, zeker als hij zag hoe hard ik op mijn tekeningen had gezwoegd, maar ik was vergeten te repeteren wat ik tegen hem zou zeggen; gek, want ik had me met veel zorg gekleed en mijn haar nog een keer geborsteld voordat ik het gebouw in liep.

'Nou,' zei ik, 'ik vind de cursus leuk, heel leuk zelfs. Ik was nooit op het idee gekomen kunstenaar te worden, maar ik werk nu aan... Ik bedoel, ik begin de dingen anders te zien. Waar ik maar kijk.' Het was niet wat ik had willen zeggen, maar hij richtte zijn tot spleetjes geknepen ogen op me en daardoor had ik het gevoel dat ik iets ontdekte wat er nu uit floepte. Hij had heel bijzondere ogen, zeker van dichtbij, niet groot, behalve als hij ze opensperde, maar prachtig van vorm, bruingroen, de kleur van groene olijven; ze vloekten bij zijn onverzorgde haar en zijn oude huid – zo zag ik dat toen, of kwam het door het verbijsterende contrast tussen die volmaakte ogen en zijn verfomfaaide zelf? Ik ben er nooit uit gekomen, ook niet veel later, toen ik die ogen en hemzelf met elke cel van mijn wezen had kunnen observeren. 'Ik bedoel, ik begin naar dingen te kijken in plaats van ze alleen maar te zien. Ik kom 's ochtends buiten en zie de takken van de bomen voor het eerst echt. Ik prent ze in mijn geheugen en ga later terug om ze te schetsen.'

Nu luisterde hij. Zijn blik was niet op die innerlijke stem gericht die hij vaak midden onder de les leek te horen; hij was niet langer aantrekkelijk zorgeloos, niet langer nonchalant. Zijn immense handen lagen op zijn knieën en hij keek naar mij. Hij deed niet charmant; hij was niet met zichzelf bezig; het ging hem niet eens om mij en mijn perfect geborstelde haar. Hij was getroffen door mijn woorden, alsof ik hem een geheime handdruk had gegeven of iets had gezegd in de taal die hij als kind had gekend en al jaren niet meer had gehoord. Zijn borstelige donkere wenkbrauwen schoten verbaasd omhoog. 'Zit daar je werk in?' Hij wees naar de kartonnen map.

'Ja.' Ik reikte hem de map aan, die bijna uit mijn handen glipte. Mijn hart bonsde. Hij sloeg de map op zijn schoot open en keek naar de eerste tekening: de vaas van mijn oom en een uit de eetzaal gestolen fruitschaal. Ik zag hem ondersteboven op zijn knie liggen; het was verschrikkelijk, een schertsvertoning. Soms hield hij ons werk tijdens de les ondersteboven, om ons te laten nadenken over het rangschikken van vormen, het werken aan een compositie in plaats van aan een lamp of een pop; dat deed hij om ons de zuivere vorm te laten zien, om onze onzorgvuldigheden aan het licht te brengen. Ik vroeg me af waarom ik die schets ooit aan iemand zou willen laten zien, laat staan aan Robert Oliver. Ik had hem moeten verstoppen, ik had alles voor hem moeten verstoppen. 'Ik weet dat ik nog minstens tien jaar moet oefenen.'

Hij zei niets terug, maar bracht mijn schets iets dichter bij zijn ogen en toen langzaam weer verder weg. Het drong tot me door dat 'tien jaar' misschien iets te optimistisch had geklonken. Ten slotte zei hij iets. 'Dit is niet zo heel goed, hoor,' zei hij.

Mijn stoel leek onder me te zwalken als een bootje op ruwe zee. Ik had geen tijd om na te denken.

'Anderzijds,' vervolgde hij, 'zit er wel leven in, en dat is iets wat niet aangeleerd kan worden. Dat is een gave.' Hij bekeek nog een paar tekeningen. Ik wist dat hij nu mijn boomtakken zag, en de jonge dichter met ontbloot bovenlijf; ik had de grote vellen zorgvuldig geordend. Nu mijn kopie van een paar appels van Cézanne, en toen de hand van mijn kamergenote, die ze gedienstig stil voor me op tafel had laten liggen. Ik had een beetje van alles geprobeerd, en voor elke schets die in de map lag, had ik tien andere afgekeurd; zo verstandig was ik tenminste nog geweest. Robert Oliver keek weer op, snel, en keek niet naar me, maar ín me. 'Heb je op de middelbare school tekenles gehad? Teken je al lang?'

'Ja en nee,' zei ik met het gevoel dat hij nu eindelijk een vraag stelde die ik kon beantwoorden. 'We hadden wel creatieve vakken, maar het was nogal vrijblijvend. We hebben niet echt tekenles gehad. Afgezien daarvan heb ik alleen deze cursus gevolgd, de uwe, en ik ben een paar weken geleden zelf gaan tekenen omdat ik de dingen niet goed kon schilderen, zoals u zei. U zei dat we pas echt konden schilderen als we hadden leren tekenen.'

'Dat klopt,' mompelde hij. Hij liet zijn blik langzaam weer naar mijn tekeningen glijden. 'Dus je bent nog maar net begonnen?' Hij kon je plotseling strak aankijken, alsof hij je net had ontdekt; je werd er zenuwachtig en opgewonden van. 'Je bent eigenlijk wel getalenteerd.' Hij draaide een schets weer om, alsof hij verbaasd was, en sloeg de map dicht. 'Doe je dit graag?' vroeg hij ernstig.

'Ik heb nog nooit iets zo graag gedaan,' zei ik, en terwijl ik het zei, besefte ik dat het niet alleen het goede antwoord was, maar ook de waarheid.

'Teken alles dan. Maak honderd tekeningen per dag,' zei hij vurig. 'En denk erom dat het een hels bestaan is.'

Hoe kon de boven me gapende hemel hels zijn? Ik liet me niet graag commanderen, daar kreeg ik een akelig gevoel van in mijn maag, maar hij had me gelukkig gemaakt. 'Dank u.'

'Je zult me niet dankbaar zijn,' zei hij, niet bars, maar verdrietig. Wist hij niet meer wat blijdschap was? vroeg ik me af. Wat moet het verschrikkelijk zijn om ouder te worden. Ik had veel medelijden met hem en was heel blij voor mezelf, met mijn jeugd en mijn optimisme en mijn plotselinge wetenschap dat mijn leven schitterend zou worden. Hij schudde zijn hoofd en glimlachte; het was een gewone, vermoeide glimlach. 'Als je maar hard werkt. Waarom geef je je niet op voor de zomerworkshop schilderen hier? Ik kan een goed woordje voor je doen.'

Dat zal Muzzy echt fantastisch vinden, dacht ik, maar ik zei: 'Graag. Ik zat er al over te denken om me op te geven.' Ik was niet eens van plan geweest die zomer op de campus te blijven; al mijn vrienden gingen naar New York, een vakantiebaantje zoeken, en ik had al bijna besloten hetzelfde te doen. 'Geeft u de workshop?'

'Nee, nee,' zei hij. Hij maakte weer een verstrooide indruk, alsof hij andere dingen te doen had – meer papier in laden proppen, misschien. 'Ik ben hier alleen dit semester. Als gastdocent. Ik moet terug naar mijn eigen leven.' Dat was ik vergeten. Ik vroeg me af wat zijn leven kon behelzen, los van de schilderijen en tekeningen die hij overal kon maken en natuurlijk zijn uiterst belangrijke leerlingen, zoals ik. Hij droeg die trouwring aan zijn linkerhand, maar waarschijnlijk was zijn vrouw met hem meegekomen, al had ik haar nooit gezien. 'Geeft u normaal ergens anders les?' Ik besefte te laat dat ik dat waarschijnlijk al hoorde te weten, maar hij leek mijn onwetendheid niet op te merken.

'Ja, aan Greenhill College in North Carolina. Een leuk schooltje met mooie ateliers. Ik moet naar huis.' Hij glimlachte. 'Mijn dochtertje mist me.'

Het kwam hard aan; ik had gedacht dat kunstenaars geen kinderen hadden, of ze in elk geval niet hoorden te hebben. Het gaf zijn bestaan iets alledaags wat me niet beviel. 'Hoe oud is ze?' vroeg ik uit beleefdheid.

'Veertien maanden. Een beeldhouwer in de dop.' Zijn glimlach verdiepte zich; hij was ver weg, in een knusse omgeving waar hij zich thuis voelde.

'Waarom zijn ze niet met u meegekomen?' Ik vroeg het om hem een beetje te straffen voor het feit dat hij ze hád.

'O, ze voelen zich daar zo thuis... Het college heeft een goede crèche, en mijn vrouw is net parttime gaan werken. Zo lang blijf ik niet weg.'

Zijn gezicht stond weemoedig; hij hield van zijn kind, zag ik, in dat mysterieuze oord, en misschien hield hij ook wel van de toegewijde echtgenote. Het was teleurstellend, hoe die oudere mensen altijd weer zo'n gewoon leven bleken te hebben. Ik vond dat ik beter niet te lang kon blijven; het was vragen om nieuwe teleurstellingen. 'Nou, dan zal ik u maar weer aan het werk laten gaan. Heel erg bedankt dat u naar mijn tekeningen wilde kijken en voor... voor uw bemoedigende woorden. Ik stel het echt op prijs.'

'Graag gedaan,' zei hij. 'Ik hoop dat het je lukt. Kom gerust nog eens meer laten zien, en denk erom dat je je opgeeft voor die workshop. Hij wordt gegeven door James Ladd, en die is geweldig.'

Maar hij is jou niet, dacht ik. 'Dank u.' Ik stak mijn hand uit om de ontmoeting met een ritueel af te sluiten. Hij stond op, plotseling weer heel lang, en nam mijn hand aan. Ik drukte zijn hand stevig om te laten merken dat ik serieus was, dankbaar, misschien zelfs een toekomstige collega. Het was heerlijk, die hand; ik had hem nog nooit gevoeld. De mijne verdronk erin. De knokkels waren stevig en droog, en zijn greep was ook stevig, al was het een automatisme; het voelde als een omhelzing. Ik slikte moeizaam om mezelf te dwingen los te laten. 'Dank u,' zei ik nog eens, en ik liep klungelig met mijn portfolio onder mijn arm naar de deur.

'Tot gauw.' Ik voelde meer dan dat ik het zag dat hij zich weer op zijn werk op het bureau richtte, maar in die laatste seconde had ik iets in hem gezien wat ik niet kon benoemen; misschien was hij ook ontroerd geweest door mijn aanraking, of nee, misschien had hij gewoon gemerkt dat de zijne mij had ontroerd. Bij die gedachte kon ik wel door de grond zinken; pas halverwege de wandeling terug naar mijn studentenhuis, onder de winderige, heldere hemel en langs drommen studenten op weg naar de lunch, voelde mijn gezicht weer koel aan. Toen schoot het me weer te binnen: *Maak honderd tekeningen per dag.*

Robert, ik heb het bijna tien jaar onthouden. Ik weet het nog steeds.

Mon cher ami,

Ik weet niet waar ik moet beginnen met u te schrijven, al wil ik wel zeggen dat uw brief me diep heeft geroerd. Als het een opluchting voor u zou zijn me over uw beminde vrouw te vertellen, kunt u ervan verzekerd zijn dat ik zal luisteren. Papa heeft me ooit, heel vluchtig, verteld dat u haar onverwacht was kwijtgeraakt en zoveel verdriet had dat u er bijna ziek van werd voordat u het land verliet. Derhalve kan ik alleen maar aannemen dat u die jaren in het buitenland alleen hebt doorgebracht, en dat u Parijs ten dele achter u hebt gelaten om te kunnen rouwen. Als met mij praten uw leed kan verzachten, zal ik zo goed mogelijk luisteren, al weet ik zelf weinig van zulke verliezen, de hemel zij dank. Het is het minste wat ik voor u kan doen, na wat u voor mij hebt gedaan, uw bemoediging en vertrouwen in mijn werk. Ik merk dat ik nu elke ochtend verlangend naar mijn atelier in de serre ga, in het besef dat mijn schilderijen ten minste één vriendelijke bewonderaar hebben. Met andere woorden: al zal ik net zo gespannen als u het vonnis van de jury afwachten, uw woorden betekenen meer voor me dan goed of slecht nieuws uit die hoek. Mogelijk ziet u dit als de bravoure van de jonge kunstenaar, en misschien hebt u daar ten dele gelijk in, maar ik ben ook oprecht.

Met de diepste genegenheid,

Béatrice

50

Mary

Het was niet de enige keer dat ik alleen was met Robert Oliver voordat hij afscheid nam van Barnett; we hadden nog een ontmoeting, maar eerst moet ik een paar andere dingen vertellen. Onze cursus was afgelopen; we hadden drie stillevens, een pop en een model geschilderd, discreet in ochtendjas, niet naakt, een gespierde chemiestudent. Ons werk was door de bank genomen slecht. Ik vond het jammer dat Robert niet vaker samen met ons schilderde en tekende, zodat we konden zien hoe het echt moest. Er was werk van hem opgenomen in de voorjaarsexpositie van het instituut en ik ging ernaar kijken. Hij was vertegenwoordigd met vier doeken, die hij allemaal – waar? thuis? 's nachts? – had geschilderd tijdens zijn semester bij ons. Ik probeerde er de lessen in te zien die hij ons tijdens de cursus had geleerd: vorm, compositie, kleurkeuze, het mengen van de verf. Had hij ze ondersteboven gehouden terwijl hij eraan werkte? Ik zocht naar driehoeken, verticale en horizontale lijnen, maar de afbeeldingen waren zo krachtig, met hun levende, ademende penseelstreken, dat het moeilijk was erdoorheen te kijken.

Een van Roberts schilderijen op die expositie was een zelfportret (jaren later zou ik het terugzien, voordat hij het vernielde) vol afstandelijke intensiteit, en dan waren er nog twee bijna impressionistische doeken met bergweiden, bomen en twee mannen in moderne kleding die van de rand van het doek af liepen. Ik vond het contrast tussen de negentiende-eeuwse penseelvoering en die hedendaagse figuren leuk. Ik begon door te krijgen dat het Robert niets kon schelen of de mensen vonden dat hij een eigen stijl had; hij zag zijn werk als één groot experiment en hanteerde zelden langer dan een paar maanden dezelfde stijl of techniek.

Dan was het vierde schilderij er nog. Ik bleef er lang voor staan, want ik moest wel; ziet u, ik kende haar lang voordat Robert en ik ge-liefden werden; ze was er al, altijd aanwezig. Het was een portret van een vrouw in een laag uitgesneden, ouderwetse jurk, een soort balja-pon, met in haar ene hand een dichte waaier en in de andere een dicht boek, alsof ze niet kon kiezen of ze naar het feest zou gaan of thuis zou blijven om te lezen. Ze had dik, donker haar, opgetast in een wa-terval van zachte, met bloemen getooide krullen. Ik vond haar gezichts-uitdrukking peinzend en van een diepe intelligentie, een tikje wantrou-wig. Ze had over iets zitten denken en had toen opeens gevoeld dat er naar haar werd gekeken. Ik weet nog dat ik me afvroeg hoe Robert zo'n vluchtige uitdrukking had kunnen treffen.

Dit moet zijn vrouw zijn, dacht ik, die poseert in kostuum; zo'n in-timiteit ging er van het portret uit. Om de een of andere reden vond ik het niet prettig om haar op die manier te ontmoeten, temeer daar ik me haar al had voorgesteld als saai en hardwerkend, met haar peu-ter en haar praktische werk. Het was een vaag onaangename verras-sing voor me dat Robert haar als zo vitaal en lieflijk zou kunnen zien. Ze was jong, maar niet te jong om van Robert te kunnen zijn, en zo vol van subtiele, ingehouden beweging dat je het gevoel kreeg dat ze elk moment kon glimlachen, maar pas als ze je herkende. Het was bij-na griezelig.

Het andere opmerkelijke aan het schilderij was de achtergrond. De vrouw zat op een grote zwarte bank, iets achterovergeleund, en aan de muur achter haar hing een spiegel, boven haar hoofd. Die spiegel was zo vaardig weergegeven dat ik verwachtte mezelf erin te zien, maar in plaats daarvan zag ik, als van een afstand, Robert Oliver achter zijn ezel, die zichzelf schilderde terwijl hij haar schilderde, in zijn gekreuk-te hedendaagse kleding, en in het midden van de spiegel waren haar losjes opgestoken haar en slanke nek te zien. Hij keek met een ernstig, geconcentreerd gezicht naar haar op, de echtgenote die ook zijn mo-del was.

Dus hij was degene naar wie ze elk moment kon glimlachen. Ik voel-de een scheut heuse jaloezie, al had ik niet kunnen zeggen of ik jaloers was omdat ze naar míj had moeten glimlachen of omdat ik niet wilde dat Robert haar glimlach beantwoordde. In de spiegel werden de ezel en hij omlijst door een raam, de lichtbron achter hem terwijl hij schil-derde, een raam dat was opgebouwd uit panelen, gevat in metselwerk. Er stonden een paar neogotische gebouwen uit de jaren twintig en dertig op het terrein van Barnett; hij moest een eetzaal of een oud lokaal hebben opgezocht om die details te vinden. Door het raam in de spiegel was iets als een strand zichtbaar, met kliffen aan een kant en een blauwe lucht boven een horizon van water.

Portret en zelfportret, subject en beschouwer, spiegel en raam, landschap en architectuur: het was een buitengewoon schilderij, een schilderij om op te flippen, om studentenjargon te gebruiken. Ik wilde er net zo lang naar kijken tot ik het verhaal had ontrafeld. Hij had het werk *Olie op doek* genoemd, al hadden de drie andere schilderijen een echte titel. Ik zou willen dat Robert de zaal in drentelde zodat ik hem kon vragen wat het doek betekende en hem kon zeggen hoe verstikkend lieflijk en raadselachtig het was. Het idee weg te lopen en het achter te laten maakte me gespannen; ik keek in mijn catalogus, maar de galerie had ervoor gekozen een van de andere schilderijen af te beelden en uitvoerig toe te lichten, terwijl dit werk alleen was opgenomen met het jaartal en de titel. Als ik nu wegging, zou ik het misschien nooit meer terugzien, zou ik die vrouw wier blik de mijne zo verlangend ontmoette misschien nooit meer zien; waarschijnlijk keerde ik er daarom nog een paar keer naar terug voordat de expositie eindigde.

51
Mary

Toen zag ik Robert op een dag weer, alleen, vlak voor het eind van het semester. Onze cursus was afgesloten met een feestje in het atelier en na afloop had hij ons allemaal uitgeleide gedaan, zonder speciale aandacht aan een van ons te besteden, maar met een trotse glimlach voor iedereen; we hadden het beter gedaan, allemaal, vertrouwde hij ons toe, dan hij ooit had kunnen denken. Een paar dagen later, in de tentamenweek, sloeg ik op weg naar de bibliotheek een met bloemblaadjes bedekt pad in en botste bijna tegen hem op.

'Dat ik jou hier tegen het lijf loop,' zei hij terwijl hij bleef staan en zijn lange arm uitstak als om me te vangen, of om te voorkomen dat ik echt tegen hem opbotste. Zijn hand omsloot mijn bovenarm. Het klonk intiemer dan hij mogelijk had bedoeld, maar ik was ook bijna tegen zijn borstkas op geknald.

'Letterlijk,' voegde ik eraan toe, en ik voelde me voldaan toen hij hartelijk lachte, iets wat ik hem nog niet eerder had zien doen. Hij legde zijn hoofd iets in zijn nek, opgaand in zijn plezier, onbekommerd. Het was een vrolijk geluid; toen ik het hoorde, schoot ik ook in de lach. We stonden vergenoegd onder de voorjaarsbomen, een ouder en een jonger iemand wier gezamenlijke taak erop zat. Daarom viel er niets meer te zeggen, en toch bleven we daar glimlachend staan, omdat het een warme dag was en de lange winter onze respectieve dromen nog niet had verjaagd, en omdat het semester bijna was afgelopen en iedereen dan zijn vrijheid kreeg: een overgang, een opluchting. 'Ik ga die zomerworkshop schilderen doen,' zei ik om de gemoedelijke stilte te vullen. 'Nogmaals bedankt voor uw aanbeveling.' Toen schoot het me te binnen. 'O, ik ben naar de voorjaarsexpositie geweest. Ik vond uw schilderijen prachtig.' Ik zei er niet bij dat ik drie keer was gegaan.

'Goh, dank je.' Daar liet hij het bij; het leerde me weer iets over hem, namelijk dat hij liever niet inging op commentaar op zijn werk. 'Eigenlijk wilde ik u van alles vragen over een van de schilderijen.' Ik waagde het erop. 'Ik bedoel, ik ben heel nieuwsgierig naar sommige dingen die u hebt gedaan en ik had het fijn gevonden als u er ook was geweest, dan had ik u er meteen naar kunnen vragen.'

Er trok iets vreemds over zijn gezicht, bijna onmerkbaar, een ijle, fijne nevel over de lentedag, en ik wist niet of het kwam doordat hij had geraden op welk schilderij ik doelde of door mijn 'ik had het fijn gevonden als u er ook was geweest', maar er voer een – wat? een huivering van voorgevoel? – door hem heen. Maakt niet elke liefde zich op die manier kenbaar, met de kiem van zowel de bloei als de vernietiging in de allereerste woorden, de eerste ademtocht, de eerste gedachte? Hij fronste zijn voorhoofd en keek me aandachtig aan. Ik vroeg me af of zijn aandacht mij gold, of iets vlak buiten het kader. 'Vraag maar,' zei hij een beetje kortaf. Toen glimlachte hij. 'Zullen we er even voor gaan zitten?' Hij keek om zich heen, net als ik: de stoelen en tafels achter het studentencafé stonden duidelijk zichtbaar aan de andere kant van het plein. 'Ja?' vroeg hij. 'Ik wilde net even pauzeren en een glas limonade drinken.'

In plaats daarvan lunchten we tussen de studenten met hun rugzakken, die voor tentamens leerden of roerend in hun koffie zaten te praten in de zon. Robert nam een enorm broodje tonijn met zuur en een grote hoeveelheid friet ernaast, en ik een salade. Hij stond erop alles te betalen, en ik stond erop twee grote kartonnen bekers limonade voor ons te halen, uit een kolkende machine, maar het smaakte goed. We aten aanvankelijk zwijgend. Ik had mijn laatste schilderij ingeleverd, we hadden afscheid genomen na de laatste les en hoewel ik nu het moment afwachtte om hem naar *Olie op doek* te vragen, had ik het gevoel dat we al een soort vrienden konden zijn, aangezien we niet langer leerling en docent waren. Zodra de gedachte me inviel, wees ik die van de hand als aanmatigend; hij was een grote meester en ik een nul met een beetje talent. De vogels waren me nog niet echt opgevallen – ze waren teruggekomen, na de winterse sneeuw – noch de helderheid van de bomen en gebouwen en de paneelramen van de eetzaal die open waren gezet om het voorjaar binnen te laten.

Robert stak een sigaret op, waarvoor hij zich verontschuldigde. 'Meestal rook ik niet,' zei hij, 'maar ik heb deze week een pakje gekocht, om het te vieren. Ik ben niet van plan ermee door te gaan. Ik doe het maar één keer per jaar.' Hij liep het café in om een asbak te halen, en toen hij terug was, ging hij er echt voor zitten en zei: 'Goed, ga je gang, maar je weet dat ik doorgaans geen vragen beantwoord over mijn schilderijen.' Ik wist het niet; ik wilde zeggen dat ik niets van hem wist. Hij leek het echter vermakelijk te vinden, of zich erop voor te bereiden zich te laten vermaken, en zijn ogen leken mijn haar te zien toen ik het over mijn schouders streek; het reikte toen nog tot mijn middel en het was nog blond, mijn eigen haarkleur.

Hij zei echter niets, dus moest ik wel beginnen. 'Wil dat zeggen dat ik er niet naar mag vragen?'

'Je mag wel vragen stellen, maar misschien geef ik geen antwoord, meer niet. Ik geloof niet dat schilders de antwoorden hebben op de vragen die hun schilderijen oproepen. Niemand weet iets van een schilderij, alleen het schilderij zelf. Trouwens, een schilderij moet iets raadselachtigs hebben, anders werkt het niet.'

Ik dronk mijn beker limonade leeg en verzamelde moed. 'Ik vond al uw schilderijen heel mooi. Die landschappen waren echt schitterend.' Ik was nog te jong om te weten hoe het een genie in de oren kon klinken, maar ik was tenminste zo wijs niets over het zelfportret te zeggen. 'Waar ik u naar wilde vragen is dat grote doek, dat met die vrouw op de bank. Ik ging ervan uit dat het uw vrouw was, maar ze heeft zo'n ongelooflijk ouderwetse jurk aan. Wat voor verhaal zit daarachter?'

Hij keek me weer aan, maar nu afstandelijk, op zijn hoede. 'Verhaal?'

'Ja. Ik bedoel, het is zo gedetailleerd, het raam en de spiegel... Het is zo gecompliceerd, en zij lijkt springlevend. Heeft ze voor u geposeerd, of hebt u misschien naar een foto gewerkt?'

Hij keek door me heen, schijnbaar helemaal tot aan de stenen muur achter me, de muur van de studentenvakbond. 'Het is mijn vrouw niet en ik werk niet naar foto's.' Zijn stem klonk welwillend, maar onpersoonlijk, en hij nam een trek van zijn sigaret. Hij inspecteerde zijn andere hand, die op de tafel lag. Hij strekte de vingers en masseerde de gewrichten: de langzame weg van de schilder naar artritis, begreep ik later. Toen hij weer opkeek, hadden zijn ogen zich vernauwd, maar nu naar mij, niet naar een verre horizon. 'Als ik je vertel wie het is, zul je het dan aan niemand anders vertellen?'

Bij die woorden tintelde er iets in me, dat griezelige gevoel dat je als kind krijgt als een volwassene voorstelt je iets volwassens te vertellen, iets over een persoonlijk verdriet, bijvoorbeeld, of over een financieel probleem dat je al vermoedde, maar nog een paar jaar van je kindertijd zou moeten mogen negeren, of, god verhoede het, iets beangstigends, iets seksueels. Ging hij me over zijn verborgen, verachtelijke liefdesleven vertellen? Zoiets hadden mensen van middelbare leeftijd soms, al waren ze er te oud voor en zouden ze beter moeten weten. Het was stukken beter om jong en ongebonden te zijn en vrijelijk met je genegenheid, fouten en lichaam te mogen koketteren. Het was mijn gewoonte iedereen van boven de dertig als meelijwekkend te beschouwen, en ik was zo wreed geen uitzondering te maken voor die verweerde Robert Oliver met zijn eenmalige lentesigaret.

'Nee, hoor,' zei ik met bonzend hart. 'Ik kan wel een geheim bewaren.'

'Nou...' – hij tikte zijn as af – '... eerlijk gezegd weet ik niet wie ze is.' Hij knipperde snel met zijn ogen. 'O, god,' zei hij met een van wanhoop vervulde stem. 'Wist ik het maar!'

Het was zo verbazend, zo huiveringwekkend en bizar dat ik er het zwijgen toe deed; ik veinsde bijna dat hij die laatste zin niet had uitgesproken. Ik kon er gewoon niet bij, ik wist niet hoe ik moest reageren. Hoe kon hij iemand schilderen zonder te weten wie ze was? Ik was ervan uitgegaan dat hij naar vriendinnen, zijn vrouw of beroepsmodellen werkte. Zou hij een fantastische vrouw van de straat hebben geplukt, net als Picasso? Ik wilde het niet rechtstreeks vragen, want dan zou hij mijn verwarring en onwetendheid zien. Toen kreeg ik een inval. 'Wilt u zeggen dat u haar hebt verzonnen?'

Hij keek nu verbeten, en ik vroeg me af of ik hem eigenlijk wel aardig vond. Misschien was hij bij nader inzien wel vals. Of gestoord. 'O, ze is wel echt, in zekere zin.' Toen glimlachte hij, tot mijn onuitsprekelijke opluchting, al voelde ik me ook vaag beledigd. Hij tikte een tweede sigaret uit het pakje. 'Wil je nog limonade?'

'Nee, dank u,' zei ik. Hij had me in mijn trots gekwetst; hij had me een kwellend mysterie voorgelegd zonder me ook maar een aanwijzing voor de oplossing te geven, en hij leek niet het gevoel te hebben dat hij mij, zijn leerling, zijn lunchgenodigde, het meisje met het mooie haar, had buitengesloten. Het had ook iets beangstigends. Ik had het idee dat als hij me maar kon uitleggen wat hij met zijn vreemde uitspraken bedoelde, ik meteen een ingewijde zou zijn in de aard van het schilderen, het wonder van de kunst, maar hij veronderstelde kennelijk dat ik het toch niet kon begrijpen. Ergens wilde ik zijn bizarre geheimen niet horen, maar toch stak het. Ik zette mijn beker neer en legde het witte plastic vorkje netjes op mijn bord, alsof ik op een etentje van een van Muzzy's vriendinnen was. 'Neem me niet kwalijk, maar ik moet naar de bibliotheek. Tentamens.' Ik stond op, rebels in mijn spijkerbroek en laarzen, bij wijze van uitzondering groter dan mijn docent, die nog zat. 'Dank u wel voor de lunch. Dat was heel vriendelijk van u.' Ik ruimde mijn rommel af zonder naar hem te kijken.

Hij stond ook op en legde een grote, vriendelijke hand op mijn arm om me tegen te houden, dus zette ik het bord weer neer. 'Je bent boos,' zei hij met een lichte verwondering in zijn stem. 'Waarom ben je van streek? Komt het doordat ik je vraag niet heb beantwoord?'

'Ik kan het u niet kwalijk nemen dat u denkt dat ik het antwoord niet zou begrijpen,' zei ik stijfjes, 'maar waarom solt u met me? Of u kent die vrouw, of u kent haar niet, toch?' Zijn hand was wonderbaarlijk warm door de mouw van mijn blouse; ik wilde dat hij hem daar altijd zou laten liggen, maar hij trok hem al weg.

'Het spijt me,' zei hij. 'Ik heb je de waarheid verteld; ik begrijp eigenlijk niet goed wie die vrouw op mijn schilderij is.' Hij ging weer zitten, en hij hoefde geen gebaar te maken; ik zakte langzaam ook weer op mijn stoel. Hij schudde zijn hoofd en keek naar de veeg langs een rand van de tafel, zo te zien vogelpoep. 'Ik kan het zelfs mijn vrouw niet duidelijk maken; ik denk dat ze het niet zou willen horen. Ik heb die vrouw jaren geleden gezien in het Metropolitan Museum of Art, in een volle zaal. Ik werkte aan een expositie die helemaal bestond uit schilderijen van jonge ballerina's, kinderen soms nog, in New York – ze waren zo volmaakt, net vogeltjes. En ik ging naar het Met om veel van Degas te zien, als aanknopingspunt, want hij is natuurlijk een van de meesterschilders van de dans, zo niet de grootste aller tijden.'

Ik knikte trots, want dat wist ik.

'Ik zag haar een van de laatste keren dat ik in het museum was, voordat we naar Greenhill verhuisden, en ik kon haar niet meer uit mijn hoofd zetten. Nooit meer. Ik kon haar niet vergeten.'

'Ze zal wel mooi zijn geweest,' opperde ik.

'Heel mooi,' zei hij. 'En dat niet alleen.' Hij leek in gedachten weer in het museum te zijn, kijkend naar een vrouw die een ogenblik later in de massa opging; ik voelde de romantiek van het moment, en ik voelde weer jaloezie ten opzichte van die onbekende die hem zo lang was bijgebleven. Pas later kwam het in me op dat zelfs Robert niet zo snel een gezicht in zijn geheugen had kunnen prenten.

'Bent u niet teruggegaan om haar te zoeken?' Ik hoopte van niet.

'Ja, natuurlijk. Ik heb haar nog een paar keer gezien, en toen nooit meer.'

Een onverwezenlijkte romance. 'En toen bent u zich haar gaan inbeelden,' hielp ik hem op weg.

Nu glimlachte hij naar me, en mijn nek gloeide. 'Tja, je zult daarnet al wel gelijk hebben gehad. Ik denk het.' Hij stond weer op, gerustgesteld en geruststellend, en we kuierden samen terug naar de voorgevel van de studentenvakbond. Hij bleef in de zon staan en reikte me de hand. 'Fijne zomer, Mary. Veel succes, het komende studiejaar. Ik weet zeker dat je goed werk kunt afleveren als je doorzet.'

'Insgelijks,' antwoordde ik ontroostbaar, maar met een glimlach. 'Ik bedoel, succes met lesgeven, met uw werk. Gaat u meteen terug naar North Carolina?'

'Ja, ja, volgende week.' Hij bukte zich en zoende me op mijn wang, alsof hij afscheid nam van de hele campus en al zijn studenten hier, en van het winterse noorden, allemaal handzaam samengevat in mijn persoon. Die onpersoonlijkheid benam me de adem. Zijn lippen waren warm en aangenaam droog.

'Nou, tot ziens,' zei ik. Ik maakte rechtsomkeert en dwong mezelf weg te lopen. Het enige vreemde was dat ik hem niet de andere kant op hoorde lopen; ik voelde hem nog lang achter me, en ik was te trots om over mijn schouder te kijken. Ik dacht dat hij wel naar zijn voeten of de stoep zou staan te staren, opgaand in zijn visioen van de vrouw die hij een paar keer vluchtig in New York had gezien, of misschien dagdromend over zijn gezinnetje thuis. Hij was onmiskenbaar blij dat hij dit alles weer kon verruilen voor zijn gezin en zijn echte leven, maar hij had ook gezegd: *Ik kan het zelfs mijn vrouw niet duidelijk maken.* Toevallig had ik zijn poging iets over zijn visioen te zeggen aangehoord; ik was bevoorrecht. Het bleef me bij, zoals het gezicht van een onbekende hem was bijgebleven.

52

Mary

Nadat Robert uit mijn leven was verdwenen, maanden tevoren, begon ik 's ochtends te tekenen in een café dat ik nog wel eens frequenteer. Ik heb dat altijd een mooie uitdrukking gevonden, een café 'frequenteren'. Ik moest ergens kunnen ontsnappen aan de ateliers waar ik tegenwoordig doceer. Er zijn niet veel cafés in de buurt waar een docent ongezien kan gaan zitten. De kans is te groot dat je studenten van vroeger (of, nog erger, van nu) tegenkomt en bij een gesprek wordt betrokken. Ik koos dus een café tussen mijn werk en mijn huis, bij een metrostation met een chique naam.

Niet dat ik mijn studenten niet mag; integendeel, ze geven me nu leven, de enige kinderen die ik ooit zal hebben, mijn toekomst. Ik ben dol op ze, compleet met hun inzinkingen, smoesjes en egoïsme. Ik vind het heerlijk om te zien hoe ze opeens het licht zien wat het schilderen betreft, of plotseling de voorkeur geven aan aquarel, een liefdesrelatie met houtskool – of een obsessie met azuur, dat in al hun schilderijen opduikt, zodat ze de rest van de klas moeten vertellen wat er aan de hand is: 'Ik... héb er gewoon iets mee.' Meestal kunnen ze niet uitleggen waarom; elke nieuwe bevlieging overrompelt ze gewoon. Als het niet schilderen is, is het wel alcohol of coke, jammer genoeg (al vertellen ze me daar niets over), of een jonge man of vrouw met wie ze colleges volgen, of repeteren voor een toneelstuk; ze hebben donkere kringen onder hun ogen, ze hangen in de klas, ze leven op wanneer ik een Gauguin laat zien die ze op de middelbare school zo mooi vonden. 'Van mij!' roepen ze uit. Ze maken afscheidscadeautjes voor me van beschilderde eierdozen. Ik ben gek op ze.

Maar je moet ook afstand nemen van je studenten, om je aan je eigen werk te wijden, dus had ik een tijdje de gewoonte naar het leven te tekenen in mijn stamcafé, vlak na het ontbijt, als ik tijd had voordat de lessen begonnen. Ik tekende de rijen theepotten op een plank, de imitatie-Ming-vaas, de tafels en stoelen, het bordje boven de uitgang, de al te vertrouwde poster van Mucha naast een rek met kranten, de flessen Italiaanse siroop met hun verschillende, maar bijna identieke etiketten, en ten slotte de mensen zelf. Ik werd weer brutaal in het tekenen van onbekenden, zoals vroeger, toen ik zelf nog studeerde; drie Aziatische vrouwen van middelbare leeftijd, rad pratend boven hun scones en kartonnen bekers, een jongen met een paardenstaart, half slapend met zijn hoofd op tafel, een vrouw van in de veertig met haar laptop.

Ik leerde weer naar mensen kijken, en dat verzachtte de pijn om Robert een beetje, dat prettig normale gevoel dat ik een tussen velen was en dat die andere mensen met hun andere jassen en brillen en ogen in verschillende vormen en kleuren ook allemaal hun Robert hadden, hun ongelooflijke rampen, genoegens en spijt. Ik probeerde plezier en spijt in mijn schetsen van hen te leggen. Sommigen vonden het leuk om getekend te worden en glimlachten van opzij naar me. Die ochtenden maakten het net iets makkelijker voor me om te accepteren dat ik alleen was en niet naar andere mannen wilde kijken, al zou dat mettertijd misschien slijten. Na een jaar of honderd.

1879

Mon cher ami,
Ik begrijp niet waarom u de laatste weken niet hebt geschreven, of
ons hebt bezocht. Heb ik u op de een of andere manier gekwetst? Ik
dacht dat u nog weg was, maar Yves zegt dat u in de stad bent.
Mogelijk heb ik me verkeken op uw genegenheid. Wilt u me in dat
geval vergeven?
Uw vriendin,

Béatrice de Clerval

53

Marlow

Het was erg druk op de weg, de ochtend na mijn etentje met Mary Bertison, mogelijk doordat ik later van huis was gegaan dan anders. Ik ben de massa graag voor, ook de receptionistes; ik vind het prettig om de weg, het parkeerterrein en de gangen van Goldengrove voor mezelf te hebben en een kwartiertje in mijn eentje mijn administratie bij te werken. Die ochtend had ik getreuzeld, de zon over mijn eenzame ontbijttafel zien schuiven en nog een eitje gekookt. Na ons gezellige etentje had Mary mijn beleefd ingeklede aanbod haar naar huis te brengen afgeslagen, zodat ik haar in een taxi had geholpen, maar de volgende ochtend had het appartement waarnaar ze niet was teruggekeerd, het mijne, vol van haar geleken. Ik zag haar op mijn bank zitten, beurtelings ongedurig, vijandig en vertrouwelijk.

Ik had een tweede kop koffie ingeschonken in de wetenschap dat ik er later spijt van zou krijgen; ik keek door mijn raam naar de bomen op straat, die nu helemaal groen waren, met een bladerdek voor de zomer. Ik herinnerde me hoe ze met haar lange, onberingde hand een opmerking van mij had weggewuifd en zelf iets had gezegd. Onder het eten hadden we over boeken en schilderkunst gepraat; ze had duidelijk laten blijken dat ze voor die dag genoeg over Robert Oliver had ' gezegd, maar die ochtend herinnerde ik me weer de beving in haar stem toen ze me vertelde dat ze liever over hem wilde schrijven dan praten.

Halverwege Goldengrove zette ik mijn nieuwe lievelingsmuziek uit, die ik op dat punt meestal juist harder zette; het was een opname van András Schiff die Franse suites van Bach speelde, een magnifieke stortvloed, dan een rimpeling van licht en dan weer het stromende water. Ik maakte mezelf wijs dat ik de muziek afzette omdat ik niet in staat was aandachtig te luisteren terwijl ik op het drukke verkeer moest letten; mensen sneden elkaar bij inritten, duwden op hun claxons en stopten zonder enige waarschuwing.

In feite wist ik niet goed of mijn auto wel plaats bood aan zowel Bach als Mary, aan haar enthousiasme tijdens de maaltijd toen ze Robert Oliver even vergat en over haar recente schilderijen vertelde, een serie vrouwen in het wit. Ik had beleefd gevraagd of ik ze een keer mocht zien; ze had tenslotte ook een glimp opgevangen van mijn provinciestadje, en dat vond ik niet eens een van mijn betere schilderijen. Ze had geaarzeld, min of meer toegestemd, een grens tussen ons bewakend. Nee, mijn auto bood geen ruimte aan zowel de Franse suites, het dieper wordende groen langs de weg en Mary Bertisons levendige, zuivere gezicht. Of misschien was er geen plaats voor míj. Mijn auto had nog nooit zo klein geleken, zo dringend toe aan een open dak.

Ik liep mijn ochtendronde en ging vervolgens naar Roberts kamer, die leeg was. Ik had hem voor het laatst bewaard en nu was hij weg. De afdelingsverpleegkundige zei dat hij buiten met een verzorgster liep te wandelen, maar toen ik door de achterdeur de veranda op liep, zag ik hem niet meteen. Ik geloof niet dat ik al heb verteld dat Goldengrove, net als mijn praktijk aan Dupont Circle, een overblijfsel uit voornamere tijden is, een villa waar in het tijdperk van Gatsby en MGM grootse feesten werden gegeven; ik vraag me vaak af of de schuifelende patiënten in de gangen niet worden opgebeurd en wellicht een beetje genezen door de art-deco-elegantie die hen omringt, de zonnige muren en imitatie-Egyptische friezen. Het gebouw is een paar jaar voordat ik er kwam te werken vanbinnen en vanbuiten gerenoveerd. Ik vind vooral de veranda mooi, met de kronkelende adobe muren en grote bloempotten die (gedeeltelijk op mijn aandringen) altijd vol witte geraniums staan. Vanaf die veranda kijk je over het terrein uit tot de wazige bomen langs de Little Sheridan, een halfhartige zijtak van de Potomac. Een paar van de oorspronkelijke tuinpartijen zijn opnieuw aangelegd, maar alles weer tot leven wekken zou meer kosten dan we kunnen missen. Er zijn bloembedden en er staat een grote zonnewijzer, die oorspronkelijk niet bij het huis hoorde. In het valleitje tussen de tuinpartijen is een klein, ondiep meer (te ondiep om je in te verdrinken) met een zomerhuis aan de andere kant (niet hoog genoeg voor een dodelijke sprong van het dak en vanbinnen voorzien van een verlaagd plafond onder de balken om verhangingen te voorkomen).

Het maakt allemaal indruk op de verwanten die hun dierbaren naar de betrekkelijke rust van deze plek loodsen; ik zie wel eens familieleden die hier buiten op de veranda hun tranen drogen en elkaar verzekeren dat het maar tijdelijk is – en moet je zien hoe mooi het hier is. Meestal is het ook maar tijdelijk. De meeste families zullen nooit de openbare instellingen zien waar mensen die geen geld hebben naartoe worden gestuurd om met hun demonen te worstelen, de plekken zonder tuin of verse verf, waar soms niet eens genoeg wc-papier is. Ik heb er een paar gezien tijdens mijn coschappen, en ik kan ze moeilijk vergeten, al werk ik nu in een particuliere kliniek waar ik waarschijnlijk zal blijven. We weten niet precies wanneer we vastlopen, of geen energie meer hebben om aan verandering te werken, maar het gebeurt. Misschien had ik er harder aan moeten trekken, maar ik voel me hier nuttig, op mijn manier.

Toen ik de veranda af liep, zag ik Robert een stukje verderop op het gazon. Hij wandelde niet; hij schilderde. Hij had de ezel die ik hem had gegeven zo opgesteld dat hij tot aan de rivier kon kijken. Niet ver bij hem vandaan drentelde een verzorgster met een andere patiënt, die kennelijk had verkozen zijn ochtendjas aan te houden – wie van ons zou zich nog aankleden, uiteindelijk, als het niet hoefde? Ik was blij te zien dat het personeel zich nog hield aan mijn opdracht Robert Oliver nauwlettend, maar respectvol in het oog te houden. Misschien vond hij het niet prettig om geobserveerd te worden, maar hij zou zeker waardering hebben voor het beetje privacy dat hem daarbij werd gegund.

Ik keek naar hem terwijl hij naar het landschap keek; hij zou die hoge, tamelijk misvormde boom rechts kiezen, voorspelde ik, en de silo die uiterst rechts boven de bomen uitstak, aan de andere kant van de Sheridan, weglaten. Zijn schouders (in het verwassen overhemd dat hij vrijwel dagelijks droeg, hoewel ik een paar andere voor hem had gekocht) waren recht en hij had zijn hoofd iets naar het doek gebogen, al vermoedde ik dat hij de poten van de ezel zo lang mogelijk had gemaakt. Zijn benen, in onelegant kaki, waren elegant; al peinzend verplaatste hij zijn gewicht van het ene been op het andere.

Het was bijzonder hem te zien schilderen; ik had het vaker gezien, maar altijd in zijn kamer, waar hij zich bewust was van mijn aanwezigheid. Nu kon ik naar hem kijken zonder dat hij het wist, al kon ik het doek niet zien. Ik vroeg me af wat Mary Bertison ervoor over zou hebben om een paar minuten op mijn plaats te staan; maar nee, ze had tegen me gezegd dat ze Robert niet meer wilde zien. Als ik hem hielp beter te worden en hij in de maatschappij terugkeerde, als hij weer docent werd, schilder, exposant van werk, ex-echtgenoot, liefdevolle co-ouder, een man die groente kocht, naar de sportschool ging en een appartementje huurde in Washington of het centrum van Greenhill, of in Santa Fe, zou hij Mary dan nog steeds willen mijden? En, nog belangrijker, zou ze boos op hem blijven? Was het slecht van me om dat te hopen?

Ik liep met mijn handen op mijn rug naar hem toe en zei niets tot ik vlak bij hem was. Hij draaide zich als door een wesp gestoken om en wierp me een dreigende blik toe: de gekooide leeuw, de tralies waar je niet aan moest rammelen. Ik boog mijn hoofd ten teken dat ik hem met de beste bedoelingen kwam storen. 'Goedemorgen, Robert.'

Hij richtte zijn aandacht weer op zijn werk; dat getuigde in elk geval van een zeker vertrouwen, of mogelijk ging hij te zeer in zijn werk op om zich zelfs door een psychiater te laten storen. Ik ging naast hem staan en keek openlijk naar het doek in de hoop hem zo een reactie te ontlokken, maar hij ging gewoon door met kijken, controleren en verf opbrengen. Dan weer hield hij het penseel omhoog tegen de verre horizon, dan weer keek hij naar het doek en bukte zich om een rots aan de rand van zijn geschilderde meer te inspecteren. Hij moest er al minstens een paar uur aan hebben gewerkt, zag ik, tenzij hij onvoorstelbaar snel was; de vormen waren al bijna verwezenlijkt. Ik bewonderde het licht op het wateroppervlak, dat het oppervlak van zijn doek was, en de zachte levendigheid van de bomen in de verte.

Ik sprak mijn bewondering echter niet uit, want ik zag op tegen zijn zwijgen, dat zelfs de warmste woorden die ik kon bedenken zou verstikken. Het was bemoedigend Robert eens iets anders te zien schilderen dan de vrouw met de donkere ogen en haar verdrietige glimlach, en al helemaal dat hij naar het leven schilderde. Hij had twee penselen in zijn schilderhand, en ik keek zwijgend toe hoe hij ze verwisselde met de routine en behendigheid van een half leven. Moest ik hem vertellen dat ik Mary Bertison had gesproken? Dat ze bij een goed glas wijn en vis in folie was begonnen me haar verhaal en een deel van het zijne te vertellen? Dat ze nog zoveel van hem hield dat ze me wilde helpen hem beter te maken; dat ze hem nooit meer wilde zien; dat haar

haar glansde in elk licht dat erop viel, zodat de kastanjebruine, gouden en paarse lokken eruit sprongen; dat ze zijn naam niet kon uitspreken zonder een trilling of iets opstandigs in haar stem; dat ik wist hoe ze haar vork vasthield, hoe ze tegen een muur leunde, hoe ze haar armen over elkaar sloeg als bescherming tegen de wereld; dat ze, net als zijn ex-vrouw, uiteindelijk toch niet het model was dat zijn boze penseel keer op keer voortbracht; dat zij, Mary, op de een of andere manier het geheim van de identiteit van dat model kende zonder het zelf te weten; dat ik de vrouw wilde zoeken die hij meer beminde dan wie ook om erachter te komen waarom ze niet alleen zijn hart, maar ook zijn geest had gestolen?

Dat, dacht ik terwijl ik hem een beetje wit en wat cadmiumgeel op zijn penseel zag nemen voor zijn boomkruinen, was precies wat geestesziekte inhield, als je afstand nam van de klinische definities en alleen naar een mensenleven keek. Een ander mens, een overtuiging of een plek je hart laten overnemen was geen ziekte, maar als je je geest aan een van die dingen overdroeg, afzag van je vermogen beslissingen te nemen, zou je uiteindelijk ziek worden. Als het feit dat je ervan afzag niet al een symptoom was van je ziekte. Ik keek van Robert naar zijn landschap, de grijzige ruimtes in de lucht waar hij vermoedelijk wolken wilde aanbrengen en de onregelmatige plek op het meer waarin hij die wolken ongetwijfeld zou laten weerspiegelen. Ik had al heel lang geen nieuwe ideeën gehad over de aandoeningen die ik dag in, dag uit probeerde te behandelen. Of over de liefde zelf.

'Dank je, Robert,' zei ik en ik liep weg. Hij keek me niet na, of anders pas nadat ik hem de rug al had toegekeerd.

Die avond belde Mary, tot mijn grote verrassing. Ik had me voorgenomen haar zelf te bellen, maar eerst een paar dagen te wachten, en ik begreep niet meteen wie ik aan de lijn had. Met haar altstem, die ik tijdens het etentje nog mooier was gaan vinden, vertelde ze me aarzelend dat ze had nagedacht over haar belofte haar herinneringen aan Robert voor me op te schrijven. Ze zou het in gedeeltes doen; het zou ook goed voor haar zijn; ze zou me ze mailen. Ik kon er een compleet verhaal van maken, als ik wilde, of ze als deurstop gebruiken of de hele boel bij het oud papier gooien. Ze lachte nerveus.

Ik was even teleurgesteld, want op die manier zou ik haar niet meer te zien krijgen. Maar waarom zou ik haar weer willen zien? Ze was vrij, een alleenstaande vrouw, maar ze was ook de ex-vriendin van mijn patiënt. Toen hoorde ik haar zeggen dat ze nog een keer met me uit eten wilde; het was haar beurt om mij uit te nodigen, want ik had erop gestaan de eerste keer te betalen, hoe ze ook had tegengestribbeld; en misschien kon ze beter wachten tot ze me haar memoires had gestuurd. Ze wist niet hoe lang het zou gaan duren, maar ze zou zich verheugen op nog een etentje; ze had het leuk gevonden met me te praten. Dat simpele woord, 'leuk', kwetste me om de een of andere reden. Ik zei dat ik graag wilde, dat ik het begreep, dat ik haar berichten zou afwachten. En ik hing op, ondanks alles glimlachend.

54

Mary

Verliefd zijn op iemand die onbereikbaar is, heeft iets van een schilderij dat ik ooit heb gezien. Het was lang voordat ik de gewoonte opvatte, jaren geleden inmiddels, de basisgegevens te noteren van alle schilderijen die me opvallen, in musea of galeries, in boeken of bij mensen thuis. In mijn atelier thuis bewaar ik niet alleen al mijn ansichtkaarten van schilderijen, maar ook een bakje met systeemkaartjes, en op elk kaartje staat in mijn eigen handschrift: de titel van het schilderij, de naam van de kunstenaar, het jaartal, de plaats waar ik het heb gezien en beknopte achtergrondinformatie over het schilderij die ik op het bordje of in het boek heb gevonden, en soms zelfs een grove schets van het werk: de kerktoren links, de weg op de voorgrond.

Als ik me gefrustreerd voel en mijn eigen werk niet wil vlotten, ga ik in mijn kaartenbak op zoek naar een idee; ik voeg een kerktoren toe, drapeer het model in rood of laat de golven in vijf afzonderlijke toppen breken. Soms ga ik in mijn archiefje, echt of in gedachten, op zoek naar dat belangrijke schilderij waarvan ik geen kaartje heb. Ik heb het gezien toen ik in de twintig was (ik weet niet eens meer in welk jaar), vermoedelijk in een museum, want in mijn vrije tijd ging ik overal waar ik kwam naar alle musea die ik kon vinden.

Dit werk was impressionistisch: het enige wat ik zeker weet. Er was een man op te zien die op een bank in een tuin zit, zo'n verwilderde, weelderige tuin waar de Franse impressionisten dol op waren en die ze zelfs aanlegden als ze er een nodig hadden, een totaal verzet tegen de stijfheid van Franse tuinen en de Franse schilderkunst. De lange man zat daar op de bank, in een soort prieel van groen en lavendel, gekleed als een heer (ik neem aan dat hij ook een heer wás), vormelijk in een jas en vest, grijze broek en lichte hoed. Hij zag er tevreden en zelfvoldaan uit, maar ook waakzaam, alsof hij zijn oren spitste. Als je afstand nam van het schilderij, zag je zijn gezichtsuitdrukking scherper (nog een reden waarom ik denk dat ik het schilderij in het echt heb gezien, niet in een boek; ik herinner me dat ik achteruitstapte). Vlak bij hem zat een dame (ook op een bank? op een schommel?), die al even elegant was gekleed als hij, zwarte strepen op een witte ondergrond, een hoedje dat naar voren wipte op haar hoog opgestoken haar, een gestreepte parasol naast haar. Als je verder achteruitstapte, zag je op de achtergrond nog een vrouwenfiguur tussen de bloeiende struiken lopen; de pasteltinten van haar jurk vloeiden bijna over in de tuin. Haar haar was blond, niet donker zoals dat van de andere twee, en ze had geen hoed op, waaruit ik afleid dat ze jong moest zijn, of op de een of andere manier niet fatsoenlijk. Het geheel stak in een gouden lijst, schitterend, rijkelijk bewerkt en tamelijk groezelig.

Ik herinner me niet dat ik het schilderij met mezelf in verband bracht toen ik het voor het eerst zag; het bleef me gewoon bij, als een droom, en ik ben er in gedachten telkens weer naar teruggekeerd. Ik heb zelfs jaren in overzichten van het impressionisme gezocht zonder het te vinden. Om te beginnen heb ik geen enkel bewijs dat het Frans was, het deed alleen aan als Frans impressionisme. De heer en zijn beide vrouwen hadden zich ook in een laatnegentiende-eeuwse tuin in San Francisco, Connecticut, Sussex of zelfs Toscane kunnen bevinden. Soms lijkt het alsof ik dat beeld in gedachten al zo vaak heb bekeken dat ik ga denken dat ik het zelf heb verzonnen, of dat ik het heb gedroomd en het me de volgende dag nog herinnerde.

Toch staan die mensen in de tuin me levendig voor de geest. Ik zou hun compositie nooit willen verstoren door de mooie, vormelijke, gestreepte vrouw van de linkerkant van het schilderij te verwijderen, maar het beeld heeft spanning: waarom heeft de jongere vrouw tussen de dichte, bloeiende struiken geen plekje? Is ze de dochter van de man? Nee, iets zegt de beschouwer, míj, dat ze dat niet is. Ze dwaalt eeuwig naar rechts het kader uit, onwillig vertrekkend. Waarom staat de elegant geklede heer niet op om haar bij de mouw te pakken, haar nog een paar minuten te laten blijven, haar voordat ze wegloopt te zeggen dat hij ook van haar houdt, dat hij altijd van haar heeft gehouden?

Dan zie ik alleen die twee figuren in beweging, terwijl de zon onophoudelijk die warrige, grof geschilderde bloemen en struiken beschijnt en de goedgeklede dame onverstoorbaar blijft zitten, met haar parasol in haar hand, zeker van haar plek aan de zijde van de man. De heer staat echt op; hij loopt met stevige tred het prieel uit, als in een opwelling, en pakt het meisje in de lichte jurk bij haar mouw, haar arm. Zij is ook standvastig, op haar eigen manier. Er zijn alleen bloemen tussen hen in, die langs haar rok strijken en zijn maatbroek met stuifmeel bedekken. Zijn hand is olijfkleurig, een beetje dik, een beetje knoestig zelfs, bij de gewrichten. Hij houdt haar staande met zijn greep. Zo hebben ze nog nooit met elkaar gesproken; nee, ze zeggen niets. Ze liggen meteen in elkaars armen, hun gezichten warm bijeen in de felle zon. Ik geloof dat ze elkaar niet eens kussen, dat eerste moment; zij snikt van opluchting nu zijn bebaarde wang net zo aan haar voorhoofd voelt als ze zich had voorgesteld, en misschien huilt hij ook?

1879

Mijn beminde,

Vergeef me mijn zwakheid dat ik je niet heb geschreven en op zo'n onbetamelijke manier ben weggebleven. Ja, aanvankelijk was het een gewone afwezigheid; zoals ik je had verteld, ben ik een weekje naar het zuiden gegaan om bij te komen na een lichte ziekte, maar dat was ook een excuus; ik ben er niet alleen naartoe gegaan om te herstellen van mijn verkoudheid, en met het idee een landschap te schilderen dat ik in geen jaren had gezien, maar ook om te genezen van een ingrijpender aandoening, waarop ik enige tijd geleden heb gezinspeeld. Ik heb geen vooruitgang geboekt, zoals je aan de aanhef van deze brief kunt zien. Je was constant bij me, mijn muze, en ik zag je verrassend levendig voor me, niet alleen je schoonheid en welwillende gezelschap, maar ook je lach, je kleinste gebaar en elk woord dat je tegen me hebt gezegd sinds ik meer om je begon te geven dan zou mogen, de genegenheid die ik altijd voor je voel, of je nu wel of niet bij me bent.

Ik kwam dus net zo ziek terug in Parijs als toen ik wegging, en bij aankomst besloot ik ook hier te proberen me op mijn werk te storten en jou met rust te laten. Ik zal niet voor je verzwijgen hoeveel genoegen je brief me deed; de gedachte dat je liever had gewild dat ik je niet alleen had gelaten, dat je mij ook miste. Nee, nee, ik neem er geen aanstoot aan, al heb ik jou in mijn dwaasheid misschien wel beledigd. Ik kan me alleen maar voornemen me in jouw nabijheid zo beheerst mogelijk te gedragen.

Hoe dwaas, een oude man die zich zo opwindt, zul je denken, ook al ben je te vriendelijk om het tegen me te zeggen. Je hebt natuurlijk gelijk, maar dan onderschat je ook je eigen macht, liefste, de macht van je aanwezigheid, je ontvankelijkheid voor het leven en de

manier waarop die mij beroert. Ik zal je zo veel mogelijk met rust
laten, maar je niet meer helemaal mijden, aangezien je dat net
zomin lijkt te willen als ik. Waarvoor al die heerszuchtige,
verbrokkelende goden die ik in Italië heb gezien, geprezen mogen
zijn.

    Dit is echter nog maar een deel van mijn verhaal. Ik moet nu
diep ademhalen en de pen even neerleggen om de extra kracht te
vinden die ik nodig zal hebben. Gedurende mijn afwezigheid had ik
continu het gevoel dat ik niet naar je terug kon keren, in levenden
lijve of op papier, ook al zou jij het willen, zonder de moeilijkste
belofte die ik je heb gedaan gestand te doen.

    Zoals je vast nog wel weet, heb ik je gezegd dat ik je ooit over
mijn vrouw zou vertellen. Ik heb nog elke dag spijt van die
toezegging. Ik ben zelfzuchtig genoeg om te denken dat je mij niet
kunt kennen zonder meer over haar te weten, en dat over haar
vertellen misschien zelfs, zoals jij veronderstelde, een zekere
opluchting voor me zou kunnen zijn. En zolang ik leef, zal ik nooit
opzettelijk een aan jou gedane belofte breken. Als ik je mijn hele
verleden kon geven in ruil voor jouw hele toekomst zou ik dat doen,
zoals je wel zult raden; en het doet me eeuwig verdriet dat dat niet
kan. Je ziet hoe overvloedig mijn egoïsme is, dat ik durf te denken
dat je gelukkig met mij zou kunnen zijn terwijl je al redenen te over
hebt om gelukkig te zijn.

    Tegelijkertijd besef ik hoe groot mijn vergissing was toen ik je die
belofte deed, want ik zou het verhaal van mijn vrouw niet
vrijwillig in jouw geest planten, met die heerlijke onschuld, dat
vertrouwen in de wereld (ik weet dat dit je zal ergeren, en dat je de
trieste waarheid van mijn inschatting te laat zult inzien). Hoe dan
ook, ik smeek je de volgende bladzijden te bewaren voor een tijdstip
waarop je je in staat voelt iets verschrikkelijks en maar al te waars
te horen, en ik vraag je te beseffen dat ik elk woord zal betreuren.
Als je dit hebt gelezen, zul je iets meer weten dan mijn broer en veel
meer dan mijn neef. En, nog zekerder, meer dan de rest van de
wereld. Je zult ook weten dat het een politieke kwestie is, en dat ten
gevolge daarvan een deel van mijn veiligheid in jouw handen komt
te liggen. Waarom zou ik zoiets doen, jou iets vertellen wat je alleen
maar bang kan maken? Welnu, zo is de liefde: hardvochtig in al
haar eisen. Op de dag dat je die hardvochtigheid zelf zult

herkennen, zul je terugkijken en me nog beter kennen, en me vergeven. Vermoedelijk ben ik er dan al heel lang niet meer, maar waar ik dan ook ben, ik zal je dankbaar zijn voor je begrip.

Ik ontmoette mijn vrouw op latere leeftijd: ik was al drieënveertig en zij veertig. Je hebt misschien al van mijn broer gehoord dat ze Hélène heette. Ze kwam uit een goede familie uit Rouen. Ze was nooit getrouwd, niet omdat ze geen begeerlijke partij zou zijn, maar omdat ze voor haar moeder zorgde, een weduwe, die pas twee jaar voordat we elkaar ontmoetten was overleden. Na de dood van haar moeder was ze bij het gezin van haar oudere zus in Parijs ingetrokken, waar ze zich net zo onmisbaar maakte als ze voor haar moeder was geweest. Ze had een waardige, beminnelijke persoonlijkheid, ernstig, maar niet van humor gespeend, en ik voelde me vanaf onze eerste ontmoeting aangetrokken tot haar optreden en haar consideratie ten opzichte van anderen. Ze had belangstelling voor de schilderkunst, al had ze op dat terrein weinig opleiding genoten en hield ze meer van boeken; ze kon ook Duits en een beetje Latijn lezen, want haar vader had het belangrijk gevonden dat zijn dochters leerden. En ze was vroom op een wijze die mijn eigen luchthartige twijfels te schande maakte. Ik bewonderde haar standvastigheid bij alles wat ze deed.

Haar zwager, een oude vriend, was mijn pleitbezorger tijdens de hofmakerij (al wist hij mogelijk meer van me dan goed was voor mijn reputatie), en hij zorgde dat ze een royale bruidsschat meekreeg. We trouwden in aanwezigheid van een paar vrienden en familieleden in de kerk van Saint-Germain l'Auxerrois en betrokken een huis in Saint-Germain. We leefden teruggetrokken. Ik werkte aan mijn schilderijen en exposities, en zij voerde een uitstekende huishouding waarin mijn vrienden zich welkom voelden. Ik ging heel veel van haar houden, met een liefde die wellicht meer voortkwam uit bewondering dan uit hartstocht. We waren te oud om nog op kinderen te hopen, maar we hadden genoeg aan elkaar en ik voelde dat mijn persoonlijkheid zich onder haar invloed verdiepte en dat iets van wat zij ongetwijfeld als mijn grillige vroegere leven zag, werd getemd. Dankzij haar onwankelbare geloof in mij ging ik nog meer op in het schilderen en werd ik vaardiger.

Zo hadden we nog lang en gelukkig kunnen leven als onze keizer het niet als zijn recht had gezien Frankrijk in die meest hopeloze

aller oorlogen te storten en Pruisen binnen te vallen. Jij was toen
nog een meisje, lieve kind, maar het schokkende nieuws van de slag
bij Sedan moet ook in jouw geheugen gegrift staan. Toen kwam de
verschrikkelijke vergelding van de vijandelijke troepen, met de
belegering die onze arme stad verwoestte. Nu moet ik je heel eerlijk
zeggen dat ik een van degenen was die hier ondraaglijk boos om
waren. Goed, ik maakte geen deel uit van de barbaarse bende, maar
ik hoorde tot de gematigden die vonden dat Parijs en Frankrijk
genoeg hadden geleden door toedoen van het ondoordachte,
weelderige despotisme en hiertegen in verzet kwamen.

Je weet dat ik de afgelopen jaren veel tijd in Italië heb
doorgebracht, maar wat ik je niet heb verteld, is dat ik een
banneling was, dat ik me onttrok aan een ongetwijfeld gevaarlijke
situatie tot ik er zeker van kon zijn dat ik mijn rustige leven in
mijn geboortestad weer kon hervatten, waarbij ik me ook terugtrok
in verdriet en cynisme. Ik was een vriend van de Commune, en in
mijn hart schaam ik me daar niet voor, al rouw ik om mijn
kameraden die geen vergiffenis van de staat hebben gekregen voor
hun overtuigingen. Waarom zou ook maar één inwoner van Parijs
zonder in opstand te komen, of zich in elk geval luid te beklagen, een
situatie verduren waar we het om te beginnen al niet mee eens
waren? Ik heb nooit afstand gedaan van die overtuiging, maar dat
is me zo duur komen te staan dat ik mogelijk niet in actie was
gekomen als ik van tevoren had geweten hoe hoog de prijs zou zijn.

De Commune werd ingesteld op 26 maart, en mijn eenheid
ondervond weinig moeilijkheden tot begin april, toen de gevechten
uitbraken in de straten waar wij waren gestationeerd. Jij zat toen al
veilig in een voorstad, weet ik door de vragen die ik Yves sinds mijn
terugkeer heb gesteld; hij zegt dat hij je familie pas later leerde
kennen, maar dat je de ramp heelhuids hebt doorstaan, afgezien van
de ontberingen waar niemand aan kon ontkomen. Misschien zul je
me vertellen dat je in de verte schoten hebt gehoord, misschien dat
niet eens. Waar werd geschoten, bracht ik berichten van de ene
brigade over naar de andere en maakte waar mogelijk tekeningen
van de historische gebeurtenissen, als dat kon zonder andere levens
dan het mijne in gevaar te brengen.

Hélène deelde mijn sympathieën niet. Haar geloof verbond haar
sterk met de rechten van het recentelijk gevallen regime, maar ze

*was iedereen welgezind, geloof ik; ze vroeg me haar niets te
vertellen wat mij zou kunnen compromitteren, mocht een van ons
ooit gepakt worden. Om haar verzoek te respecteren vertelde ik haar
niet waar de brigade bivakkeerde waarbij ik het nauwst betrokken
was, en ik zal het jou nu ook niet vertellen. Het was in een oude,
smalle straat, die we in de nacht van 25 mei afzetten in de
wetenschap dat dit bolwerk cruciaal zou zijn voor de verdediging
van het gebied als de verraderlijke regering de volgende dag haar
troepenmacht zou sturen in een poging ons neer te slaan, zoals we
verwachtten.*

*Ik beloofde Hélène niet te laat thuis te komen, maar die avond
moest er een reeks berichten aan onze kameraden in Montmartre
worden doorgegeven, en ik bood me aan als koerier, want de politie
verdacht mij nog niet. Ik bereikte de wijk zonder dat ik werd
opgemerkt en zou op diezelfde manier zijn teruggekeerd, ware het
niet dat ik werd aangehouden en in hechtenis werd genomen. Het
was mijn eerste kennismaking met het regeringsleger. Ik werd
langdurig verhoord en soms dreigde de ondervraging een
gewelddadig karakter te krijgen, en ik werd pas de volgende dag
rond het middaguur op vrije voeten gesteld, nadat ik urenlang
rekening had gehouden met de mogelijkheid dat ze me ter plekke
zouden fusilleren. Ik zal je ook niets over dat verhoor vertellen,
want ik wil niet dat je daar deelgenoot van wordt, ook al is het acht
jaar geleden. Het was een beangstigende ervaring.*

*Maar ik zal en moet je iets oneindig veel ergers vertellen: Hélène,
die in de loop van de nacht merkte dat ik er niet was en ongerust
werd, ging bij het ochtendgloren naar me op zoek. Ze deed navraag
in onze straat, tot haar angst ten slotte een van onze buren ertoe
aanzette haar naar onze barricade te brengen. Ik zat toen nog
opgesloten. Op het moment dat zij bij de barricade aankwam om
naar me te informeren, doken er soldaten uit het centrum op. Ze
openden het vuur op iedereen, zowel communards als omstanders.
De regering heeft al die incidenten uiteraard ontkend. Een kogel trof
haar in het voorhoofd en ze viel. Een van mijn kameraden herkende
haar, trok haar uit het gewoel en bracht haar lichaam achter de
barricade in veiligheid.*

*Toen ik arriveerde, nadat ik eerst naar huis was gerend en haar
daar niet had aangetroffen, werd ze al koud. Ze lag in mijn armen*

terwijl het bloed dat uit haar wond was gegutst in haar haar en op
haar kleding droogde. Haar gezicht verried alleen verbazing, al
waren haar ogen dichtgevallen. Ik schudde haar door elkaar en riep
haar naam om haar te wekken. Mijn enige, schrale troost was dat ze
op slag dood was geweest, dat en de overtuiging dat als ze had
geweten wat er te gebeuren stond, het in haar aard had gelegen zich
onmiddellijk aan haar God toe te vertrouwen.

Ik begroef haar, met meer haast dan ik had gewild, op het kerkhof
van Montparnasse. Binnen luttele dagen kwam bij dat verdriet de
droefenis om onze verloren zaak en om de executie van duizenden
kameraden, onder wie vooral onze kopstukken. Tijdens die laatste
massamoord glipte ik Frankrijk uit met hulp van een vriend die bij
een van de stadspoorten woonde. Ik reisde in mijn eentje naar
Menton en de grens met het idee dat ik niets meer kon doen voor een
land dat zijn enige hoop op gerechtigheid had afgewezen, en niet
bereid met de angst voor een toekomstige arrestatie te leven.

Mijn broer bleef me gedurende die beproeving trouw; hij
verzorgde Hélènes nagedachtenis en graf in stilte en schreef me
gedurende mijn afwezigheid van tijd tot tijd om me te laten weten
of ik al veilig terug kon keren. Ik had maar een kleine rol in het
drama gespeeld en was uiteindelijk niet interessant voor een regering
die het druk had met de wederopbouw. Ik keerde dus terug, niet
vanuit de wens iets bij te dragen aan het welzijn van Frankrijk,
maar uit dankbaarheid jegens mijn broer en de wens hem te helpen
nu hij ziek was. Ik hoorde, niet van hem maar van Yves, dat hij
blind begon te worden. De hulp die ik hem kon bieden was, samen
met mijn koppige gewoonte te schilderen, het enige pleziertje dat me
nog restte tot ik jou leerde kennen. Ik was een zielenpoot zonder
vrouw, kinderen of land. Ik leefde zonder de droom van een betere
maatschappij die de drijfveer van elk weldenkend mens moet zijn,
en mijn nachten waren gevuld met de gruwel van de dood die mijn
armen had gevuld met een zinloos, wreed offer.

Jouw stralende aanwezigheid, je natuurlijke gaven en de
verfijning van je genegenheid en vriendschap betekenen meer voor
me dan ik je kan zeggen. Ik denk dat je dat nu beter dan ooit zult
begrijpen. Ik zal je niet verlagen door op geheimhouding aan te
dringen; het grootste deel van mijn geluk ligt toch al in jouw
handen. En om te voorkomen dat ik niet in staat of niet bereid zal

blijken te zijn mijn belofte te houden en je deze waarheid over mezelf te sturen, sluit ik nu snel af, met hart en ziel de jouwe, je O.V.

55

Marlow

Ik had mijn oren gespitst toen Mary me vertelde dat Robert Oliver de vrouw door wie hij werd geobsedeerd voor het eerst had gezien in het gedrang van het Metropolitan Museum of Art, en nu vroeg ik me af of ik Robert er rechtstreeks naar kon vragen. Wat er daar ook was gebeurd en wat hij ook in haar had gezien, vanaf dat moment had hij aan weinig anders kunnen denken en waarschijnlijk had het zijn ziekte veroorzaakt. Als hij zich die vrouw in de drukte in het Met had ingebeeld, als ze dus een waanvoorstelling was geweest, zou ik mijn diagnose van Robert mogelijk moeten herzien en zijn behandeling flink bijstellen. Schilderde hij nu uit zijn hoofd, of hij aanvankelijk nu wel of niet een echte vrouw had gezien? Of hallucineerde hij nog steeds? Het feit dat hij kennelijk een moderne vrouw die hij ooit in het voorbijgaan had gezien in negentiende-eeuwse kleding schilderde, impliceerde op zich al dat hij zijn fantasie had gebruikt, misschien zonder het zelf te beseffen. Had hij meer wanen? Zo ja, dan schilderde hij ze niet, althans nu niet.

Hoe het ook zij, tegen de tijd dat hij met Kate naar Greenhill verhuisde, had hij in elk geval zo af en toe het gezicht van de vrouw voor zich gezien; Kate had tenslotte een tekening van haar in het borstzakje van Roberts overhemd gevonden tijdens hun rit naar het zuiden. Maar als ik Robert vroeg naar de eerste keer dat hij de vrouw had gezien en het museum erbij noemde, zou hij meteen weten dat ik met een van zijn naasten had gepraat, en het aantal mogelijke kandidaten zou dan zeer beperkt zijn – tot maar één, misschien, want hij wist al dat ik Mary's achternaam kende. Het leek erop dat hij Mary wel in vertrouwen had genomen, maar Kate niet, en het was onwaarschijnlijk dat hij er verder nog met iemand over had gepraat, tenzij hij vrienden in New York had tegenover wie hij zich iets had laten ontvallen over zijn onvergetelijke eerste aanblik van de vrouw. Hij had Mary verteld dat hij de onbekende maar een paar keer had gezien, maar dat kon ik moeilijk geloven, zeker nadat ik die krachtige schilderijen bij Kate had gezien. Voor mij leed het geen twijfel dat hij haar van nabij had gekend en in de loop van de tijd haar gezicht en aanwezigheid in zich had opgenomen. Robert beweerde niet naar foto's te werken, maar zou hij een onbekende kunnen hebben overgehaald model voor hem te zitten tot hij genoeg materiaal had om toekomstige portretten op te baseren?

Ik kon echter het risico niet nemen Robert ernaar te vragen; als ik hem liet merken hoeveel ik wist, zou ik zijn vertrouwen nooit winnen. Ik had er waarschijnlijk al verkeerd aan gedaan hem te vertellen dat ik Mary's achternaam wist. Ik ging wel zo ver hem, toen ik tijdens een ochtendbezoek in de grote leunstoel in zijn kamer zat, te vragen waar hij de vrouw had leren kennen die de inspiratie was voor het leeuwendeel van zijn werk. Hij wierp me een snelle blik toe en richtte zijn aandacht weer op zijn boek. Na een poosje kon ik me alleen nog maar verontschuldigen en hem een prettige dag wensen. Hij leende tegenwoordig misdaadromans uit de kasten met beduimelde pockets in de recreatieruimte, die hij, wanneer hij niet schilderde, met een soort verveelde toewijding las; hij deed ongeveer een week met een boek, en hij koos altijd het grofste soort broodschrijverij over de maffia, de CIA of raadselachtige moordzaken die zich afspeelden in Las Vegas.

Ik moest me wel afvragen of Robert een soort sympathie voelde voor de misdadigers in die boeken, aangezien hij zelf met een mes in zijn hand was opgepakt. Kate had gezegd dat hij wel eens thrillers las, en ik had ze in de kast op zijn werkkamer zien staan, maar ze had ook gezegd dat hij tentoonstellingscatalogi en geschiedkundige werken las. Er stonden veel betere boeken dan die detectives in de recreatieruimte, waaronder ook biografieën van kunstenaars en schrijvers (ik beken dat ik er een paar zelf in de kast had gezet om te zien of hij ze zou pakken), maar hij taalde er niet naar. Ik kon alleen maar hopen dat die moordverhalen zijn gewelddadigheid niet aanwakkerden, maar ik zag niets wat daarop wees. De kans dat hij me zou vertellen waarom hij zijn leesvoer beperkte tot de pulp uit de kast in de recreatieruimte, was net zo klein als die dat hij me zou vertellen waar hij zijn favoriete model had ontmoet.

Mary's verhaal over de eerste keer dat hij de vrouw had gezien had me echter op nog een idee gebracht, en mogelijk kwam het ook doordat ze me lachend aan de genialiteit van Sherlock Holmes had herinnerd dat ik het verhaaltje telkens weer tegen het licht hield. Ik belde Mary zelfs een keer op om te vragen of ze het verhaal dat Robert haar op Barnett College had verteld nog eens wilde herhalen, wat ze deed, in vrijwel dezelfde bewoordingen. Waarom vroeg ik ernaar? Ze had beloofd me later meer te vertellen, en dat zou ze doen. Ik bedankte haar beleefd voor de afleveringen die ze al had gestuurd en drong welbewust niet aan op een afspraak.

Toch kon ik mijn gevoel over dat moment niet van me afzetten, en ik werd gegrepen door een holmesiaans idee – een bepaald vermoeden, maar ook het gevoel dat ik, om principiële redenen, zelf naar de plek zou moeten gaan waar het was gebeurd. Het was gewoon het Met, waar ik in de loop der jaren vaak was geweest, maar ik wilde de plek van Roberts eerste inspiratie of hallucinatie zien – of was hij toen verliefd geworden? Zelfs al lag er geen vuurwapen op de plek, hing er geen touw aan het plafond en was er niets wat je onder een vergrootglas zou kunnen bekijken... Tja, het was onzinnig, maar ik zou erheen gaan, ten dele omdat ik het kon combineren met een belangrijker missie, een bezoek aan mijn vader. Ik was al bijna een jaar niet meer in Connecticut geweest, dus ik was al een halfjaar te laat, en hoewel mijn vader opgewekt klonk aan de telefoon en in de briefjes op zijn kerkpostpapier (het moest op, zei hij, en e-mail was hem te min), was ik bang dat als er iets niet goed was, hij het me nooit langs die weg zou laten weten. En als er inderdaad iets was, zou het waarschijnlijk neerkomen op neerslachtigheid, iets wat hij me zeker niet zou melden.

Met dat alles in mijn achterhoofd koos ik een weekend en kocht twee treinkaartjes, een retourtje Washington-Penn Station en een retourtje van New York naar mijn geboortestadje. Ik verwende mezelf met een reservering voor een nacht in een verlopen, maar prettig oud hotel bij Washington Square waar ik ooit een weekend had doorgebracht met een vrouw van wie ik half-en-half had gedacht dat ze mijn echtgenote zou worden; vreemd hoe lang dat nu geleden was en hoe weinig ik me nog maar van haar herinnerde, een vrouw die ik ooit had omhelsd in een hotelbed en met wie ik op de banken van Washington Square Park had gezeten waar zij me alle verschillende soorten bomen aanwees. Ik wist niet waar ze nu was; waarschijnlijk was ze met een ander getrouwd en was ze al oma.

Ik overwoog vluchtig Mary te vragen me naar New York te vergezellen, maar ik kwam er niet uit wat dat zou inhouden en hoe ze het zou opnemen, en hoe ik de kwestie van hotelkamers, gescheiden of niet, kon oplossen of zelfs maar ter sprake kon brengen. Het kon toepasselijk zijn dat ik juist met haar naar het museum ging, aangezien zij net zo in beslag werd genomen door Robert Olivers verleden als ik, zo niet meer, maar het was te ingewikkeld. Uiteindelijk vertelde ik haar niet over mijn plannen; ze had al een paar weken niets van zich laten horen en ik nam aan dat ze me wel weer verslag zou doen over Robert wanneer ze eraan toe was. Ik zou haar bellen als ik weer terug was, nam ik me voor. Ik zei tegen mijn medewerkers dat ik er een dag niet zou zijn wegens een bezoek aan mijn vader en voegde er zoals gebruikelijk aan toe dat Robert en mijn andere zorgwekkende patiënten extra nauwlettend in de gaten gehouden moesten worden.

Van Penn Station ging ik regelrecht naar Grand Central, waar ik de trein naar New Haven nam; ik zou veel tijd met mijn vader kunnen doorbrengen voordat ik naar de stad ging. Het is geen vervelende reis en ik heb het altijd prettig gevonden om in de trein te lezen of te dagdromen. Ik las een stuk in het boek dat ik bij me had, een vertaling van *Le rouge et le noir*, maar ik keek ook naar het voorjaarslandschap dat aan me voorbijtrok, het afschuwelijk beschadigde hart van de Northeast Corridor, stenen pakhuizen, de achtertuintjes van mensen die langs het spoor woonden in kleine steden en voorsteden, een vrouw die in slow motion was ophing, kinderen op een geasfalteerd schoolplein, een hoog oprijzende vuilstortplaats waar meeuwen als aasgieren boven cirkelden, het blikkeren van metaal dat hier en daar uit de grond stak.

Ik moest in slaap zijn gesukkeld, want tegen de tijd dat we de kust van Connecticut bereikten, schitterde de zon op zout water. Ik ben altijd dol geweest op die eerste aanblik van de Long Island Sound met de Thimble Islands, de oude heipalen en de jachthavens vol splinternieuwe boten. Ik ben aan die kust opgegroeid, min of meer; ons stadje ligt vijftien kilometer landinwaarts, maar in mijn jeugd stond de zaterdag gelijk aan een picknick op het openbare strand in het nabije Grantford, of een wandeling op het landgoed Lyme Manor, of een tocht over moeraswegen die eindigde bij een soort uitkijkpost van waaraf ik roodschoudertroepialen kon zien door moeders verrekijker. Ik heb nooit ver weg gewoond van de geur van zeewater of baaien. Ons stadje is zelfs gebouwd aan een oever van de rivier de Connecticut. Het zou in 1812 door de Britten zijn platgebrand, ware het niet dat de notabelen van de stad zich naar de Britse aanvoerder haastten om met hem te onderhandelen; de kapitein kwam erachter dat de burgemeester een neef van zijn vader was, waarop wat stijve buigingen en een uitwisseling van nieuws van het thuisfront volgden. De burgemeester verklaarde zich bereid de koning te erkennen, de kapitein zag de duidelijke halfhartigheid van die verklaring door de vingers en iedereen ging als vrienden uit elkaar. Die avond verzamelden de inwoners zich in de kerk, niet die van mijn vader, maar een heel oude die pal aan het water staat, om dank te zeggen. Alle stadjes eromheen vielen ten prooi aan de Britse fakkels, en de burgemeester ving alle slachtoffers op, wat edelmoedig moet zijn geweest, maar ook schuldgevoel verried. Ons stadje is de trots van de regionale monumentenbeschermers: onze kerken, de herberg en de oudste huizen zijn oorspronkelijk – maagdelijk hout, gespaard door familiebanden. Mijn vader vertelt dat verhaal graag; als kind had ik er op een gegeven moment genoeg van, maar ik herinner het me altijd met ontroering wanneer ik het water van de rivier en de dicht op elkaar staande bouwwerken uit de koloniale tijd in het oude centrum terugzie. Veel van die gebouwen zijn tegenwoordig dure winkels waar kaarsen of handtassen worden verkocht.

De spoorweg werd al dertig jaar na het vertrek van de hoffelijke kapitein aangelegd, maar dan aan de andere kant van de stad. Het eerste station, dat al heel lang niet meer bestaat, is rond 1895 vervangen door een mooi gebouw; in de wachtkamer – messing, marmer, donker hout – hangt nog exact dezelfde geur van boenwas als die keer toen mijn ouders en ik er in 1957 op de trein wachtten die ons naar New York zou brengen, waar we de kerstshow in Radio City Music Hall gingen zien. Die dag zaten een paar treinreizigers *The Boston Globe* te lezen op de houten banken waarop ik al graag zat voordat ik met mijn voeten bij de vloer kon.

Mijn vader wachtte me daar op, met zijn tweedhoedje in zijn perkamentachtige, doorschijnende hand en zijn blauwe ogen die oplichtten toen ze mijn gezicht vonden. Hij omhelsde me, gaf een kneepje in mijn schouders en hield me op armlengte ter inspectie, alsof ik nog steeds in de groei was en hij moest controleren hoeveel langer ik was geworden. Ik glimlachte en vroeg me af of hij me nog steeds voor zich zag met al mijn haar, nog bruin, of in de flanellen broek en slobbertrui die ik thuis in de vakanties droeg toen ik nog studeerde, in plaats van de man van in de vijftig te zien die ik was geworden, redelijk slank maar kalend, in een gewone broek met een poloshirtje en een jasje. En ik voelde de vertrouwde blijdschap omdat ik iemands volwassen kind was. Ik schrok ervan hoe lang ik mijn vader niet had gezien; in voorgaande jaren was ik vaker gegaan, en ik nam me ter plekke voor de volgende keer minder lang te wachten. Die man van bijna negentig was mijn bewijs van de continuïteit van het leven, de buffer tussen mij en de sterfelijkheid – onsterfelijkheid, zou hij met een vermanende glimlach hebben gezegd, hij, de man van het geloof, die mij, de man van de wetenschap, gedoogde. Ik twijfelde er nauwelijks aan dat hij naar de hemel zou gaan wanneer hij bij me wegging, al geloofde ik al sinds mijn tiende niet meer in de hemel. Waar kon zo iemand anders terechtkomen?

Terwijl ik zijn armen om me heen voelde, viel het me in dat ik het hele trauma van de dood van een ouder al kende, en ik wist ook dat het trauma van het verlies van mijn vader wanneer het zover was nog verergerd zou worden door het eerdere verlies van mijn moeder, of onze gedeelde herinneringen aan haar, en het feit dat hij mijn laatste hoeder was, de tweede die ging. Ik had patiënten door zulke periodes geholpen, en hun verdriet was vaak gecompliceerd en van lange duur; na het verlies van mijn moeder was ik tot het inzicht gekomen dat zelfs het stille wegglippen van een ouderlijke aanwezigheid een verwoestende uitwerking kon hebben. Als een patiënt al ernstige symptomen had, een chronische worsteling met geestesziekte, kon de dood van een ouder een wankel evenwicht verstoren en zorgvuldig onderhouden patronen om de ziekte te hanteren in de war sturen.

Toch zou mijn beroepsmatige inzicht, hoe groot het ook was, me niet bij voorbaat kunnen verzoenen met het uiteindelijke verlies van deze zachtaardige man met zijn zilverwitte haar, zijn zomerjas, zijn mengeling van optimisme en cynisme met betrekking tot de menselijke natuur en zijn kalme vermogen elk jaar door de ogentest voor zijn rijbewijs te komen, in weerwil van de bedenkelijke blikken van de mensen van de keuringsdienst. Toen ik hem op me zag wachten in zijn goeie goed, met de bobbel van autosleutels en portefeuille in zijn broek-zak en zijn gepoetste schoenen, voelde ik zoals altijd zowel de realiteit van zijn aanwezigheid als de leegte die op een dag zijn plaats zou in-nemen. Op een rare manier had ik soms het gevoel dat hij pas com-pleet voor me zou zijn als hij weg was, mogelijk vanwege de spanning die gepaard gaat met het houden van iemand die aan de uiterste grens van het leven staat.

Nu hij er nog was, gaf ik hem een stevige knuffel terug, een harde zelfs, wat hem zo verbaasde dat hij even wankelde. Hij was gekrom-pen; ik was nu een kop groter dan hij. 'Dag jongen van me,' zei hij. Hij grinnikte en nam mijn bovenarm in een ferme greep. 'Zullen we hier weggaan?'

'Goed, pap.' Hij stak zijn hand uit naar mijn weekendtas, maar ik zwaaide die over mijn eigen schouder. Op het parkeerterrein vroeg ik of hij wilde dat ik reed, waar ik meteen spijt van had; hij keek me ko-misch streng aan, pakte zijn bril uit de binnenzak van zijn jasje en veeg-de hem met zijn zakdoek schoon voordat hij hem opzette. 'Sinds wan-neer gebruik je die bij het rijden?' vroeg ik om mijn blunder te maskeren.

'O, dat moest eigenlijk al jaren, maar ik had hem niet echt nodig. Nu moet ik bekennen dat het iets makkelijker gaat met dat ding op mijn neus.' Hij startte en reed waardig het parkeerterrein af. Het viel me op dat hij langzamer reed dan ik me herinnerde en dat hij zat te turen; het was vermoedelijk een oude bril. Ik had de indruk dat zijn koppigheid een van de belangrijkste trekjes was die hij aan zijn enige kind had doorgegeven. Die had ons beiden beschut en gesterkt, maar waren we er niet ook eenlingen door geworden?

56

Marlow

Ons huis staat op maar een paar kilometer van het station, in het historische gedeelte van het stadje, en het is niet ver lopen naar het water. Deze keer voelde ik om de een of andere reden een steek bij het zien van de voordeur aan het eind van de korte, maar melancholische rij levensbomen. Het was tientallen jaren geleden dat ik mijn moeder voor het laatst die deur had zien opendoen; ik weet niet waarom het me deze keer dieper raakte dan anders.

Omdat niets mijn vader meer pijn zou hebben gedaan dan zoiets uit mijn mond te horen, verdoezelde ik mijn verdriet door op te merken hoe mooi de tuin erbij lag en mijn vader de heggen aan te laten wijzen die hij een week eerder had gesnoeid, en het gras dat hij keurig kort hield met zijn handmaaimachine. Ik rook de vertrouwde geur van bukshout en de potten met vlijtige liesjes aan weerskanten van de kleine voordeur. Het was geen grote tuin, althans niet aan de voorkant, want de achttiende-eeuwse koopman die het huis had laten bouwen, had het dicht bij de straat willen hebben. De achtertuin, die dieper was, strekte zich uit tot in de verwilderde resten van een boomgaard en de moestuin die mijn moeder op de een of andere manier in haar vrije uurtjes had weten bij te houden. Mijn vader plantte er nog steeds elk jaar tomaten, waartussen nu een paar misvormde peterseliewortels opschoten, maar hij had dan ook niet haar groene vingers.

Mijn vader maakte de voordeur open en loodste me naar binnen, en zoals altijd werd ik overstelpt door de aanblik van allerlei voorwerpen en de geuren waarmee ik was opgegroeid: het tot op de draad versleten Turkse tapijt in de hal, de hoekplank met een kat die ik ooit had geboetseerd en die ik zo had geglazuurd dat hij leek op de katten in mijn moeders boek over oude Egyptische kunst – wat was ze trots geweest op mijn initiatief, mijn scherpe blik. Ik neem aan dat ieder kind wel een paar van dat soort bultige gevallen maakt, maar niet iedere moeder zal ze haar leven lang bewaren. De radiator tikte en borrelde in de hal; die stamde beslist niet uit de achttiende eeuw, maar hij hield het warm beneden en er kwam een geur vanaf die ik altijd lekker had gevonden, als van verschroeid textiel. 'Ik heb hem net vanochtend weer aangezet,' verontschuldigde mijn vader zich. 'Het is verrekte koud voor de zomer.'

'Goed idee.' Ik zette mijn tas naast de radiator en liep naar de keuken om mijn handen te wassen. Het huis was netjes, schoon, prettig, de vloeren blonken; mijn vader was het afgelopen jaar op mijn aandringen overstag gegaan en had een werkster genomen, een Poolse uit Deep River die om de week kwam. Mijn vader zei dat ze zelfs de leidingen in het gootsteenkastje poetste. Dat had moeder fijn gevonden, merkte ik op, en hij moest het beamen.

Toen we ons allebei hadden opgefrist, zei hij dat hij soep voor me had, bij wijze van late lunch, en hij goot het blik leeg in een pan op het fornuis. Zijn handen beefden een beetje, zag ik, en ik haalde hem over mij voor onze maaltijd te laten zorgen. Ik warmde de soep op en zette de augurken, het roggebrood en de Engelse thee waar hij van hield klaar, en ik zette melk op voor in zijn thee, zodat die niet koud zou worden. Hij ging in de hoek van de keuken zitten, in de rotanstoel die mijn moeder nog had gekocht, en vertelde me over zijn gemeenteleden zonder hun namen te noemen, al kende ik de meeste toch wel omdat zij of hun volwassen kinderen hem jarenlang trouw waren gebleven: de een had haar man verloren door een auto-ongeluk, de ander was na veertig jaar als docent aan een middelbare school te hebben gewerkt met pensioen gegaan en had dat gevierd met een interne, maar radeloze geloofscrisis. 'Ik heb tegen hem gezegd dat we nergens zeker van kunnen zijn, behalve van de kracht van de liefde,' zei hij, 'en dat hij niet verplicht was in een bepaalde bron van die liefde te geloven, zolang hij er maar iets van kon blijven geven en ontvangen in zijn eigen leven.'

'Is hij weer tot God teruggekeerd?' vroeg ik terwijl ik de theezakjes uitkneep.

'O, nee.' Mijn vader zat met zijn handen sereen tussen zijn knieën geklemd en zijn waterige ogen op mij gericht. 'Dat had ik ook niet verwacht. Waarschijnlijk geloofde hij al jaren niet meer en had hij het gewoon te druk met lesgeven om erover te piekeren. Nu komt hij elke week bij me en dan schaken we. Ik zorg er wel voor dat ik van hem win.'

En je zorgt er wel voor dat hij liefde krijgt, voegde ik er in gedachten vol bewondering aan toe. Mijn vader had altijd respect getoond voor mijn natuurlijke atheïsme en was ook bereid geweest er met me over te discussiëren, eerst toen ik nog op school zat en later weer, toen ik studeerde en hem wilde provoceren. 'Geloof is gewoon dat wat echt voor ons is,' luidde zijn antwoord altijd, en dan citeerde hij Sint-Augustinus of een soefi-mysticus en schilde een peertje voor me of zette het schaakbord klaar.

Terwijl we ons door de lunch heen werkten, en daarna een paar brokken pure chocola aten, mijn vaders sobere uitspatting, vroeg hij me hoe het met mijn werk ging. Ik was niet van plan geweest hem over Robert Oliver te vertellen; ik had vaag het gevoel dat mijn betrokkenheid bij hem labiel zou kunnen overkomen, onrechtvaardig ten opzichte van mijn andere patiënten, om maar iets te noemen, of, nog erger, dat ik niet in staat zou zijn alle moeite die ik voor Robert had gedaan tegenover mijn vader te rechtvaardigen, maar in de volmaakte rust van de eetkamer vertelde ik hem als vanzelf bijna het hele verhaal. Net als mijn vader verzweeg ik de naam van mijn gemeentelid. Ik zag dat mijn vader oprecht geïnteresseerd luisterde terwijl hij zijn roggebrood besmeerde; net als ik vond hij niets zo boeiend als een portret van een mens. Ik vertelde hem over mijn gesprekken met Kate, maar zei er niet bij dat ik 's avonds naar haar terug was gegaan of dat ik Mary had uitgenodigd voor een etentje. Misschien had hij me zelfs dat vergeven, want hij zou er als vanzelf van uitgaan dat ik het allemaal in Roberts belang had gedaan.

Toen ik beschreef hoe Robert continu dezelfde kleren droeg en ze alleen uittrok om ze te laten wassen, hoe hij koppig boeken bleef lezen waarvoor hij te intelligent was en hoe hij eindeloos bleef zwijgen, knikte mijn vader. Hij at zijn soep en wilde zijn lepel wegleggen, die uit zijn hand gleed en op het bord kletterde. Hij legde hem recht. 'Boetedoening,' zei hij.

'Hoe bedoel je?' Ik nam een laatste blokje chocola.

'Die man doet boete. Dat is het wat jij beschrijft, denk ik. Hij straft zijn vlees en onderdrukt het verlangen van zijn ziel om over zijn verdriet te praten. Hij tuchtigt zijn lichaam en geest om voor iets te boeten.'

'Boeten? Maar waarvoor dan?'

Mijn vader schonk omzichtig nog een kop thee in, en ik weerhield me ervan hem te helpen. 'Tja, jij zult hem wel beter kennen dan ik, nietwaar?'

'Hij heeft zijn vrouw en kinderen verlaten,' zei ik peinzend. 'Mogelijk voor een andere vrouw, maar ik denk niet dat het zo simpel was. Zijn ex-vrouw lijkt op de een of andere manier niet het gevoel te hebben dat hij ooit echt van haar is geweest, en de vrouw voor wie hij haar heeft verlaten evenmin. Hij is ook bij die tweede vrouw weggegaan, al vrij snel. En aangezien hij niet met me wil praten, heb ik geen flauw idee hoe schuldig hij zich ten opzichte van die vrouwen voelt.'

'Ik denk,' zei mijn vader, die zijn lippen bette met een blauw papieren servet, 'dat al die schilderijen ook bij de boetedoening horen. Misschien biedt hij haar zo zijn verontschuldigingen aan.'

'De vrouw die hij schildert, bedoel je? Bedenk wel dat ze ook een hersenspinsel van hem zou kunnen zijn,' merkte ik op. 'Als hij haar heeft gebaseerd op een bestaand iemand, zoals Kate geloofde, was het iemand die hij niet goed kende. En de vrouw die hij het laatst heeft verlaten, denkt dat hij die raadselachtige vrouw niet goed kan hebben gekend, al weet ik niet of ik het met haar eens ben.'

'Is het niet in haar eigen belang om dat te denken?' Mijn vader leunde achterover in zijn stoel en overzag onze rommelige eettafel met de belangstelling die hij doorgaans aan de dag legde voor mijn dame op het schaakbord. 'Het zou toch verschrikkelijk voor haar moeten zijn om te ontdekken dat hij telkens een bestaande vrouw schilderde die hij intiem kende, zeker gezien de aard van de portretten die je me hebt beschreven, de passie die ervan uitgaat?'

'Dat is waar,' zei ik, 'maar of zijn model nu echt is of een verzinsel, waarom zou hij voor haar boete moeten doen? Zou ze een bestaand iemand kunnen zijn en heeft hij haar op de een of andere manier gekwetst? Als hij een verzinsel zijn verontschuldigingen aanbiedt, is hij er slechter aan toe dan ik dacht.'

Mijn vader zei vreemd genoeg weer wat hij altijd tegen me had gezegd toen ik nog op school zat, die uitspraak waar ik kort tevoren nog aan had gedacht: 'Geloof is dat wat echt is voor ons.'

'Ja,' zei ik. Ik werd opeens wrevelig: ik kon zelfs niet naar mijn geboortehuis terugkeren, mijn schrijn, zonder door Robert Oliver te worden achtervolgd. 'Hij heeft zijn godin, dat staat vast.'

'Misschien heeft zij hem,' merkte mijn vader op. 'Ik doe de afwas wel, en jij wilt vast wel een dutje doen na je reis.'

Ik kon niet ontkennen dat het huis me soezerig maakte, zoals altijd. De klokken in elke kamer, waarvan er een aantal net zo oud was als de schoorsteenmantels waarop ze stonden, leken *slaap, slaap, slaap* te zeggen. Doordeweeks kreeg ik zelden genoeg slaap, en ik hield er niet van mijn weekends te verdoen met slapen. Ik hielp mijn vader met afruimen, liet hem met de schuimende spons in zijn hand achter en liep de trap op.

Mijn kamer was voor eeuwig voor mij gereserveerd, en er hing een portret van mijn moeder dat ik ongeveer een jaar voor haar dood had geschilderd (naar een foto; ik was geen purist, zoals Robert). Het viel me in dat ik, als ik had geweten wat er kort daarna met haar zou gebeuren, het naar het leven zou hebben geschilderd, hoe onpraktisch het voor ons beiden ook was geweest, met afspraken voor het poseren. Ik zou het niet hebben gedaan omdat het portret dan beter was geworden (in die tijd was ik sowieso niet zo goed), maar omdat het ons nog eens acht of tien uur samen had gegund. Ik had haar levende gezicht in mijn geheugen kunnen prenten, de kleine onregelmatigheden kunnen opmeten met een horizontaal of verticaal gehouden penseel en in haar ogen kunnen glimlachen wanneer ik opkeek van mijn werk. Nu stond er een goedverzorgde, bijna knappe, waardige vrouw op het doek die diep in gedachten verzonken leek te zijn, maar niets had van het leven en de kracht die ik van mijn moeder had gekend toen ze nog leefde, niets van die bijna terloopse humor. Ze droeg haar zwarte vest met haar befje en glimlachte vormelijk; de foto moest zijn genomen voor een nieuwsbrief van de kerk of voor een kantoormuur.

Ik vond het nu jammer, en niet voor de eerste keer, dat ik haar niet had geportretteerd in de dieprode kerstjurk die mijn vader haar met mijn instemming had gegeven toen ik twaalf was, het enige kledingstuk dat hij bij mijn weten ooit voor haar had gekocht. Ze had hem voor ons aangetrokken, haar haar opgestoken en het parelcollier omgedaan dat ze bij haar trouwen had gedragen. Het was een decente jurk van zachte wol, gepast voor de vrouw van een dominee en de dominee die ze zelf net was geworden. Toen ze voor het kerstdiner de trap af kwam, keken we allebei sprakeloos naar haar, en mijn vader had een foto van mijn moeder met mij genomen, zwart-wit: mijn moeder in haar kostelijke jurk en ik in mijn eerste blazer, waarvan de mouwen al te kort werden. Waar was die foto gebleven? Ik moest niet vergeten mijn vader ernaar te vragen.

Het behang van mijn kamer had een patroon van verschoten bruine en groene strepen; het kleedje voor het bed zag eruit alsof het pas was gewassen, iets te donzig, en de houten vloer was in de was gezet – de Poolse werkster. Ik ging op het smalle bed liggen dat ik in gedachten nog steeds als het mijne beschouwde, viel in slaap, werd wakker in de stilte, zag dat ik pas twintig minuten had geslapen en zakte nog een uur weg in een diepere slaap.

57

Marlow

Toen ik wakker werd, zag ik mijn vader vanuit de deuropening naar me glimlachen en begreep dat ik was gewekt door het kraken van de traptreden onder zijn trage voeten. 'Ik weet dat je niet graag te lang slaapt,' zei hij verontschuldigend.

'Nee,' zei ik terwijl ik me op mijn elleboog hees. Volgens de wandklok was het al halfzes. 'Heb je zin om een stukje te lopen?' Ik wilde mijn vader bij elk bezoek naar buiten zien te krijgen, en zijn gezicht klaarde op.

'Graag,' zei hij. 'Zullen we naar Duck Lane gaan?'

Ik wist dat hij op het graf van mijn moeder doelde, en ik was er die dag niet voor in de stemming, maar ik zei grif ja, om hem een plezier te doen, ging rechtop zitten en trok mijn schoenen aan. Ik hoorde mijn vader de trap af lopen. Hij hield zich ongetwijfeld vast aan de leuning en zette beide voeten op een tree voordat hij verder afdaalde; ik was blij dat hij zo voorzichtig was, al herinnerde ik me onwillekeurig het snelle bonzen van zijn voeten wanneer hij voor het ontbijt naar beneden kwam of hoe hij weer naar boven stampte om een vergeten boek te pakken voordat hij naar zijn kerkkantoor ging. We liepen ook langzaam, hij met zijn hand op mijn arm en zijn hoed op zijn hoofd, en ik zag links en rechts het begin van de zomer, met koel en grillig weer, biezen in het moeras, waar een kraai uit opvloog, en de namiddagzon die doorbrak boven de buurhuizen met de jaartallen boven de voordeuren: 1792, 1814 (dat huis had de Britse inval net gemist, besefte ik, en de beleefde weigering van de burgemeester zijn stad te laten platbranden).

Zoals ik al vermoedde, bleef mijn vader bij de poort van het kerkhof staan, die openbleef tot het donker werd, en kneep heel zacht in mijn arm; we liepen samen naar binnen, langs bemoste stenen met de namen van vergeten stichters, een paar met die gevleugelde puriteinse schedel erop om ons te waarschuwen voor het eind dat ons allen te wachten staat, of we nu hebben gezondigd of niet, en toen terug naar de minder oude graven. Mijn moeder lag naast de familie Penrose, die we nooit hadden gekend, en haar perceel was groot genoeg om mijn vader ook plaats te bieden wanneer hij zich bij haar voegde. Voor het eerst dacht ik eraan dat ik zou moeten beslissen of ik hier ook een graf wilde kopen; ik had, in tegenstelling tot mijn ouders, al besloten mijn lichaam ter beschikking te stellen van de wetenschap, waarna het moest worden gecremeerd, maar misschien was er nog ruimte om een urn tussen mijn ouders in te zetten; ik stelde me voor hoe wij drieën eeuwig zouden rusten in dat grote bed, mijn gereduceerde zelf tussen hun beschermende lichamen.

Het beeld was niet realistisch genoeg om me verdrietig te maken; ik werd alleen somber bij het zien van mijn moeders naam en haar geboorte- en sterfdatum, in simpele letters en cijfers in het graniet gebeiteld, haar al te vluchtige jaren – hoe luidde die regel van Shakespeare ook alweer, uit dat sonnet? Pom tata pom '... en al te ras verzwindt des zomers pracht'.

Ik citeerde de regel voor mijn vader, die zich had gebukt om een tak van het graf te rapen. Hij schudde glimlachend zijn hoofd. 'Er is een beter sonnet voor deze gelegenheid.' Hij gooide de tak langzaam, maar welgemikt in de struiken bij het hek. '"Doch brengt die stonde, vriend, uw beeld voor mij / Dan is 't verlies geboet, mijn leed voorbij."'

Ik voelde dat hij niet alleen op mijn moeder doelde, maar ook op mij, de vriend die er nog was, en daar was ik dankbaar voor. Ik had de afgelopen jaren geprobeerd aan haar in rust te denken, niet zoals ik haar in die laatste minuten had gezien, vechtend tegen haar afscheid van ons. Zoals wel vaker vroeg ik me af wat erger was: het feit dat ze op haar vierenvijftigste had moeten sterven of de manier waarop ze was gegaan. Ze hoorden bij elkaar, die twee trieste feiten, maar ik werd het nooit moe te proberen ze uit elkaar te trekken, het ene verdriet los te maken van het andere. Ik kon me er niet toe zetten de arm van mijn vader te pakken, zoals we daar stonden, of een arm om hem heen te slaan, en ik was diepontroerd toen hij het voor mij deed en zijn magere oude hand op mijn rug legde. 'Ik rouw ook om haar, Andrew,' zei hij nuchter, 'maar je komt er wel achter dat mensen niet zo heel ver weg zijn, zeker niet als je zo oud bent als ik.'

Ik weerhield me ervan hem te wijzen op het aloude verschil tussen onze zienswijzen: dat ik geloofde dat mijn hereniging met mijn moeder niet meer inhield dan de vermenging, in de loop van miljoenen jaren, van de atomen waaruit onze lichamen hadden bestaan. 'Ja, ik voel haar soms om me heen, als ik mijn best doe.' Mijn keel werd dichtgeknepen, dus meer kon ik niet zeggen. Ik dacht om de een of andere reden terug aan Mary, zoals ze in haar witte blouse en spijkerbroek op mijn bank had gezeten toen ze tegen me zei dat ze Robert Oliver nooit meer wilde zien. Er zijn verschillende manieren om met verdriet om te gaan, afhankelijk van de omstandigheden; mijn moeder had me nooit in de steek gelaten, behalve dan noodgedwongen, in die laatste minuten van haar afscheid.

We liepen nog een stukje over Duck Lane en toen bleef mijn vader even staan en draaide zich schuifelend om ten teken dat hij er genoeg van had. We kuierden nog langzamer terug naar het huis. Ik merkte op dat de buurt ondanks de stadsuitbreiding naar het westen vredig was gebleven, en mijn vader zei dat hij blij was dat de rivier er was, want die had voorkomen dat de snelweg dichterbij kwam. De rust in de straat baarde me zorgen: hoeveel gezelschap kon mijn vader hier hebben? Sinds we van huis waren gegaan, hadden we nog niet één buurtgenoot gezien. Mijn vader knikte alsof de stilte om hem heen alleen maar gunstig was. Bij ons tuinpad aangekomen bleef ik staan om nog iets te zeggen wat ik op het kerkhof had bedacht, maar toen niet kon uitspreken; niet over mijn moeder en hoe ik haar miste, maar over die andere geest die me daar had achtervolgd. 'Pap? Ik weet niet of ik er wel goed aan heb gedaan. Die patiënt over wie ik je heb verteld.'

Hij begreep het meteen. 'Dat je zijn naasten vragen hebt gesteld, bedoel je?'

Ik legde mijn hand op de stam van een van onze levensbomen. Hij voelde harig en bladderig aan, precies zoals ik me uit mijn jeugd herinnerde, en vlak daaronder was de hardheid van het hout zelf. 'Ja. Hij heeft me mondeling toestemming gegeven, maar...'

'Twijfel je omdat hij niet weet dat je het hebt gedaan, of omdat je niet zeker bent van je eigen motieven?'

Zoals altijd wanneer ik hem iets belangrijks voorlegde, maakte zijn scherpzinnigheid me sprakeloos. Ik had hem geen van beide dingen verteld. 'Beide, denk ik.'

'Neem eerst je motieven maar eens onder de loep, dan valt de rest vanzelf op zijn plaats.'

'Dat zal ik doen. Dank je.'

Tijdens het avondeten, dat ik per se voor ons had willen maken, en het potje schaak erna aan de schaaktafel in de woonkamer (hij ging eerst op een lage stoel bij de haard zitten, stak stokjes door het rooster en legde een vuur aan), vertelde hij me over zijn schrijfprojecten en over een vrouw die tien jaar jonger was dan hij en die een keer of twee per maand met haar auto uit Essex kwam om hem voor te lezen, hoewel hij zelf nog kon lezen. Hij had het nog nooit over haar gehad en ik vroeg een beetje verbaasd hoe hij haar kende. 'Ze woonde hier vroeger en voor mijn pensioen kwam ze wel naar de kerk, tot haar man en zij verhuisden, maar ze gingen niet heel ver weg, dus later kwamen ze nog naar mijn jaarlijkse preek. Haar man overleed en ik hoorde een tijd niets meer van haar, maar uiteindelijk stuurde ze me een brief en nu hebben we die gezellige ontmoetingen. Het kan verder niets worden, op mijn leeftijd,' voegde hij eraan toe, 'of de hare, maar ik heb toch een beetje gezelschap.' Ik wist dat hij impliciet ook zei dat hij nooit genoeg van een ander zou kunnen houden, afgezien van mijn moeder en mij, om de toekomst die hem nog restte overhoop te halen. Hij reikte naar zijn dame en bedacht zich. 'Met wie ga jij tegenwoordig om?' vroeg hij.

Het was iets wat hij zelden vroeg, en het deed me plezier. 'Je weet dat ik een nog verstoktere oude vrijgezel ben dan jij, pap, maar ik zou bijna denken dat ik iemand heb ontmoet.'

'Die jonge vrouw, bedoel je,' zei hij laconiek. 'Ja toch? De vrouw die als laatste door je patiënt aan de kant is gezet.'

'Ik kan ook niets voor je verbergen.' Ik zag hoe hij een loper uit de gevarenzone haalde. 'Ja. Maar ze is eigenlijk te jong voor me, en ik denk dat ze nog niet heeft verwerkt wat die man haar heeft aangedaan.' Ik zei er niet bij dat mijn betrekkingen met haar gecompliceerd waren doordat ik haar beroepshalve had gebruikt om aan informatie te komen, of dat ze, hoewel ze nu vrijgezel was, de geliefde van mijn patiënt was geweest, wat ethisch gezien moeilijk lag; het zou mijn vader allemaal net zo duidelijk zijn als mij. 'Vrouwen die net zijn afgewezen, kunnen ingewikkeld in elkaar zitten.'

'En zij is niet alleen ingewikkeld, maar ook nog eens onafhankelijk, ongewoon en mooi,' zei mijn vader.

'Natuurlijk.' Ik deed alsof ik vreesde voor mijn heer, om hem een plezier te doen.

Hij trapte er niet in. 'En wat jou vooral dwarszit, is dat ze tot voor kort van je patiënt was.'

'Tja, het is niet iets wat je makkelijk over het hoofd kunt zien.'

'Maar ze is nu vrijgezel en ze is met hem klaar, praktisch gezien?' Hij keek me indringend aan.

Ik was blij dat ik kon knikken. 'Ja, daar ben ik zo goed als zeker van.'

'Hoe oud is ze precies?'

'Begin dertig. Ze geeft schilderlessen aan een plaatselijke academie en schildert ook veel voor zichzelf. Ik heb haar werk nog niet gezien, maar ik heb zo'n idee dat ze wel eens heel goed zou kunnen zijn. Ze heeft allerlei baantjes aangenomen om zich serieus op haar schilder-kunst te kunnen toeleggen. Ze heeft lef.'

'Je moeder was in de twintig toen ik met haar trouwde, en ik was jaren ouder dan zij.'

'Weet ik, pap, maar dat verschil was kleiner. En niet iedereen is voor-bestemd voor het huwelijk, zoals moeder en jij.'

'Iedereen is voorbestemd voor het huwelijk,' merkte hij uitdagend op; hij probeerde me in het zachte licht van lamp en vuur uit mijn tent te lokken. Hij wist dat ik mijn heer nooit op het spel zou zetten, zelfs niet om hem te laten winnen. 'Je moet alleen de juiste persoon zien te vinden. Vraag maar aan Plato. Als je maar zeker weet dat zij jouw ge-dachten afmaakt en jij de hare. Meer heb je niet nodig.'

'Weet ik, weet ik.'

'En dan zeg je tegen haar: "Madame, ik zie dat uw hart is gebroken. Sta me toe het voor u te lijmen."'

'Ik had niet gedacht dat je dat in je had, pap.'

Hij lachte. 'O, dat had ik zelf nooit tegen een vrouw kunnen zeg-gen.'

'Maar dat hoefde ook niet, hè?'

Hij schudde zijn hoofd. Zijn ogen waren blauwer dan anders. 'Het was niet nodig. Trouwens, als ik zoiets tegen je moeder had gezegd, had ze gezegd dat ik normaal moest doen en de vuilnisbak voor haar buiten moest zetten.'

En terwijl ze het zei, had ze je een zoen op je voorhoofd gegeven. 'Pap, waarom ga je morgen niet met me mee naar New York? Ik ga naar het museum en er staat een extra bed in mijn hotelkamer. Je bent er al zo lang niet meer geweest.'

Hij zuchtte. 'Dat is zo langzamerhand een ondenkbaar grote reis voor me. Ik zou niet goed met je mee kunnen lopen. Zelfs naar de kruidenier gaan is tegenwoordig een odyssee.'

'Ik snap het.' Toch moest ik aandringen; ik wilde niet dat hij nu al ophield de wereld te zien. 'Nou, heb je dan zin om me van de zomer in Washington op te zoeken? Ik kom je ophalen. Of misschien in de herfst, als het wat koeler is.'

'Dank je, Andrew.' Hij zette me schaak. 'Ik zal erover nadenken.' Ik wist dat hij het niet zou doen.

'Wil je dan tenminste een nieuwe bril nemen, Cyril?' Het was een oude grap: ik mocht zijn voornaam gebruiken wanneer ik een speciaal verzoek aan hem had.

'Niet zo vitten, jongen.' Hij keek grinnikend naar het bord en ik besloot hem te laten winnen, wat hij toch al bijna had gedaan; hij kon de schaakstukken in elk geval nog goed zien.

58

1879

Ze wordt met een schreeuw wakker. Yves, die zijn slaapmuts opheeft, schudt aan haar schouder en brengt haar een glaasje cognac uit zijn kleedkamer. Het was maar een droom, zegt ze snakkend naar adem. Natuurlijk was het maar een droom, zegt hij. Wat heeft ze gedroomd? Niets, zegt ze, het was maar een vreemde kronkel van haar fantasie. Wanneer hij haar eenmaal op haar gemak heeft gesteld, wil hij weer slapen; hij heeft zich de afgelopen paar weken afgebeuld, weet ze; ze laat hem in de waan dat ze is gekalmeerd zodat hij zich weer in zijn eigen dromen kan nestelen. Hij ademt rustig, in en uit, en zij steekt een kaars aan en blijft in haar met roosjes afgezette ochtendjas op de rand van het bed zitten tot het eerste licht door de gordijnen sijpelt.

Ze heeft de kamerpot nodig; ze pakt hem voorzichtig vanonder het bed en gaat erop zitten, met haar ochtendjas omhoog. Wanneer ze zich afveegt, ziet ze een cadmiumrode veeg. Ze moet in de ladekast in haar kleedkamer op zoek naar de doeken die Esmé opgevouwen in de bovenste la heeft gelegd. Weer een maand zonder hoop. Het bloed zelf is afschrikwekkend na haar droom; ze ziet het over een bleek gezicht stromen en op het plaveisel druppelen; het bloed van een vrouw dat zich op de grond vermengt met het bloed van mannen die hun overtuiging met de dood hebben moeten bekopen.

Ze blaast de kaars uit, bang dat Yves weer wakker zal worden; er prikken tranen in haar ogen. Ze denkt aan Olivier. Ze kan hem niet over haar droom vertellen; zoveel pijn zou ze hem nooit willen doen. Ze zou wel willen dat hij er nu was, dat hij op de damasten stoel bij het raam zat en haar vasthield. Ze pakt een warmere ochtendjas en gaat alleen op de stoel zitten, met loshangend haar, terwijl de tranen in haar hals druppelen. Als hij er was, zou hij eerst op de stoel gaan zitten en die vullen met zijn lange, magere lichaam; daarna zou zij als een kind op zijn schoot kruipen. Hij zou haar vasthouden, haar tranen drogen en de ochtendjas om haar schouders en knieën trekken. Ze kent niemand die zoveel liefde heeft te geven als hij, die man die ooit met een schetsboek in zijn hand kogels heeft ontweken. Maar waarom zou hij mij troosten? vraagt ze zich dan af. Hij heeft zelf toch zeker meer behoefte aan troost? Dat roept de droom weer op en ze maakt zich nog kleiner in de stoel, slaat haar armen om zichzelf heen, haar borsten platdrukkend onder haar armen, wachtend tot zijn verleden in haar is geluwd.

59

Marlow

Zoals altijd had ik vanuit de trein een schitterend uitzicht op New York. De hoogste punten doken eerder op dan de stad zelf, als een rij naderende spiesen: het World Trade Centre, het Empire State Building, het Chrysler Building en allerlei andere hoog oprijzende gebouwen waarvan ik de naam en functie niet ken en nooit zal kennen ook; banken, neem ik aan, en kolossale kantoorgebouwen. Het is moeilijk je de stad zonder die skyline voor te stellen, zoals het er nog maar veertig jaar geleden uit moet hebben gezien, en nu wordt het steeds moeilijker de Twin Towers er in gedachten weer tussen te zetten, maar die ochtend in de trein voelde ik de opgewektheid die het gevolg was van een nacht goed slapen en het vooruitzicht van de levendige stad; het was ook een gevoel van vakantie, of in elk geval even niet hoeven werken, al voor de tweede keer in een paar maanden. Ik controleerde mijn mobiele telefoon voor de zoveelste keer; er waren geen oproepen van Goldengrove of een van mijn particuliere patiënten, dus ik was echt vrij. Ik bedacht dat Mary had kunnen bellen, maar dat had ze niet gedaan, en waarom zou ze ook? Ik zou zeker nog een paar weken moeten wachten voordat ik haar weer kon bellen – ik vond het weer jammer dat ik haar niet had mogen interviewen, zoals Kate, maar het lezen van haar woorden schonk me ook genoegen, en haar verhaal was mogelijk openhartiger dan als ze het me persoonlijk had moeten vertellen.

Pas toen ik mijn bagage bij het Washington Hotel had achtergelaten en de Village in liep, begreep ik waarom ik die buurt had opgezocht, al was het dan onbewust. Dit waren Roberts straten, en die van Kate; hij was elke dag van hier naar de academie gelopen, hier had hij in cafés gezeten met vrienden met wie hij meningen en sweatshirts uitwisselde, en niet ver van hier had hij geëxposeerd in kleine galeries. Had Kate me het adres maar gegeven, dacht ik, al kon ik me niet voorstellen dat ik het huis opzocht en reikhalzend omhoogkeek: *Robert Oliver heeft hier geslapen*. Wel voelde ik zijn aanwezigheid, gek genoeg; ik kon me goed voorstellen hoe hij er rond zijn negenentwintigste uit had gezien, net zoals nu, maar dan zonder zilveren draden in zijn slangachtige krullen. Kate was lastiger; ze had er toen zeker anders uitgezien, maar ik kon niet voor me zien hoe.

Ik zocht naar hen in de straten, bij wijze van spel: die jonge vrouw met het blonde, korte haar en de lange rok, die student met een grote map aan een riem over zijn schouder – nee, Robert was langer en zag er krachtiger uit dan wie ook op deze volle stoep. Hij zou hier een intimiderende verschijning zijn geweest, net als op Goldengrove, al zou New York zijn vitaliteit beter hebben aangekund. Voor het eerst vroeg ik me af of zijn depressie niet deels gewoon te wijten zou kunnen zijn aan ontheemding; iemand die groter was dan levensgroot, groter dan de meesten, moest een omgeving hebben die bij zijn energie paste. Was hij langzaam weggekwijnd zonder Manhattan? Kate was degene geweest die buiten wilde wonen, een gezin wilde stichten. Of had zijn verbanning uit deze bruisende stad hem alleen gesterkt in zijn vaste voornemen zijn roeping te volgen? Was dat de gedrevenheid waarmee hij op zolder schilderde en door zijn lessen op Greenhill heen sliep, zoals Kate me had verteld? Had hij geprobeerd zich te laten ontslaan zodat hij een reden had om terug te gaan naar New York? Waarom was hij, toen hij ten slotte op de vlucht sloeg, niet naar New York gegaan, maar naar Washington? Dat hij een andere stad had gekozen, pleitte voor een hechte band met Mary, maar het kon ook betekenen dat zijn donkerharige geliefde niet meer in New York was, als ze er al ooit was geweest.

Ik liep langs de plek waar Dylan Thomas min of meer in de goot was gestorven, of waar hij er althans uit was gevist voor zijn laatste rit naar het ziekenhuis, en langs de rij huizen waar Henry James *Washington Square* had laten spelen – daar had mijn vader me vanochtend aan herinnerd door het boek uit de kast in zijn werkkamer te pakken en me over zijn te zwakke bril heen aan te kijken – 'Je hebt toch nog wel eens tijd om te lezen, Andrew?' De heldin uit dat boek had in een van die nette huizen aan het plein gewoond, en toen ze haar op geld beluste aanbidder eindelijk de bons had gegeven, had ze zich aan haar borduurwerk gezet: '"... voor het leven, als het ware,"' had mijn vader me voorgelezen.

Weer het eind van de negentiende eeuw; ik dacht aan Robert en zijn raadselachtige dame met haar wijde rokken en kleine knoopjes, haar donkere ogen die meer leven bevatten dan verf zou mogen uitdrukken. Die ochtend lag Washington Square vredig in de zomerzon. Mensen zaten op de banken te keuvelen, zoals generaties voor hen ook al hadden gedaan, zoals ik ooit had gedaan met een vrouw die ik had gedacht te trouwen; al die tijd die langs ons heen glipte en verdween, ons allemaal met zich meenemend. Het bood een zekere troost dat de stad ook zonder ons almaar doorging.

Ik at een broodje op een terras, nam de ondergrondse van Christopher Street naar West Seventy-ninth Street en stapte daar over op een bus. Central Park was uitbundig groen, vol mensen op skeelers en op fietsen, en joggers die de mensen op wielen op het nippertje ontweken – een uitgelezen zaterdag, New York precies zoals het moest zijn, zoals ik het al jaren niet meer had gezien. Sterker dan ooit herinnerde ik me mijn wereld hier, de spaken die uitwaaierden naar het zuiden vanuit Columbia, mijn collegezalen en studentenhuizen daar. Voor mij stond New York gelijk aan jeugd, net als voor Robert en Kate. Ik stapte uit de bus en liep naar het Met. Het bordes van het museum zat vol toeristen die als vogels op de treden waren neergestreken; ze namen foto's van elkaar, waren rumoerig en fladderden weg om hotdogs of cola bij de kraampjes in de buurt te kopen; ze wachtten op hun lift of hun vrienden of gunden hun voeten even rust. Ik baande me een weg door de massa heen naar de ingang.

Ik was er bijna tien jaar niet geweest, besefte ik; hoe had ik zo'n zee van tijd kunnen laten ontstaan tussen mezelf en die wonderbaarlijke entree, de hoge hal met vazen vol verse bloemen, de bedrijvigheid van de mensen die erdoorheen stroomden, de gapende ingang naar het oude Egypte aan een kant? Een paar jaar later ging mijn vrouw alleen naar het museum en vertelde me dat er vlak onder de grote trap een nieuwe ruimte was geopend; ze was erheen gegaan, moe van het drentelen, en was op een expositie over het Byzantijnse Egypte gestuit. Er pasten maar twee of drie mensen tegelijk in de ruimte; ze was een hoek omgeslagen en daar beland, alleen met slechts een paar eeuwenoude, volmaakt uitgelichte voorwerpen. En ze vertelde me dat de tranen haar in de ogen waren gesprongen omdat de aanblik haar bewust had gemaakt van haar verbondenheid met andere mensen. (*Maar je was er alleen*, zei ik. Ze zei: *Ja, samen met die voorwerpen die iemand had gemaakt.*)

Ik wist dat ik de hele middag wilde blijven, al zou mijn bezoek ten bate van Robert me maar vijf minuten kosten. Opeens herinnerde ik me schatten die ik al half was vergeten: koloniale meubelen, Spaanse balkons, barokke spotprenten en een grote, lome Gauguin die ik erg mooi had gevonden. Ik had niet op zaterdag moeten komen, wanneer de drukte een hoogtepunt bereikte; zou ik wel iets van dichtbij kunnen zien? Anderzijds had Robert zijn vrouw ook in een massa gezien, dus misschien was het wel goed dat ik nu een deel van die massa was. Met een gekleurde metalen museumbutton aan mijn borstzakje gehaakt en mijn jasje over mijn arm liep ik de voorname trap op.

Ik was vergeten te vragen of de Degas-collectie nog een geheel vormde, en of die niet was verplaatst sinds Roberts obsessie ermee in de jaren tachtig. Het was niet erg; ik kon altijd terug naar de informatiebalie en misschien was ik niet eens op zoek naar informatie. Ik vond de aan het impressionisme gewijde zalen op de plek waar ze zich in mijn herinnering ook bevonden, min of meer, en raakte gefascineerd door de groene uitgestrektheid; er waren drommen mensen, maar ik kreeg opeens visioenen van boomgaarden, tuinpaden, kalme wateren, schepen en Monets vorstelijk gebogen kliffen. Zonde dat die beelden iconen waren geworden, een deuntje dat we allemaal te vaak hadden geneuried, maar telkens wanneer ik dichter naar zo'n doek toe liep, werd het oude liedje tot zwijgen gebracht door het aanzwellen van iets enorms, kleur die bijna melodie was, dikke verf op oppervlakken die echt de geuren van weilanden en zee overbrachten. Ik dacht aan de stapel boeken die Kate bij Roberts bank op zolder had gevonden, boeken die hem hadden aangezet tot het verwoed beschilderen van de wanden en het plafond. Voor hem, een hedendaags kunstenaar, waren deze schilderijen niet dood geweest, maar op de een of andere manier nieuw en verfrissend, zelfs als glanzende kleurenreproducties uit de bibliotheek. Hij was zelf natuurlijk een traditionalist, maar hij had door de eindeloze exposities en affiches heen iets gezien wat nog steeds revolutionair was.

De Degas-collectie besloeg vier zalen. Een paar voorbeelden van zijn werk, voornamelijk grote portretten die ik me niet herinnerde, hingen in de algemene zalen met negentiende-eeuwse kunst. Wat ik ook was vergeten, was dat het Met een van de grootste collecties van zijn werk moest hebben, misschien wel de grootste van de wereld; ik nam me voor het na te gaan. In de eerste zaal stond een bronzen afgietsel van

Degas' beroemdste beeld: *Danseresje van veertien jaar*, met haar balletrokje van echte verschoten mousseline en het satijnen lint dat uit de vlecht op haar rug gleed. Ze stond recht tegenover iedereen die binnenkwam, met haar gezicht geheven, niets ziend en onderdanig, maar misschien bezield door een droom die geen niet-danser kon begrijpen, met haar handen gevouwen op haar sierlijk gebogen rug, de rechtervoet naar voren en onmogelijk ver uitgedraaid in de schitterende misvorming waarvoor ze was opgeleid.

De muren rondom haar werden overheerst door Degas, met hier en daar een paar andere schilders: zijn portretten van tamelijk gewone vrouwen die in hun huis aan bloemen roken, en doeken met ballerina's. De twee volgende zalen waren bijna helemaal gevuld met ballerina's, jonge meisjes met een voet op de barre of op een stoel terwijl ze de linten van hun spitzen strikten, met tutu's die opwipten doordat ze zich bukten, als de veren van zwanen die onder water vissen, de sensualiteit die maakte dat je de lijnen van hun lichaam net zo volgde als je bij het ballet zelf had kunnen doen, de versterkte intimiteit doordat je ze al oefenend zag, niet op het toneel, achter de schermen, gewoon, moe, verlegen, verminkt, ambitieus, te jong of overrijp, exquis. Ik liep van de een naar de ander en stopte bij een derde om om me heen te kijken.

Voorbij de ballerina's was een zaaltje met naakten van Degas, vrouwen die uit bad stapten en enorme witte handdoeken om zich heen sloegen. Het waren vlezige naakten, alsof de ballerina's ouder en dikker waren geworden, of toch weelderig bleken te zijn onder de beteugeling van hun strakke lijfjes en wijde rokken. Niets herinnerde me aan Robert of de vrouw die hij ooit in deze zalen had gezien, hoewel ze hier mogelijk was gekomen omdat ze Degas bewonderde. Hij had toestemming gekregen om in het museum te tekenen; op een drukke ochtend tegen het eind van de jaren tachtig had hij zijn ezel neergezet of zijn schetsboek voor zich gehouden; hij had een vrouw in de massa gezien en was haar uit het oog verloren. Als hij had willen tekenen, wat had hij dan hier in de drukte te zoeken? Ik wist niet eens of deze zalen toen net zo waren ingedeeld als nu, en als ik het natrok, zou ik fanatiek lijken, al was het maar in mijn eigen ogen. Deze pelgrimage was een bespottelijke onderneming; ik was het gedrang nu al beu, al die mensen die impressies kwamen verzamelen van de impressies van de impressionisten, eerstehands beelden die ze al uit de derde hand kenden.

Ik moest even aan Robert denken en besloot beneden een stille zaal met meubelen of Chinese vazen te zoeken die minder boeiend werden gevonden. Mogelijk was het Robert net zo vergaan; hij was moe geweest, die dag, had opgekeken en een blik op de massa geworpen – ik probeerde het zelf, en mijn blik bleef rusten op een vrouw met grijs haar en een rode jurk die een klein meisje bij de hand hield, dat ook al moe was, en wezenloos naar de mensen om zich heen keek in plaats van naar de schilderijen. Die dag had Robert echter dwars door de menigte heen een vrouw gezien die hij nooit meer kon vergeten, een vrouw die mogelijk een negentiende-eeuws kostuum droeg voor een repetitie, een foto of een grap; die mogelijkheden waren nog niet bij me opgekomen. Misschien was hij opgestaan om met haar te praten, ondanks de drukte.

'Zijn er nog meer schilderijen van Degas?' vroeg ik aan de suppoost in de deuropening.

'Degas?' zei hij met gefronst voorhoofd. 'Ja, nog twee in die zaal daar.' Ik bedankte hem en liep erheen, voor de volledigheid; misschien had Robert zijn openbaring of visioen daar gekregen. In die zaal waren minder mensen, mogelijk omdat er minder Monets hingen. Ik bekeek een pastel op ruw linnen, uitgevoerd in roze en wit, een ballerina die haar lange armen uitstrekte langs haar lange been, en nog een pasteltekening van drie of vier ballerina's die met hun rug naar de schilder toe stonden, met hun armen om elkaars middel of hun haarlinten schikkend.

Ik was klaar. Ik wendde me af en keek of ik een uitgang zag aan de andere kant van de zaal, tegen de stroom in. Toen zag ik haar, tegenover me, een olieverfportret van ongeveer zestig bij zestig centimeter, los, maar met uiterste precisie geschilderd, het gezicht dat ik kende, de ongrijpbare glimlach, het hoedje met de linten onder haar kin. Haar ogen waren zo levensecht dat je je niet kon omdraaien zonder erdoor te worden aangekeken. Ik liep als verdoofd door de zaal, die immens leek; het kostte me uren om haar te bereiken. Het was onmiskenbaar dezelfde vrouw, afgebeeld vanaf haar in blauw gehulde schouders. Toen ik vlak bij haar was, leek haar glimlach iets breder te worden; haar gezicht was wonderbaarlijk levend. Als ik de naam van de schilder had moeten raden, had ik Manet gezegd, al miste het portret zijn genialiteit. Het moest wel uit dezelfde periode zijn; de zorgvuldige penseelstreken van de schouders van de jurk, het kant bij de hals en de donkere weelde van haar haar waren net niet impressionistisch; haar gezicht had iets van het realisme van vroeger werk. Ik keek naar het bordje: Olivier Vignot, *Portret van Béatrice de Clerval*, 1879. Het was wel degelijk een echte vrouw, alleen leefde ze niet meer.

De man achter de informatiebalie beneden hielp me zo goed mogelijk. Nee, ze hadden geen ander werk van Olivier Vignot en ook geen andere titels waarin de naam Béatrice de Clerval voorkwam. Het stuk was in 1966 opgenomen in de collectie, gekocht van een particuliere collectioneur in Parijs. Gedurende Roberts verblijf in New York was het een jaar uitgeleend aan een reizende expositie over de Franse portretkunst tijdens de opkomst van het impressionisme. Hij glimlachte en knikte; meer informatie had hij niet – was het voldoende?

Ik bedankte hem. Mijn lippen waren droog. Robert had het schilderij een paar keer gezien voordat het op reis was gegaan. Hij had niet gehallucineerd; hij was alleen getroffen door een schitterend beeld. Had hij echt niet aan iemand gevraagd waar het schilderij was gebleven? Misschien wel, misschien niet; het paste in zijn mythe rond haar dat ze was verdwenen. En als hij in de jaren daarna al was teruggekeerd naar het museum, had het hem niet uitgemaakt of het schilderij er echt hing of niet; tegen die tijd werkte hij al aan zijn eigen versie van haar. Al had hij dit schilderij maar een paar keer gezien, hij had er beslist een schets van gemaakt, een bijzonder goede, anders had hij haar niet zo goed gelijkend op zijn latere portretten kunnen afbeelden.

Of had hij het schilderij in een boek teruggevonden? De kunstenaar noch het model was erg bekend, dat stond vast, maar het Met had de kwaliteit van Vignots werk goed genoeg gevonden om het portret aan te kopen. Ik ging naar de museumwinkel, maar ze hadden geen ansicht van het doek, geen boek met een reproductie. Ik beklom de trap weer en ging terug naar de zaal. Daar wachtte ze op me, stralend, glimlachend, op het punt iets te zeggen. Ik pakte mijn schetsboek en tekende haar, de houding van haar hoofd – kon ik het maar beter. Toen keek ik haar in de ogen. Het was bijna ondraaglijk weg te gaan zonder haar mee te nemen.

60

Mary

Na de academie pakte ik alles aan om geld te verdienen, tot ik ten slotte een baan als docent in Washington kreeg. Soms exposeerde ik iets, ik kreeg wel eens een kleine beurs en wist soms zelfs bij een goede workshop te komen. De workshop waarover ik wil vertellen, is er een waar ik een paar jaar geleden aan meedeed, eind augustus. Hij werd gehouden op een oud landgoed aan de kust van Maine, een streek die ik altijd had willen zien en misschien ook schilderen. Ik reed er vanuit Washington naartoe in mijn pick-upje, een blauwe Chevrolet die ik inmiddels heb afgedankt. Ik was gek op die pick-up. Ik kon mijn ezels achterin leggen, mijn grote houten schilderkist, mijn slaapzak en een kussen, de rugzak waarmee mijn vader nog in Korea had gediend, volgepropt met spijkerbroeken en witte T-shirts, oude badpakken, oude handdoeken en nog veel meer oude spullen.

Terwijl ik die rugzak inpakte, besefte ik dat ik Muzzy en haar opvoeding ver achter me had gelaten; Muzzy had mijn manier van inpakken en wat ik inpakte nooit goedgekeurd, die warboel van rafelende kleren, grijze sportschoenen en dozen vol teken- en schildergerei. Ze zou hebben gegruwd van mijn Barnett-sweatshirt met de beschadigde letters op de voorkant en van mijn kaki broek met de uitgescheurde achterzak. Toch was ik geen slons; ik hield mijn haar lang en glanzend, mijn huid soepel en de stokoude kleren brandschoon. Ik droeg een gouden kettinkje met een granaat eraan om mijn hals, ik kocht nieuwe kanten beha's en slipjes om mezelf mee te tooien onder de sjofele buitenkant. Zo hield ik van mezelf, de rondingen van mijn slanke lijf in het geheim opgesierd, niet zichtbaar, niet bedoeld voor een man (ik was de mannen zat, na de academie), maar voor dat moment 's avonds wanneer ik me ontdeed van mijn met verf besmeurde witte shirt en de spijkerbroek waar je mijn knieën doorheen kon zien.

Het was allemaal voor mij; ik was mijn eigen schat.

Ik ging heel vroeg van huis en reed over provinciale weggetjes naar Maine. Ik overnachtte in Rhode Island, in een halfleeg motel uit de jaren vijftig, een verzameling kleine witte huisjes en een uithangbord met zwarte krulletters. Alles bij elkaar deed het me op onaangename wijze denken aan het motel in *Psycho*, maar er was geen moordenaar te bekennen; ik sliep vredig tot iets voor achten en at gebakken eieren in de rokerige cafetaria naast het motel. Terwijl ik daar zat, schetste ik de koffiedrinkende mensen en de opgenomen vitrages vol vliegenpoep aan weerskanten van raamkozijnen vol kunstbloemen.

Bij de grens van Maine stond een bord dat waarschuwde voor overstekende elanden, en langs de weg verdrongen de naaldbomen elkaar, oprukkend als reuzenlegers; geen huizen, geen afslagen, alleen maar onafzienbare kilometers hoge sparren. Toen doemde er aan de einder een lijn licht zand op, en ik begreep dat ik dichter bij de zee kwam. Ik voelde me weer net zo opgewonden als vroeger wanneer Muzzy met ons naar Cape May in New Jersey reed voor onze jaarlijkse vakantie. Ik stelde me voor dat ik het strand schilderde, het landschap, of dat ik in mijn eentje in het maanlicht op een rots bij het water zat. In die dagen genoot ik nog volop van de romance die ik 'in mijn eentje' noemde; ik wist nog niet dat het eenzaam kan worden, dat het op den duur een scherp randje krijgt dat soms een dag verpest – en meer, als je niet oppast.

Het kostte me even om de weg door de stad te vinden die naar het landgoed leidde; op de brochure van de workshop stond een kaartje met een weg die eindigde bij een baai ver van de bewoonde wereld. De laatste paar wegen die ik volgde, waren onverhard en ploegden zich als houthakkerspaden door de dichte naaldbossen, die uiteindelijk uitdunden, met jonge boompjes die opschoten in de berm in de schaduw van het bos. Na een tijdje kwam ik bij een peperkoekhuisje, of zo zag het eruit: een houten poortwachtershuis met een bord waarop ROCKY BEACH RETRAITE stond. Er was geen mens te bekennen, maar een stukje verderop volgde ik een bocht naar een groen gazon. Ik zag een grote houten villa met dezelfde peperkoekversieringen onder de daklijsten, bos en een glimp van de zee erachter. Het was een enorm huis, oudroze geschilderd, en afgezien van het gazon waren er ook bloemen, latwerken, paden, een roze zomerhuisje, oude bomen en een effen stuk grond waarop iemand croquetpoortjes en een paaltje had neergezet, een hangmat. Ik keek op mijn horloge; ik was nog ruim op tijd om me in te schrijven.

De eetzaal, waar iedereen die avond bijeenkwam voor de eerste maaltijd, bevond zich in een koetshuis waar de tussenmuren uit waren gesloopt. Het had hoge, ruwe balken en ramen met randen glas-in-lood. Er stonden acht à tien lange tafels op de bladderende houten vloer, en er liepen jonge mensen – studenten; ik vond ze er al jonger uitzien dan ikzelf – met karaffen water omheen. Aan een kant van de zaal was een buffet met een paar flessen wijn erop, glazen en bloemen, en daarnaast stonden open koelingen met bier. Ik was gespannen; het was net de eerste dag op een nieuwe school (al had ik als kind twaalf jaar op dezelfde school gezeten), of mijn kennismakingsweek op de academie; het besef dat je helemaal niemand kent en dat dus niemand iets om je geeft, en dat je daar iets aan moet doen. Ik zag wat mensen in groepjes staan praten bij de drank. Ik dwong mezelf naar het bier te schrijden (ik was destijds trots op mijn manier van lopen) en zonder op of om te kijken een fles uit zijn bedje van ijs te pakken. Toen ik me oprichtte om een flesopener te zoeken, stootte ik met mijn schouder en elleboog tegen Robert Oliver aan.

Het moest Robert zijn. Ik zag hem in driekwart profiel. Hij praatte met iemand en stapte voor me opzij, me omzeilend zonder zelfs maar over zijn schouder te kijken. Hij praatte met een man, een man met een smal gezicht en een dunne, grijzende baard. Het was onmiskenbaar Robert Oliver. Zijn krullende haar was op de rug iets langer dan ik me herinnerde, met wat nieuwe zilveren draden die het licht vingen, en een van zijn gebruinde ellebogen stak door het gat in zijn blauwkatoenen overhemd. Zijn naam was niet genoemd in de brochure van de workshop; wat kwam hij hier doen? Er zat verf of vet op de achterkant van zijn lichte katoenen broek, alsof hij als een klein kind zijn hand aan zijn achterste had afgeveegd. Hij droeg stevige sandalen, hoewel de kilte van de vroege zomeravond al door de deur naar binnen kwam. Hij had een flesje bier in zijn ene hand en gebaarde met de andere naar de man met het smalle gezicht. Hij was nog net zo lang als in mijn herinnering, imposant lang.

Ik stond als verstijfd naar zijn oor te kijken, naar de dikke krul om dat oor, naar zijn nog steeds vertrouwde schouder en zijn geheven hand. Hij draaide zich half om, alsof hij mijn ogen op zich voelde, en zette zijn gesprek voort. Ik herinnerde me dat stevige, elegante evenwicht van zijn rondgangen door het atelier. Toen keek hij nog eens om, met gefronst voorhoofd, maar het was geen moment van herkenning zoals in de film; het was meer alsof hij iets zocht, of zich probeerde te herinneren wat hij was komen zoeken. Hij herkende me zonder me te herkennen. Ik schuifelde weg en wendde mijn gezicht af. Ik vond het een schrikwekkend idee dat ik zo naar hem toe kon lopen als ik wilde, hem door het blauwe overhemd heen op zijn schouder tikken en zijn gesprek kordater onderbreken. Ik zag op tegen zijn stomme verbazing, het vage: O, *neem me niet kwalijk, waar ken ik je van?*, het *Leuk je weer te zien, wie ben je ook alweer?* Ik dacht aan de honderden (duizenden?) studenten die sindsdien waarschijnlijk zijn lessen hadden gevolgd. Ik kon hem beter niet aanspreken dan ontdekken dat ik het zoveelste vage gezicht in de massa was.

Ik wendde me snel tot de eerste de beste van wie ik de blik kon vangen, een pezige jongen met een tot aan het borstbeen openhangend overhemd. Het was een indrukwekkend borstbeen, gebruind en geprononceerd; er hing een vredesteken aan een dikke ketting op. Zijn gebruinde, platte borstspieren kromden zich er vanaf als twee magere kipfilets. Ik keek omhoog in de verwachting dat hij een lang retrokapsel zou hebben dat bij het vredesteken paste, maar zijn haar was afgeschoren tot een licht stoppelwaas. Zijn gezicht was zo streng als zijn borstbeen, met een haviksneus en lichtbruine, kleine ogen die onzeker mijn kant op schichtten. 'Gaaf feest,' zei hij.

'Nee, niet echt.' Hij stond me tegen, maar ik wist dat dat een oneerlijke reactie was op het moment waarop ik Roberts schouder mijn kant op had zien draaien en toen weer van me af.

'Ik vind het ook niks.' De jongen haalde zijn schouders op en lachte; zijn blote borst werd even hol. Hij was jonger dan ik had gedacht, jonger dan ik. Zijn vriendelijke glimlach liet zijn ogen twinkelen. Ik voelde weer een verwrongen afkeer van hem; natuurlijk was hij te cool om wat voor bijeenkomst dan ook leuk te vinden, of dat althans toe te geven wanneer iemand anders het er niet mee eens was. 'Aangenaam. Ik ben Frank.' Hij stak zijn hand uit, waarmee hij in een klap afstand deed van zijn retro-hipheid en een moederskindje werd, een heer. Zijn timing was onberispelijk, ontwapenend. Het gebaar gaf blijk van eerbied voor het feit dat ik – o, een jaar of zes – ouder was, maar er was ook een vonk die zei dat ik een sexy oudere vrouw was. Ik moest wel

bewondering hebben voor de vaardigheid waarmee hij me bewonderde. Hij leek te weten dat ik bijna dertig was, op leeftijd, en met de droge warmte van zijn hand te zeggen dat hij dertig leuk vond, heel leuk.
Ik wilde lachen, maar deed het niet.

'Mary Bertison,' zei ik. Robert was aan de rand van mijn blikveld in
beweging gekomen; hij liep naar de deuren van de eetzaal om met iemand anders te praten. Ik keerde hem de rug toe. Mijn haar was een
gedeeltelijk gordijn, een mantel die me beschermde.

'Zo, wat kom jij hier doen?'

'De confrontatie met vorige levens opzoeken,' zei ik. Hij had tenminste niet gevraagd of ik een van de docenten was.

Frank keek me niet-begrijpend aan.

'Grapje,' zei ik. 'Ik ben hier voor de workshop landschapsschilderen.'

'Wat gaaf.' Frank straalde. 'Ik ook. Ik bedoel, ik volg die workshop
ook.'

'Waar heb jij gestudeerd?' vroeg ik terwijl ik probeerde de afleiding
van Robert Olivers profiel te neutraliseren met een slokje bier.

'SCAD,' zei hij achteloos. 'Afgestudeerd.' Het Savannah College of
Art and Design begon een goede academie te worden en hij leek vrij
jong om nu al afgestudeerd te zijn; tegen wil en dank voelde ik een
vleugje respect.

'Wanneer ben je afgestudeerd?'

'Drie maanden geleden,' bekende hij. Dat verklaarde waarom hij zich
gedroeg alsof hij op een studentenfeest was, zijn net ingestudeerde
glimlach. 'Ik heb een beurs gekregen voor de landschapsworkshop hier,
want in de herfst ga ik lesgeven en dit moest ik nog in het plaatje passen.'

Het plaatje, dacht ik – *het plaatje van mij, Frank de getalenteerde kunstenaar, en mijn zonnige toekomst.* Nou, daar zou hij nog wel van terugkomen, hoewel... Had hij al een aanstelling? Robert Oliver was nu volledig uit mijn blikveld verdwenen, ook al hield ik mijn hoofd schuin
om een ander perspectief te krijgen. Hij was ergens anders naartoe gelopen zonder me zelfs maar te herkennen, zonder aan te voelen dat ik
naar zijn herkenning verlangde. Nee, ik zat opgescheept met 'Frank'.

'Waar ga je lesgeven?' vroeg ik om mijn valse gedachten te verdoezelen.

'SCAD,' zei Frank weer, wat me tot nadenken stemde. Was hij als net afgestudeerde aangenomen op zijn eigen academie? Dat was hoogst ongebruikelijk; misschien droomde hij met recht van zijn toekomst. Ik zei even niets. Ik vroeg me af wanneer we aan tafel zouden gaan en hoe ik zou kunnen regelen dat ik zo ver mogelijk bij Robert Oliver vandaan of zo dicht mogelijk bij hem kwam te zitten. Ver weg was beter, stelde ik vast. Frank nam me belangstellend op. 'Je hebt prachtig haar,' zei hij uiteindelijk.

'Dank je,' zei ik. 'Ik heb het in groep vijf laten groeien om de prinses in het toneelstuk van mijn klas te kunnen zijn.'

Hij keek me weer niet-begrijpend aan. 'Dus je doet de workshop? Het wordt vast gaaf. Ik ben bijna blij dat Judy Durbin haar been heeft gebroken.'

'Heeft ze haar been gebroken?'

'Ja. Ik weet dat ze echt goed is en ik vind het rot voor haar dat ze haar been heeft gebroken, maar les van Robert Oliver... Dat is toch gaaf?'

'Hè?' Hoe ik ook mijn best deed om me te beheersen, ik keek in de richting van Robert. Hij stond nu bij een groepje studenten, met kop en schouders boven bijna iedereen uitstekend en met zijn rug naar me toe – ver weg, ver weg aan de andere kant van de zaal. 'Krijgen we Robert Oliver?'

'Ik hoorde het vanmiddag toen ik aankwam. Ik weet niet of hij er al is. Durbin heeft haar been gebroken tijdens een trektocht. De secretaresse zei dat Durbin het bot had horen kraken. Lelijke breuk, zware operatie en alles, dus heeft de organisator zijn maatje Robert Oliver gebeld. Dat geloof je toch niet? Ik bedoel, wat een bof. Niet voor Durbin.'

Een soort filmspoel knapte en tolde om me heen: Robert Oliver die met ons door de velden liep, op de lichtval wees en de horizon fixeerde op die lage blauwe heuvels in het binnenland waar ik langs was gereden. Konden we die heuvels zien vanaf de kust? Ik zou de eerste dag tegen hem moeten zeggen: *Hé, hallo, u zult me wel niet meer kennen, maar...* En dan zou ik de hele week moeten schilderen terwijl hij tussen onze ezels doorliep. Ik zuchtte hoorbaar.

Frank keek me verbaasd aan. 'Vind je zijn werk niet goed? Ik bedoel, hij is een traditionalist en zo, maar, god, wat kan die man schilderen.'

Ik werd gered door het luide beieren van een klok buiten die kennelijk het begin van de maaltijd aankondigde, een geluid dat ik vijf dagen lang twee keer per dag zou horen en dat nog steeds recht door mijn buik gaat als ik eraan denk. Iedereen verzamelde zich rond de tafels. Ik bleef naast Frank hangen tot ik zag dat Robert aan de tafel het dichtst bij zijn groepje ging zitten, alsof hij het gesprek wilde voortzetten. Toen schoof ik naast Frank op een stoel zo ver mogelijk bij Robert en zijn illustere collega's vandaan. We leverden commentaar op de maaltijd, die een toonbeeld van voedzaamheid was, met aardbeientaart en koffie toe, geserveerd door werkstudenten die volgens Frank op de kunstacademie zaten; we hoefden niet in de rij te staan, alleen maar te wachten tot die mooie jonge mensen onze volle borden voor ons neerzetten. Er schonk zelfs iemand water voor me in.

Terwijl we aten, praatte Frank gestaag door over zijn lessen, zijn eindexamenexpositie en zijn getalenteerde vrienden, die vanuit Savannah naar alle grote steden van het land uitwaaierden. 'Jason gaat naar Chicago, misschien ga ik volgende zomer een tijdje naar hem toe. Chicago wordt de nieuwe grote kunststad, dat staat vast.' Enzovoort. Het was slopend, maar het hield mijn verwarring op afstand, en tegen de tijd dat de aardbeientaart werd opgediend, voelde ik me voor de hele avond beschermd tegen Robert Oliver, of hij me nu herkende of niet. Ik voelde Franks gespierde schouder naast de mijne, zijn mond die dichter bij mijn oor kwam, zijn onuitgesproken *misschien is dit het begin van iets/mijn kamer is aan het eind van de mannengang.* Tijdens het dessert ging de programmadirecteur achter een microfoon aan een kant van het koetshuis staan – het bleek de man met het smalle gezicht en het dunne grijze haar te zijn – en vertelde ons hoe blij hij was met zo'n goede nieuwe groep, hoe getalenteerd we waren en hoe moeilijk het was geweest om al die andere aanmeldingen van getalenteerde mensen te weigeren. ('En al die andere betalingen,' prevelde Frank.)

Na de toespraak stond iedereen op en werd er een paar minuten gedrenteld terwijl de werkstudenten door de zaal flitsten om af te ruimen. Een vrouw met een paarse jurk en gigantische oorbellen zei tegen Frank en mij dat er een kampvuur achter de stallen kwam en dat we daarbij moesten komen zitten. 'Het is traditie, de eerste avond,' zei ze op een toon alsof ze deze workshops al heel vaak had gevolgd. We liepen het donker in – ik rook de zee weer, en ik zag de sterren – en toen we de hoek van het gebouw bereikten, zagen we al een enorme vonkenregen opstijgen die de gezichten rondom in een gloed zette. Ik kon niet voorbij de bomen aan de rand van het terrein kijken, maar ik dacht dat ik golven hoorde beuken. In de aanmeldingsbrochure stond dat het maar een kleine wandeling was van het kamp naar het strand; ik zou de volgende dag op verkenning uitgaan. Er hingen hier en daar lampionnen in de bomen, alsof we op een festival waren.

Onverwacht werd ik overspoeld door hoop: dit zou magisch worden, het zou de langdurige verveling wegnemen van mijn baantjes als docent op laag niveau, een op een openbare middelbare school en een bij een wijkcentrum, het zou de kloof dichten tussen mijn werkende leven en mijn geheime leven thuis met mijn schilderijen en tekeningen, het zou mijn honger naar het gezelschap van medekunstenaars stillen, een honger die ongestoord sterker had kunnen worden sinds ik was afgestudeerd. Hier zou ik in luttele dagen beter leren schilderen dan ik ooit had durven dromen. Zelfs Franks vrolijk neerbuigende opmerkingen konden die plotse, wilde hoop de kop niet indrukken. 'Wat een rumoerige bende,' zei hij, en dat was zijn excuus om mijn arm met zelfbewuste vingers te omklemmen en ons allebei weg te loodsen van het rokerige vuur.

Robert Oliver stond met een fles bier in zijn hand in een groep oudere mensen – docenten, vaste deelnemers (ik herkende de vrouw in de paarse jurk) – ook buiten het bereik van de rook. De fles ving het licht van het vuur, waardoor hij van binnenuit leek te gloeien, als een topaas. Robert luisterde naar de programmadirecteur. Ik herinnerde me dat trucje van hem, dat helemaal geen trucje hoefde te zijn: hij luisterde meer dan hij praatte. Hij moest zijn hoofd bijna altijd iets buigen om naar iemand te luisteren, waardoor hij er geconcentreerd en belangstellend uitzag, en dan keek hij onder het luisteren op of weg met alleen zijn ogen, alsof de woorden die hij hoorde in de lucht stonden geschreven. Hij had een trui aangetrokken met een gerafelde halsboord; het viel me op dat we allebei van oude kleren hielden.

Ik overwoog dichter naar het vuur te lopen, het licht in, en te proberen Roberts aandacht te trekken, maar ik verwierp het plan. Ik kon me ook morgen in verlegenheid laten brengen, dat was vroeg genoeg. *O, ja, ik herinner me je nog wel/niet meer.* Het zou boeiend zijn om te zien of hij loog of niet. Frank reikte me een biertje aan – 'Of wil je iets sterkers?' Dat wilde ik niet. Frank drukte zich nu tegen mijn schouder aan, tegen mijn oude sweatshirt, en na wat bier was het gevoel van zijn harde arm tegen de mijne niet onaangenaam. Ik zag Robert Olivers hoofd in het licht van de sterren, zijn heldere ogen die even strak naar de vlammen voor ons keken, zijn stugge haar dat duivels rechtop stond, zijn zachte, beheerste gezicht. Het was een gezicht met diepere rimpels dan ik me herinnerde, maar hij moest nu minstens veertig zijn; hij had diepe groeven bij zijn mondhoeken, die verdwenen wanneer hij glimlachte.

Ik wendde me tot Frank, die zich nu onmiskenbaar tegen mijn sweatshirt drukte. 'Ik ga maar eens naar bed,' zei ik. Ik hoopte dat het zorgeloos en onverschillig klonk. 'Welterusten. Morgen is de grote dag.' Ik had spijt van die laatste opmerking; voor Frank de Grote Kunstenaar zou het niet zo'n grote dag zijn als voor mij, de getalenteerde nul, maar dat hoefde hij niet te weten.

Frank keek me over zijn bier aan, spijtig en te jong om het te verbergen. 'Hé, ja. Slaap lekker, oké?'

Er lag nog niemand in bed in de lange slaapzaal, ook een verbouwde stal, waar de vrouwelijke deelnemers in kleine hokjes sliepen. Hier beslist geen privacy, ondanks de poging de gasten door massieve muren van elkaar te scheiden. Er hing nog een zwakke paardengeur, die ik me weemoedig herinnerde van de drie jaar paardrijles die Muzzy Martha en mij had opgelegd. 'Wat heb je toch een goede zit,' zei ze goedkeurend na elke les, alsof dat rechtvaardiging genoeg was voor alle tijd en kosten. Ik ging naar de wc op de gang, of liever gezegd, aan het eind van het gangpad. De bril voelde koud aan. Toen sloot ik me op in mijn hokje om mijn spullen uit te pakken. Het was gevuld met een bureau dat groot genoeg was om aan te tekenen, een harde stoel, een petieterige toilettafel met een spiegel in een lijst erboven en een smal bed met smalle witte lakens. Er hing een prikbord met niets anders dan gaatjes van punaises, en er was een raam met bruine gordijnen.

Nadat ik een paar tellen gedesoriënteerd om me heen had gekeken, trok ik de gordijnen dicht en ritste mijn slaapzak open, zodat ik hem over het bed kon uitspreiden voor extra warmte. Ik stopte mijn voddige kleren in de laden en legde mijn schetsboeken en mijn dagboek op het bureau. Ik hing mijn sweatshirt aan de deur. Ik legde mijn pyjama en mijn boek klaar. Achter het dichte raam hoorde ik vrolijke geluiden, geroezemoes, gelach in de verte. Waarom sluit ik me daarvoor af? vroeg ik me af, maar met net zoveel spijt als genoegen. Mijn pickup stond op het parkeerterrein bij het kamp en ik was afgepeigerd van de lange rit, klaar om naar bed te gaan, of bijna. Staand voor de spiegel voerde ik mijn avondritueel uit. Ik trok mijn T-shirt over mijn hoofd. Daaronder zat mijn delicate, dure beha. Ik maakte mijn rug kaarsrecht en keek naar mezelf. Zelfportret, avond na avond. Toen deed ik de beha uit, legde hem weg en keek weer in de spiegel: mezelf, helemaal voor mij alleen. Zelfportret, naakt. Toen ik lang genoeg had gekeken, trok ik mijn grauwe pyjama aan en dook het bed in; de lakens waren kil, het boek was er een waarvan ik vond dat ik het moest lezen, een biografie van Isaac Newton. Mijn hand vond de lichtknop en mijn hoofd het kussen.

1879

Mijn lieve vriendin,
Je brief heeft me sterk geroerd en me vervuld met de pijn van het
besef dat ik jou pijn heb gedaan, zoals ik zie wanneer ik tussen je
dappere, onzelfzuchtige regels door lees. Sinds ik mijn brief aan je
heb gestuurd, heb ik er onophoudelijk spijt van gehad en gevreesd dat
ik niet alleen gruwelijke beelden in je hoofd zou oproepen – die
waarmee ik zelf moet leven – maar ook op erbarmelijke wijze om
medeleven lijk te hebben gevraagd. Ik ben een mens en ik houd van
je, maar ik zweer dat geen van beide mijn bedoeling was. Die
schaamte maakt me blij dat je me over je nachtmerrie hebt verteld,
lieveling, ondanks je bedenkingen hierbij; zo kan ik op mijn beurt
met jou mee lijden, hoe het me ook spijt dat ik je een slapeloze nacht
heb bezorgd.
　Als mijn vrouw echt in zulke liefdevolle armen was gestorven als
de jouwe, zou ze zich in de omhelzing van een engel hebben
gewaand, of van de dochter die ze nooit heeft gekregen. Je brief heeft
nu al een vreemde verandering teweeggebracht in mijn gedachten
aan die dag, die me regelmatig in beslag nemen en kwellen; tot
vanochtend was het altijd mijn grootste wens dat ze in mijn armen
had mogen sterven, als ze dan toch moest gaan, maar nu denk ik dat
als ze had mogen sterven in de zachte omhelzing van een dochter,
iemand met jouw intuïtieve tederheid en moed, dat zowel haar als
mij nog meer troost had kunnen schenken. Dank je, mijn engel, dat
je iets van die last van me hebt afgenomen en me laat voelen hoe
ruimhartig je aard is. Ik heb je brief vernietigd, zij het met
tegenzin, zodat je nooit verdacht kunt worden van enige kennis van
een gevaarlijk verleden. Ik hoop dat je de mijne ook zult
vernietigen, zowel deze als de vorige.

Ik moet naar buiten; ik kan me vanochtend niet beheersen of kalmeren binnenshuis. Ik zal een stukje gaan wandelen en ervoor zorgen dat deze brief je volkomen veilig bereikt, verpakt in het dankbare hart van je

O.V.

61

Mary

De volgende ochtend werd ik vroeg wakker, alsof iemand naar me had gefluisterd – klaarwakker, in het besef waar ik was – en het eerste waar ik aan dacht, was de zee. Binnen een paar minuten had ik een schone kaki broek en een sweatshirt aangeschoten, mijn haar geborsteld en mijn tanden gepoetst in de kille gezamenlijke badkamer met spinnen op het plafond. Toen glipte ik de stal uit en liep op mijn tennisschoenen door de ochtenddauw; ik zou er spijt van krijgen, wist ik, want ik had geen andere schoenen bij me. De ochtend was grijs van de mist, die in ongelijke plukken week voor de doorschijnende lucht. De sparren zaten vol kraaien en spinnenwebben en de berken hadden al een paar gele bladeren laten vallen.

Vlak voorbij de vuurkring met as leidde een pad het kamp uit, zoals ik al had gehoopt. Ik liep de goede kant op, naar zee, en nadat ik een paar minuten had geluisterd naar mijn voetstappen op het pad en de geluiden van het bos, kwam ik uit bij een rotsachtig strand met het klotsen van water en wier, het borrelende tij tussen grijze vingers land. De mist, die vlak boven het water hing, deed zijn best om op te trekken, zodat ik zo nu en dan iets van de fletse lucht zag, maar slechts een paar meter over de golven kon uitkijken. Er was geen uitzicht op zee, alleen maar mist en de randen van het vasteland, afgebiesd met donkere, rechte sparren, hun gelederen onderbroken door een paar huisjes. Ik trok mijn schoenen uit en rolde mijn broekspijpen op tot aan de knie. Het water was eerst koel, toen koud en toen zo ijzig dat de kou in de botten van mijn voeten trok en mijn kuiten paars werden. Het zeewier reikte tot boven mijn enkels.

Opeens werd ik bang, alleen met het bos, de geur van hars, de onzichtbare Atlantische Oceaan. Alles was roerloos, op het golvende water na. Ik kon me er niet toe zetten er dieper in te waden dan tot mijn enkels; ik werd plotseling overvallen door die kinderlijke angst voor haaien en zeewier waarin je verstrikt raakt, het gevoel dat ik onder water getrokken en nooit meer teruggevonden zou worden. Er was niets om naar te turen; de mist beantwoordde mijn blik als een soort blindheid. Ik vroeg me af hoe je mist schildert en probeerde me te herinneren of ik ooit een schilderij had gezien dat vooral uit mist bestond. Misschien iets van Turner, of een Japanse prent. Sneeuw, ja, en regen, en wolken rond bergtoppen, maar ik kon me geen schilderijen van dit soort mist voor de geest halen. Ten slotte waadde ik terug naar het droge en vond een rotsblok om op te zitten, hoog genoeg, droog genoeg en glad genoeg om het zitvlak van mijn broek te ontzien, met een hoger rotsblok als rugleuning. Dat schonk me weer een kinderlijk genoegen, dat ik mijn eigen troon had gevonden, en ik droomde weg. Ik zat er nog toen Robert Oliver uit het bos opdook.

Hij was alleen en leek in gedachten verzonken te zijn, net als ik voordat ik hem zag; hij liep langzaam, met zijn ogen op zijn voeten op het pad gericht, zo nu en dan opkijkend naar de bomen of het nevelige water. Hij liep op blote voeten en hij droeg een oude ribbroek en een gekreukt geelkatoenen overhemd dat openhing over een T-shirt met letters erop die net geen woorden wilden vormen vanaf de plek waar ik zat. Nu zou ik me moeten voorstellen, of ik wilde of niet. Ik overwoog op te staan om hem te begroeten en koos prompt het verkeerde moment: ik was al half opgestaan toen ik besefte dat hij me nog niet kon zien. Ik ging gloeiend van schaamte weer achter mijn rotsblokken zitten. Als alles goed ging, zou hij even pootjebaden, voelen hoe koud het water was, zich omdraaien en naar het kamp teruglopen, en ik zou nog een kwartier wachten om mijn gezicht te laten afkoelen en dan alleen terugsluipen. Ik drukte mijn rug tegen de koude rots. Ik kon mijn ogen niet van hem afhouden; om te beginnen wilde ik dat hij me zou herkennen als hij me zag. Wat waarschijnlijk niet het geval zou zijn.

Toen deed hij waar ik zonder het zelf te weten het bangst voor was geweest en het meest naar had verlangd: hij trok zijn kleren uit. Hij ging niet met zijn rug naar het land staan en verstopte zich niet achter de boomgrens; hij knoopte gewoon zijn gulp los, liet zijn broek zakken (hij had geen onderbroek aan), trok zijn shirt en overhemd uit, liet alles op een hoopje achter de vloedlijn vallen en liep naar het water. Ik zat er als verlamd bij. Hij stond op maar een paar meter bij me vandaan met zijn lange, gespierde rug en blote benen. Hij wreef over zijn hoofd alsof hij zijn haar wilde temmen of zichzelf wilde wekken en zette zijn handen toen losjes op zijn heupen. Hij had een model in een atelier kunnen zijn dat zijn stijve ledematen even strekte terwijl de klas pauzeerde. Hij keek over de zee uit, ontspannen en volkomen alleen (voor zover hij wist). Hij wendde zijn hoofd iets af van waar ik zat. Hij draaide voorzichtig zijn lijf om zijn spieren te warmen, waardoor ik of ik wilde of niet een glimp opving van dik zwart haar en een bungelende penis. Toen waadde hij snel het water in en nam een duik, terwijl ik huiverend toekeek en me afvroeg wat ik moest doen, een lange, ondiepe duik weg van de laatste rotsen. Hij zwom een paar slagen. Ik wist al hoe koud het water waarin hij was ondergedompeld moest zijn, maar hij zwom wel twintig meter.

Toen draaide hij zich eindelijk om, zwom snel terug, kreeg vaste grond onder de voeten, struikelde even en waadde naar het droge. Hij droop en hijgde; hij veegde over zijn gezicht. Druppels schitterden in zijn lichaamshaar en de zware, natte krullen op zijn hoofd. Toen hij aan land was, zag hij me eindelijk. Op zo'n moment kun je niet wegkijken, al zou je willen, en veinzen is onmogelijk; hoe kan het je ontgaan dat Poseidon uit de zee oprijst; hoe kun je doen alsof je je nagels inspecteert of slakken van de rotsen schraapt? Ik zat daar dus maar, woordeloos en ellendig, maar ook gefascineerd. Op dat moment dacht ik zelfs dat ik dit tafereel graag zou schilderen; een clichématige gedachte, iets waar ik zelden aan denk midden in een ervaring. Hij bleef staan en nam me even verbaasd op, maar maakte geen aanstalten zijn naaktheid te bedekken. 'Hallo,' zei hij vriendelijk, argwanend en mogelijk ook geamuseerd.

'Hallo,' antwoordde ik zo welbewust als ik kon. 'Het spijt me.'

'O, geeft niets.' Hij reikte naar zijn kleren op het kiezelstrand en droogde zich zedig, maar ongehaast af met het T-shirt, waarna hij zijn broek en gele overhemd aantrok. Hij liep een stukje mijn kant op. 'Sorry als ik jou aan het schrikken heb gemaakt,' zei hij. Hij nam me op en ik zag de gevreesde halve herkenning in zijn ogen; ik zag tot mijn teleurstelling dat hij me niet kon thuisbrengen.

'Om het nog erger te maken: we kennen elkaar.' Het kwam er vlakker en scherper uit dan ik had bedoeld.

Hij hield zijn hoofd schuin alsof de grond hem kon vertellen hoe ik heette en wat hij zich van me zou moeten herinneren. 'Het spijt me,' zei hij toen. 'Ik ben hier heel slecht in, maar fris mijn geheugen maar op.'

'O, het stelt niet zoveel voor.' Ik strafte hem toch door hem net zo lang aan te kijken tot hij zijn ogen moest neerslaan. 'Je hebt vast wel een miljoen leerlingen gehad. Ik heb les bij je gehad op Barnett, heel lang geleden. Eén semester maar. Visueel begrip. Maar je hebt me op het spoor van de kunst gezet, en daar heb ik je altijd voor willen bedanken.'

Hij keek me nu indringend aan, zonder de moeite te nemen, zoals een beleefder iemand had kunnen doen, te verhullen dat hij mijn jongere zelf zocht. 'Wacht.' Ik wachtte. 'Hebben we niet een keer samen geluncht? Daar staat me iets van bij. Maar je haar...'

'Oké. Ik had toen een andere kleur, blond. Ik heb het geverfd omdat ik het zat was dat mensen alleen mijn haar zagen.'

'Ja, het spijt me. Nu weet ik het weer. Jij bent...'

'Mary Bertison,' zei ik, en nu hij zijn kleren aanhad, reikte ik hem de hand.

'Leuk je weer te zien. Robert Oliver.'

Ik was niet langer zijn leerling, of zou dat pas om tien uur die ochtend weer worden. 'Dat wéét ik,' zei ik zo sardonisch als ik kon.

Hij lachte. 'Wat doe jij hier?'

'Je landschapscursus volgen,' zei ik, 'alleen wist ik niet dat jij hem zou geven.'

'Ja, het was een noodgeval.' Hij wreef nu met twee handen over zijn haar, alsof hij het jammer vond dat hij geen handdoek had. 'Maar wat een aangenaam toeval. Nu kan ik zien of je vooruit bent gegaan.'

'Je weet toch niet meer wat ik deed?' merkte ik op, en hij lachte weer, dat heerlijke loslaten van alle problemen, zonder iets wrangs of sluws; Robert lachte als een kind. Nu herinnerde ik me die gebaren van zijn hand en arm weer, en zijn krullende mondhoeken, het vreemd gebeeldhouwde gezicht, de charme die charmant was omdat hij zich er niet van bewust was, alsof hij zijn lichaam alleen maar huurde en het goed bleek te voldoen, al behandelde hij het met de achteloosheid van een huurder. We liepen langzaam samen terug, en waar het pad geen plaats bood aan ons beiden, liep hij voorop, geen heer, en ik was opgelucht omdat ik me niet met zijn ogen in mijn rug hoefde af te vragen wat die ogen uitdrukten. Toen we bij de rand van het gazon waren, waar de dauw op het gras flonkerde en we de hele villa konden zien, zag ik mensen die zich naar het ontbijt haastten en besefte dat we er ook naartoe moesten. 'Jij bent de enige hier die ik ken,' bekende ik in een opwelling, en we bleven allebei aan de bosrand staan.

'Ik ken hier ook niemand,' zei hij, en hij schonk me zijn ongecompliceerde glimlach. 'Behalve de directeur, en die is ongelooflijk saai.'

Ik moest vluchten, een paar minuten alleen zijn voordat ik een grote eetzaal in liep naast een man die ik net naakt uit de golven had zien komen – hij leek het al vergeten te zijn, alsof het net zo lang geleden was als de cursus visueel begrip. 'Ik moet even iets uit mijn kamer pakken,' zei ik.

'Tot ziens bij de les.' Hij leek me een schouderklopje of een klap op mijn rug te willen geven, van man tot man, maar bedacht zich en liet me gaan. Ik liep langzaam naar de stallen en sloot me een paar minuten op in mijn witgekalkte hok. Ik bleef stil zitten, me bewust van de zegen van de afgesloten deur. Terwijl ik daar in elkaar gedoken zat, herinnerde ik me hoe ik, tijdens een zuurverdiende reis naar Florence drie jaar eerder, mijn eerste en enige keer in Italië, naar het San Francesco-klooster was gegaan en de muurschilderingen van Fra Angelico in de voormalige cellen van de monniken had gezien, die nu leeg waren. Er liepen toeristen door de gangen, en hier en daar hield een hedendaagse monnik de wacht, maar ik wachtte tot er niemand keek, liep een kleine witte cel in en trok de deur achter me dicht, wat verboden was. Daar stond ik dan, eindelijk alleen, schuldbewust maar vastbesloten. De kleine ruimte was kaal, op een engel van Fra Angelico op een muur na, stralend goud, roze en groen, met zijn vleugels op zijn rug gevouwen in de zon die door het tralievenster scheen. Ik had toen al begrepen dat de monnik die ooit alleen in die cel had gewoond, die verder echt op een gevangenis leek, niets anders had gewild, niets anders dan daar zijn – niets, zelfs niet zijn God.

62

Marlow

Toen ik het Metropolitan Museum uit kwam, liep ik naar de rand van Central Park. Het was er luisterrijk, groen en vol bloeiende bloemperken, zoals ik had gehoopt. Ik zocht een schone bank op, pakte mijn mobiele telefoon en koos het nummer dat ik een paar weken niet had gebeld. Het was zaterdagmiddag; wat zou ze op zaterdag doen? Ik wist eigenlijk niets van haar huidige leven, behalve dan dat ik er inbreuk op maakte.

Ze nam vrij snel op. Ik hoorde geluiden op de achtergrond, een restaurant, een openbare gelegenheid. 'Hallo?' zei ze, en ik herinnerde me de vastheid van haar stem en de sobere aanblik van haar lange handen.

'Mary,' zei ik. 'Met Andrew Marlow.'

Het kostte Mary een uur of vijf om naar Washington Square te komen. We aten samen in het restaurant van mijn hotel. Ze was uitgehongerd na de onvoorziene bustocht; ze was niet met de trein gekomen omdat de bus goedkoper was, wist ik zeker, al zei ze het niet. Onder het eten vertelde ze me over haar komische strijd om het laatste buskaartje te bemachtigen. Ik was al verbaasd geweest dát ze wilde komen. Haar wangen waren rood van opwinding om haar spontane actie. Haar lange haar werd aan de zijkanten in bedwang gehouden door klemmetjes; ze droeg een dunne, turkooiskleurige trui en zware strengen zwarte kralen om haar hals.

Ik probeerde het me niet aan te trekken dat die exquise blosjes door Robert Oliver waren veroorzaakt, door de opluchting of mogelijk zelfs het plezier iets over zijn leven te ontdekken dat zijn afvalligheid kon verklaren en haar vroegere liefde voor hem kon rechtvaardigen. Haar ogen waren deze keer blauw (ik dacht aan Kate) door de trui. Kennelijk konden ze van kleur veranderen als de zee, afhankelijk van de lucht

en het weer. Ze at als een beleefde wolf, haar mes en vork gracieus gebruikend om een enorm bord kip en couscous naar binnen te werken.
Op haar verzoek gaf ik een gedetailleerde beschrijving van het zelfportret van Béatrice de Clerval en legde uit dat het doek kort nadat
Robert het had gezien was uitgeleend.

'Het is wel vreemd dat hij het maar één of twee keer had gezien,
maar het zich zo goed herinnerde dat hij haar nog jaren daarna kon
blijven schilderen,' voegde ik eraan toe. Mijn ellebogen leunden al op
de tafel en ik had koffie en een dessert voor ons allebei besteld, al had
ze tegengestribbeld.

'Nee, hij herinnerde het zich niet.' Ze legde haar mes en vork naast
elkaar op het bord.

'Hij herinnerde het zich niet? Maar hij had haar zo secuur geschilderd dat ik haar op het eerste gezicht herkende.'

'Nee, hij hoefde het zich niet te herinneren. Hij had haar portret in
een boek.'

Ik legde mijn handen op mijn schoot. 'Je wist ervan.'

Ze gaf geen krimp. 'Ja. Het spijt me. Ik wilde het je vertellen wanneer ik bij dat deel van het verhaal was aangekomen. Ik heb het zelfs
al opgeschreven, maar ik wist niets van het schilderij in het museum.
In het boek stond niet waar het hing; ik ging ervan uit dat het in Frankrijk moest zijn. En ik wilde het vertellen. Ik heb de rest van mijn memoires, of hoe je het ook wilt noemen, bij me. Het heeft me tijd gekost om het allemaal op te schrijven en toen heb ik het nog een tijdje
vastgehouden.' Ze zei het niet verontschuldigend. 'Toen hij bij mij
woonde, lagen er altijd stapels boeken naast de bank.'

'Dat zei Kate ook al – dat van die stapels boeken, bedoel ik. Maar
ik geloof niet dat ze dat portret ooit in een van die boeken heeft gezien, anders had ze het me wel verteld.' Het drong tot me door dat ik
voor het eerst rechtstreeks over Kate had gepraat tegen Mary, en ik
nam me stilletjes voor het nooit meer te doen.

Mary trok haar wenkbrauwen op. 'Ik kan me voorstellen waar
Kate mee heeft geleefd. Ik héb het me ook vaak voorgesteld.'

'Ze leefde met Robert,' merkte ik op.

'Ja, precies.' De blijdschap was gezakt, of achter een wolk verdwenen, en ze speelde met haar wijnglas.

'Ik zal je het schilderij morgen laten zien,' zei ik om haar op te mon-
teren.

'O? Zou ik zelf niet weten waar het Met is?'

'Natuurlijk.' Ik was even vergeten dat ze jong genoeg was om zich beledigd te voelen. 'Ik bedoelde dat we samen konden gaan kijken.'

'Dat lijkt me leuk. Daar ben ik voor gekomen.'

'Alleen daarvoor?' Ik had er meteen spijt van; ik had het niet ondeugend of flirterig bedoeld. Ongevraagd hoorde ik het gesprek met mijn vader weer: *Vrouwen die net zijn afgewezen, kunnen ingewikkeld in elkaar zitten. En zij is niet alleen ingewikkeld, maar ook nog eens onafhankelijk, ongewoon en mooi.*

'Weet je, ik dacht dat hij vanwege dat portret zonder mij naar Frankrijk was gegaan, dat het dáár hing en dat hij het nog eens wilde zien.'

Ik hield mijn gezicht in de plooi. 'Is hij naar Frankrijk gegaan? Terwijl hij met jou samenwoonde?'

'Ja. Hij stapte op het vliegtuig en ging naar het buitenland zonder mij iets te vertellen. Hij heeft me nooit verteld waarom hij het geheim had gehouden.' Haar gezicht stond strak en ze streek met twee handen haar haar naar achteren. 'Ik zei tegen hem dat ik boos was omdat hij geld had uitgegeven aan een reis in zijn eentje terwijl hij niet genoeg geld leek te hebben om bij te dragen aan de huur of het eten, maar eigenlijk was ik bozer omdat hij het niet tegen me had gezegd. Daardoor realiseerde ik me dat hij mij net zo behandelde als Kate vóór mij, met zijn geheimzinnigheid. En het leek alsof het ook nooit in zijn hoofd was opgekomen mij te vragen of ik met hem mee wilde. Daar ging onze grootste ruzie over, al deden we alsof we over de schilderkunst ruzieden, en een paar dagen na die reis is hij bij me weggegaan.'

Er welden tranen op in Mary's ogen, de eerste die ik zag sinds de avond dat ze op mijn bank had gehuild. God sta me bij, maar als ik op dat moment bij Roberts deur had gestaan, was ik zijn kamer in gelopen en had hem een stomp gegeven in plaats van in de leunstoel te gaan zitten. Ze droogde haar ogen. Ik denk dat we allebei een paar minuten onze adem hadden ingehouden. 'Mary, als ik het vragen mag – heb jij hem weggestuurd of is hij bij jou weggegaan?'

'Ik heb hem weggestuurd. Ik was bang dat hij anders zelf weg zou gaan, en dan zou ik mijn laatste beetje zelfrespect ook nog kwijt zijn.'

Ik had lang gewacht met het stellen van die vragen. 'Wist je dat Robert een verzameling brieven bij zich had toen hij dat schilderij aanviel? Een briefwisseling tussen Béatrice de Clerval en Olivier Vignot, de schilder van het portret.'

Ze leek even te verstijven en knikte toen. 'Ik wist niet dat ze ook van Olivier Vignot waren.'

'Heb je de brieven gelezen?'

'Ja, stukjes. Ik zal er later meer over vertellen.'

Ik moest het erbij laten. Ze keek me recht in de ogen; haar gezicht was open, zonder haat. Ik dacht dat wat ik nu zo onverhuld tegenover me zag, kon zijn wat haar liefde voor Robert voor haar had betekend. Ik had nog nooit zo'n markante persoonlijkheid gekend als deze vrouw, die van opzij naar de verfhuid van een museumdoek keek, at als een welopgevoede kerel en haar haar achter haar oren streek als een nimf. De enige uitzondering zou een vrouw kunnen zijn die ik alleen van schilderijen kende, dat van Olivier Vignot en die van Robert Oliver. Maar ik kon begrijpen waarom Robert naar beste kunnen had gehouden van de levende vrouw terwijl hij ook van de dode hield.

Ik wilde tegen haar zeggen dat het me speet dat haar woorden zoveel pijn in zich droegen, maar ik wist niet hoe ik het kon zeggen zonder neerbuigend over te komen, dus concentreerde ik me maar op het feit dat we hier zaten en probeerde zo vriendelijk mogelijk naar haar te kijken. Ik zag ook aan de manier waarop ze haar koffie opdronk en haar jas pakte dat onze maaltijd voorbij was. Er was echter nog een laatste probleem, en ik moest het tactvol ter sprake brengen. 'Ik heb bij de receptie geïnformeerd en er zijn nog kamers vrij. Ik wil met alle plezier...'

'Nee, nee.' Ze legde een paar bankbiljetten onder haar bord en schoof van haar bankje. 'Ik heb een vriendin aan Twenty-eighth Street die me verwacht; ik heb haar vanochtend gebeld. Ik kom morgen om, laten we zeggen, negen uur hier terug.'

'Ja, graag. We kunnen koffiedrinken voordat we de stad in gaan.'

'Prima. En dit is voor jou.' Ze stak een hand in haar tas en reikte me een grote envelop aan, hard en dik deze keer, alsof er niet alleen papieren in zaten, maar ook een boek.

Ze stond klaar om te vertrekken en ik stond haastig op. Het viel niet mee om die jonge vrouw bij te houden. Als ze niet zo bevallig was geweest, of nu niet flauwtjes had geglimlacht, had ik haar stekelig kunnen noemen. Tot mijn verrassing legde ze een hand op mijn arm om haar evenwicht te vinden en leunde toen naar me over om me een zoen op mijn wang te geven; ze was bijna net zo lang als ik. Haar lippen waren warm en zacht.

Het was nog vroeg toen ik bij mijn kamer aankwam; ik had de avond nog voor me. Ik overwoog mijn enige oude vriend in de stad te bellen, Alan Glickman, een maatje van de middelbare school met wie ik contact had weten te houden, voornamelijk doordat we elkaar een paar keer per jaar belden. Ik hield van zijn scherpe humor, maar ik had hem niet van tevoren gebeld en hij had waarschijnlijk al iets te doen. Bovendien lag Mary's envelop op de rand van het bed. Weglopen en die envelop laten liggen, al was het maar voor een paar uur, zou hetzelfde zijn als een mens achterlaten.

Ik ging zitten, maakte de envelop open en trok er de bundel betypte vellen en een dunne pocket met kleurenreproducties uit. Ik ging met Mary's papieren dwars op het bed liggen. De deur was op slot en de rolgordijnen waren dicht, maar ik voelde een aanwezigheid die de hele kamer vulde, een verlangen waar ik mijn hand doorheen had kunnen halen.

63

Mary

Bij het ontbijt zette Frank me klem. 'Ben je er klaar voor?' zei hij, een dienblad in evenwicht houdend met twee kommen cornflakes, een bord eieren met spek en drie glazen sinaasappelsap. Het was zelfbediening, die ochtend – democratie. Ik had een zonnig hoekje gevonden en zat aan mijn tweede kop koffie en een gebakken ei, en Robert Oliver was nergens te bekennen. Misschien ontbeet hij niet.

'Waarvoor?' zei ik.

'Voor de eerste dag.' Hij zette zijn dienblad op tafel zonder te vragen of hij erbij mocht komen zitten.

'Kom erbij,' zei ik. 'Ik zat net op dit prachtige eenzame plekje naar gezelschap te snakken.'

Hij glimlachte. Hij was kennelijk blij met mijn kat; waarom had ik gedacht dat sarcasme zou werken? Hij had zijn haar die ochtend in een paar stekelige toefjes gedwongen, en hij droeg een grijzige spijkerbroek, een sweatshirt, rafelige basketbalschoenen en een ketting met rode en blauwe kralen. Hij boog zich vanuit zijn soepele middel en spande zijn schouders boven de cornflakes. Hij was volmaakt, op zijn eigen onvolwassen manier, en hij wist het. Ik stelde me hem voor op zijn vijfenzestigste, mager en met pezige armen, met eksterogen en vermoedelijk een gerimpelde tatoeage ergens.

'De eerste dag wordt lang,' zei hij. 'Daarom vroeg ik of je er klaar voor was. Ik heb gehoord dat Oliver ons urenlang gaat afbeulen. Hij is een maniak.'

Ik probeerde me weer op mijn koffie te richten. 'Het is een cursus landschapsschilderen, geen footballtraining.'

'O, ik weet het nog zo net niet.' Frank kauwde zich een weg door zijn ontbijt. 'Ik heb over die vent gehoord. Hij weet van geen ophouden. Hij heeft naam gemaakt als portretschilder, maar hij is nu bezeten van landschappen. Hij is de hele dag buiten, als een beest.'

'Of als Monet,' zei ik, en ik kon mijn tong wel afbijten. Frank keek van me weg alsof ik in mijn neus zat te peuteren.

'Monet?' mompelde hij met volle mond, en ik hoorde de minachting en verbazing erdoorheen klinken. We aten onze eieren in een niet echt kameraadschappelijke stilte.

De heuvel waarop Robert Oliver ons neerzette voor onze eerste landschapsoefening bood uitzicht op de zee en rotsachtige eilandjes; het was een deel van een staatspark en ik vroeg me af hoe hij had geweten dat we juist hierheen moesten, naar deze ontzagwekkende omgeving. Robert dreef de poten van zijn ezel in de grond. We schaarden ons rondom hem, met onze materialen in de hand of op het gras, en keken toe terwijl hij een voorbeeldschets maakte en liet zien hoe we ons eerst op de vormen moesten concentreren, zonder er al over na te denken waar die vormen voor stonden. Toen deed hij aanbevelingen voor het kleurgebruik. We zouden een grijzige grond moeten nemen, zei hij, om het harde koude licht overal om ons heen weer te kunnen geven, maar ook warmere tinten bruin moeten gebruiken onder de boomstammen, voor het gras en zelfs het water.

Zijn inleiding in het lokaal die ochtend was minimaal geweest. 'Jullie zijn allemaal volleerde, werkende kunstenaars, dus het lijkt me niet nodig veel te zeggen; laten we gewoon naar buiten gaan en zien wat er gebeurt, dan kunnen we het later over compositie hebben, als we een paar schilderijen hebben om te bekijken.' Ik was blij dat we daarna naar buiten konden ontsnappen. We waren hier met een bus naartoe gereden en hadden vanaf het parkeerterrein met onze uitrusting door het bos gelopen; de organisatie had voor broodjes en appels gezorgd en we hoopten dat het droog zou blijven.

Nu ik dicht genoeg bij Robert Oliver stond om zijn demonstratie te zien, maar niet zo dichtbij dat ik happig leek, kwamen er veel herinneringen aan hem boven; ik herkende het vurig hameren op vorm, hoe zijn stem dieper werd toen hij ons vol overtuiging op het hart drukte aan niets anders te denken dan de geometrie van het landschap tot we die goed hadden, hoe hij om de vijf minuten achteroverhelde, met zijn gewicht op zijn hielen, om zijn werk te bekijken en zich er dan weer overheen boog. Robert legde met iedereen een soort contact, viel me op; hij had nog meer dan vroeger die moeiteloze, ongepolijste gave van de gastvrijheid, alsof hij doceerde in een eetzaal in plaats van een lokaal, en we allemaal aan zijn dis waren genood. Het was onweerstaanbaar, en de andere cursisten leken zich meteen tot hem aangetrokken te voelen, zoals ze zich vol vertrouwen rond zijn doek verdrongen. Hij wees een paar punten in het landschap aan, legde uit wat voor vormen ze op doek konden aannemen en schetste toen de omtrekken van het uitzicht dat hij had gekozen op het doek en begon kleur aan te brengen, veel gebrande omber, een diepbruine laag.

Er waren meer dan genoeg vlakke stukken op de heuvel voor zes mensen achter een ezel, en we zochten allemaal een tijdje naar het beste uitzicht. In feite kon je het niet fout doen; het was moeilijk te kiezen uit die honderdtachtig graden natuurlijke pracht. Ik koos uiteindelijk voor een vergezicht van naar het strand en de zee kruipende sparren, met Isle des Roches uiterst rechts en links de rechte horizon waar het water de lucht raakte. Het was niet helemaal uitgebalanceerd; ik verzette mijn ezel een paar graden en ving een omlijsting van sparren uiterst links aan het strand om mijn doek aan die kant iets boeiender te maken.

Zodra ik mijn plekje had gekozen, pootte Frank zijn ezel enthousiast naast de mijne, alsof ik hem had uitgenodigd en vereerd was met zijn gezelschap. Een paar andere cursisten leken best aardig; ze waren van mijn leeftijd of ouder, bijna allemaal vrouwen, waardoor Frank een vroegrijp kind leek. Twee van de vrouwen, die zeiden elkaar al te kennen van een congres in Santa Fe, hadden me in de bus bij een vriendelijk gesprek betrokken. Ik zag hoe ze hun ezel lager op de heuvel zetten en met elkaar over hun palet overlegden. Er was ook nog een heel verlegen, oudere man die, zo fluisterde Frank me toe, een jaar eerder op Williams College had geëxposeerd; hij zette zijn ezel niet ver bij ons vandaan en begon met verf te schetsen in plaats van met potlood.

Frank had niet alleen de poten van zijn ezel vlak bij de mijne in de grond geduwd, maar hem ook in ongeveer dezelfde richting gezet; ik stelde geërgerd vast dat onze uitzichten sterk op elkaar zouden lijken, waardoor er een regelrechte competitie ontstond op het gebied van onze vaardigheid. Gelukkig ging hij meteen op in zijn werk en zou hij me dus waarschijnlijk niet lastigvallen; hij had al een paar basiskleuren op zijn palet uitgeknepen en tekende met grafiet het eiland in de verte en de kustlijn op de voorgrond. Hij werkte snel en zeker, en zijn slanke rug bewoog in een sierlijk ritme onder zijn trui.

Ik wendde mijn blik van hem af en begon mijn palet te prepareren: groen, gebrande omber, zachtblauw met een beetje grijs erin, een kneepje wit en zwart. Ik had er nu al spijt van dat ik twee penselen niet vóór de cursus had vervangen; ze waren van uitstekende kwaliteit, maar ik had ze al zo lang dat ze een paar haren kwijt waren. Mijn baantjes als docent leverden me niet genoeg op om dure schildersbenodigdheden aan te schaffen, naast de huur en de boodschappen, en Washington was niet goedkoop, al had ik een appartement gevonden in een buurt die Muzzy nooit zou hebben goedgekeurd en gelukkig nooit kwam bekijken. Ik zou het niet in mijn hoofd halen haar om geld te vragen, nadat ik haar had teleurgesteld door niet de door haar beoogde carrière te kiezen. ('Maar zoveel mensen die de kunstacademie hebben gedaan worden tegenwoordig advocaat, toch, lieverd? En jij wilt altijd zo graag in debat.') Ik nam me zoals elke dag weer heilig voor dat ik zou blijven proberen mijn portfolio op te bouwen, aan genoeg exposities deel te nemen en voldoende uitstekende referenties te verzamelen om voor een echte baan als docent in aanmerking te komen. Ik wierp een boze blik op Frank, die toch niet keek. Misschien kon Robert Oliver iets voor me doen, als ik goed werk leverde op deze workshop. Ik keek heimelijk naar hem en zag dat hij ook in beslag werd genomen door zijn schilderij. Ik kon zijn doek niet zien vanaf de plek waar ik stond, maar het was groot en hij vulde het met lange penseelstreken.

Het water veranderde natuurlijk per uur van kleur, wat het lastig maakte om het te treffen, en de top van Isle des Roches stelde me voor een uitdaging; mijn versie ervan was iets te zacht, als pudding of slagroom in plaats van bleke rots, en het dorp langs de laagste kust was in het gunstigste geval smoezelig te noemen. Robert schilderde lang door, beneden ons op de helling, en ik vroeg me af of hij ooit nog naar boven zou komen om ons werk te bekijken, en zag ertegen op.

Uiteindelijk namen we pauze om te lunchen. Robert rekte zich uit, vouwde zijn grote handen hoog boven zijn hoofd en draaide ze om, en wij volgden allemaal op de een of andere manier zijn voorbeeld door op te kijken, penselen neer te leggen en onze armen in de lucht te steken. Ik wist dat we even snel zouden eten, en toen Robert op een zonnige plek lager op de heuvel ging zitten en zijn lunch uit een grote linnen tas pakte, schaarden we ons allemaal met onze eigen broodjes om hem heen. Hij glimlachte naar me toen ik ging zitten; had hij net om zich heen gekeken, zoekend naar mij? Frank begon een gesprek met de twee vriendelijke vrouwen over het succes van zijn recente expositie in Savannah, en Robert leunde opzij om me te vragen hoe het met mijn landschap ging. 'Slecht,' zei ik, waar hij om de een of andere reden om grinnikte. 'Ik bedoel,' vervolgde ik bemoedigd, 'ken jij dat toetje dat "île flottante" heet?' Hij lachte en beloofde te komen kijken.

64

Mary

Na de lunch kuierde Robert het bos in – om te plassen, begreep ik uiteindelijk, iets wat ik zelf deed zodra de drie mannen allemaal weer veilig in hun werk opgingen; ik had wat tissues in mijn zak, die ik onder
de vochtige deklaag van bladeren en bemoste takken begroef. Na de
lunch begonnen we allemaal aan een nieuw doek vanwege het veranderde licht en werkten nog eens uren door. Ik begon te beseffen dat
Franks bewering over Roberts toewijding aan de natuur klopte. Hij
kwam uiteindelijk niemands werk bekijken, en ik was opgelucht, maar
ook een beetje teleurgesteld. Mijn rug en benen deden zeer en ik begon borden vol eten voor me te zien in plaats van de textuur van water en sparren.

Ten slotte, vlak voor vieren, deed Robert langzaam de ronde. Hij
deed suggesties, luisterde naar problemen en riep ons een keer bij elkaar om te vragen wat we vonden van de verschillen tussen ochtend-
en middaglicht in dit landschap, waarbij hij opmerkte dat het schilderen van een klif niet anders is dan het schilderen van een ooglid: we
moesten erom denken dat licht vorm onthulde, ongeacht het onderwerp. Hij bleef eindelijk bij mijn ezel staan en inspecteerde het doek
met over elkaar geslagen armen. 'De bomen zijn heel goed,' zei hij.
'Echt heel goed. Kijk, als je een donkere schaduw aan die kant van het
eiland aanbrengt... Mag ik?' Ik knikte en hij leende een penseel van
me. 'Niet bang zijn om een schaduw donkerder te maken als je contrast nodig hebt,' mompelde hij. Ik zag mijn eiland onder zijn hand
uitgroeien tot een geologische realiteit en vond het niet erg dat hij mijn
werk verbeterde. 'Zo. Ik zal er niet meer aan knoeien; ik wil dat jij er
verder aan werkt.' Hij legde zijn grote vingers even op mijn arm en
liep weg, en ik werkte verdiept, bijna blindelings door tot de zon zover was gezakt dat het te donker werd om iets te zien.

'Ik heb honger,' fluisterde Frank, die te dicht naar me over helde. 'Die vent is gestoord. Verrek jij niet van de honger? Gave bomen,' voegde hij eraan toe. 'Je zult wel van bomen houden.'

Ik probeerde hem te volgen, maar het lukte niet. Ik kon niet eens 'Wat?' meer zeggen. Ik was helemaal stram, verkild onder mijn sweatshirt en de katoenen sjaal die ik om mijn nek had gewikkeld toen de zeebries koeler werd; ik had al heel lang niet meer zo ingespannen geschilderd, al werkte ik vrijwel dagelijks, tussen mijn gewone werk door en 's avonds. Ik moest Robert nog iets vragen, nu ik me zo intens had geconcentreerd op mijn schaduwen en wat kleine witte toetsen over het hele doek moest aanbrengen om het op te lichten. Zou ik wachten en het wit morgen toevoegen, als het licht meer leek op dat waarmee we waren begonnen, of zou ik het nu doen, snel, zoals ik het me herinnerde?

Ik liep de heuvel af naar Robert, die begonnen was zijn penselen schoon te maken en zijn palet af te schrapen. Om de paar seconden hield hij op om naar zijn doek en het uitzicht te kijken. Het viel me in dat hij een tijdlang was vergeten ons aanwijzingen te geven, en ik voelde me met hem verwant; ook hij was zo diep opgegaan in de bewegingen van penseel en hand, vingers en pols dat hij zich van niets anders meer bewust was. We konden alleen van de nabijheid van die bezetenheid al iets leren, dacht ik. Ik ging voor zijn werk staan. Hij liet het zo makkelijk lijken, het kijken naar basisvormen, die schetsen, kleur toevoegen en ze aanraken met licht; de bomen, het water, de rotsen en het smalle strand in de diepte. Het oppervlak was nog niet af; waarschijnlijk zou hij net als wij nog minstens een hele middag aan hetzelfde doek werken, als er tijd was. De vormen zouden later uitgroeien tot volledige realiteit; details als takken, bladeren en golven zouden hier en daar worden aangegeven.

Toch was één stuk van zijn doek al schitterend compleet. Ik vroeg me af waarom hij het eerder had voltooid dan de rest: het ruige strand en de lichte rotsen die zich in zee uitstrekten, de zachte kleuren van stenen en roodachtig zeewier. We stonden hoog boven het water, en hij had die ervaring van naar beneden kijken, of ergens schuin overheen, getroffen in de twee verre gestalten die hand in hand langs de kust liepen, de grootste rechtop en de kleinste gebukt als om iets uit een getijdenpoeltje te pakken. Ze waren zo scherp, zo dichtbij, dat ik de lange rok van de vrouw achter haar aan zag wapperen in de wind, het hoedje van het kind dat aan blauwe linten op haar rug hing, twee mensen die gezellig samen waren op een plek waar de hele middag geen mens was geweest, behalve dan een groepje schilders boven op de heuvel. Ik staarde er onwillekeurig naar en keek toen naar Robert, die de minuscule schoen van de vrouw met een penseel aanstipte alsof hij de neus wilde poetsen en toen de marterharen weer schoonveegde. Ik was mijn vraag vergeten; het was iets over het veranderende licht.

Hij draaide zich glimlachend naar me om, alsof hij wist dat ik er stond en zelfs wist wie ik was. 'Heb je een fijne middag gehad?'

'Ja, zeker,' zei ik. Hij was zo ontspannen dat het me dwaas leek hem te vragen waarom hij twee fictieve figuren in het zomerse landschap had geplaatst. Hij stond bekend om zijn verwijzingen naar de negentiende eeuw en had het volste recht, als Robert Oliver, om toe te voegen wat hij maar wilde, zelfs aan een landschapsles. Ik hoopte dat iemand anders het hem in mijn plaats zou vragen.

Toen hoopte ik iets anders: dat ik hem op een dag goed genoeg zou kennen om hem alles te kunnen vragen. Hij keek naar me met die vriendelijke, verre blik in zijn ogen die ik me van zijn lessen van vroeger herinnerde: een puzzel, een raadsel van een gezicht. Ik zag plukjes zilvergrijs geworden donker haar in de opening van zijn kraag. Ik wilde mijn hand uitsteken om dat haar aan te raken, om te voelen of de ouderdom het zacht of juist stug had gemaakt; wat van de twee? Hij had zijn mouwen bijna tot aan zijn ellebogen opgestroopt. Hij stond nu in zijn vertrouwde pose van de grote man, met zijn armen over elkaar, zijn handen om zijn blote ellebogen en zijn benen schrap gezet tegen de helling. 'Het is een verdomd mooi uitzicht,' zei hij gemoedelijk. 'En volgens mij moeten we nu eens op weg naar het avondeten.' Het was echt een verdomd mooi landschap, had ik kunnen zeggen, maar zonder figuren in lange rokken die de golven ontweken. Geen kust kon opvallender verlaten zijn – landschap zonder mensen, dat was toch het doel van de oefening geweest?

65

1879

Eind maart wordt haar schilderij van het kamermeisje met het gouden haar geaccepteerd door de Salon, onder het pseudoniem Marie Rivière. Olivier komt het nieuws persoonlijk brengen. Yves, papa en hij drinken om de eetkamertafel op haar uit het mooiste kristal terwijl zij de glimlach op haar lippen verbijt. Ze probeert niet naar Olivier te kijken, wat lukt; ze raakt er al aan gewend al die liefdes rond dezelfde tafel te zien. Die nacht kan ze niet slapen, zo blij is ze, een gecompliceerde vreugde die haar lijkt te beroven van iets van het oorspronkelijke enthousiasme over het schilderij. Olivier schrijft haar in zijn eerstvolgende brief dat het een natuurlijke reactie is. Hij zegt dat ze niet alleen in jubelstemming is, maar zich ook kwetsbaar voelt, en dat ze gewoon door moet gaan met schilderen, zoals iedere kunstenaar.

Ze begint aan een nieuw doek, nu van de zwanen in het Bois de Boulogne; Yves maakt tijd vrij om haar op zaterdag te vergezellen, zodat ze nooit alleen hoeft te lopen of te schilderen. Soms gaat Olivier in Yves' plaats met haar mee. Hij helpt haar kleuren te mengen en schildert haar een keer op een bank aan het water, een portretje van haar van het kant rond haar hals tot de bovenrand van haar hoedje, dat ze naar achteren heeft geschoven om haar grote ogen te laten zien. Hij zegt dat het het beste portret uit zijn hele carrière is. *Béatrice de Clerval, 1879*, zet hij met forse streken achterop, en hij signeert het in een hoek.

Op een avond wanneer Olivier er niet is, komen Gilbert en Armand Thomas weer eten. Gilbert, de oudste broer, is een knappe man met behoedzame manieren, goed gezelschap in een salon. Zijn broer Armand is stiller, net zo elegant gekleed als Gilbert, maar met een zekere neiging tot lusteloosheid. Ze vullen elkaar aan: Armand laat Gilberts intensiteit uitkomen en dankzij Gilbert lijkt Armands zwijgen fijngevoelig in plaats van saai. Gilbert heeft de gejureerde werken van de Salon die nu worden opgehangen al mogen zien; wanneer de andere gasten zijn vertrokken en zij vieren nog samen in de salon zitten, zegt hij dat hij Olivier Vignots inzending heeft gezien, de jonge man onder de boom, en ook het mysterieuze werk dat Monsieur Vignot heeft ingezonden namens een onbekende schilderes, een Madame of Mademoiselle Rivière. Merkwaardig, hoe het schilderij hem aan iets doet denken. Ergerlijk ook dat Vignot weigert Madame Rivières identiteit te onthullen; het kan haar echte naam niet zijn.

Gilbert richt zich eerst tot Yves, dan tot Béatrice. Met zijn grote, knappe hoofd schuin vraagt hij of zij die schilderes kennen; misschien is ze jong en bedeesd. Wat moedig van een onbekende vrouw om werk in te zenden voor de Salon! Yves schudt zijn hoofd en Béatrice wendt zich af; Yves heeft nooit goed dingen verborgen kunnen houden. Gilbert voegt eraan toe dat het jammer is dat ze het geen van allen weten, en dat Monsieur Vignot zo geheimzinnig doet. Hij heeft altijd gedacht dat er meer in Olivier Vignot schuilt dan je met het blote oog kunt zien; hij heeft een lange geschiedenis – als schilder. Het is prettig in de salon, zoals altijd, met de in nieuwe kleuren gestoffeerde stoelen, papa's grote haardijzer, het licht van het vuur en de dunne kaarsen dat Béatrice' schilderij van haar tuin beschijnt, dat aan de andere kant van de kamer in een vergulde lijst hangt. Gilbert spreekt afgemeten, met respect en beschaafd; hij kijkt van het schilderij naar haar en trekt zijn volmaakt rechte manchetten recht. Voor het eerst sinds ze Olivier toestemming heeft gegeven haar werk in te zenden, voelt Béatrice zich bang, maar wat kan het nu eigenlijk voor kwaad als Gilbert Thomas haar identiteit ontdekt? Het schilderij is immers al aangenomen.

Hij lijkt een diepere bedoeling te hebben, en nu voelt ze zich echt onbehaaglijk. Mogelijk is het een compliment, een beleefde hint dat hij haar werk zou kunnen verkopen als ze bereid zou zijn het bedrog voort te zetten. Misschien wil ze dat wel, maar ze is niet bereid hem te vragen wat hij bedoelt. Zoals ze Oliviers goedheid en idealisme al voelde op de eerste avond dat hij bij deze haard zat, voelt ze dat er iets niet klopt aan Gilbert Thomas, dat er iets los en hards in hem rammelt. Ze zou willen dat hij wegging, maar begrijpt zelf niet waarom. Yves vindt hem scherpzinnig; hij heeft een schilderij van hem gekocht, een lieflijk tafereel van de nogal radicale Degas, een danseresje dat met haar handen in haar zij naar haar mededanseressen aan de barre kijkt. Béatrice brengt het gesprek op die aankoop en Gilbert reageert enthousiast, gesteund door Armand; die Degas wordt groot, ze weten het zeker, hij is al een goede investering gebleken.

Ze is opgelucht als ze vertrekken. Gilbert kust en drukt haar hand en vraagt Yves de groeten te doen aan zijn oom.

66

Mary

Ik had graag gemeld dat Robert Oliver en ik vanaf dat moment waardige vrienden werden, dat hij van toen af aan een mentor en wijze stem en actieve bepleiter van mijn schilderkunst werd, dat hij me vooruithielp in mijn carrière en dat ik hem op mijn beurt bewonderde, en dat het allemaal heel gewetensvol ging tot hij op zijn drieëntachtigste overleed en mij twee van zijn schilderijen naliet, maar zo ging het allemaal niet, en Robert is nog springlevend, met ons hele vreemde verleden afgesloten achter ons. Ik weet niet hoeveel hij zich er nog van herinnert; als ik moest raden, zou ik zeggen: niet alles, niet niets, maar iets. Ik vermoed dat hij zich iets van me herinnert, iets van ons samen, en dat de rest van hem is afgespoeld als losse aarde bij een plotselinge overstroming. Als hij zich alles herinnerde, als hij het tot in zijn poriën in zich had opgenomen, zoals ik, zou ik dit nu niet allemaal hoeven uit te leggen aan zijn psychiater, of een andere psychiater, en misschien zou hij dan ook niet krankzinnig zijn. Krankzinnig... Is dat het goede woord? Hij was eerder al krankzinnig in die zin dat hij anders was dan anderen, en daarom hield ik van hem.

De avond na onze eerste landschapsexcursie zat ik naast Robert aan tafel en natuurlijk zat Frank naast mij, met zijn openhangende overhemd. Ik wilde tegen hem zeggen dat hij zich niet moest aanstellen en de knoopjes dichtmaken. Robert praatte veel met een docent aan de andere kant van hem, een vrouw van in de zeventig, een grande dame van de *readymades*, maar af en toe keek hij opzij en glimlachte naar me, meestal afwezig en een keer met een directheid die me schokte, tot ik begreep dat zijn blik ook voor Frank was bedoeld; naar het scheen was Franks weergave van het water en de horizon hem beter bevallen dan de mijne. Als Frank dacht dat hij me waar Robert bij was de schilderkunstige loef af kon steken, zat hij er helemaal naast, nam ik me voor terwijl ik hoorde hoe Frank voor me langs brokjes van Roberts aandacht opeiste. Toen Frank klaar was met zijn lange snoefsessie in de vorm van technische vragen, keek Robert weer naar mij; ik zat tenslotte vlak naast hem. Hij legde een hand op mijn schouder. 'Wat ben je stil,' zei hij glimlachend.

'Frank maakt genoeg lawaai,' zei ik zacht. Ik had het luider willen zeggen, om Frank te laten merken hoe ik erover dacht, maar het kwam er zacht en fel uit, alsof het alleen voor Robert Olivers oren bestemd was. Hij keek op me neer – zoals ik al zei, kijkt Robert op bijna iedereen neer. Het spijt me dat ik dit cliché moet gebruiken, maar onze ogen vonden elkaar. Onze ogen vonden elkaar, voor het eerst sinds we elkaar kenden, een periode waarin dan ook een hiaat van jaren was gevallen.

'Hij begint net aan zijn loopbaan,' stelde Robert vast, waardoor ik me iets beter voelde. 'Waarom vertel je me niet hoe het met jou gaat? Ben je nog naar de kunstacademie gegaan?'

'Ja,' zei ik. Ik moest mijn mond vlak bij zijn oor brengen, anders verstond hij me niet; er groeide zacht, zwart haar in zijn oorschelp.

'Balen,' zei hij half fluisterend.

'Zo erg was het niet,' bekende ik. 'Ik heb er stiekem van genoten.'

Hij draaide zijn hoofd, zodat ik hem weer recht aankeek. Ik voelde dat het gevaarlijk voor me was hem zo te zien, dat hij veel levensechter was dan iemand zou mogen zijn. Hij lachte zijn grote, sterk uitziende tanden bloot, die echter ook vergeelden: de middelbare leeftijd. Het was heerlijk dat hij nergens iets om leek te geven, dat hij zelfs niet leek te weten dat zijn tanden geel waren. Frank zou de zijne voor zijn dertigste al een paar keer per maand bleken. De wereld krioelde van de Franken, terwijl er veel meer Robert Olivers zouden moeten zijn.

'Ik heb er ook wel van genoten,' zei hij. 'Het gaf me iets om me kwaad over te maken.'

Ik haalde mijn schouders op. 'Waarom zou kunst je kwaad moeten maken? Het kan me niet schelen wat anderen doen.'

Ik deed hem na, zijn onverschilligheid, maar voor hem leek het nieuw te zijn. Hij fronste zijn voorhoofd. 'Misschien heb je wel gelijk. Trouwens, je groeit over dat stadium heen, hè?' Het was geen echte vraag, maar gedeelde ervaring.

'Ja,' zei ik. Ik dwong mezelf hem weer aan te kijken. Toen ik het een paar keer had gedaan, was het niet moeilijk meer.

'Jij bent er jong overheen gegroeid,' stelde hij nuchter vast.

'Zo jong ben ik niet.' Ik had niet vinnig willen klinken, maar hij keek me nog aandachtiger aan. Zijn ogen dwaalden langs mijn hals naar beneden en flitsten over mijn borsten – het mannelijke registreren van een vrouwelijke aanwezigheid, een automatisme, primitief. Ik vond het jammer dat hij zich met die blik had verraden; het was iets onpersoonlijks. Het maakte me benieuwd naar zijn vrouw. Hij droeg nog steeds de brede gouden ring die hij op Barnett al had gedragen, dus ik moest ervan uitgaan dat hij nog getrouwd was. Toen hij weer iets zei, stond zijn gezicht zacht. 'Er spreekt veel inzicht uit je werk.'

Toen wendde hij zich af, op de een of andere manier meegesleept door de anderen om ons heen, en mengde zich in het gesprek aan tafel, zodat ik er niet achter kwam, althans toen nog niet, op wat voor inzicht hij doelde. Ik richtte mijn aandacht op mijn eten; ik kon het geroezemoes toch niet volgen. Na een poosje keek hij me weer aan en ik voelde weer die stilte tussen ons, het wachten. 'Wat doe je tegenwoordig?'

Ik besloot eerlijk te zijn. 'Nou, ik heb twee suffe baantjes in Washington. Om de drie maanden ga ik naar Philadelphia om bij mijn oude moeder op bezoek te gaan. 's Avonds schilder ik.'

''s Avonds schilder je,' zei hij. 'Heb je al geëxposeerd?'

'Ik heb nog geen eigen of zelfs maar een groepsexpositie gehad,' zei ik langzaam. 'Ik denk dat ik wel kansen had kunnen creëren op de een of andere manier, misschien op de academie, maar ik heb het zo druk met lesgeven dat ik er niet aan toe kom. Of misschien ben ik nog niet zover. Ik ga gewoon door met schilderen wanneer ik maar even kan.'

'Je zou moeten exposeren. Meestal is er wel iets op te vinden, met werk zoals het jouwe.'

Ik had graag gewild dat hij nader inging op dat 'zoals het jouwe', maar keek het gegeven paard niet in de bek, temeer daar hij mijn enige landschap al 'inzicht' had toegeschreven. Ik hield mezelf voor dat ik nergens voor moest vallen, al wist ik van jaren geleden dat Robert Oliver geen loze complimentjes uitdeelde, en ik voelde intuïtief aan dat hij, ook al had hij me in een reflex taxerend opgenomen, geen complimentjes zou gebruiken om me te versieren. Daarvoor hechtte hij te veel aan de waarheid omtrent de schilderkunst; je zag het aan elke lijn van zijn gezicht en schouders en hoorde het in zijn stem. Het was het betrouwbaarste aan hem, besefte ik veel later, die onopgesmukte lof of afwijzing; het was onpersoonlijk, net als zijn blik op mijn lichaam. Hij had iets kils, een koele blik onder zijn warme huid en glimlach, iets wat ik vertrouwde omdat ik er bij mezelf op vertrouwde. Je kon erop rekenen dat hij je met een schouderophalen zou afwijzen, dat hij je werk zou afschudden als hij dacht dat het niet goed was. Het ging moeiteloos, zonder dat hij ook maar een poging deed zich om persoonlijke redenen in te houden. Oog in oog met werk, schilderijen, of het nu de zijne waren of die van een ander, was hij niet persoonlijk.

We kregen verse aardbeien toe. Ik haalde er een kop sterke thee met room bij. Ik wist dat het me wakker zou houden, maar ik was toch al te opgewonden om aan slapen te kunnen denken. Mogelijk kon ik opblijven om te schilderen – er waren ateliers die de hele nacht toegankelijk waren, niet te ver van de slaapstallen; garages waarin waarschijnlijk ooit de eerste Ford Model T's van het landgoed hadden gestaan en die nu waren voorzien van grote daklichten. Ik kon er de hele nacht werken en misschien nog een paar landschappen maken naar de eerste, onvoltooide versie van die dag. Dan kon ik bij het ontbijt of op onze volgende heuvel schaamteloos tegen Robert Oliver zeggen: 'Ik ben een beetje moe. O, ik heb tot drie uur vannacht geschilderd.' Of misschien zou hij door het donker dwalen, langslopen en me door het raam van de garage zien, hard aan het werk; hij zou naar binnen komen, glimlachend een hand op mijn schouder leggen en zeggen dat mijn schilderij van 'inzicht' getuigde. Meer wilde ik niet: zijn aandacht, heel even, en bijna maar net niet helemaal onschuldig.

Terwijl ik mijn thee opdronk, verhief Robert zich in zijn volle lengte van de tafel, waardoor ik recht tegen zijn heupen in de versleten broek aankeek, en nam afscheid van iedereen. Hij had waarschijnlijk iets belangrijkers te doen, zoals zijn eigen werk. Tot mijn afschuw liep Frank achter hem aan. Zijn geciseleerde profiel zwenkte van links naar rechts terwijl hij Robert de oren van het hoofd praatte. Het zou hem er tenminste van weerhouden mij te volgen en zijn overhemd nog iets verder open te trekken of me te vragen of ik een boswandeling met hem wilde maken. Ik voelde me een beetje eenzaam, verlaten als ik was door niet één, maar twee mannen, en ik probeerde me weer in mijn onafhankelijkheid te hullen, mijn romance van helemaal in mijn eentje. Ik zou toch gaan schilderen, niet om Frank uit de buurt te houden of Robert Oliver naar me toe te lokken, maar om te schilderen. Ik was hier om mijn tijd nuttig te gebruiken, mijn sputterende motor weer aan de praat te krijgen en mijn kostbare korte vakantie te koesteren, en alle mannen konden de pot op.

Zodoende vond Robert me toch in de garage, zo laat dat de paar andere mensen die hier en daar in de grote, bedompte ruimte hadden gewerkt hun spullen al hadden gepakt en waren vertrokken, zo laat dat ik suffig was en groen voor me zag in plaats van blauw, te snel een beetje geel aanbracht, het weer afschraapte en tegen mezelf zei dat ik moest ophouden. Ik had mijn landschap van die middag bewerkt op een vers doek dat ik uit mijn slaaphok had gehaald, met een aantal verschillen. Ik had me de margrieten in het gras herinnerd, waar ik bij daglicht niet aan toe was gekomen, en zette ze op de heuvel, waar ik ze wilde laten drijven, maar in plaats daarvan zonken ze. En er was nog een verschil. Toen Robert binnenkwam en de deur achter zich dichttrok, was ik al zo moe van het nadenken over die veranderingen dat ik hem zag als een manifestatie van mijn visioen onder het avondeten, mijn wens dat hij hier zou verschijnen. Ik was hem zelfs glad vergeten, al had hij op de een of andere manier tegelijkertijd beslag gelegd op mijn gedachten. Ik had me laten verrassen, dus nu keek ik hem door mijn blindheid heen aan.

Hij kwam voor me staan, flauw glimlachend, met zijn armen over elkaar. 'Je bent nog op. Werk je aan je toekomstige expositie?'

Ik gaapte hem aan. Hij was onwezenlijk, door nevel omkranst in het licht van de lampen die aan het plafond bungelden. In weerwil van mezelf dacht ik dat hij op een aartsengel op zo'n middeleeuws drieluik leek, groter dan de mensheid, met zijn vrij lange krullen, zijn hoofd door goud omkranst, zijn enorme vleugels voor het gemak op zijn rug gevouwen terwijl hij een hemelse boodschap overbracht. Zijn verschoten gouden kleren, de donkere gloed van zijn haar en het olijfgroen van zijn ogen zouden allemaal bij vleugels passen, en als Robert vleugels had gehad, waren ze immens geweest. Ik waande me buiten de grenzen van de geschiedenis en de conventies, op de wankele rand van een wereld die te menselijk was om echt te zijn, of te echt om waarachtig menselijk te zijn: ik voelde alleen mezelf, het schilderij op de ezel, dat ik hem niet meer wilde laten zien, en die grote man met krullen die anderhalve meter bij me vandaan stond.

'Ben je een engel?' zei ik. Het voelde op hetzelfde moment al gekunsteld, aanstellerig.

Hij krabde echter onder zijn kin, waar donkere stoppels groeiden, en lachte. 'Niet bepaald. Heb ik je aan het schrikken gemaakt?'

Ik schudde mijn hoofd. 'Je straalde even, alsof je in goud gehuld zou moeten zijn.'

Hij had het fatsoen verwonderd te doen, of misschien was hij het wel echt. 'Ik zou naar alle maatstaven een slechte engel zijn.'

Ik dwong mezelf te lachen. 'Dan moet ik wel heel moe zijn.'

'Mag ik het zien?' Hij liep niet echt naar mij toe, maar naar mijn ezel. Het was te laat; ik kon geen nee meer zeggen. Hij was al om me heen gelopen en ik wilde zijn gezicht niet zien, maar toch moest ik ernaar kijken. Hij ging voor mijn landschap staan en zijn profiel werd ernstig. Hij maakte zijn armen van elkaar los en liet ze langs zijn lichaam hangen. 'Waarom heb je die erop gezet?'

Hij wees naar de twee figuren die langs mijn herziene kustlijn liepen, de vrouw met haar lange rok en het meisje ernaast.

'Ik weet het niet,' stamelde ik. 'Ik vond het mooi wat je had gedaan.'

'Is het niet bij je opgekomen dat ze van mij zouden kunnen zijn?'

Ik vroeg me af of iets in zijn toon aan het gevaarlijke grensde; de vraag was nogal bizar, maar ik voelde vooral mijn eigen dwaasheid, en de dwaas oprijzende tranen die nog verscholen gingen onder mijn teleurstelling. Ging hij me een standje geven? Ik kwam in verzet. 'Kan iets wel van één kunstenaar zijn?'

Zijn gezicht had een donkere uitdrukking, maar het stond ook peinzend, geïnteresseerd in mijn vraag. Ik was toen nog iets jonger; ik begreep niet dat mensen ook kunnen doen alsof ze belangstelling hebben voor iets anders dan zichzelf. Ten slotte zei hij: 'Nee, je zult wel gelijk hebben. Ik zal me wel gewoon bezitterig voelen ten opzichte van de beelden waarmee ik al zo lang leef.'

Opeens was ik weer terug op die campus van jaren geleden; het was merkwaardig genoeg hetzelfde gesprek, en ik vroeg hem wie die vrouw op zijn doeken was en hij stond op het punt te zeggen: 'Wist ik het maar!'

In plaats daarvan legde ik mijn hand op zijn arm, wat misschien aanmatigend was. 'Weet je, volgens mij hebben we het hier al eens over gehad.'

Hij fronste zijn wenkbrauwen. 'O ja?'

'Ja, op het gazon van Barnett, toen ik daar studeerde en jij dat portret van een vrouw voor de spiegel exposeerde.'

'En je vraagt je af of het dezelfde vrouw is?'

'Ja, dat vraag ik me af.'

Het licht in het grote, open atelier was kaal en fel; mijn lichaam gonsde door het late tijdstip en de nabijheid van die vreemde man die in de loop der jaren alleen maar aantrekkelijker was geworden. Ik kon bijna niet geloven dat hij het verstrijken van de tijd in mijn leven had doorstaan en ernaar terug was gekeerd. Nu keek hij me fronsend aan. 'Waarom wil je dat weten?'

Ik aarzelde. Ik had van alles kunnen zeggen, maar in de rauwheid van die tijd en plaats, de onwezenlijkheid die geen toekomst en geen gevolgen leek te hebben, zei ik wat het minst overdacht was, het dichtst bij mijn hart. 'Ik heb het gevoel,' zei ik langzaam, 'dat als ik wist waarom je na al die tijd nog steeds hetzelfde schildert, ik jou ook zou kennen. Ik zou weten wie je bent.'

Mijn woorden vielen ergens ver weg in de ruimte en ik hoorde hoe naakt ze waren en dacht dat ik me zou moeten generen, maar dat deed ik niet. Robert Oliver keek me strak aan, alsof hij de hele tijd had geluisterd en mijn reactie wilde zien op wat hij ging zeggen, maar in plaats van iets te zeggen bleef hij zwijgend staan – ik voelde me uitdagend lang naast hem, lang genoeg om tot aan zijn kin te reiken. Ten slotte legde hij zonder iets te zeggen zijn hand op mijn haar. Hij haalde een lange lok over mijn schouder en streek hem met zijn vingertoppen glad, zonder me echt aan te raken.

Ik herinnerde me met een schok dat dit Muzzy's gebaar was; ik dacht aan de handen van mijn moeder, die nu zoveel ouder waren, hoe ze een lok van mijn haar hadden gepakt toen ik nog een tiener was, en hoe ze tegen me zei dat mijn haar zo glanzend en sluik en glad was voordat ze hem teder losliet. Het was zelfs haar zachtste gebaar, een woordeloze verontschuldiging voor alle eisen, het bijschaven waar ik tegenin was gegaan tot we allebei rancuneus waren. Ik stond zo stil als ik kon, bang dat ik zichtbaar zou gaan beven en hopend dat Robert me verder niet zou aanraken omdat ik dan zou kunnen gaan trillen waar hij bij was. Hij hief beide handen en streek mijn haar over mijn schouders alsof hij het schikte voor een portret. Ik zag dat zijn gezicht peinzend stond, verdrietig en verwonderd. Toen liet hij zijn handen zakken en bleef nog even staan alsof hij iets wilde zeggen, waarop hij zich omdraaide en wegliep. Zijn rug was breed en doelbewust, en de manier waarop hij de deur opende traag en beleefd; er was geen afscheid.

Toen hij weg was, maakte ik mijn penselen schoon, zette mijn ezel in de hoek, deed de felle lampen uit en verliet de garage. De nacht rook sterk naar dauw. Het wemelde nog van de sterren, sterren die in Washington niet eens leken te bestaan. Ik bracht in het donker mijn handen naar mijn haar en streek het naar voren, zodat het tot op mijn borstbeen viel, en toen tilde ik het op en kuste het waar zijn hand het had aangeraakt.

67

1879

Op een mooie voorjaarsdag gaan ze dan eindelijk naar de Salon. Ze gaat samen met Yves en Olivier, al zal ze nog een keer terugkomen met alleen Olivier, haar gehandschoende hand onder zijn arm, om hun twee schilderijen te zien, die in verschillende zalen hangen. Ze zijn er vaker geweest, maar dit is de eerste keer (van de twee, zal blijken) dat Béatrice haar eigen schilderij zoekt tussen de honderden doeken waarmee de wanden behangen zijn. Het ritueel van het bezoek is haar vertrouwd, maar vandaag is alles anders; iedereen in de drukke zalen kan haar schilderij hebben gezien, er een onverschillige blik op hebben geworpen, er welwillend naar hebben gekeken of zijn wenkbrauwen hebben gefronst vanwege de onbeholpenheid. De mensen zijn niet langer een waas van modieuze kleren maar individuen, stuk voor stuk in staat een oordeel over haar te vellen.

Dit, denkt ze, is wat het inhoudt een schilder voor publiek te zijn, getoond te worden. Ze is nu blij dat ze haar eigen naam niet heeft gebruikt. Waarschijnlijk zijn er ministers langs haar schilderij gelopen; wellicht ook Monsieur Manet en haar vroegere docent, Lamelle. Ze draagt haar nieuwe jurk met een bijpassend hoedje, allebei parelgrijs, de jurk afgezet met een smal biesje karmozijnrood, het hoedje naar voren wippend op haar voorhoofd, met lange rode linten op de rug. Daaronder is haar haar strak opgestoken, haar taille is stevig ingesnoerd in het korset en de achterkant van haar rok is opgenomen in een serie cascades. De zoom sleept achter haar aan. Ze ziet de bewondering in Oliviers ogen, de jongere man die erdoor kijkt. Ze is blij dat Yves is blijven staan om naar een schilderij te kijken, met zijn hoed in beide handen op zijn rug.

Het is een heerlijke middag geweest, maar die nacht keert de boze droom terug; ze staat bij de barricade. Ze is te laat gekomen, en Oliviers echtgenote ligt bloedend in haar armen. Ze zal Olivier er niet over schrijven, maar Yves heeft haar horen kreunen. Een paar avonden later zegt hij resoluut tegen haar dat ze naar de dokter moet; ze is bleek en nerveus. De arts schrijft thee voor, om de dag een biefstuk en een glas rode wijn bij de lunch. Wanneer de droom nog een paar keer is teruggekomen, zegt Yves tegen haar dat hij voorbereidingen treft voor een vakantie voor haar aan de Normandische kust waar ze zo van houden.

Ze zitten in haar kleine boudoir, waar ze de hele avond met een boek heeft zitten rusten; Esmé heeft vuur in de haard gemaakt. Yves zegt dat hij erop staat: het heeft geen zin dat ze zich nog verder afmat met huishoudelijke taken terwijl ze zich niet goed voelt. Ze ziet aan de bezorgdheid op zijn gezicht, de rimpeltjes onder zijn ogen, dat zijn besluit vaststaat; dit is de vastberadenheid, de wil, die hang naar orde die hem zo succesvol heeft gemaakt in zijn carrière en die hem in de stad keer op keer door moeilijke tijden heeft geholpen. De laatste tijd vergeet ze in zijn gezicht naar de man te zoeken die ze al jaren kent en bewondert; zijn zelfbewuste grijze ogen, de keurige welvaart die hij uitstraalt, zijn verbazend vriendelijke mond en zijn dikke bruine baard. Ze heeft al een tijdje niet meer opgemerkt hoe jong zijn gezicht is; misschien is hij gewoon in de bloei van het leven, zijn leven en het hare – hij is zes jaar ouder dan zij. Ze slaat haar boek dicht en zegt: 'Hoe kun je je werk achterlaten?'

Yves veegt over de knieën van zijn broek; hij heeft zich niet omgekleed voor het avondeten en het stof van de stad kleeft nog aan hem. Haar blauw met witte stoeltjes zijn iets te klein voor hem. 'Ik kan niet mee,' zegt hij spijtig. 'Ik zou best even rust willen nemen, maar het zou heel lastig voor me zijn om nu weg te gaan, nu de nieuwe kantoren worden geopend. Ik heb Olivier gevraagd met je mee te gaan.'

Ze wapent zich en zegt niets, maar ze is wanhopig. Is dit wat het leven voor haar in petto heeft? Ze overweegt Yves te vertellen dat haar nerveuze toestand te wijten is aan de geschiedenis van zijn oom, maar ze wil Oliviers vertrouwen niet beschamen. Yves zou trouwens ook nooit begrijpen hoe de liefde van de een de ander nachtmerries kan bezorgen. Uiteindelijk zegt ze: 'Is dat niet te lastig voor hem?'

'O, hij aarzelde eerst, maar ik heb aangedrongen en hij weet hoe dankbaar ik hem zal zijn als jij weer kleur op je wangen krijgt.'

Wat tussen hen in hangt, is dat ze nog een kind zouden kunnen verwekken, en ook dat Yves altijd te druk of te moe is en ze al een paar maanden niet meer met elkaar hebben geslapen. Ze vraagt zich af of hij op een soort nieuw begin zinspeelt, maar eerst wil dat ze weer gezond is.

'Het spijt me als je teleurgesteld bent, lieve, maar ik kan nu gewoon niet weg.' Hij vouwt zijn handen op zijn knie; zijn gezicht staat gespannen. 'Het zal je goeddoen, en als je je verveelt, kun je na een paar weken terugkomen.'

'Hoe moet het met papa?'

Yves schudt zijn hoofd. 'Wij redden het wel samen. De bedienden kunnen voor ons zorgen.'

Haar lot lijkt zich voor haar te ontvouwen. Ze ziet weer het lichaam achter de barricade, Olivier die erbij knielt, met nog donker haar, verpletterd door zijn verdriet. Ze zal hun halverwege tegemoetkomen, als het leven dat van haar vergt. Hiervoor begreep ze niet wat liefde was, al deed de zakenman die tegenover haar zit zijn uiterste best. Ze bereidt zich op het ergste voor en glimlacht naar hem. Als het toch moet gebeuren, dan in elk geval grondig. 'Goed, schat. Ik ga. Maar ik laat Esmé hier om voor papa en jou te zorgen.'

'Onzin. We redden ons wel, en jij hebt haar nodig om op je te passen.'

'Olivier kan wel op me passen,' zegt ze kranig. 'Papa is bijna net zo afhankelijk van Esmé als van mij.'

'Weet je het zeker, lieve? Ik wil niet dat je je opoffert nu je uit je doen bent.'

'Natuurlijk weet ik het zeker,' zegt ze gedecideerd. Nu de reis onvermijdelijk is, voelt ze zich uitbundig, alsof ze niet meer hoeft op te letten waar ze haar voeten neerzet. 'Ik zal van mijn vrijheid genieten, want je weet hoe Esmé over me moedert, en ik zal me veel minder zorgen hoeven maken als ik weet dat papa goed wordt verzorgd.'

Hij knikt. Ze begrijpt dat de arts tegen hem heeft gezegd dat ze in alles haar zin moet krijgen, dat ze rust nodig heeft; de gezondheid van een vrouw is maar al te snel ondermijnd, zeker als die vrouw in haar vruchtbare jaren is. Hij zal haar ongetwijfeld nog een keer laten onderzoeken voordat ze weggaat, het onredelijke honorarium betalen om gerustgesteld te worden. Ze wordt overspoeld door genegenheid voor die stabiele, bezorgde man. Hij kan het hebben geweten aan het schilderen, beseft ze, of aan de spanning of ze tot de Salon zou worden toe-gelaten, maar hij heeft met geen woord over die dingen gerept. Ze staat op, schuift haar voeten in haar muiltjes en loopt naar hem toe om hem op zijn voorhoofd te kussen. Als ze ooit weer zichzelf wordt, zal hij er de vruchten van plukken. Alle vruchten.

Parijs, mei 1879
Mijn lieve kind,
Het spijt me echt dat Yves ons niet naar Étretat kan vergezellen,
maar ik vertrouw erop dat je er geen bezwaar tegen hebt je aan
mijn respectvolle zorgen toe te vertrouwen. Ik heb de kaartjes
gekocht, op jouw verzoek, en zal je donderdagochtend om zeven uur
met een huurkoets komen afhalen. Schrijf me van tevoren om me te
laten weten wat ik aan schildersbenodigdheden voor je kan
meebrengen; ik weet zeker dat dat een beter medicijn zal zijn dan al
het andere wat ik voor je kan doen.
Olivier Vignot

68

Mary

De tweede ochtend zette ik me aan het ontbijt schrap om Roberts blik te mijden, mocht hij me aankijken, maar tot mijn opluchting was hij er niet en leek zelfs Frank iemand anders te hebben gevonden om mee te praten. Ik boog me over mijn koffie en toast, nog versuft door het schilderen en het slaaptekort, onwillig aan de nieuwe dag beginnend. Ik had mijn haar opgestoken en een verschoten kaki blouse met verf langs de zoom aangetrokken, het shirt waar Muzzy de grootste afkeer van had. De hete koffie hielp me mijn zenuwen in bedwang te krijgen; het was tenslotte onzin om aan die man te denken, die onbereikbare, vreemde, beroemde onbekende, en ik nam me voor hem uit mijn hoofd te zetten. Het was een deprimerend heldere ochtend, ideaal voor een landschapsexcursie; om negen uur zat ik weer in de bus. Robert reed en een van de oudere vrouwen las de kaart voor hem. Frank, die naast me zat, stootte me aan, en het was alsof er die nacht niets was gebeurd.

Deze keer schilderden we aan de rand van een meer met een vervallen huisje aan de overkant en een kantwerk van witte berken langs de oevers. Robert drukte ons plagerig op het hart geen elanden toe te voegen. Of vrouwen in lange jurken, had ik er door mijn hoofdpijn heen aan toe kunnen voegen. Ik zette mijn ezel zo ver mogelijk bij de zijne vandaan zonder me bij Frank aan te sluiten. Robert Oliver mocht beslist niet denken dat ik achter hem aan zat, en mijn enige voldoening bestond eruit dat hij mijn blik de hele middag zorgvuldig meed en niet eens langskwam om mijn schilderij te beoordelen, dat hoe dan ook rampzalig was. Het hield in dat het gesprek van die nacht ook nog door zijn bloed stroomde; anders zou hij wel grapjes maken met mij, zijn voormalige leerling. Ik kon me niet herinneren wat ik van bomen, schaduwen of wat dan ook wist; het was alsof ik een modderige greppel schilderde waaruit ik alleen mijn eigen gestalte zag opdoemen, het water in beroering brengend; iets vertrouwds, maar onheilspellends. We lunchten dicht op elkaar aan twee picknicktafels (ik ging niet aan die van Robert zitten), en aan het eind van de dag schaarden we ons rond Roberts doek – hoe kon hij water zo levensecht maken? – en praatte hij over de vormen van de oevers en de kleuren die hij had gekozen voor de verre blauwe heuvels. De uitdaging van het landschap bestond uit het monochromatische karakter ervan: blauwe heuvels, blauw meer, blauwe lucht, en de verleiding de berken te wit te maken voor het contrast. Maar als we goed keken, zei Robert, zouden we zien dat er een ongelooflijke variatie in die gedempte nuances school. Frank wreef met een vinger achter zijn oor en luisterde met een houding van 'ik heb respect voor je, maar ik zou je nog het een en ander kunnen vertellen' die maakte dat ik hem wel kon slaan; hoe haalde hij het in zijn hoofd dat hij meer wist dan Robert Oliver?

Het avondeten was nog erger; Robert kwam na mij de volle eetzaal binnen, liet zijn blik over mijn tafel glijden en leek toen zo ver mogelijk bij me vandaan te gaan zitten. Later werd het kampvuur aangestoken in het donker en dronken de mensen bier en praatten en lachten met een nieuwe mate van ongeremdheid, alsof de vriendschappen nu al beklonken waren. En wat had ik op dat vlak bereikt? In de tijd dat ik vrienden had kunnen maken, had ik wat rondgehangen met Volmaakte Frank, of had ik alleen op mijn kamer gezeten, of aan onze geniale docent gedacht en hem ontlopen. Ik overwoog me op een van de aardige vrouwen van onze cursus te richten, met een biertje naar haar toe te gaan en met haar op een tuinbank te gaan zitten om te horen hoe haar leven thuis was, waar ze op school had gezeten en waar ze een groepsexpositie had gehad en wat haar man deed, maar ik werd al moe bij het idee. Ik zocht in de menigte naar Roberts krullen en vond ze; hij torende uit boven een groep met een paar medecursisten, al zag ik tot mijn genoegen dat Frank nu eens niet aan zijn lippen hing. Ik pakte mijn sweatshirt en sjokte naar de stallen, mijn bed en mijn boek; Isaac Newton zou beter gezelschap zijn dan al die mensen die het veel te leuk hadden samen, en wanneer ik eenmaal een paar uur had geslapen, zou ik zelf weer fatsoenlijk gezelschap zijn.

De stallen waren verlaten en de rijen slaapkamerdeurtjes waren dicht, op mijn deur na, die ik blijkbaar open had laten staan – slordig van me, hoewel mijn portemonnee in de zak van mijn spijkerbroek zat en ik me niet druk maakte om de rest van mijn spullen. Niemand leek hier trouwens veel af te sluiten. Ik liep als verdoofd mijn kamer in en slaakte onwillekeurig een gilletje: Frank zat op de rand van mijn bed in een schoon wit overhemd dat openhing tot aan zijn middel, een spijkerbroek en een ketting van zware bruine kralen die eigenlijk wel op de mijne leek. Hij had een schetsboek in zijn hand en wreef met zijn duim over een verse tekening om lijnen te verzachten. Zijn gebruinde huid was adembenemend, zijn gespierde borstkas trok iets samen toen hij zich over de tekening boog; hij wreef nog even geconcentreerd voordat hij opkeek en glimlachte. Ik probeerde mijn handen niet in mijn zij te zetten. 'Wat spook jij hier uit?'

Hij legde het schetsboek weg en grijnsde naar me. 'O, hou op, zeg. Je ontloopt me al dagen.'

'Ik kan de organisatie erbij halen en je weg laten sturen.'

Hij trok een iets fatsoenlijker, aandachtig gezicht. 'Maar dat doe je niet. Ik ben jou net zo goed opgevallen als jij mij. Wijs me niet langer af.'

'Ik wijs je niet af. Volgens mij heet het negeren. Ik negeer je, en daar ben je misschien niet aan gewend.'

'Denk je dat ik niet weet dat ik een verwend ettertje ben?' Hij hield zijn blonde stekeltjeshoofd schuin en nam me op. 'En jij?' Zijn glimlach was aanstekelijk, tot mijn afgrijzen. Ik sloeg mijn armen over elkaar. 'Ben jij ook een verwend ettertje?'

'Als jij geen verwend ettertje was, zou je hier echt niet op die volslagen ongepaste manier zitten.'

'Hou op,' zei hij weer. 'Zo denk jij niet over gepast en ongepast. Ik ben hier ook niet om je een beurt te geven, daar ben je me te verwaand voor. Ik dacht alleen dat we vrienden zouden kunnen zijn en dat je misschien met me zou willen praten als we alleen waren en je de schijn niet hoefde op te houden voor andere mensen.'

Ik wist niet waar ik moest beginnen hem op zijn nummer te zetten. 'De schijn ophouden? Ik ken niemand die zich zo druk maakt over zijn image als jij, jongeman.'

'O, nu zien we je ware aard. Een antisnob. Dat is beter. Je hebt tenslotte zelf op de kunstacademie gezeten, en ik weet waar. Niet slecht.' Hij glimlachte en liet me zijn schetsboek zien. 'Hé... Ik heb geprobeerd een zelfportret in je spiegel te maken. Ik was het net aan het bijwerken. Sta ik erop als een uitslover?'

Ik keek tegen wil en dank naar zijn portret. Het was weemoedig, ingekeerd, een peinzend gezicht dat ik niet in verband zou hebben gebracht met de Frank die ik kende. En het was goed.

'Heel slecht gearceerd,' zei ik. 'En de mond is te groot.'

'Groot is goed.'

'Ga van mijn bed af, mannetje,' zei ik.

'Kom eerst eens hier en geef me een kus.'

Ik had hem een klap moeten geven, maar ik schoot in de lach. 'Ik zou je moeder kunnen zijn.'

'Niet waar,' zei hij. Hij legde het schetsboek op bed, stond op – hij had exact hetzelfde postuur als ik – en drukte zijn handen aan weerszijden van me tegen de muur, een gebaar dat hij van een film moest hebben afgekeken. 'Je bent jong en mooi en je moet eens ophouden met dat chagrijnige gedoe en een beetje lol maken. Het is wel een kúnstkolonie, hoor.'

'Ik zou je uit deze kúnstkolonie moeten laten trappen, snotaap.'

'Eens zien, jij bent... een jaar of acht ouder dan ik? Vijf? Nou, nou.' Hij legde een hand op mijn gezicht en streelde me over mijn wang. Een vlam sprong van mijn schouder naar mijn haargrens. 'Doe je graag of je het wel alleen kunt rooien of vind je het echt leuk om in je eentje in deze stal te slapen?'

'Er mogen hier niet eens mannen komen,' zei ik. Ik duwde zijn hand weg, die meteen zijn tedere werk rond mijn slaap en langs mijn kaakbeen hervatte. Tegen wil en dank kwam het verlangen in me op die tengere, behendige hand ergens anders neer te leggen, hem overal te voelen.

'Dat is maar een geschreven regeltje.' Hij leunde naar me over, maar langzaam, alsof hij me wilde hypnotiseren, een geslaagde onderneming. Zijn adem had een aangename, frisse geur. Hij wachtte tot ik hem als eerste kuste, vernederd maar gretig, en toen raakten zijn lippen de mijne helemaal, met een ingehouden kracht die ik tot in mijn buik voelde. Ik had de nacht tegen die zijdezachte borst kunnen doorbrengen, maar hij hief zijn hand en tilde een lok van mijn haar op. 'Schitterend,' zei hij.

Ik glipte onder zijn gebruinde arm uit. 'Net als jij, jochie, maar vergeet het maar.'

Hij lachte verbazend goedmoedig. 'Goed dan. Laat het me weten als je van gedachten verandert. Je hoeft niet zo alleen te zijn als je niet wilt. We kunnen gewoon een paar van die goede gesprekken voeren die jij uit alle macht wilt vermijden.'

'Ga nou maar, alsjeblieft. Jezus. Het is welletjes.'

Hij pakte zijn schetsboek en liep net zo geruisloos mijn kamer uit als Robert het atelier, de nacht tevoren, en hij sloot zelfs de deur beleefd achter zich, alsof hij me wilde bewijzen dat ik zijn volwassenheid had onderschat. Toen ik zeker wist dat hij weg was, liet ik me op het bed vallen, veegde mijn mond aan mijn mouw af en huilde een beetje, maar vurig.

69

1879

Tegen de tijd dat hun trein de kust bereikt, is het avond en praten ze niet meer; ze is moe en er zit wat vuil op haar voile, wat haar het gevoel geeft dat er iets aan haar ogen mankeert. Bij Fécamp maken ze aanstalten om de trein te verlaten en een koets naar Étretat te nemen. Olivier pakt hun handbagage van het rek in de coupé waarin ze de hele dag hebben zitten praten (de koffers komen nog) en wanneer hij opstaat, vindt ze hem er stram uitzien, alsof het lichaam onder het reiskostuum van goede snit onbetwistbaar oud is en hij het recht niet heeft haar elleboog aan te raken wanneer hij iets tegen haar zegt, niet omdat hij Yves niet is, maar omdat hij niet jong is. Hij gaat echter weer zitten en pakt haar hand. Ze hebben allebei handschoenen aan. 'Ik houd je hand vast,' zegt hij tegen haar, 'omdat het kan, en omdat het de mooiste hand van de wereld is.'

Ze heeft er niet van terug, en dan komt de trein schokkend tot stilstand. Ze bevrijdt haar hand, stroopt haar handschoen af en legt haar hand weer in de zijne. Hij tilt hem op en kijkt ernaar, en in het zwakke licht in de coupé ziet ze hem objectief, waarbij haar zoals altijd opvalt dat de vingers te lang zijn, dat de hele hand te groot is voor de smalle pols en dat er blauwe verf op de topjes van haar duim en wijsvinger zit. Ze denkt dat hij haar hand wil kussen, maar hij buigt alleen zijn hoofd, alsof hij nadenkt, en laat haar los. Dan staat hij lenig op, pakt hun valiezen en laat haar beleefd voorgaan bij het verlaten van de coupé.

De conducteur helpt haar de trein uit, de avond in, die naar kolen en vochtige velden ruikt. De monsterlijk grote trein achter hen kreunt nog en er komt stoom uit de schoorsteen, wit tegen de donkere rijen huizen. Het treinpersoneel en de passagiers zijn slechts vage gedaanten. In hun koets laat Olivier haar zorgvuldig plaatsnemen op een stoel naast de zijne; de paarden komen in beweging en ze vraagt zich voor de zoveelste keer af waarom ze in deze reis heeft toegestemd. Omdat Yves zo aandrong of omdat Olivier wilde dat ze met hem meeging? Of omdat ze het zelf wilde en te zwak was om het Yves uit zijn hoofd te praten, te nieuwsgierig?

Ze komen aan in Étretat, een waas van gaslampen en klinkerstraten. Olivier reikt haar zijn hand bij het uitstappen en ze trekt haar cape om zich heen en rekt zich discreet uit, zelf ook stram van de reis. De wind ruikt zilt; ergens in de verte klinkt het Kanaal, eenzaam. Étretat biedt de troosteloze aanblik van een vakantieplaats buiten het seizoen. Ze kent die melodie, kent het stadje van voorgaande bezoeken, maar die avond lijkt het haar een nieuwe plek, een wildernis, de rand van de wereld. Olivier geeft een paar bevelen met betrekking tot hun bagage. Ze gunt zichzelf een blik op zijn profiel en ziet dat hij afstandelijk lijkt, verdrietig. Hoeveel decennia hebben hem hierheen gevoerd? Heeft hij deze kust lang geleden met zijn vrouw bezocht? Kan ze hem zoiets vragen? Zijn gezicht is gegroefd onder het licht van de straatlantaarns en zijn lippen zijn elegant, gevoelig en gerimpeld. Op de begane grond van een van de hoge huizen met schoorstenen tegenover het station heeft iemand kaarsen aangestoken; ze ziet binnen een gestalte lopen, misschien een vrouw die een kamer opruimt voordat ze naar bed gaat. Ze vraagt zich af hoe het is om in zo'n huis te wonen en waarom ze zelf ergens anders woont, in Parijs; ze denkt dat het lot moeiteloos zo'n ruil had kunnen bewerkstelligen.

Olivier doet alles elegant, als een man die zijn lichaam al heel lang kent en er ook aan gewend is alles op zijn eigen bescheiden manier te doen. Terwijl ze naar hem kijkt, dringt het met een schok tot haar door dat tenzij ze hem op de een of andere manier zegt dat ze niet wil, ze uiteindelijk naakt in zijn armen zal belanden, hier in dit stadje. Het is een onthutsende gedachte, die zich evenwel niet meer laat verjagen. Ze zal de kracht moeten vinden om dat woord uit te spreken: *non. Non* – er bestaat niet zo'n woord tussen hen, alleen die vreemde openheid van geest. Hij is dichter bij de dood dan zij; hij heeft geen tijd om op antwoorden te wachten en zij is veel te ontroerd door zijn begeerte. De onvermijdelijkheid ervan beklemt haar.

'Je zult wel moe zijn, kindlief,' zegt hij. 'Zullen we meteen naar het hotel gaan? Ze willen ons vast nog wel een souper serveren.'

'Hebben we mooie kamers?' Het komt er houteriger uit dan ze wilde, want ze bedoelde iets anders.

Hij kijkt haar verbaasd aan, mild, geamuseerd. 'Ja, ze zijn allebei heel mooi, en ik geloof dat jij ook nog een zitkamer hebt.' Ze wordt overmand door schaamte. Natuurlijk; Yves heeft hen hier samen naartoe gestuurd. Olivier heeft het fatsoen niet te glimlachen. 'Je zult wel willen uitslapen, hoop ik, en we kunnen aan het eind van de ochtend samen gaan schilderen, als je wilt. We zullen afwachten hoe het weer wordt – mooi, denk ik, naar deze lucht te oordelen.'

De kruier is de straat al in gelopen met het karretje met hun bagage, hun koffers en dozen, haar koffer met leren riemen. Ze staat alleen met de oom van haar man op de grens van een andere wereld, slechts begrensd door het donkere zoute water, een plek waar ze niemand kent, behalve hem. Opeens wil ze lachen.

In plaats daarvan zet ze de tas met haar kostbare schildersbenodigdheden neer en slaat haar voile omhoog; ze komt dicht bij hem staan en legt haar handen op zijn schouders. Zijn ogen staan waakzaam in het licht van de gaslantaarn. Als hij al verbaasd is door haar geheven gezicht, haar onbesuisdheid, verbergt hij dat meteen. Ze verbaast zichzelf op haar beurt door zijn kus zonder terughoudendheid in ontvangst te nemen; ze voelt er zijn veertig jaar ervaring in terwijl ze naar de rand van zijn jukbeen kijkt. Zijn warme mond beweegt. Ze maakt deel uit van een rij liefdes, maar op dit moment is zij de enige, en ze zal de laatste zijn. De onvergetelijke, degene die hij meeneemt naar het eind.

70

Mary

De derde dag was de verrassende. Ik zou nooit elke afzonderlijke dag kunnen beschrijven van de vijfhonderd die ik er min of meer met Robert heb doorgebracht, maar de eerste dagen dat je van iemand houdt zijn het meest intens, en die herinner je je gedetailleerd omdat ze voor alle andere staan. Ze verklaren zelfs waarom een bepaalde liefde geen stand houdt.

Op de derde ochtend van de workshop kwam ik bij het ontbijt aan tafel te zitten met twee docentes die mijn aanwezigheid niet leken op te merken, zodat het een gelukje was dat ik mijn boek bij me had. De een was een vrouw van rond de zestig, die ik vaag herkende als de docent grafische technieken, en de ander was een schilderdocent van een jaar of vijfenveertig met kort, geblondeerd haar, die het gesprek opende met de mededeling dat ze het niveau van de schilderstudenten niet zo hoog vond als vorig jaar. Nou, dan lees ik mijn boek wel, dame, dacht ik. Mijn eieren waren te zacht.

'Hoe zou dat komen?' Ze nam een teug koffie en de andere vrouw knikte. 'Ik hoop alleen maar dat de grote Robert Oliver niet teleurgesteld is.'

'Die overleeft het wel. Doceert hij tegenwoordig niet aan een kleine academie?'

'Ja, dat klopt. Greenhill, geloof ik, in North Carolina. Eerlijk is eerlijk, het is een goede academie, maar niet te vergelijken met een echte universiteit. Met een kunstrichting, bedoel ik.'

'Zijn cursisten lijken hem wel te mogen,' merkte de grafisch docente welwillend op; ze had de lezeres die met haar ei zat te spelen aan haar eigen tafel duidelijk niet met Roberts groepje geassocieerd. Ik hield mijn hoofd gebogen. Niet dat de idiotie van anderen me verlegen maakt; ik wil er gewoon voor weglopen.

'Uiteraard.' De geblondeerde vrouw schoof haar koffiekop in het rond. 'Hij heeft het omslag van ARTnews gehaald, zijn werk hangt overal en hij is hip genoeg om zich er niets van aan te trekken en ergens in een gat les te geven. Dat hij een meter negentig is en eruitziet als Jupiter kan ook geen kwaad.'

Poseidon, toevallig, verbeterde ik haar in stilte terwijl ik mijn bacon sneed. Of Neptunus. Je moest eens weten.

'Zijn vrouwelijke leerlingen zullen wel als gekken achter hem aan lopen,' zei de grafisch docente.

'Vanzelf.' Haar buurvrouw leek ingenomen te zijn met die openingszet. 'En je hoort wel eens iets, maar wie weet wat ervan waar is? Hij lijkt het zelf niet in de gaten te hebben, wat verfrissend is. Of hij is zo'n man die, als puntje bij paaltje komt, alleen maar oog heeft voor zichzelf. Ik geloof dat hij ook een vrij jong gezin heeft, maar je weet het maar nooit. Hoe ouder ik word, hoe meer ik denk dat mannen van in de veertig een compleet raadsel zijn, en meestal een onaangenaam raadsel.'

Ik vroeg me af welke leeftijd haar beter beviel. Ik zou haar bijvoorbeeld aan de ondernemende Frank kunnen voorstellen.

De grafisch docente zuchtte. 'Ik weet het. Ik ben eenentwintig jaar getrouwd geweest, gewéést, en ik denk nog steeds niet dat ik iets van mijn ex-man begreep.'

'Zullen we koffie meenemen?' vroeg de geblondeerde vrouw, en ze vertrokken samen zonder me een blik waardig te keuren. Toen ze wegliepen, viel het me op hoe sierlijk de jongste was, heel mooi zelfs, gehuld in afkledend zwart met een rode ceintuur, op haar vijfenveertigste slanker dan de meeste vrouwen van twintig. Misschien zou ze Robert Oliver zelf als een uitdaging zien en die aannemen, dan konden ze vergelijken wie er vaker in ARTnews aan bod was gekomen. Alleen zou Robert nooit zin hebben in zo'n soort wedstrijd, stelde ik vast; hij zou aan zijn hoofd krabben, zijn armen over elkaar slaan en aan iets anders denken. Ik vroeg me af of mijn beeld van zijn onkreukbaarheid wel klopte; had hij echt niets in de gaten, zoals de vrouw had gezegd? Hij had me echt wel opgemerkt, eergisternacht, en toch was er weinig tussen ons gebeurd. Ik dronk gehaast mijn thee op en liep terug naar de stallen om mijn spullen te pakken. Als ik hem toch was opgevallen, zou dat kunnen bewijzen dat ik de moeite niet waard was.

Robert liet ons weer bij de busjes bij elkaar komen, maar deze keer kondigde hij aan dat we gingen lopen. Tot mijn verbazing leidde hij ons over het pad door het bos dat ik de eerste dag had gevolgd naar het water, en we stelden onze ezels op aan het rotsachtige strand waar ik Robert in de koude golven had zien duiken en er vervolgens weer uit had zien oprijzen. Hij glimlachte naar de groep, zonder mij buiten te sluiten, en gaf wat aanwijzingen aangaande de lichtval en hoe die naar verwachting zou veranderen. We zouden die ochtend een doek maken, terug naar het kamp gaan om te lunchen en 's middags een tweede doek maken. Het gaf voor mij de doorslag: als hij naar dit plekje kon terugkeren en er een les landschapsschilderen kon geven, merkte hij echt niets op, en mij al helemaal niet. Ik voelde een soort trieste opluchting; het was niet alleen verkeerd van me geweest, onethisch, om te geloven dat hij hetzelfde had gevoeld, maar ook dwaas. Ik kon wel huilen toen ik Robert tussen zijn leerlingen door zag lopen, hier en daar een aanwijzing gevend over de positie van de ezels, maar tegelijkertijd voelde ik mijn vrijheid terugkeren, de romance met mezelf, de eenzaamheid. Ik had er goed aan gedaan daar waarde aan te hechten, en ik had er ook goed aan gedaan Frank lachend mijn kamer uit te bonjouren.

Ik deed mijn haar in een paardenstaart en zette mijn ezel tegenover de langste kaap de zee in, waar ik een grote groep sparren met hun wortels op Atlantische rotsgrond in beeld had. Ik wist meteen dat het een goed doek zou worden, een goede ochtend; mijn hand maakte moeiteloos een schets van de vormen en mijn ogen vulden zich onmiddellijk met de onderliggende tinten grijs, bruin en groen van de sparren, die zwart leken in de verte. Zelfs de aanwezigheid van Robert, die wegliep om zijn eigen ezel in mijn volle zicht te zetten, waarbij hij zich bukte en boog in zijn gele katoenen overhemd, kon me niet lang van mijn werk houden. Ik schilderde onafgebroken tot we even pauzeerden voor een snack, en toen ik mijn penselen schoonmaakte en opkeek, zag ik Robert vanuit het midden van de groep zonder enige bijbedoeling naar me glimlachen, wat mijn conclusies bevestigde. Ik wilde iets tegen hem zeggen, iets over het uitzicht en de uitdagingen die het in zich had, maar hij had zich al tot iemand anders gewend.

We schilderden tot de lunch en begonnen om één uur aan een nieuw doek. Ik vond dat ik in maanden niet zo'n goed schilderij had gemaakt als dat van die ochtend, dat nu tegen een boom stond te drogen. Ik nam me voor het op het juiste moment van de dag hier te komen afmaken, misschien op de laatste dag van de cursus, overmorgen al. Ik vond het jammer dat Robert het niet was komen bekijken, maar hij had die ochtend geen enkel schilderij becommentarieerd. Die middag verspreidden we ons, pootten onze ezels her en der en werkten in stilte; Robert ging naar de bosrand, maar kwam later in de middag terug, toen het licht zich verdiepte. Hij praatte wat met ons over het uitzicht en nam ons mee terug naar het kamp. Ik was minder tevreden over mijn tweede doek, maar hij liep langs en complimenteerde me. Toen iedereen afzonderlijk evenveel aandacht van hem had gekregen, liet hij ons bij elkaar komen voor zijn eindoordeel. Het waren goede sessies geweest, een aangename werkdag, vond ik, en ik verheugde me op de avond. Ik zou een biertje drinken met een paar medecursisten en dan naar bed gaan en slapen als een roos.

71

Mary

Ik dronk mijn biertje al vroeg, tijdens het eten, en ging toen een tijdje bij het vuur zitten met twee mannen die de aquarelleercursus volgden. Hun discussie over de respectieve verdiensten van olie en aquarel voor landschapsschilderen was zo boeiend dat ik langer bleef zitten dan ik van plan was geweest. Uiteindelijk verontschuldigde ik me en klopte de achterkant van mijn spijkerbroek af voordat ik op weg ging naar mijn strak opgemaakte bed. Frank zat met iemand anders bij het vuur te praten, een knap jong ding, dus ik hoefde niet bang te zijn dat ik hem weer tegenover mijn spiegel zou aantreffen. Ik liep toch maar met een boog om hem heen, en zo kwam ik aan de rand van het terrein terecht, in het diepe duister tot waar het licht van het vuur niet reikte.

Er stond een man, bijna in het bos, een lange man die eerst met zijn handen in zijn ogen wreef en toen over zijn hoofd, alsof hij moe en verstrooid was. Hij keek niet naar het vuur met de massa vrolijke mensen, maar naar de bomen. Na een paar minuten zo te hebben gestaan liep hij het bos in, over het pad dat ik in gedachten al het onze noemde, en ik volgde hem tegen beter weten in. In het weinige avondlicht dat er nog was, kon ik hem net voor me uit zien lopen en me ervan verzekeren dat hij niet wist dat ik hem volgde. Ik zei een paar keer tegen mezelf dat ik rechtsomkeert moest maken en hem zijn privacy gunnen. Hij liep naar de kust waar we die dag hadden geschilderd; mogelijk wilde hij iets van de vormen zien die we daar hadden weergegeven, al waren ze nu nog maar half zichtbaar, en als hij alleen uit het kamp was weggelopen, had hij waarschijnlijk geen behoefte aan gezelschap.

Aan de rand van het bos bleef ik staan en zag hem naar het kiezelstrand lopen, dat knerpte onder zijn voeten. De golven waren hoorbaar; het water strekte zich donker schitterend uit naar een nog donkerder horizon. De sterren kwamen tevoorschijn, maar de lucht was nog niet donker, eerder blauw, saffierblauw. Ik zag Robert in zijn lichte overhemd langs de waterlijn lopen. Hij bleef staan, bukte zich om iets op te rapen, haalde zijn arm naar achteren met het kinderlijke gebaar van een jochie met een honkbal en slingerde het de zee in. Het was een snel, fel gebaar: woede, wanhoop misschien, ontlading. Ik stond roerloos naar hem te kijken, bijna geschrokken van zijn emotie. Toen hurkte hij, een vreemd gebaar voor iemand die zo groot was, ook weer een kinderlijk gebaar, en leek zijn hoofd in zijn handen te leggen.

Ik vroeg me af of hij moe was, korzelig (net als ik) door het slaapgebrek en de onophoudelijke noodzaak in gezelschap te verkeren; misschien huilde hij zelfs, al kon ik me niet voorstellen waar iemand als Robert Oliver om zou moeten huilen. Hij ging nu op het strand zitten (het zou vochtig zijn, dacht ik, hard en glibberig) en bleef daar maar zitten, met zijn hoofd in zijn handen. De golven rolden soepel aan en ontvouwden zich wit, half zichtbaar in het donker. Ik keek en hij zat daar maar, met zijn oplichtende rug en schouders. Uiteindelijk doe ik altijd wat mijn hart me ingeeft, al hecht ik ook waarde aan de rede en de traditie. Kon ik maar uitleggen waarom, maar ik weet het niet. Ik daalde af naar het strand, hoorde de stenen onder mijn voeten wegrollen en struikelde een keer bijna.

Hij keek pas om toen ik vlak bij hem was, en zelfs toen kon ik zijn gezichtsuitdrukking nog niet zien. Maar hij zag me, of hij me dat eerste moment nu wel of niet herkende, en hij stond op – schrok op. Pas toen schaamde ik me ervoor dat ik inbreuk had gemaakt op zijn privacy, en ik was bang voor zijn reactie. We keken elkaar aan, en nu kon ik zijn gezicht zien: het stond betrokken, zorgelijk, en mijn aanwezigheid had hem niet opgevrolijkt. 'Wat doe jij hier?' vroeg hij toonloos.

Ik bewoog mijn lippen, maar er kwam geen geluid. Ik stak mijn arm uit en pakte zijn hand, die heel groot was, heel warm, en zich in een reflex om de mijne sloot. 'Je kunt beter teruggaan, Mary,' zei hij met (dacht ik) een siddering in zijn stem. Het schonk me voldoening dat hij mijn naam had genoemd, en op zo'n vanzelfsprekende manier.

'Ik weet het,' zei ik, 'maar ik zag je en ik maakte me zorgen om je.'

'Je hoeft over mij niet in te zitten,' zei hij, en hij verstevigde zijn greep op mijn hand als om te zeggen dat hij zich daardoor zorgen om mij ging maken.

'Gaat het wel goed met je?'

'Nee,' zei hij zacht, 'maar het doet er niet toe.'

'Natuurlijk wel. Het doet er altijd toe of iemand zich goed voelt of niet.' Idioot, riep ik mezelf tot de orde, maar het probleem van zijn immense hand om de mijne was er ook nog.

'Denk je dat kunstenaars zich echt goed moeten voelen?' Hij glimlachte en ik was bang dat hij me zelfs zou kunnen uitlachen.

'Ieder mens hoort zich goed te voelen,' zei ik gedecideerd, en toen wist ik dat ik echt een idioot was, dat het mijn lot was, en vond het niet erg meer.

Hij liet mijn hand los en keek over zee uit. 'Heb jij ooit het gevoel gehad dat de levens die mensen in het verleden hebben geleefd nog steeds echt zijn?'

Het kwam zo uit de lucht vallen dat er een rilling over mijn rug liep. Ik wilde heel graag dat het ondanks die vreemde vraag goed met hem ging, dus dacht ik aan Isaac Newton. Toen dacht ik eraan dat Robert Oliver vaak historische of pseudo-historische figuren schilderde, ook de vrouw en het meisje die ik op onze eerste dag hier op zijn landschap had gezien, en begreep dat het voor hem een logische vraag moest zijn. 'O, zeker,' zei ik.

'Ik bedoel,' vervolgde hij alsof hij het tegen de vloedlijn had, 'wanneer je een schilderij ziet van iemand die al heel lang dood is, weet je dat die persoon echt heeft geleefd, geen twijfel mogelijk.'

'Daar denk ik soms ook aan,' bekende ik, al paste zijn constatering niet in mijn eerste theorie over hem, dat hij het gewoon boeiend vond om historische figuren aan zijn doeken toe te voegen. 'Doel je op iemand in het bijzonder?'

Hij gaf geen antwoord, maar sloeg zijn arm om mijn schouder en streelde het haar dat op mijn rug hing, een voortzetting van het gebaar van twee nachten eerder. Hij was vreemder dan ik dacht, die man – hij was niet gewoon excentriek, maar had echt iets afwijkends, een soort complete gerichtheid op zijn eigen gedachteleven, een kortsluiting. Mijn zus Martha zou hem een zoen op zijn wang hebben gegeven en zijn teruggelopen, wist ik, net als ieder ander zinnig mens dat ik kende, maar 'zin' kon ook iets anders betekenen. Hij streelde mijn haar. Ik hief mijn hand om de zijne te pakken, bracht hem naar mijn gezicht en kuste hem in het donker.

Iemands hand kussen is meer iets voor een man dan voor een vrouw, of het is een gebaar van achting – voor een vorst, een bisschop of een stervende. En ik bedoelde het ook eerbiedig; ik gaf ermee aan dat zijn aanwezigheid me ontzag en opwinding inboezemde, maar dat ik ook een beetje bang voor hem was. Hij keek me aan en trok me naar zich toe, met een arm teder om mijn nek geslagen. Met zijn vrije hand aaide hij over mijn gezicht alsof hij er stof af veegde, en toen trok hij me tegen zich aan om me te kussen zoals ik nog nooit was gekust; zijn mond leek een compleet onbewuste passie te hebben, een begeerte die zich misschien zelfs niet eens van mij bewust was, vervuld van de handeling zelf. Hij legde zijn hand onder op mijn rug en drukte me tegen zich aan en ik voelde de warmte van zijn borst, die geen andere warmte nodig had, door zijn versleten overhemd heen. De knoopjes drukten in mijn huid alsof ze er een stempel op moesten zetten.

Hij liet me langzaam los. 'Zo ben ik niet,' zei hij, alsof hij dronken was. Hij rook niet naar alcohol, zelfs niet naar het bier dat ik zelf had gedronken. Hij legde zijn handen om mijn gezicht en gaf me nog een kus, snel, en nu had ik het gevoel dat hij precies wist wie ik was. 'Ga terug, alsjeblieft.'

'Goed.' Ik, die door Muzzy koppig was genoemd, door de leraren van de middelbare school als eigenzinnig was bestempeld en voor de docenten van de kunstacademie een lastige leerling was geweest, draaide me gedwee om en strompelde over het donkere strand omhoog.

72

1879

Haar kamer in het pension heeft uitzicht op zee; de zijne, weet ze, is op dezelfde verdieping aan de andere kant van de gang, dus die moet op het stadje uitkijken. De kamer is eenvoudig ingericht, met een allegaartje aan oude meubelen. Op haar toilettafel staat een glanzende schelp. Vitrages versluieren de avond. De waardin heeft lampen en een kaars voor haar opgestoken en een dienblad neergezet met een doek erover: gestoofd gevogelte, preisalade en een punt koude *tarte aux pommes*. Ze wast zich bij de waskom en valt dan uitgehongerd op het eten aan. Er brandt geen vuur in de schouw, misschien omdat het seizoen is afgelopen of om brandstof te sparen. Ze zou om een vuur kunnen vragen, maar mogelijk komt Olivier er dan bij; ze denkt liever terug aan hun kus op het perron, zonder hem nu te zien, met zijn vermoeide gezicht.

Ze trekt haar reiskostuum en laarsjes uit, blij, dankbaar dat ze haar kamermeisje niet heeft meegebracht. Deze ene keer zal ze alles eens zelf doen. Bij de koude schouw trekt ze haar jakje uit, maakt de veters van haar korset los en hangt het zolang over een stoel. Ze schudt haar hemdje en rokken uit en glipt eruit en hijst dan haar nachtpon over haar hoofd, een soort tent met haar eigen geur, troostend, iets van thuis. Ze begint de knoopjes dicht te maken, houdt ermee op, trekt de nachtpon weer uit, spreidt hem op het bed uit en gaat in alleen haar lange onderbroek aan de toilettafel zitten. De kou in de kamer bezorgt haar kippenvel. Het is een jaar of langer geleden dat ze naar haar ontblote bovenlichaam heeft gekeken. Haar huid is jonger dan ze dacht; ze is zevenentwintig. Ze weet niet meer wanneer Yves voor het laatst haar tepels heeft gekust – vier maanden geleden, zes? Tijdens het lange voorjaar is ze vergeten hem te overreden, ook wanneer het de goede tijd van de maand was. Ze had andere dingen aan haar hoofd. Bovendien is hij meestal op reis of te moe, of misschien krijgt hij elders alles wat hij verlangt.

Ze legt een hand op de welving van elke borst en ziet hoe haar ringen het kaarslicht vangen. Ze kent Olivier nu beter dan de man met wie ze leeft. De decennia van Oliviers leven liggen open voor haar, terwijl Yves een raadsel is dat knikkend en bewonderend naar en van haar huis pendelt. Ze knijpt hard met beide handen. Haar spiegelbeeld heeft een lange hals, een bleek gezicht van de treinreis, te donkere ogen, een te hoekige kin en te zware krullen. Alles bij elkaar is ze eigenlijk niet mooi, denkt ze terwijl ze de spelden uit haar haar trekt. Ze maakt de zware knot op haar achterhoofd los, laat het haar over haar schouders en tussen haar borsten vallen, ziet zichzelf zoals Olivier haar zou kunnen zien en raakt in vervoering: zelfportret, naakt, een onderwerp dat ze nooit zal schilderen.

73

Mary

De dag daarna keken Robert en ik elkaar niet aan, of eigenlijk weet ik niet of hij naar me keek of niet, want het enige wat ik tegen die tijd nog kon, was alles om me heen negeren, behalve mijn hand om het penseel. Ik vind de landschappen die ik tijdens die workshop heb gemaakt nog steeds tot mijn beste werk behoren. Ze zijn gespannen – vol spanning, bedoel ik. Zelfs ik voel wanneer ik ze bekijk dat ze dat beetje mysterie hebben dat een schilderij nodig heeft om geslaagd te kunnen zijn, zoals Robert me een keer zelf had verteld. Die laatste dag negeerde ik Robert en Frank, ik negeerde de mensen om me heen tijdens onze laatste drie maaltijden, ik negeerde het donker, de sterren, het kampvuur en zelfs mijn eigen lichaam toen het opgekruld in het witte bed in de stallen lag. Na mijn aanvankelijke uitputting viel ik in een diepe slaap. Ik wist niet eens of ik Robert de laatste ochtend nog zou zien, en ik negeerde mijn tegenstrijdige hoop hem wel, maar ook niet te zien. Wat er nog volgde, was aan hem; zo had hij het geregeld door niets te regelen.

Op de laatste ochtend van de workshop was het een drukke bedoening; iedereen werd geacht om tien uur weg te zijn, want er begon de dag daarop een congres voor jungiaanse psychologen en onze eetzaal en stallen moesten voor die tijd worden schoongemaakt. Ik zette mijn weekendtas op het bed en pakte hem systematisch in. Bij het ontbijt gaf Frank me een uitbundige klap op mijn schouder; hij had blijkbaar een goede beurt gehad. Ik gaf hem een plechtige hand. De twee aardige vrouwen van de workshop gaven me hun e-mailadres.

Ik zag Robert nergens, wat stak, maar me ook op een vreemde manier opluchtte, alsof ik op een haar na langs een muur was geschampt. Het was goed mogelijk dat hij heel vroeg was weggegaan, want het was nog een lange rit naar North Carolina. Een stoet kunstenaarsauto's reed de oprijlaan af, veelal voorzien van bumperstickers, een paar enorme oude Town Cars vol schildersbenodigdheden en een busje dat was beschilderd met de wervelende sterrenhemel van Van Gogh. Handen wuifden door de open ramen en mensen riepen een laatste afscheidsgroet naar hun workshopvrienden. Ik laadde mijn pick-up in, stelde vast dat ik geen zin had om in de file te staan en besloot in plaats daarvan een wandeling te maken. Ik liep het bos in en koos een pad dat ik nog niet kende; er waren er genoeg om drie kwartier op verkenning uit te gaan zonder te ver van het landgoed af te dwalen. Ik genoot van het kreupelhout met bemoste sparrentakken en dichte lage struiken, en van het licht vanaf de velden dat door de bomen werd gefilterd.

Toen ik weer uit het bos opdook, was de file opgelost en stonden er nog maar drie of vier auto's, waarvan Robert er een inlaadde; ik had niet geweten dat hij een kleine blauwe Honda had, al had ik op zoek kunnen gaan naar kentekenplaten die in North Carolina waren afgegeven. Zijn methode van inladen leek eruit te bestaan dat hij dingen in de kofferbak propte zonder ze eerst in tassen of dozen te stoppen; ik zag hem wat kleren en boeken en een klapstoeltje achterin stouwen. Zijn ezel en ingepakte doeken waren al met zorg ingeladen en hij leek de rest van zijn spullen als beschermlaag te gebruiken. Net toen ik stilletjes naar mijn pick-up wilde lopen, keek hij op, zag me en riep: 'Mary... Ga je weg?'

Ik liep naar hem toe; ik kon er niets aan doen. 'Iedereen, toch?'

'Ik niet.' Tot mijn verbazing had hij een samenzweerderige grijns op zijn gezicht, als een tiener die stiekem het huis uit sluipt. Hij zag er verkwikt en vrolijk uit. Zijn haar stond recht overeind, maar het glansde vochtig, alsof hij had gedoucht. 'Ik heb uitgeslapen en toen ik wakker werd, besloot ik te gaan schilderen.'

'Heb je het gedaan?'

'Nee, ik bedoelde dat ik nu ga.'

'Waar ga je naartoe?' Ik werd op de een of andere manier jaloers, wrevelig omdat ik geen deel had aan zijn geheime blijdschap, maar waarom zou het iets uitmaken?

'Er is een mooi staatspark op ongeveer drie kwartier rijden naar het zuiden, pal aan de kust. Bij Penobscot Bay. Ik heb het op de heenweg gezien.'

'Moet je niet terug naar North Carolina?'

'Ja.' Hij maakte een prop van een grijze fleecetrui en zette er een poot van zijn ezel mee klem. 'Maar ik heb drie dagen de tijd, en als ik flink doorrij, kan ik er in twee dagen zijn.'

Ik bleef weifelend staan. 'Nou, veel plezier dan maar. En rij voorzichtig.'

'Heb je geen zin om mee te gaan?'

'Naar North Carolina?' vroeg ik stompzinnig. Opeens zag ik voor me hoe ik met hem mee naar huis zou rijden om zijn leven daar te zien, zijn donkerharige vrouw – nee, dat was de vrouw op de schilderijen – en zijn twee kinderen. Ik had hem aan iemand in de groep horen vertellen dat hij er inmiddels twee had.

Hij lachte. 'Nee, schilderen. Moet je er meteen vandoor?'

Er 'meteen vandoor gaan' was wel het laatste wat ik wilde, zo warm, vriendelijk en gewoon was zijn glimlach. Als hij het zo stelde, kon er geen gevaar in schuilen. 'Nee,' zei ik bedachtzaam. 'Ik hoef zelf pas over twee dagen thuis te zijn, en als ik ook hard doorrij, red ik het in een dag.' Toen drong het tot me door dat het moest klinken alsof ik hem een oneerbaar voorstel deed door de komende nacht mee te tellen, terwijl hij dat waarschijnlijk niet had bedoeld, en ik voelde dat ik rood werd, maar hij leek het niet te merken.

Zodoende brachten we die dag samen door aan het strand ergens ten zuiden van... nou ja, het doet er niet toe; het is mijn geheimpje en de kust van Maine is bijna overal schilderachtig. De baai die Robert had uitgezocht, was inderdaad prachtig: een rotsachtig veld bekroond met braamstruiken, zomerse veldbloemen die zich uitstrekten naar lage kliffen en hopen wrakhout, een strand met gladde stenen in alle maten en het water doorspekt met donkere eilanden. Het was een heldere, warme, winderige dag aan de Atlantische Oceaan; zo herinner ik het me althans. We zetten onze ezels tussen de grijze, groene en leiblauwe rotsen en schilderden het water en de bochtige lijnen van het land – Robert merkte op dat het net de kust van Noorwegen was, waar hij na zijn afstuderen een keer was geweest. Ik voegde het bij mijn kleine voorraad kennis over hem.

We praatten overigens niet veel, die dag; we stonden voornamelijk een paar meter uit elkaar in stilte te werken. Mijn schilderij ging goed, al had ik mijn aandacht er niet helemaal bij, of misschien kwam het op de een of andere manier juist daardoor. Ik gunde mezelf een half-uur voor het eerste, kleine doek. Ik werkte snel en hield het penseel zo losjes mogelijk vast, bij wijze van experiment. Het water was diepblauw, de lucht van een bijna kleurloze helderheid en het schuim langs de rand van de golven was ivoorwit, een volle, organische tint. Robert wierp een snelle blik op mijn doek toen ik het van de ezel pakte en tegen een rotsblok te drogen zette. Ik vond het niet erg dat hij niets zei, alsof hij niet langer mijn leraar was, maar gewoon mijn gezelschap.

Ik besteedde meer tijd aan mijn tweede doek, en tegen de tijd dat we gingen lunchen, had ik alleen nog maar iets van de achtergrond neergezet. Het personeel van de eetzaal was zo vriendelijk geweest me broodjes ei en fruit te laten meenemen. Robert leek geen eten bij zich te hebben, en ik weet niet wat hij zou hebben gegeten als ik niet voor een lunch had gezorgd. Toen we klaar waren, pakte ik mijn tube zonnebrandcrème en smeerde mijn gezicht en armen in; de bries bracht bij vlagen verkoeling, maar ik voelde dat ik al was verbrand. Ik bood Robert de tube aan, net als de lunch, maar hij bedankte lachend. 'We hebben niet allemaal zo'n lichte huid.' Hij raakte mijn haar weer aan met zijn hand, en mijn wang met zijn vingertoppen, alsof hij me alleen maar bewonderde, en ik glimlachte maar zei niets, en we gingen weer aan het werk.

Toen het licht donkerder en zwakker werd, veranderden de schaduwen op de eilanden en begon ik me af te vragen hoe het die nacht moest. We zouden ergens moeten slapen – niet we, maar ik, en als ik om een uur of zes, zeven vertrok, zou ik Portland kunnen halen en daar overnachten. Ik zou een goedkoop motel moeten zoeken, en ik moest tijd hebben om iets goedkoops te vinden. En ik wilde niet denken aan Robert Oliver en zijn plannen of, naar ik begon te vermoeden, gebrek aan plannen. Het was genoeg, het moest genoeg zijn, dat ik deze dag min of meer aan zijn zijde had mogen werken.

Robert werkte minder snel; ik voelde de moeheid in zijn penseel voordat hij het neerlegde of iets zei. 'Ben jij klaar?'

'Ik zou kunnen stoppen,' gaf ik toe. 'Misschien nog een kwartiertje, zodat ik me een paar kleuren en schaduwen kan herinneren, maar ik ben mijn beginlicht kwijt.'

Hij maakte zijn penseel schoon. 'Zullen we gaan eten?'

'Wat? De rozenbottels?' Ik wees naar het klif achter ons. Ik had nog nooit zulke mooie, grote rozenbottels gezien, robijnen tegen het groen van de wilde rozenhagen. Als je langs het klif recht omhoogkeek, zag je alleen maar blauwe lucht. We keken samen naar die triade van kleuren, het rood, groen en blauw, surrealistisch fel.

'Of zeewier,' zei Robert. 'Wees maar niet bang, we vinden wel iets.'

74

1879

Middag in Étretat: het licht strekt zich grandioos uit over het strand, maar haar schilderij wil niet vlotten. Het is haar tweede poging dit tafereel vast te leggen: omgekeerde vissersboten aan het kiezelstrand. Ze wil er een menselijke figuur bij hebben en heeft uiteindelijk gekozen voor twee heren en een dame die bij de kliffen wandelen, stadse dames met parasols in pasteltinten die volmaakt afsteken bij de donkere boog in de verte. Er is nog een schilder vandaag, een lijvige man met een bruine baard die de poten van zijn ezel bijna in het tij heeft gepoot; ze vindt het nu jammer dat ze hem niet als onderwerp heeft genomen. Olivier en zij kijken elkaar aan wanneer hij langs hen heen naar de waterkant loopt, zwijgend gezelschap voor hun zwijgen.

Haar lucht wil niet lukken vandaag, ook niet wanneer ze meer wit vermengd met een klein beetje oker toevoegt. Olivier leunt opzij en vraagt waarom ze haar hoofd schudt. Het oker in het onmetelijke, echte licht vangt zijn weerbarstige haar, zijn snor en zijn lichte overhemd. Ze is het niet van plan, maar wanneer zijn hoofd vlak bij het hare is, legt ze een hand op zijn wang. Hij vangt haar hand en pakt haar vingers, die hij kust met een warmte die door haar hele lichaam trekt. In het zicht van de ramen van het stadje, de brede rug van de onbekende die de kliffen schildert en de dames onder hun verre parasols kussen ze elkaar een eindeloos moment, hun derde kus. Deze keer voelt ze hoe zijn dwingende mond de hare opent, zoals Yves alleen zou hebben geprobeerd in het duister van hun slaapkamer. Zijn tong is sterk en zijn mond fris; dan, met haar armen om zijn nek, begrijpt ze dat hij zijn jeugd echt nog in zich heeft en dat zijn mond de doorgang ernaartoe is, een tunnel voor het tij.

Hij houdt even snel weer op als hij is begonnen. 'Liefste.' Hij legt zijn penseel weg en loopt een paar passen bij haar vandaan. De stenen verschuiven hoorbaar onder zijn laarzen. Hij kijkt over de zee uit en zij ziet geen melodrama, alleen zijn behoefte aan meer afstand om tot bedaren te komen. Ze volgt hem toch en legt haar hand in de zijne. Zijn hand is ouder dan zijn mond. 'Nee,' zegt ze, 'het was mijn schuld.' 'Ik houd van je.' Een verklaring. Hij kijkt nog steeds naar de horizon. Zijn stem klinkt haar zwaarmoedig in de oren.

'En waarom is dat zo hopeloos?' Ze kijkt naar zijn profiel in afwachting van zijn antwoord. Dan draait hij zich om en pakt haar andere hand.

'Let op je woorden, kind.' Zijn gezicht is nu beheerst, zacht, volmaakt het zijne. 'De hoop van een oude man is brozer dan je denkt.'

Ze onderdrukt de neiging op de kiezels te stampvoeten; het zou alleen maar kinderachtig lijken. 'Waarom denk je dat ik dat niet begrijp?'

Hij blijft haar aankijken en omklemt haar handen. Bij wijze van uitzondering vindt ze het prettig dat hij zich niets aantrekt van mogelijke toeschouwers. 'Misschien begrijp je het wel,' zegt hij. Hij glimlacht, zijn liefdevolle, ernstige glimlach met zijn gele, maar regelmatige tanden. Wanneer hij glimlacht, weet ze waar de rimpels in zijn gezicht vandaan zijn gekomen; het is telkens weer de oplossing van een raadsel. Ze weet nu dat zij ook van hem houdt; niet alleen om wie hij is, maar ook om wie hij was, ver voor haar geboorte, en omdat hij op een dag zal sterven met haar naam op zijn lippen. Ze slaat ongevraagd haar armen om hem heen, om zijn slanke lichaam, zijn borst en middel, onder de lagen kleding, en houdt hem stevig vast. Haar wang ligt op de schouder van zijn oude jasje, waar hij precies past. Zijn armen omvatten haar op hun beurt volledig, vol levende warmte. Op dat moment, zal het haar later voorkomen, is de rest van zijn korte toekomst bezegeld, en ook de hare, die langer zal zijn.

75
Mary

Het restaurant dat we vonden nadat we achter elkaar een paar kilometer verder naar het zuiden waren gereden in onze auto's die naar verse verf roken, was quasi-Italiaans met mandflessen, roodgeblokte ta-
felkleden en gordijnen en een roze roos in een vaasje op onze tafel.
Het was maandagavond en er was maar één ander... stelletje, had ik
bijna geschreven, en nog een man alleen. Robert vroeg om een kaars.
'Hoe zou je die kleur noemen?' vroeg hij toen de minderjarige ober
hem had aangestoken.

'De vlam?' zei ik. Ik leerde al dat ik Robert vaak niet begreep, dat
ik zijn hoogsteigen, soms chaotische gedachtegangen niet kon volgen,
maar het eindresultaat beviel me meestal wel.

'Nee, de roos.'

'Als al het andere niet rood en wit was, zou ik roze zeggen,' gokte
ik.

'Correct.' Toen vertelde hij me welke verf hij zou gebruiken voor die
roos, het merk, de kleur en de hoeveelheid wit die eraan moest worden toegevoegd. We bestelden allebei lasagne en hij at met smaak terwijl ik kleine hapjes nam, hongerig maar verlegen. 'Vertel nog eens iets
over jezelf?'

'Je weet al meer van mij dan ik van jou,' wimpelde ik het verzoek af.
'Er valt trouwens niet veel te vertellen; ik ga naar mijn werk, doe wat
ik kan voor mijn tientallen leerlingen van alle leeftijden, ga weer naar
huis en schilder. Ik heb geen... gezin, en daar heb ik ook niet echt behoefte aan, geloof ik. Dat was het. Bijzonder saai verhaal.'

Hij dronk van de rode wijn die hij voor ons samen had besteld; ik
had mijn glas amper aangeraakt. 'Dat is niet saai. Je schildert met toewijding. Dat is het belangrijkste.'

'Nu jij,' zei ik en ik dwong mezelf nog een hap te nemen.

Hij ontspande zich; hij legde zijn vork neer, leunde achterover en rolde een afgezakte mouw op. Zijn huid begon aan het oppervlak een netwerk van lijntjes te vertonen, als goed leer dat al een tijd is gedragen. Zijn ogen en haar hadden in dit licht dezelfde kleur, en ze hadden beide iets waakzaams en wilds. 'Nou, ik ben ook ontzettend saai,' zei hij. 'Alleen is mijn leven minder ordelijk, denk ik. Ik woon in een stadje dat ik af en toe ontvlucht, maar waar ik best van hou. Ik geef eindeloos atelierlessen aan studenten van wie het merendeel weinig of geen talent heeft. Ik mag ze graag en zij vinden mijn lessen goed. En ik exposeer mijn werk zo hier en daar. Ik vind het fijn dat ik geen New Yorkse kunstenaar meer ben, al mis ik New York wel.'

Ik zei maar niet dat zijn *zo hier en daar* bij elkaar genomen een vrij uitzonderlijke carrière inhield. 'Wanneer woonde je in New York?'

'Tijdens het eind van mijn studie en daarna.' Natuurlijk; hij was een rebel geweest op een van de New Yorkse academies die mij op mijn portfolio hadden afgewezen. 'Alles bij elkaar heb ik er een jaar of acht gewoond. Ik heb er veel werk kunnen maken, eigenlijk, maar Kate, mijn vrouw, vond het niet zo prettig in de stad, dus zijn we verhuisd. Ik heb er geen spijt van. Greenhill bevalt haar en de kinderen goed.'

Hij zei het argeloos. Een lang moment, waarin het voelde alsof ik uit een boom viel, verlangde ik ernaar dat iemand in een restaurant ver weg zo als vanzelfsprekend toegewijde dingen zei over mij en de kinderen die ik niet wilde krijgen.

'Hoe maak je tijd voor je eigen werk?' Het leek me beter om van onderwerp te veranderen.

'Ik slaap weinig, soms. Ik bedoel dat ik soms niet veel slaap nodig heb.'

'Net als Picasso,' zei ik met een glimlach om aan te geven dat ik het niet serieus bedoelde.

'Precies zoals Picasso,' beaamde hij, ook met een glimlach. 'Ik heb thuis een atelier, zodat ik 's nachts gewoon naar boven kan gaan om te werken in plaats van naar de academie terug te gaan en daar allerlei afgesloten deuren te moeten openmaken.'

Ik zag voor me hoe hij in al zijn zakken naar een sleutel zocht.

Hij dronk zijn glas leeg en schonk zichzelf nog eens in, maar met mate, zag ik; hij moest van plan zijn nog te rijden, en veilig. Er stond geen motel bij onze Italiaanse wijkplaats. 'Maar goed,' besloot hij, 'een tijdje terug zijn we van de campus vertrokken, en we hebben nu veel meer ruimte. Dat is fijn, al is het nu twintig minuten rijden naar mijn werk in plaats van vier minuten lopen.'

'Jammer.' Ik at mijn lasagne op om later niet naast al het andere ook nog eens spijt te hebben van mijn honger. Ik moest Isaac Newton nog uitlezen, en hij bleek heel boeiend te zijn, boeiender dan ik had gedacht. Verstand versus geloof.

Robert bestelde een dessert en we praatten over onze lievelingsschilders. Ik bekende mijn liefde voor Matisse en speculeerde hardop hoe onze vrolijke tafel, de gordijnen en de roos allemaal uit zijn penseel konden zijn gevloeid. Robert lachte en bekende niet dat hij traditioneler was en geïnteresseerd was in de impressionisten; misschien was het vanzelfsprekend, of kende hij de kritiek op zijn werk zo goed dat hij het niet meer rechtvaardigde. De waardering voor zijn werk nam gestaag toe; hij had zijn docenten en honende klasgenoten met hun conceptuele kunst het nakijken gegeven. Die dingen las ik tussen de regels door terwijl hij sprak. We praatten ook over boeken; tot mijn verbazing hield hij van poëzie en citeerde hij Yeats en Auden, van wie ik iets op school had gelezen, en Czeslaw Milosz, wiens verzamelde gedichten ik ooit had gelezen, lang geleden, omdat ik ze op Roberts bureau had zien staan. Hij had een hekel aan romans, en ik dreigde hem een victoriaanse pil te sturen, *De maansteen* of *Middlemarch*, als bombrief. Hij lachte en verzekerde me dat hij het niet zou lezen. 'Maar je hóórt van negentiende-eeuwse literatuur te houden,' zei ik. 'Of in elk geval van de Franse schrijvers, want je houdt toch van het impressionisme?'

'Ik heb niet gezegd dat ik van het impressionisme hou,' wees hij me terecht. 'Ik heb gezegd dat ik doe wat ik doe. Daar heb ik mijn eigen redenen voor. Soms lijkt mijn werk toevallig impressionistisch.'

Dat had hij evenmin gezegd, maar ik wees hem niet ook terecht. Ik herinner me dat hij me ook vertelde dat hij een keer in een vliegtuig had gezeten dat op het punt leek te staan neer te storten. 'Ik vloog een keer van New York terug naar Greenhill, toen ik die baan had aan jouw academie, trouwens, Barnett. En er gebeurde iets met een van de motoren, dus de piloot meldde via de intercom dat we misschien een noodlanding moesten maken, hoewel we bijna bij LaGuardia waren. De vrouw naast me was doodsbang. Het was een vrouw van middelbare leeftijd, nogal gewoontjes. Ze had me over de baan van haar man verteld of zoiets. Toen het vliegtuig een zakker kreeg en het lampje van de veiligheidsgordels begon te knipperen, sloeg ze haar armen om mijn nek.'

Hij rolde een dikke koker van zijn servet. 'Ik was ook bang, en ik weet nog dat ik dacht dat ik het alleen maar wilde overleven – dat ze mijn nek zo omklemde, maakte me panisch. En het spijt me dat ik het moet zeggen, maar ik duwde haar van me af. Ik had altijd gedacht dat ik van nature dapper zou zijn in tijden van nood, dat ik zo iemand zou zijn die andere mensen uit een brandend wrak sleurt, in een reflex.' Hij hief zijn hoofd en schokschouderde. 'Waarom vertel ik je dit eigenlijk? Nou ja, toen we een paar minuten later veilig landden, wilde ze me niet aankijken. Ze zat met haar rug naar me toe te huilen. Ik mocht haar niet eens helpen met haar tas en ze wilde me niet aankijken.'

Ik wist er niets op te zeggen, hoewel ik een steek van medeleven voelde. Zijn gezicht stond donker, bezwaard; het deed me denken aan dat moment op Barnett toen hij me had verteld over de vrouw wier gezicht hij niet kon vergeten.

'Ik zou het nooit aan mijn vrouw kunnen vertellen.' Hij streek het servet met twee handen glad. 'Ze vindt me toch al niet zorgzaam genoeg.' Hij glimlachte. 'Kijk toch wat een bespottelijke bekentenissen je uit me trekt.'

Ik was voldaan.

Ten slotte strekte Robert zijn grote armen, drong erop aan de rekening te betalen, liet mij erop aandringen dat we die zouden delen en stond toen tegelijk met mij op. Hij verontschuldigde zich en ging naar de wc, waar ik al twee keer was geweest, voornamelijk om even alleen te zijn en mezelf vragend aan te kijken in de spiegel. Het restaurant leek nog leger zonder hem. Toen liepen we naar het donkere parkeerterrein, waar het naar de zee en frituur rook, vissig, en bleven bij mijn auto staan. 'Zo, ik ga maar eens op weg,' zei hij, maar nu niet als terloops, wat pijnlijker was geweest. 'Ik rij graag in het donker.'

'Ja, je hebt nog een lange rit voor de boeg. Ik ga ook maar eens.' In plaats daarvan wilde ik hem als eerste laten wegrijden, sneller dan ik, waarna ik een fatsoenlijk motel in de buurt zou zoeken; het was te laat om Portland nog te halen, of ik was te moe, of te triest. Robert was er zo te zien klaar voor om helemaal naar Florida te rijden.

'Het was heerlijk.' Hij sloeg zijn armen om me heen, langzaam, en het vrouwelijke woord trof me. Hij hield me even vast en zoende me op mijn wang, en ik verroerde me bewust niet. Ik moest hem tenslotte in mijn geheugen prenten.

'Ja.' Ik maakte het portier van mijn pick-up open.

'Wacht... ik geef je mijn adres en telefoonnummer. Laat het me weten als je naar het zuiden komt.'

Nooit. Ik had geen kaartje bij me, maar ik vond een stukje papier in mijn handschoenenvak en noteerde mijn e-mailadres en telefoonnummer voor hem.

Robert keek ernaar. 'Ik mail niet zo vaak,' zei hij. 'Wel over zakelijke dingen, als het moet, maar dat is het wel zo'n beetje. Waarom geef je me je adres niet, dan kan ik je een keer een tekening sturen.'

Ik zette mijn echte adres erbij.

Hij streelde mijn haar alsof het de laatste keer was. 'Je begrijpt het toch wel?'

'O, ja.' Ik zoende hem snel op zijn wang. Het smaakte scherp, een beetje olieachtig zelfs, de fijnste, koudgeperste extravergine olie; sporen ervan bleven nog uren aan mijn lippen kleven. Ik stapte in mijn pick-up. Ik reed weg.

Zijn eerste tekening lag tien dagen later bij me in de bus. Het was maar een schets, grillig, in haast gemaakt, op gevouwen papier; er stond een saterachtige figuur op die uit de golven oprees, en een jonkvrouw die toekeek vanaf een rots. In het bijgevoegde briefje stond dat hij had nagedacht over onze gesprekken, dat hij ervan had genoten, en dat hij aan een nieuw doek werkte op basis van zijn schilderij van het strand. Het eerste wat ik me afvroeg, was of hij de vrouw en het kind er ook op had gezet. Hij gaf me een postbusnummer bij wijze van adres en schreef dat ik hem een betere tekening moest sturen dan de zijne om hem op zijn nummer te zetten.

76

Mary

Robert en ik correspondeerden lang, en die briefwisseling is nog steeds een van mijn mooiste ervaringen. Het is gek, maar in dit tijdperk van e-mail en voicemail en al die dingen waarmee zelfs ik niet ben opgegroeid, krijgt een gewone brief op papier iets verbazend intiems. Als ik aan het eind van de dag thuiskwam, vond ik een brief – of dagenlang niet – of een schets, of allebei, in een envelop gepropt en met mijn adres in Roberts schuinschrift erop. Ik maakte een collage van de tekeningen op het prikbord boven mijn bureau. Mijn werkkamer thuis is ook mijn slaapkamer, of andersom; wanneer ik 's avonds met mijn boek in bed lag, of 's ochtends wakker werd, kon ik al zijn schetsen zien, een groeiende tentoonstelling.

Toen ik twee of drie van die schetsen had opgeprikt, had ik vreemd genoeg niet meer dat gevoel dat ik alleenstaand was en altijd moest uitkijken naar iemand, naar de ware. Ik begon aan Robert toe te behoren, ik, die nooit ergens bij had willen horen. Uiteindelijk zullen we wel toebehoren aan datgene wat we beminnen. Niet dat ik dacht dat Robert beschikbaar was, of dat het mijn plicht was hem trouw te zijn; in het begin was het gewoon het gevoel dat ik niet wilde dat een ander paar ogen die tekeningen vanuit mijn bed zou zien. Hij tekende bomen, mensen, huizen en mij, uit zijn geheugen; hij tekende zichzelf 'broedend' op zijn nieuwste project. Ik weet nog steeds niet wat het voor hem betekende mij al die tekeningen te sturen, of hij ze hoe dan ook had gemaakt en ze anders in een archiefla had gepropt of op de vloer van zijn werkkamer had laten vallen, en of hij meer tekeningen maakte, of met nieuwe inspiratie, omdat ze voor mij waren.

Hij stuurde me ooit een fragment uit een gedicht van Czesław Miłosz, met een briefje erbij waarin hij schreef dat het een van zijn favorieten was. Ik wist niet of ik het als een verklaring van Robert zelf moest opvatten, maar hield het een paar dagen in mijn zak voordat ik het op mijn prikbord hing:

O, mijn lief, waar zijn ze, waar gaan ze heen
De flits van een hand, veeg van een beweging, geknars van kiezels.
Ik vraag het niet uit verdriet, maar uit verwondering.

Zijn brieven prikte ik evenwel niet op mijn bord. Ze gingen soms vergezeld van een schets, soms niet, en vaak waren ze heel kort, een idee, een bespiegeling, een beeld. Ik denk dat Robert in zijn hart ook schrijver was, *is*; als iemand al die stukje en beetjes die hij aan me schreef op volgorde had gelegd, zouden ze samen een korte, impressionistische, maar uitstekende roman hebben gevormd over zijn dagelijkse leven en de natuur die hij aanhoudend probeerde te schilderen. Ik schreef hem altijd terug; ik had de regel voor mezelf opgesteld dat ik alles zou doen wat hij deed, om het evenwicht te bewaren: als hij mij alleen maar een schets stuurde, stuurde ik hem alleen maar een schets terug, en als hij alleen maar een briefje stuurde, stuurde ik alleen maar een briefje terug. Als hij beide stuurde, mocht ik volgens mijn regel een langere brief aan hem schrijven, voorzien van illustraties.

Ik weet niet of het patroon hem ooit is opgevallen, en het is een van de dingen die ik hem nooit heb gevraagd. Het weerhield me ervan hem te vaak te schrijven, en toen onze correspondentie op dreef was gekomen, stuurden we elkaar een paar keer per week een brief of schets. Na onze laatste ruzie bedacht ik een gloednieuwe regel: ik zou alleen de brieven verbranden, en de schetsen bewaren, al haalde ik ze allemaal van mijn prikbord, op de allereerste na. Die eerste, van de sater en de jonkvrouw, plakte ik een paar weken na zijn vertrek op karton. Ik kleurde hem in met waterverf en baseerde er een reeks van drie kleine schilderijen op. Ik had de kleuren net zo goed met echte tranen kunnen mengen, zo pijnlijk was het om eraan te werken.

Ik dacht vaak aan de postbus waarin Robert om de paar dagen zijn hand stak. Ik vroeg me af hoe groot die bus was en of zijn hand erin paste, of alleen zijn vingers; ik stelde me voor dat hij er blindelings in tastte, zoals Alice toen ze te groot werd in Wonderland en haar hand in de schoorsteen stak om er een wezentje uit te pakken, een hagedis of een muis. Hij had mijn adres natuurlijk, en wist dus waar ik woonde. En ik kreeg Greenhill College ook een keer te zien; ongeveer halverwege onze correspondentie verraste Robert me door me uit te nodigen voor de vernissage van een expositie die hij daar hield, de tweede sinds hij er doceerde. Hij zei dat hij me uitnodigde omdat ik zijn werk steunde en liet doorschemeren dat hij me geen slaapplaats kon bieden; ik maakte eruit op dat hij me wel wilde uitnodigen, maar niet zeker wist of hij wel wilde dat ik echt zou komen.

Ik wilde hem niet teleurstellen, maar mezelf evenmin, dus reed ik vanuit Washington naar Greenhill – het is maar een flinke dag rijden, zoals je weet – en overnachtte in een Motel 6 buiten de stad. Er was een receptie met wijn en kaas in de nieuwe galerie op de campus van Greenhill. Ik durfde Robert niet te bellen, dus stuurde ik een paar dagen van tevoren een briefje naar zijn postbus, dat hij te laat ontving.

Ik liep met bevende handen de receptieruimte in. Ik had Robert niet meer gezien sinds Maine en het begin van onze correspondentie, en ik had er nu al spijt van dat ik was gekomen; hij zou er aanstoot aan kunnen nemen, kunnen denken dat ik was gekomen om zijn leven in de war te sturen, wat echt niet mijn bedoeling was. Ik wilde hem alleen maar zien, desnoods van een afstand, en zijn nieuwe schilderijen, want ik had week in, week uit over de conceptie en uitvoering ervan gehoord. Ik had me heel gewoon gekleed, in een zwarte coltrui en mijn gebruikelijke spijkerbroek, en toen ik bij de galerie aankwam, was de vernissage al een goed halfuur bezig. Ik zag Robert meteen in een hoek boven de massa uittorenen; diverse bezoekers met wijnglazen in de hand leken hem naar zijn schilderijen te vragen. Het was er bomvol, niet alleen met studenten en docenten, maar ook met veel elegante mensen die er niet uitzagen alsof ze iets met een klein plattelandscollege te maken hadden. Waarschijnlijk zaten er kopers tussen.

Voor zover ik een glimp van de schilderijen kon opvangen, waren ze fascinerend; om te beginnen waren ze groter dan al het werk dat ik eerder van hem had gezien, bijna levensgrote taferelen en portretten, en veel portretten ten voeten uit van de vrouw die ik kende van zijn doeken van Barnett College, maar ze was nu niet alleen groter, maar ook onderdeel van een gruwelijk tafereel: ze hield het ogenschijnlijk dode lichaam van een andere, oudere vrouw in haar armen, rouwend. Ik vroeg me af of het haar moeder moest voorstellen. De oudere vrouw had een afgrijselijke wond midden in haar voorhoofd. Er lagen meer lijken op de grond, herinner ik me, sommige op hun buik op de kinderkopjes, of met bloed op hun rug, maar dat waren allemaal mannen.

De achtergrond was vager dan de figuren: een soort straat, een muur, bergen puin of afval. De beelden kwamen regelrecht uit het midden van de negentiende eeuw – ik dacht onmiddellijk aan Manets schilderij van de executie van keizer Maximiliaan, het doek dat op een Goya lijkt, al waren Roberts beelden gedetailleerder en realistischer.

Het was moeilijk te zeggen wat het allemaal te betekenen had; ik weet alleen dat de kracht van zijn fantasie je overspoelde zodra je die taferelen zag; de vrouw was net zo mooi als altijd, ook met een wit gezicht en vlekken op haar jurk, maar Robert had iets gruwelijks afgebeeld. Het werd des te gruwelijker doordat ze zo lieftallig was, alsof hij zich genoodzaakt had gevoeld haar te zien met bloed op haar jurk en een vertrokken gezicht. Ik had uit zijn brieven aan mij begrepen dat de schilderijen woest en vreemd waren, maar ze in het echt zien was iets heel anders, schokkend; heel even voelde ik me bang, alsof ik met een moordenaar had gecorrespondeerd. Het wrong; het desoriënteerde me in mijn groeiende liefde voor Robert. Toen zag ik de immense sculpturale kwaliteit van de figuren, het gevoel van mededogen, het verdriet dat dieper ging dan de open wond, en ik wist dat ik naar schilderijen keek die lang nadat wij allemaal waren verdwenen hun waarde zouden houden.

Ik ging bijna weg zonder Robert zelfs maar te hebben begroet, deels vanwege die schok en deels om de intimiteit tussen ons te bewaren – en deels vanuit een verlammende verlegenheid, geef ik toe. Maar ik had dat hele eind gereden, dus uiteindelijk, toen een paar van zijn bewonderaars zich hadden afgewend, dwong ik mezelf naar hem toe te gaan. Hij zag hoe ik me een weg baande door de massa en verstijfde even. Toen trok er een verbaasde, blije uitdrukking over zijn gezicht – wat heb ik de herinnering daaraan nog lang gekoesterd. Hij vermande zich, liep op me af en gaf me hartelijk een hand. Hij maakte het allemaal heel fatsoenlijk en gepast, maar slaagde erin me eerst toe te fluisteren dat hij heel ontroerd was door mijn komst. Ik was al half vergeten hoe groot hij in het echt was, hoe vreemd aantrekkelijk en markant. Hij pakte me bij mijn elleboog en begon me voor te stellen aan een wisselende kring mensen zonder meer over me te zeggen dan mijn naam en een paar keer dat ik ook schilderde.

Onder al die mensen, die vluchtige kennismakingen, bevond zich zijn vrouw, die me ook hartelijk de hand schudde en haar best deed me vriendelijk iets over mezelf te vragen om me het gevoel te geven dat ik welkom was, wie ik ook was. Gelukkig werd ze al snel door iemand anders aangeklampt. Ik was aangeslagen door mijn onverwachte ontmoeting met haar, overmand door iets wat ik jaloezie had genoemd als ik niet had geweten hoe absurd dat zou zijn. Ik mocht haar op het eerste gezicht, of ik wilde of niet, en dat bleef zo, van een afstand. Ze was veel kleiner dan Robert (ik had me een soort jachtgodin bij hem voorgesteld, een Amazone, een groter dan levensgrote Diana); ze reikte maar tot mijn schouder. Ze had donkerblond haar en sproeten, als een gulden bloem met een groene jurk als steel. Als ze mijn vriendin was geweest, had ik gevraagd of ik haar mocht schilderen, alleen om het genoegen die kleuren te kunnen kiezen.

Ik bleef de warmte van haar hand in de mijne de hele avond voelen, ook nadat ik discreet vroeg was weggegaan zonder nog iets tegen Robert te zeggen, zodat hij zich niet druk hoefde te maken over de vraag waar ik moest slapen en hoe lang ik zou blijven, en nadat ik een paar uur had gereden, lag ik opgekruld en woordeloos in een motelbed in het zuiden van Virginia, vol van het feit dat ik hem had gezien. Dat ik hen had gezien: Robert en zijn vrouw.

Mei 1879
Étretat
Aan Monsieur Yves Vignot
Rue de Boulogne, Passy, Parijs

Mon cher mari,
Hopelijk bereikt mijn brief papa en jou in zo goed mogelijke
gezondheid. Heb je het druk met je werk? Ga je terug naar Nice of
kun je een paar weken thuisblijven, zoals je hoopte? Regent het nog?
*   Ik vermaak me hier goed en heb de eerste dag op de promenade*
geschilderd, want het weer is heel zonnig voor mei, al is het koel, en
nu rust ik even voor het diner. Oom heeft me vergezeld. Hij werkt
aan een groot doek van de zee en de kliffen. Ik moet bekennen dat ik
maar één ding heb gemaakt dat me bevalt, en dan nog vrij
schetsmatig: een paar plaatselijke vrouwen met prachtig wijde,
opgenomen rokken en een kind dat tussen hen in waadt, maar ik zal
me ongetwijfeld aan iets groters moeten wagen om bij te blijven.
*   Het landschap is nog net zo mooi als ik me van ons bezoek*
herinner, al is het in dit seizoen heel anders: de heuvels beginnen net
groen te worden en de horizon is grijs, zonder die lieflijke donzige
midzomerwolkjes.
*   Ons hotel is heel gerieflijk, dus maak je geen zorgen. Het is*
smetteloos en goed geoutilleerd, en de betrekkelijke eenvoud bevalt
me. Ik heb vanochtend een voedzaam ontbijt gegeten; je zou trots op
me zijn. De reis had me helemaal niet vermoeid, en zodra ik in
mijn kamer was, viel ik aangenaam in slaap. Oom heeft
aantekeningen meegebracht voor een paar artikelen waar hij aan
werkt wanneer we niet schilderen, en tijdens die periodes kan ik

rusten, zoals je me had verzocht. Ik ben ook in het boek van
Thackeray begonnen, voor de verstrooiing.

Je hoeft niemand naar me toe te sturen. Ik red me heel goed, en ik
ben blij dat Esmé papa met tedere zorgen omringt, ook terwijl ze
andere dingen doet. Zorg alsjeblieft goed voor jezelf; ga niet zonder
jas naar buiten, tenzij het weer daar wat zachter wordt.
Je toegewijde
Béatrice

77
Mary

Op een ochtend besefte ik dat ik al vijf dagen geen brief of tekening meer van Robert had gekregen, wat tegen die tijd lang was voor ons doen. Zijn laatste schets was een zelfportret geweest, een humoristische karikatuur van zijn krachtige trekken, met zijn haar overeind en op de een of andere manier levend, zoals dat van Medusa. Eronder had hij geschreven: 'O, Robert Oliver, wanneer breng je je leven eens op orde?' Ik had niet eerder meegemaakt dat hij zichzelf rechtstreeks bekritiseerde, en ik schrok er een beetje van, maar ik veronderstelde dat hij weer zo'n 'sombere bui' had waarover hij me soms terloops schreef, of dat het een erkenning was van het dubbelleven dat hij via onze brieven steeds meer ging leiden. Ik vatte het zelfs op als een soort compliment, want zo wil iedereen die verliefd is alles toch zien? Maar vervolgens stuurde hij drie, vier, vijf dagen niets, en ik overtrad mijn regel door hem nog eens te schrijven, bezorgd, hunkerend, maar zo achteloos als ik kon.

Hij heeft die brief vast nooit ontvangen; tenzij het postkantoor zijn postbus heeft opgeheven, ligt mijn brief daar waarschijnlijk nog steeds, wachtend op de hand die hem er nooit uit heeft gepakt. Of misschien heeft Kate die postbus uiteindelijk opgezegd en mijn brief weggegooid. In dat geval hoop ik dat ze hem niet heeft gelezen. De ochtend nadat ik de brief had verstuurd, ging mijn bel om halfzeven. Ik liep nog in ochtendjas, met nat, maar al gekamd haar; ik maakte me klaar voor mijn tekenlessen. Er was nog nooit op dat tijdstip bij me aangebeld, en ik kwam meteen op het idee de politie te bellen, want in zo'n buurt woon ik, maar om te zien wat er aan de hand was, drukte ik de knop van de intercom in en vroeg wie daar was.

'Robert,' zei een stem, een krachtige, diepe, vreemde stem. Hij klonk vermoeid, een beetje aarzelend zelfs, maar ik wist dat hij het was. Ik herkende zijn stem uit duizenden.

'Moment,' zei ik. 'Wacht even. Eventjes.' Ik had op de zoemer van de deur kunnen drukken, maar ik moest en zou zelf naar beneden gaan; ik kon het niet geloven. Ik schoot in het wilde weg wat kleren aan, pakte mijn sleutels en rende op blote voeten naar de lift. Toen ik beneden aankwam, zag ik hem achter de glazen binnendeuren. Er hing een weekendtas over zijn schouder; hij zag er afgemat uit, verfomfaaider dan ooit, maar ook alert, zoals hij door de hal naar me uitkeek.

Ik dacht dat ik droomde, maar ik maakte toch de deur open en rende naar hem toe, en hij liet de tas vallen, tilde me op en drukte me fijn; ik voelde hoe hij zijn gezicht in mijn schouder en haar begroef en eraan rook. We kusten elkaar niet eens, dat eerste moment; ik denk dat ik huilde van opluchting omdat zijn wang aanvoelde zoals ik had gedacht, en misschien huilde hij ook een beetje. Toen we ons van elkaar losmaakten, plakte mijn haar aan zijn gezicht en omgekeerd. Zijn voorhoofd glom van het zweet en de tranen. Hij had een baard van een paar dagen en zag eruit als een houthakker in de straten van onze buurt in Washington, met verschillende oude overhemden over elkaar aan. 'Wat...' zei ik, want meer kon ik niet uitbrengen.

'Nou, ze heeft me eruit geschopt,' bekende hij, en hij tilde de tas weer op alsof die het bewijs was van zijn verbanning. Hij vervolgde, ik vermoed bij het zien van mijn ontdane gezicht: 'Niet vanwege jou. Iets anders.'

Ik moet nog ontzetter hebben gekeken, want hij sloeg een arm om mijn schouders. 'Geen paniek. Het geeft niet. Het ging alleen maar over mijn schilderijen, en ik leg het je nog wel uit.'

'Je hebt de hele nacht gereden,' zei ik.

'Ja, en kan ik mijn auto hier laten staan?' Hij wees naar de straat met de borden, het zwerfvuil en de onbegrijpelijke parkeermeters.

'Zeker,' zei ik. 'Dat kan, en dan wordt hij ergens na negenen weggesleept.' Toen schoten we allebei in de lach, en hij streek mijn haar weer uit mijn gezicht, het gebaar dat ik me herinnerde van onze ontmoeting tijdens de workshop, en hij kuste me, kuste, kuste me.

'Is het al negen uur?'

'Nee,' zei ik. 'We hebben nog ruim twee uur.' We gingen naar boven met zijn zware tas en ik draaide de deur achter ons op slot en meldde me ziek.

78

Mary

Robert trok niet bij me in; hij bleef gewoon, met zijn grote zware tas en de andere dingen die hij in de auto had geladen, de ezels en verf en doeken en extra schoenen en een fles wijn die hij als aankomstcadeautje voor me had gekocht. Ik peinsde er niet over hem naar zijn plannen te vragen of tegen hem te zeggen dat hij een eigen huis moest zoeken, net zomin als ik erover peinsde zelf te verhuizen. Het was hemels voor me, geef ik toe, om wakker te worden met zijn gouden arm uitgespreid over mijn extra kussen, zijn donkere krullen op mijn schouder. Ik gaf mijn lessen en ging naar huis zonder op school te schilderen, zoals anders, en dan lagen we de halve middag in bed.

Op zaterdag en zondag stonden we tegen twaalven op en gingen naar de parken om te schilderen, of we reden naar Virginia, of we bezochten de National Gallery als het regende. Ik herinner me nog heel goed dat we minstens één keer door de zaal in de National Gallery zijn gekomen waar *Leda* hangt, en die portretten, en die verbijsterende Manet met de wijnglazen; ik zweer dat hij meer aandacht besteedde aan de Manet dan aan *Leda*, dat hem niet leek te boeien – zo gedroeg hij zich althans toen ik er met hem was. We lazen alle bijschriften en hij gaf commentaar op Manets penseelvoering, waarna hij hoofdschuddend wegliep op een manier die betekende dat hij geen woorden had voor zijn bewondering. Na de eerste week zei hij streng tegen me dat ik niet genoeg schilderde en dat hij bang was dat het door hem kwam. Bij thuiskomst trof ik regelmatig een voor mij geprepareerd doek aan met een grijze of beige grond. Onder zijn leiding begon ik harder te werken dan ik in tijden had gedaan, en ik zette mezelf ertoe me aan ingewikkelder onderwerpen te wagen.

Zo schilderde ik Robert zelf in zijn kaki broek op mijn keukenkruk, met ontbloot bovenlijf. Toen het hem opviel dat ik de gewoonte had handen te mijden, leerde hij me hoe ik ze beter kon tekenen. Hij leerde me bloemen en bloemstukken niet te min te vinden voor mijn stillevens en wees me erop hoeveel grote schilders er een grote uitdaging in hadden gezien. Hij kwam een keer thuis met een dood konijn, ik begrijp nog steeds niet hoe hij eraan was gekomen, en een grote forel, en we legden er fruit en bloemen omheen en schilderden een paar barokke stillevens, allebei in onze eigen vorm van imitatie, en lachten er samen om. Daarna stroopte hij het konijn en maakte het klaar, en ook de forel, en ze smaakten allebei verrukkelijk. Hij zei dat hij van zijn Franse moeder had leren koken, maar voor zover ik wist, deed hij het bijna nooit. Vaak trokken we een blik soep en een fles wijn open en lieten het daarbij.

En we lazen samen, bijna elke avond, soms urenlang. Hij las me zijn geliefde Milosz voor, en gedichten in het Frans, die hij al lezend voor me vertaalde. Ik las hem een paar van mijn lievelingsboeken voor, Muzzy's verzameling klassiekers, Lewis Carroll, Conan Doyle en Robert Louis Stevenson, die hij niet had gelezen als kind. We lazen elkaar gekleed of naakt voor, samen in mijn lichtblauwe lakens gewikkeld of languit in onze oude sweaters op de vloer voor mijn bank. Hij leende op mijn bibliotheekpas boeken over Manet, Morisot, Monet, Sisley en Pissarro – hij hield vooral van Sisley, die naar zijn zeggen beter was dan de hele rest bij elkaar. Soms kopieerde hij kunstgrepen uit hun werk op kleine doeken die hij alleen voor dat doel gebruikte.

Soms had Robert een stille of zelfs sombere bui, en wanneer ik zijn arm streelde, zei hij dat hij zijn kinderen miste, en haalde zelfs hun foto's tevoorschijn, maar over Kate had hij het nooit. Ik was bang dat hij niet altijd zou kunnen of willen blijven, maar hoopte ook dat hij uiteindelijk een weg uit zijn huwelijk en naar mijn leven zou vinden op een meer solide basis. Ik wist niet dat hij een nieuwe postbus had, nu in Washington, tot hij op een dag vertelde dat hij daar zijn post had gehaald en Kate's verzoek om echtscheiding had gelezen. Hij had haar een postbusadres gestuurd, zei hij, voor het geval ze hem dringend nodig had. Hij zei dat hij had besloten korte tijd naar huis te gaan om de eerste papierwinkel af te wikkelen en de kinderen te zien. Hij zei dat hij in een motel of bij vrienden zou slapen; ik denk dat het zijn manier was om me duidelijk te maken dat hij niet van plan was naar Kate terug te gaan. Iets aan zijn vaste voornemen nooit naar haar terug te gaan deed me ijzen; als hij zo over haar kon denken, wist ik, kon hij op een dag ook zo over mij denken. Ik had liever iets van spijt bij hem gezien, een soort ambivalentie, maar niet zoveel twijfel dat ik hem kwijt kon raken.

Hij leek echter opvallend zeker te zijn van zijn besluit bij Kate weg te gaan. Hij zei dat ze het belangrijkste aan hem niet begreep, zonder erbij te zeggen wat dat was. Ik wilde er niet naar vragen, want dan zou het lijken alsof ik het ook niet begreep. Toen hij na vijf dagen uit Greenhill terugkwam, had hij een biografie van Thomas Eakins voor me meegebracht (hij zei altijd dat mijn werk hem aan dat van Eakins deed denken, dat het op de een of andere manier heerlijk Amerikaans was) en vertelde me geanimeerd over zijn avonturen op de weg, en dat de kinderen het goed maakten en mooi waren en dat hij veel foto's van ze had gemaakt, en over Kate repte hij met geen woord. En toen trok hij me mee naar wat ik inmiddels als onze slaapkamer beschouwde, trok me op het bed en vrijde met een vasthoudende concentratie met me, alsof hij me de hele tijd had gemist.

Niets van dit paradijselijke leventje kon me voorbereiden op zijn geleidelijke verandering van stemming. De herfst kwam, en zijn humeur zakte met de temperatuur; het was altijd mijn lievelingsseizoen geweest, het moment van een nieuw begin, nieuwe schoolschoenen, nieuwe leerlingen, luisterrijke kleuren, maar voor Robert leek het een soort verdorring te zijn, een naderende duisternis, de dood van de zomer en ons prille geluk. De ginkgobladeren in mijn buurt werden van geel crêpepapier; de kastanjes vielen in onze favoriete parken. Ik pakte nieuwe doeken en verleidde hem tot een uitstapje naar Manassas, op mijn vrije dag, naar het slagveld daar, maar bij wijze van uitzondering weigerde Robert te schilderen; in plaats daarvan zat hij onder een boom op een historische heuvel te broeden alsof hij luisterde naar de spookachtige geluiden van de slag die hier had plaatsgevonden, het bloedbad. Ik schilderde in mijn eentje in het veld in de hoop dat hij er wel overheen zou komen als ik hem een poosje alleen liet, maar die avond werd hij om iets onbenulligs kwaad op me, dreigde een bord kapot te gooien en liep het huis uit voor een lange wandeling in zijn eentje. Ik huilde een beetje, al wilde ik het niet – daar hou ik niet van, zie je; het was gewoon te pijnlijk om hem in die toestand te zien en me door hem afgewezen te voelen na al onze heerlijke momenten samen.

Het leek me ook logisch dat hij een terugslag zou krijgen van zijn wettelijke scheiding van tafel en bed van Kate (de definitieve scheiding zou drie maanden later worden uitgesproken) en van zijn definitieve breuk met zijn oude leven. Ik wist dat hij de druk moest voelen van de verplichting werk te zoeken in Washington, al leek hij niet erg zijn best te doen; ik vermoedde dat hij een klein onafhankelijk inkomen had of leefde van de opbrengst van zijn opmerkelijke schilderijen, maar daar zou hij niet eeuwig op kunnen teren. Ik wilde niet naar zijn inkomsten vragen en hield onze financiën zorgvuldig gescheiden, al betaalde ik nog steeds de huur, zoals altijd, en ons eten. Hij kwam regelmatig thuis met een paar boodschappen, wijn of een praktisch cadeautje, dus voelde ik de last niet zo, al begon ik me af te vragen of ik hem uiteindelijk niet zou moeten vragen de huur en andere vaste lasten met me te delen, aangezien ik aan het eind van de maand altijd krap zat. Ik had Muzzy om hulp kunnen vragen, maar ze had niet bemoedigend gereageerd op het feit dat ik met een binnenkort gescheiden kunstschilder samenwoonde, en dat weerhield me ervan. ('Ik weet wat liefde is,' had ze toegeeflijk gezegd toen ik een keer bij haar op bezoek was tijdens Roberts verblijf bij mij. Dat was vóór de verschrikking van haar tumor, de laryngectomie en de tracheostoma. 'Echt, kind, meer dan je zou kunnen denken, maar je hebt zoveel talent, weet je. Ik heb altijd iemand gewild die een beetje voor je zou zórgen.') Robert zou nu natuurlijk alimentatie voor de kinderen moeten betalen en ik durfde hem niet naar de details te vragen wanneer hij met een kwaaie kop op de bank zat.

Als het een zonnig weekend was, kon hij wel eens opfleuren en dan was ik vol goede moed, vergat de voorgaande dagen moeiteloos en overtuigde mezelf ervan dat het de groeistuipen van onze relatie waren. Ik dacht namelijk niet aan een huwelijk, niet echt, maar aan een soort leven op de langere termijn met Robert, een leven waarin we ons met elkaar zouden verbinden, een appartement met een atelier zouden huren, onze krachten en bronnen en plannen zouden bundelen en bij wijze van pseudohuwelijksreis naar Italië en Griekenland zouden gaan om daar te schilderen en alle beeldhouwwerken, schilderijen en landschappen te bekijken die ik zo graag wilde zien. Het was een vage droom, maar die was sterker geworden toen ik even niet oplette, als een draak onder mijn bed, en mijn romance van 'ik in mijn eentje' was er voordat ik het goed en wel besefte door ondermijnd. Tijdens die laatste vrolijke weekends maakten we korte uitstapjes, meestal op mijn aandringen, met een picknickmand voor onderweg om geld uit te sparen – het fijnste was dat naar Harper's Ferry, waar we in een goedkoop hotel overnachtten en de hele stad verkenden.

Op een avond aan het begin van december was Robert er niet toen ik thuiskwam, en ik hoorde een paar dagen niets van hem. Toen hij terugkwam, zag hij er vreemd verkwikt uit en zei dat hij bij een oude vriend in Baltimore was geweest, wat waar leek. Hij ging ook een keer naar New York. Na dat bezoek leek hij niet verkwikt, maar opgetogen, en die avond had hij het te druk om met me te vrijen, iets wat nog nooit was voorgekomen, en stond aan zijn ezel in de woonkamer houtskoolschetsen te maken. Ik deed de afwas, kropte mijn ergernis op – dacht Robert dat de borden zichzelf wasten, dag in, dag uit? – en probeerde niet over de bar te kijken die mijn kleine keuken scheidde van mijn kleine woonkamer, terwijl hij een gezicht tekende dat ik niet meer had gezien sinds mijn impulsieve tocht naar Greenhill voor zijn expositie daar; ze was beeldschoon, met haar donkere krullen die zo op de zijne leken, haar geciseleerde vierkante kin en haar peinzende glimlach.

Ik herkende haar meteen. Toen ik haar zag, vroeg ik me zelfs af hoe haar afwezigheid me had kunnen ontgaan, al die gelukkige maanden; ik had er nooit bij stilgestaan dat Robert haar gedurende zijn tijd bij mij niet op zijn schilderijen en tekeningen had afgebeeld. Hij had zelfs de verre figuren van moeder en kind niet meer weergegeven die ik op een paar van zijn vroegere landschappen had gezien, zoals het zeegezicht aan de kust van Maine dat hij tijdens onze workshop had geschilderd. Haar terugkeer die avond had een vreemde uitwerking op me, de angst die je besluipt wanneer iemand geruisloos een kamer binnen is gekomen en je voelt dat hij vlak achter je staat. Ik maakte mezelf wijs dat het geen angst voor Robert was, maar als dat het niet was, waar was ik dan wel bang voor?

79
1879

Ze kijkt naar Olivier, die schildert.

Ze staan in het middaglicht aan het strand en hij heeft een tweede doek opgezet: een voor de ochtend, een voor de middag. Hij schildert de kliffen en twee grote, grijze roeiboten die de vissers een flink stuk het strand op hebben getrokken, met de riemen erin; de netten en kurken dobbers vangen het ongrijpbare zonlicht. Hij schetst eerst met gebrande omber op het gegronde doek en begint dan de kliffen in te vullen met meer omber, met blauw en een schaduwachtig grijsgroen. Ze wil hem aanraden zijn palet lichter te maken, zoals haar docent haar ooit heeft gezegd; ze vraagt zich af waarom Olivier dit tafereel vol wisselend licht en verschietende lucht zo somber vindt, maar ze gelooft dat er niet veel meer aan zijn werk of leven veranderd kan worden. Ze staat zwijgend naast hem, op het punt aan haar eigen werk te beginnen, haar krukje en draagbare houten ezel op te stellen, maar ze treuzelt, blijft kijken. Ze draagt een dunne wollen jurk tegen de kou van de heldere middag, en daaroverheen een dikker wollen jasje. De bries trekt aan haar jurk en de linten van haar hoedje. Ze ziet hem de kolkende watermassa deels tot leven brengen, maar waarom voegt hij niet meer licht toe?

Ze wendt zich af, knoopt haar schilderskiel over haar kleren dicht, zet het doek op de ezel en klapt het vernuftige krukje open. Ze gaat achter haar ezel staan, net als hij, in plaats van te zitten, en drukt de hakken van haar laarzen in de kiezels. Ze probeert zijn gestalte, niet al te ver weg, te vergeten, zijn zilveren hoofd, over zijn werk gebogen, zijn rechte rug. Haar eigen doek heeft al een lichtgrijze onderlaag, de kleur die ze voor het middaglicht heeft gekozen. Ze knijpt veel aquamarijn op haar palet, en cadmiumrood voor de klaprozen op de kliffen uiterst links en rechts, haar lievelingsbloemen.

Nu kijkt ze op het horloge aan haar ketting en gunt zichzelf een halfuur. Ze tuurt, houdt het penseel zo losjes mogelijk vast en schildert met haar pols en onderarm, in snelle streken. Het water is rozig, blauwgroen, de lucht vrijwel kleurloos. De stenen op het strand zijn rozig en grijs, het schuim langs de rand van de golven is beige. Ze voegt Oliviers gestalte in donkere kleding toe, met zijn witte haar, maar dan alsof hij ver weg staat, als een klein figuurtje aan het strand. Ze geeft de kliffen toetsen rauwe omber, dan groen, en dan spikkelt ze de rode klaprozen erop. Er bloeien ook witte bloemen, en kleinere gele – ze kan het klif zowel van dichtbij als van veraf zien.

Haar halve uur zit erop.

Olivier draait zich om, alsof hij weet dat haar eerste ronde op het doek erop zit. Ze ziet dat hij nog steeds traag aan een watervlakte werkt en nog niet eens toe is aan de boten, laat staan de kliffen. Het wordt een secuur geschilderd doek, beheerst en zelfs mooi, en het zal dagen gaan kosten. Hij komt dichter bij haar staan om haar werk te zien. Ze kijkt er samen met hem naar en voelt zijn elleboog langs haar schouder strijken. Ze is zich bewust van haar vaardigheid, gezien door zijn ogen, en van de tekortkomingen: het doek leeft en beweegt, maar is zelfs naar haar smaak te grof geschilderd, een mislukt experiment. Ze hoopt dat hij niets zal zeggen, en tot haar opluchting maakt hij geen inbreuk op het gerommel van de golven op de zware kiezels, de stenen die omrollen en naar zee worden meegevoerd. Hij kijkt haar alleen maar aan en knikt. Zijn ogen zijn altijd rood en de randjes sluiten niet goed aan. Op dat moment zou ze zijn gezelschap voor niets ter wereld willen ruilen, domweg omdat hij zoveel dichter bij de rand is dan zij. Hij begrijpt haar.

Die avond eten ze samen met de andere gasten, tegenover elkaar gezeten, schaaltjes met saus of paddenstoeltjes doorgevend. De waardin, die Olivier kalfsvlees serveert, zegt dat er die middag een heer is geweest die kwam vragen of er een beroemd schilder bij haar logeerde, een vriend van hem uit Parijs; hij heeft geen kaartje afgegeven. Is Monsieur Vignot beroemd? Olivier lacht en schudt zijn hoofd. Er hebben genoeg beroemde schilders in Étretat gewerkt, maar zo kan hij zichzelf niet bepaald noemen, zegt hij. Béatrice drinkt een glas wijn en krijgt er spijt van. Ze gaan in de grote salon zitten lezen, samen met een besnorde Engelsman die met zijn kranten uit Londen ritselt en zijn keel schraapt om iets wat hij leest. Dan legt ze haar boek weg en probeert nog een brief aan Yves te schrijven, zonder veel succes; haar pen lijkt een hekel te hebben aan het papier, hoe vaak ze hem ook in de inkt doopt of de vloeiroller gebruikt. De Chinese klok van de waardin slaat tien en Olivier staat op. Hij maakt een buiging naar haar, glimlacht vol genegenheid met zijn ogen, die rood zijn van de wind, en lijkt haar hand te willen kussen, maar doet het niet.

Wanneer hij naar boven is gegaan, begrijpt ze het: hij zal nooit méér van haar vragen. Hij zal haar nooit een privébezoek brengen, nooit voorstellen dat zij hem bezoekt, nooit meer iets doen wat een heer en familielid niet betaamt. Hij zal niets in gang zetten. De kus in zijn atelier was de eerste en de laatste, zoals hij heeft beloofd; haar kus op het perron was haar eigen verantwoordelijkheid, evenals de kus op het strand. Hij was door beide overrompeld. Hij ziet zijn beheersing als een geschenk aan haar, daar is ze van overtuigd: een blijk van zijn respect, zijn zorgzaamheid. Het resultaat is echter een wreed dilemma; wat er ook gebeurt, ze moet het zelf teweegbrengen en er vervolgens mee leven. Wat ze ook beleven, het zal voortkomen uit haar eigen verlangen, haar betrekkelijke jeugd. Ze kijkt naar het boek in haar hand en kan zich niet voorstellen dat ze boven op zijn deur zou kloppen. Hij heeft een spoor van broodkruimels voor haar uitgestrooid, als Klein Duimpje.

Ze doet geen oog dicht, later in haar witte bed. Ze kijkt naar de gordijnen, die licht bewegen doordat ze het raam open heeft laten staan voor de dreiging van de nachtelijke lucht. Ze voelt het stadje dat haar omringt en hoort het Kanaal op het kiezelstrand beuken.

80

Mary

Nog weken nadat de vrouw met het donkere haar op zijn schilderijen was teruggekeerd, bleef Robert afwezig, en hij was ook nog eens zwijgzaam en prikkelbaar. Hij sliep veel en waste zich niet meer, en ik begon een ongekende weerzin tegen hem te voelen. Hij sliep soms op de bank. Ik had weken eerder een afspraak gemaakt met mijn zus en haar man, die kennis met hem zouden komen maken, maar Robert kwam niet opdagen. Ik zat vernederd in een Provençaals restaurantje, Lavandou, waar mijn zus en ik dol op waren. Ik zou er nog steeds niet meer willen eten, ook al had ik genoeg geld voor een chic etentje.

Het enige waar hij nog energie voor had, was schilderen, en het enige wat hij nog schilderde, was die vrouw. Ik was inmiddels wel zo wijs niet te vragen wie ze was, want dat leverde altijd die vage, bijna mystieke antwoorden op waar ik me zo aan ergerde. Er was niets veranderd, dacht ik een keer verbitterd, sinds de tijd dat ik nog studeerde en hij opzettelijk geheimzinnig deed over waar hij het onderwerp van zijn werk had gezien en waarom hij haar schilderde.

Ik had de rest van mijn leven kunnen blijven geloven dat hij haar had verzonnen, met haar gezicht, donkere krullen, jurken en al, als ik niet op een dag toen hij weg was om doeken te kopen in een paar van zijn boeken had gebladerd. Hij was al een tijd de deur niet meer uit geweest; ik zag het als een goed teken dat hij de fut had om inkopen te doen en een paar nieuwe schilderijen te willen opzetten. Toen hij weg was, liep ik aarzelend naar de bank, die min of meer Roberts nest was geworden en zelfs naar hem rook. Ik liet me erop vallen en snoof de geur van zijn haar en kleren op, eens niet gehinderd door zijn korzelige aanwezigheid. De bank lag als een echt nest bezaaid met ditjes en datjes: vodjes papier, tekenbenodigdheden, dichtbundels, afgeworpen kledingstukken en bibliotheekboeken vol portretten. Het was nu een en al portretkunst, en de donkere vrouw was zijn enige onderwerp. Hij leek zijn vroegere liefde voor landschappen vergeten te zijn, zijn grote talent voor stillevens, zijn aangeboren veelzijdigheid. Ik zag dat de rolgordijnen in mijn kleine woonkamer waren neergelaten, al dagen, terwijl ik me van en naar mijn werk had gehaast.

Het drong opeens tot me door dat Robert depressief moest zijn; stom dat ik daar niet eerder aan had gedacht. Wat hij zijn 'sombere buien' noemde, waren gewoon de symptomen van een flinke huis-tuin-en-keukendepressie, en misschien wel een zwaardere dan ik had willen weten. Ik wist dat hij medicatie in zijn bagage had en die wel eens pakte, maar hij had tegen mij gezegd dat de pillen hem hielpen slapen na een lange nacht schilderen, en ik had hem nooit regelmatig iets zien innemen. Anderzijds deed hij nooit iets regelmatig. Ik had verdriet om de transformatie van mijn vrolijke appartementje en betreurde dat verlies om maar niet na te hoeven denken over de transformatie van mijn levensgezel.

Ik begon op te ruimen. Ik stopte Roberts troep in een mand, legde de boeken netjes op een stapeltje bij het bed, vouwde de dekens en schudde de kussens van de bank op en bracht de vuile glazen en mueslikommen naar de keuken. Opeens zag ik mezelf als een lange, schone, competente vrouw die de afwas van iemand anders van de vloer pakte. Ik denk dat ik op dat moment wist dat we gedoemd waren, niet vanwege Roberts eigenaardigheden, maar vanwege mijn eigen zelfbewustzijn. Ik zag hem een stukje krimpen en voelde hoe mijn hart samentrok. Ik trok de rolgordijnen op, nam de salontafel af en bracht een vaas met bloemen uit de keuken naar het zonlicht dat eindelijk weer naar binnen viel.

Ik had het erbij kunnen laten, weet je, op het normale 'moeten we uit elkaar'-niveau. Ik ging weer op de bank zitten en voelde hoe ik iets in mezelf terugvond, verdrietig, bang. Nu ik er toch zat, begon ik in Roberts boeken te bladeren. De bovenste drie kwamen uit de bibliotheek en gingen over Rembrandt, en dan was er nog een over Leonardo da Vinci – Roberts smaak leek van de negentiende eeuw af te dwalen. Daaronder lag een dik boek over het kubisme waar ik hem nooit in had zien kijken.

En vlak daaronder lagen twee boeken over de impressionisten, een over de portretten die ze van elkaar hadden gemaakt (ik bladerde door de bekende beelden) en, minder voor de hand liggend, een dunne, geillustreerde pocket over de vrouwelijke impressionisten, van Berthe Morisots cruciale rol in de eerste impressionistische tentoonstelling tot en met het begin van de twintigste eeuw en minder bekende, latere schilderessen binnen de stroming. Ik voelde een sprankje respect voor Robert omdat hij zo'n boek had; het was van hemzelf, niet uit de bibliotheek, zag ik toen ik het opensloeg, en het verwonderde me dat het zo beduimeld was; hij moest het van voor tot achter hebben gelezen, er vaak iets in hebben opgezocht; er zat zelfs een verfvlek op.

Ik sluit een exemplaar van dit boek bij, dat ik zelf voor je heb opgespoord, aangezien Robert het zijne had meegenomen. Sla bladzij 49 op en zie wat ik zag, tijdens het bladeren: een portret van Roberts vrouw en een zeegezicht dat de vrouw zelf aan de kust van Normandië heeft geschilderd. Béatrice de Clerval, kwam ik aan de weet, was een hoogst getalenteerd kunstenares die haar penseel kort voor haar dertigste aan de wilgen hing; de korte biografische tekst gaf als verklaring dat ze moeder was geworden, op de gevaarlijk rijpe leeftijd van negenentwintig jaar, in een tijdperk dat vrouwen uit haar klasse nog werden aangemoedigd zich alleen op het gezinsleven te richten.

De reproductie van het portret was in kleur en ik herkende haar gezicht op slag; ik kende zelfs de ruches langs de halslijn, lichtgeel op lichtgroen, de gestrikte linten van haar hoedje, het exacte zachte karmijn van haar wangen en lippen, de mengeling van waakzaamheid en blijdschap op haar gezicht. Volgens de tekst was ze heel veelbelovend geweest in haar jeugd. Ze had van haar zeventiende tot ongeveer haar vijfentwintigste les gehad van Georges Lamelle, een docent van de Academie, had één keer in de Salon geëxposeerd, onder de schuilnaam Marie Rivière, en was in 1910 bezweken aan de griep. Haar dochter Aude, die voor de Tweede Wereldoorlog journaliste was in Parijs, stierf in 1966. De echtgenoot van Béatrice de Clerval was een hoge ambtenaar die de moderne postkantoren van vier of vijf Franse steden op poten had gezet. Béatrice kende de Manets, de Morisots, de fotograaf Nadar en Mallarmé. Haar werk is tegenwoordig in het bezit van het Musée d'Orsay, het Musée de Maintenon, de Yale University Art Gallery, de Universiteit van Michigan en verschillende particuliere verzamelaars, onder wie Pedro Caillet uit Acapulco.

Tja, je zult het allemaal zelf in het boek vinden, maar ik wil uitleggen hoe sterk die beelden en de begeleidende biografie me aangrepen.

Je zou denken dat de wetenschap dat je partner geobsedeerd is door een lang geleden opgevangen glimp van een levende vrouw, iemand die hij maar één of twee keer heeft gezien, je een onbehaaglijk gevoel zou geven; maar je verwacht gewoon dat een kunstenaar, een medekunstenaar, geobsedeerd is door het een of andere beeld. Erachter komen dat Robert geobsedeerd was door een vrouw die hij nooit in levenden lijve had gezien, gaf me een veel onbehaaglijker gevoel; het was zelfs een schok. Je kunt niet jaloers zijn op een dode, en toch bezorgde het feit dát ze ooit had geleefd me een gevoel dat de afgunst gevaarlijk dicht naderde, en het feit dat ze al heel lang dood was, was op de een of andere manier grotesk, alsof ik hem op een onduidelijke vorm van necrofilie had betrapt.

Nee, dat klopt niet. De levenden blijven vaak van de doden houden; we zullen het een weduwnaar nooit kwalijk nemen dat hij de nagedachtenis aan zijn vrouw koestert of zelfs een beetje bezeten van haar is. Maar iemand die Robert nooit had gekend, die hij niet had kunnen kennen, iemand die meer dan veertig jaar voor zijn geboorte was overleden... Het maakte me misselijk. Dat zal wel te sterk uitgedrukt zijn, maar het zat me niet lekker. Het was me te vreemd. Toen hij telkens het gezicht van een levende vrouw schilderde, had ik nooit gedacht dat hij krankzinnig zou kunnen zijn, maar nu ik wist dat het gezicht toebehoorde aan een vrouw die al heel lang dood was, vroeg ik me af of hij niet iets ernstigs mankeerde.

Ik las de biografie een aantal keer om er zeker van te kunnen zijn dat ik niets over het hoofd had gezien. Mogelijk was er weinig bekend over Béatrice de Clerval, of misschien vonden de kunsthistorici het saai dat ze de schilderkunst had verruild voor een huiselijk bestaan. Ze had blijkbaar nog tientallen jaren geleefd zonder iets opmerkelijks te doen, tot ze overleed. In de jaren tachtig was er een overzichtstentoonstelling van haar werk gehouden in een museum in Parijs waarvan de naam me niets zei. De schilderijen waren vermoedelijk uit particuliere verzamelingen geleend, opgehangen en weer weggehaald voordat ik me zelfs maar had aangemeld voor de kunstacademie. Ik keek weer naar haar portret. Daar was de weemoedige glimlach, het kuiltje in de linkerwang, naast de mond. Zelfs vanaf het glanzende papier volgden haar ogen de mijne.

Toen het me te veel werd, sloeg ik het boek dicht en legde het weer op de stapel. Vervolgens pakte ik het er weer uit en noteerde de titel,

de auteur, de publicatiegegevens en een paar feiten over Clerval die erin stonden, waarna ik het zorgvuldig op zijn plaats teruglegde en mijn
aantekeningen in mijn bureau verstopte. Ik ging naar onze slaapkamer,
maakte het bed op en ging erop liggen. Een tijdje later ging ik naar de
keuken, maakte die ook aan kant en bereidde een maaltijd van wat ik
maar in de kastjes kon vinden. Ik had al heel lang niet meer echt gekookt. Ik hield van Robert en hij zou de beste behandeling krijgen die
er was, zorg die hem zou helpen beter te worden; hij had me verteld
dat hij nog een ziektekostenverzekering had. Toen hij thuiskwam, leek
hij blij verrast te zijn, en we aten samen bij kaarslicht en vrijden op het
kleed in de woonkamer (hij leek niet op te merken dat ik de bank had
opgeruimd), waarna hij een foto van mij onder een deken maakte. Ik
zei niets over het boek of de portretten.

Het ging iets beter, die week, oppervlakkig gezien althans, tot Robert me vertelde dat hij weer naar Greenhill ging. Hij moest met
Kate naar de notaris, zei hij, en wat financiële zaken regelen. Hij zou
een week wegblijven. Ik was teleurgesteld, maar het leek me beter voor
zijn gemoedstoestand als hij die dingen achter zich kon laten, dus gaf
ik hem gewoon een afscheidskus en liet hem gaan. Hij nam het vliegtuig; zijn vlucht vertrok onder werktijd en ik kon hem niet naar het
vliegveld brengen. Hij bleef maar een week weg en kwam op een avond
weer thuis, bekaf en met een raar luchtje om zich heen, een reislucht,
vies maar op de een of andere manier ook exotisch. Hij sliep twee dagen.

Op de derde dag stond hij op en ging een paar inkopen doen, en ik
snuffelde schaamteloos in zijn spullen – of eigenlijk wel beschaamd,
maar vastbesloten meer aan de weet te komen. Hij had zijn tas nog
niet uitgepakt, en ik vond Franse bonnetjes waar soms 'Paris' op stond,
van een hotel, restaurants en luchthaven Charles de Gaulle. In een van
zijn jaszakken zat een gekreukt ticket van Air France, samen met zijn
paspoort, dat ik nog nooit had gezien. De meeste mensen staan afgrij-
selijk op pasfoto's, maar die van Robert was schitterend. Tussen zijn
kleren vond ik een pakje in bruin papier, en daarin een bundeltje brieven met een lint erom, heel oude brieven, zo te zien in het Frans. Ik
had ze nog nooit gezien. Ik vroeg me af of ze iets met zijn moeder te
maken hadden, of het oude familiebrieven konden zijn, en of hij ze in
Frankrijk had gekregen. Toen ik de ondertekening van de eerste zag,
verstijfde ik even. Het was alsof ik in een nachtmerrie was beland. Toen

vouwde ik de brieven weer op en stopte het pakje weer tussen zijn kleren.

Toen moest ik beslissen wat ik tegen hem zou gaan zeggen. *Waarom ben je naar Frankrijk gegaan?* Het was maar iets minder belangrijk dan *Waarom heb je niet tegen me gezegd dat je naar Frankrijk ging, had je niet samen met mij kunnen gaan?* Maar ik kon me er niet toe zetten ernaar te vragen; het had me in mijn trots gekrenkt, en tegen die tijd was mijn trots al uiterst wankel, zoals Muzzy zou hebben gezegd. In plaats daarvan ruzieden we, of ik ruziede met hem, ik zocht ruzie met hem over een schilderij, een stilleven waar we allebei aan hadden gewerkt, en ik schopte hem eruit, maar hij stribbelde niet bepaald tegen. Ik huilde uit bij mijn zus, ik nam me heilig voor hem nooit meer terug te nemen, mocht hij zich weer vertonen, ik probeerde eroverheen te komen en dat was dat. Maar ik werd ongerust toen hij helemaal geen contact meer met me zocht. Ik heb heel lang niet geweten dat hij maar een paar maanden nadat hij me had verlaten naar de National Gallery was gegaan met het voornemen een schilderij te beschadigen. Dat was niets voor hem. Het was absoluut niets voor hem.

81

Marlow

Mary voegde zich weer bij me in mijn hotel voor het ontbijt, waar ze me in het halflege restaurant trof. We waren stiller dan tijdens het eten van de avond tevoren; de eerste roes van haar opwinding was voorbij en ik zag weer die violette vegen, schaduw op sneeuw, onder haar ogen. Haar ogen zelf zagen er donker uit die ochtend, bedrukt. Ze had een paar sproeten op haar neus die ik nog niet had ontdekt, flintertjes, heel anders dan die van Kate. 'Heb je slecht geslapen?' vroeg ik op het gevaar af haar weer zo'n strenge blik te ontlokken.

'Ja,' zei ze. 'Ik heb nagedacht over alles wat ik je over Robert heb verteld, al die intieme dingen, en dat jij in je hotelkamer over al die dingen zat na te denken.'

'Hoe wist je dat ik erover nadacht?' Ik reikte haar een schaal toast aan.

'Dat had ik ook gedaan,' zei ze nuchter.

'Nou, het is ook zo. Ik denk er onophoudelijk aan. Het is opmerkelijk dat je me zoveel van hem wilt laten zien, en daarmee help je me meer dan wat ook Robert te helpen.'

Ik zweeg en zocht naar woorden terwijl zij haar toast koud liet worden. 'En ik begrijp waarom je zo lang op hem hebt gewacht, hoewel hij niet beschikbaar was.'

'Niet bereikbaar,' verbeterde ze me.

'En waarom je van hem houdt.'

'Hield, niet houdt.'

Het was meer dan ik had gehoopt, en ik richtte mijn aandacht op mijn gepocheerde eieren om haar niet aan te hoeven kijken. We ontbeten verder zo goed als zwijgend, maar na een tijdje werd het een aangename stilte.

In het Met keek ze naar het *Portret van Béatrice de Clerval, 1879*, het portret dat ze voor het eerst had gezien in een boek dat Robert naast haar bank had laten liggen. 'Weet je, ik denk dat Robert haar hier heeft teruggevonden,' zei ze.

Ik keek naar haar profiel; het was de tweede keer, drong het scherp tot me door, dat we samen in een museum waren. 'Denk je?'

'Nou, hij is in de tijd dat hij bij mij woonde minstens één keer in New York geweest, zoals ik je heb geschreven, en toen kwam hij vreemd opgewonden terug.'

'Mary, wil je Robert opzoeken? Ik kan je naar hem toe brengen, als we weer in Washington zijn. Maandag al, als je wilt.' Ik was niet van plan geweest het meteen te zeggen.

'Wil je soms dat ik hem meer informatie ontfutsel?' Ze stond recht en stram naar het gezicht van Béatrice te kijken, zonder haar gezicht mijn kant op te draaien.

Het schokte me. 'Nee, nee, dat zou ik nooit van je vragen. Je hebt me al een andere kijk op hem gegeven. Ik bedoelde alleen dat ik je niet bij hem weg zal houden, mocht je de behoefte hebben hem te zien.'

Ze draaide zich om. Toen kwam ze dichterbij, alsof ze bescherming zocht, gadegeslagen door Béatrice de Clerval; ze pakte zelfs plotseling mijn hand. 'Nee,' zei ze. 'Ik wil hem niet zien. Dank je.' Ze liet mijn hand los en liep weg, naar de ballerina's van Degas en de naakten die zich met hun grote handdoeken afdroogden. Na een paar minuten kwam ze bij me terug. 'Zullen we weggaan?'

Buiten was het een heldere, zachte zomerdag, eerder warm dan benauwd. Ik kocht voor ons allebei een hotdog met mosterd bij een kraampje. ('Hoe weet je dat ik geen vegetariër ben?' vroeg Mary, hoewel we al twee keer samen hadden gegeten.) We drentelden Central Park in, gingen op een bankje zitten eten en veegden onze handen schoon aan papieren servetten. Mary veegde onverwacht de mosterd niet alleen van haar eigen handen, maar ook van de mijne, wat me op het idee bracht dat ze een fantastische moeder voor jonge kinderen had kunnen zijn, maar dat hield ik natuurlijk voor me. Ik spreidde mijn vingers.

'Mijn hand ziet er veel ouder uit dan de jouwe, hè?'

'Waarom niet? Hij ís ook ouder dan de mijne. Twintig jaar, als je van 1947 bent.'

'Ik zal maar niet vragen hoe je dat weet.'

'Niet nodig, Sherlock.'

Ik keek naar haar. De schaduw van eiken en beuken bespikkelde haar gezicht, haar witte blouse met korte mouwen en de tere huid van haar hals. 'Wat ben je mooi.'

'Zeg dat alsjeblieft niet,' zei ze met neergeslagen ogen.

'Ik bedoelde het alleen maar als compliment, een beleefd compliment. Je bent net een schilderij.'

'Doe niet zo idioot.' Ze verfrommelde de servetten en mikte ze in een afvalbak naast onze bank. 'Geen vrouw zou een schilderij willen zijn.' Maar toen ze weer naar me keek, vonden onze ogen elkaar boven de vreemde klank van wat we allebei net hadden gezegd. Zij wendde als eerste haar blik af. 'Ben je ooit getrouwd geweest?' vroeg ze.

'Nee.'

'Waarom niet?'

'O, ik heb lang gestudeerd, en daarna kon ik de ware niet vinden.'

Ze sloeg haar benen in spijkerbroek over elkaar. 'Ben je dan ooit verliefd geweest?'

'Diverse keren.'

'Onlangs nog?'

'Nee.' Ik dacht even na. 'Misschien wel. Bijna.'

Ze trok haar wenkbrauwen zo hoog op dat ze onder haar korte pony verdwenen. 'Je moet kiezen.'

'Ik doe mijn best,' zei ik zo neutraal mogelijk. Het was alsof ik een gesprek voerde met een wild hert, een dier dat elk moment kon schrikken en wegspringen. Ik legde een arm over de rugleuning van de bank, zonder haar aan te raken, en keek uit over het park, de kronkelende grindpaden, keien, groene heuvels onder voorname bomen, de mensen die op een pad vlakbij wandelden en fietsten. Haar kus verraste me; ik begreep eerst alleen maar dat haar gezicht heel dichtbij was. Ze was voorzichtig, weifelend. Ik richtte me langzaam op, legde mijn handen op haar slapen en beantwoordde haar kus, ook voorzichtig om haar niet nog eens aan het schrikken te maken, met bonzend hart. Mijn oude hart.

Ik wist dat ze zich van me los zou maken, tegen me aan zou leunen en geluidloos zou snikken, dat ik haar zou vasthouden tot ze klaar was, dat we kort daarna met een vuriger kus afscheid zouden nemen en elk naar ons eigen huis zouden gaan, en dat ze iets zou zeggen als: *Het spijt me, Andrew, ik ben hier nog niet aan toe.* Maar ik had het eindeloze geduld van mijn beroep aan mijn kant en ik wist al bepaalde dingen van haar: ze vond het heerlijk om een dagje naar Virginia te gaan om te schilderen, net als ik; ze moest vaak iets eten; ze wilde het gevoel hebben dat ze haar eigen beslissingen nam. *Madame*, zei ik in gedachten tegen haar, *ik zie dat uw hart is gebroken. Sta me toe het voor u te lijmen.*

82

1879

Ze denkt onophoudelijk aan haar eigen lichaam. Ze zou ook eens aan dat van Olivier moeten denken, dat op zoveel boeiende manieren heeft geleefd, maar in plaats daarvan kijkt ze naar de muggenbult op de binnenkant van haar rechterpols, krabt eraan en laat hem spontaan aan Olivier zien wanneer ze de tweede ochtend aan het strand staan te schilderen. Ze heeft de mouw van haar linnen schilderskiel opgerold en ze kijken samen naar haar blanke onderarm. Haar pols, met dat kleine rode puntje, de lange hand en de ringen – ze kijkt er zelf met begeerte naar, zoals hij ook moet doen. Ze werken achter hun ezels op het strand; zij heeft haar penselen neergelegd, maar Olivier heeft nog een fijn penseel met donkerblauwe verf in zijn hand.

Ze kijken naar de ronding van haar arm en dan heft ze hem langzaam naar hem op, naar zijn gezicht. Wanneer de arm zo dichtbij is dat er geen twijfel meer kan bestaan aan haar bedoeling, drukt hij zijn lippen op de huid. Ze siddert, meer van de aanblik dan van het gevoel. Hij laat haar arm zachtjes zakken en hun ogen vinden elkaar. Ze kan geen woorden vinden bij deze situatie. Zijn gezicht steekt rood af tegen zijn witte haar, door de emotie of door de wind van het Kanaal. Voelt hij gêne? Het is iets wat ze hem kan vragen tijdens een van die intieme momenten die ze nog niet voor zich wil zien.

83

Marlow

Een tijdje later experimenteerde ik door een uur zwijgend bij Robert in zijn kamer te blijven zitten; ik bracht een schetsboek mee, ging ermee in mijn stoel zitten en tekende hem terwijl hij Béatrice de Clerval tekende. Ik wilde hem vertellen dat ik wist wie ze was, maar zoals gewoonlijk weerhield mijn voorzichtigheid me ervan. Misschien moest ik meer over haar te weten zien te komen, of over hem, voordat ik het vertelde. Na een eerste geërgerde blik vanwege mijn aanwezigheid en een tweede om me te laten merken dat hij wist dat ik hem tekende, negeerde Robert me verder, maar er sloop een zekere gemoedelijkheid de kamer in, als ik het me niet alleen maar verbeeldde. Er klonk geen ander geluid dan het krassen van onze potloden, en het was vredig.

Ontsnappen door te tekenen halverwege de ochtend gaf de dag een harmonie die ik zelden ervaar op Goldengrove. Roberts gezicht, van opzij gezien, was heel boeiend, en dat hij geen blijk gaf van woede en niet opstond, wegliep of me op een andere manier het werken belette, deed me goed, al verbaasde het me ook. Het was mogelijk dat hij zich nog verder had teruggetrokken en er gewoon niets meer om gaf, maar ik had het gevoel dat hij mijn gebaar echt gedoogde. Toen ik klaar was, stopte ik het potlood in de zak van mijn jasje, scheurde de tekening uit mijn boek en legde hem zwijgend op het voeteneind van Roberts bed. Hij was lang niet slecht, vond ik zelf, al had hij natuurlijk niet de briljante expressiviteit van zijn portretten. Hij keek niet op toen ik wegging, maar toen ik een paar dagen later bij hem kwam kijken, zag ik dat hij mijn geschenk een plekje had gegeven in zijn galerie, al was het geen prominente plek.

Alsof ze op de een of andere manier wist van mijn uur met Robert, belde Mary diezelfde avond op. 'Ik wil je iets vragen.'

'Wat je maar wilt. Dat is niet meer dan redelijk.'

'Ik wil de brieven lezen. Die van Béatrice en Olivier.'

Ik aarzelde maar heel even. 'Natuurlijk. Ik zal kopieën maken van de vertalingen die ik tot nog toe heb gekregen, en van de rest wanneer ik ze krijg.'

'Dank je.'

'Hoe gaat het met je?'

'Goed,' zei ze. 'Hard aan het werk, aan het schilderen bedoel ik, nu mijn semester erop zit.'

'Heb je zin om dit weekend in Virginia te gaan schilderen? Een middagje maar? Het zou voorjaarsachtig moeten worden en ik was zelf van plan te gaan. Dan kan ik je de brieven ook geven.'

Ze antwoordde niet meteen. 'Ja, dat lijkt me leuk,' zei ze toen.

'Ik had je al eerder willen bellen. Je hebt niets van je laten horen.'

'Nee, ik weet het. Het spijt me.' Ze klonk ook oprecht spijtig.

'Het geeft niet. Ik kan me wel voorstellen hoe zwaar je het hebt gehad, het afgelopen jaar.'

'Als psychiater, bedoel je?'

Ik zuchtte tegen wil en dank. 'Nee, als vriend.'

'Dank je,' zei ze, en ik dacht een snik in haar stem te horen. 'Ik kan wel een vriend gebruiken.'

'Ik ook, eigenlijk.' Het was meer dan ik een halfjaar tevoren tegen iemand zou hebben gezegd, en ik wist het.

'Zaterdag- of zondagmiddag?'

'Laten we zaterdag afspreken, maar het weer in de gaten blijven houden.'

'Andrew?' Ze klonk vriendelijk, alsof ze op het punt stond te glimlachen.

'Ja?'

'Niets. Dank je.'

'Nee, jij bedankt,' pareerde ik. 'Ik ben blij dat je met me mee wilt.'

Die zaterdag droeg ze een dik rood jack en een knot in haar haar die ze met twee stokjes had vastgezet, en we schilderden een groot deel van de dag. Later picknickten en praatten we samen in de warme zon. Ze had kleur op haar gezicht en toen ik over de plaid leunde om haar te kussen, sloeg ze haar armen om mijn nek en trok me naar zich toe – geen tranen deze keer, alleen een kus. We aten in een restaurant buiten de stad en ik zette haar af bij haar appartement in een met afval bezaaide straat in het noordoosten. Ze had de kopieën van de brieven in haar tas. Ze vroeg me niet mee naar boven, maar liep terug van haar voordeur om me nog een kus te geven voordat ze naar binnen ging.

84

1879

Aan Yves Vignot
Passy, Parijs

Mon cher mari,
Ik hoop dat deze brief je in goede gezondheid aantreft en dat papa
aan de beterende hand is. Bedankt voor je vriendelijke brief. Papa's
klachten baren me zorgen; kon ik hem zelf maar verplegen. Warme
kompressen op de borst helpen meestal, maar ik vermoed dat Esmé
dat al heeft geprobeerd. Doe papa alsjeblieft mijn hartelijke groeten.
Ikzelf kan niet beweren dat ik het hier saai vind, al is het in het
voorseizoen stil in Étretat. Ik heb een doek voltooid, als je het
voltooid mag noemen, evenals een pastel en twee tekeningen. Oom
helpt me met kleuradviezen, al is mijn penseelvoering natuurlijk zo
anders dan de zijne dat ik toch mijn eigen weg moet vinden, maar
ik heb een diep respect voor zijn kennis. We hebben het nu over een
veel groter doek dat ik zou kunnen opzetten, met een ambitieus
onderwerp, dat ik volgend jaar zou kunnen inzenden voor de Salon,
al zou Madame Rivière de maakster zijn. Ik weet alleen nog niet of
ik aan zo'n grote onderneming wil beginnen.
Ik heb de afgelopen nachten goed geslapen en voel me verkwikt.

Ze legt de pen neer en kijkt om zich heen in de slaapkamer. De eerste nacht is ze van pure uitputting in slaap gevallen en de tweede heeft
ze half wakend doorgebracht, denkend aan Oliviers stevige, droge lippen die haar arm naderen: de gevoelige vorm van de mond van de oudere man en haar lichte huid.

Ze weet wat ze hoort te doen: ze zou tegen Olivier moeten zeggen
dat ze zich hier niet goed voelt, zenuwen kan ze het noemen, het eeuwige excuus, en dat ze onmiddellijk naar huis moeten, maar om die re-

den heeft Yves haar juist hiernaartoe gestuurd. Zelfs al kon ze het opbrengen, dan zou Olivier er nog dwars doorheen kijken. Ze bloeit op in de frisse wind van het Kanaal, waar de weidsheid van de zee en de lucht haar doorstroomt, een bevrijding na het verstikkende Parijs. Ze geniet ervan om, in haar warme cape gewikkeld, aan het strand te werken. Ze geniet van zijn gezelschap, hun gesprekken, de uren die ze 's avonds lezend doorbrengen. Hij heeft haar wereld groter gemaakt dan ze ooit voor mogelijk had gehouden.

Ze haalt de vloeiroller over het laatste woord van haar brief en kijkt peinzend naar de lus van de d in *dormi*. Als ze beweert dat ze naar huis moet, zal Olivier weten dat ze liegt; hij zal denken dat ze vlucht. Het zal hem kwetsen. Dat wil ze niet; in ruil voor zijn kwetsbaarheid, die maakt dat hij zijn hand in de hare legt terwijl ze de laatste vrouw zou kunnen zijn die hij aanraakt, moet hij haar kunnen vertrouwen. Te meer daar zij het voordeel heeft van de jeugd.

Ze loopt naar het raam en schuift het open. Als ze opzij kijkt, ziet ze de grijsachtig beige vlakte van het strand en het grijzere water. Een briesje laat de gordijnen wapperen en de rok van haar ochtendjapon, die over een stoel hangt, ritselt. Ze probeert aan Yves te denken, maar als ze haar ogen sluit, ziet ze een ergerlijke karikatuur, als een politieke spotprent in een van zijn kranten. Yves met een hoed op, een mantel aan en een verhoudingsgewijs enorm hoofd, die met zijn wandelstok onder zijn arm zijn handschoenen aantrekt voordat hij haar een afscheidszoen geeft. Olivier kan ze makkelijker voor haar geestesoog oproepen: hij staat met haar op het strand, lang en rechtop, subtiel, met zijn zilverwitte haar en rozige, gerimpelde gezicht en tranende blauwe ogen, in zijn goed zittende, afgedragen pak, met zijn kunstenaarshanden en licht gezwollen vingers met vierkante toppen om het penseel. Het beeld maakt haar triest op een manier die ze niet ervaart wanneer hij echt bij haar is.

Maar ook dat beeld kan ze niet lang vasthouden; het maakt plaats voor de straat zelf, de bakstenen gevels en het barokke lijstwerk van een rij nieuwe winkels die haar de helft van het uitzicht op het strand benemen. Wat daar op haar wacht, is een vraag. Hoeveel nachten kan ze het uitstel nog verdragen? Ze zullen 's middags een plekje op het lichte strand opzoeken om te schilderen, naar hun kamers terugkeren om zich te kleden voor het diner en weer samen met andere gasten de maaltijd gebruiken. Vervolgens zullen ze in de te druk gemeubileerde hotelsalon gaan zitten en praten over de boeken die ze lezen. Ze zal het gevoel hebben dat ze al in zijn armen ligt, in de geest; moet dat niet voldoende zijn? En dan zal ze zich in haar kamer terugtrekken en aan haar nachtelijke wake beginnen.

De andere vraag die ze zichzelf stelt, over de vensterbank leunend, is nog lastiger. Wil ze hem echt? Niets aan de kustlijn met de omgekeerde boten duidt op een antwoord. Ze tuit haar lippen en sluit het raam. Het leven zal beslissen, en heeft dat misschien al gedaan. Het is een zwak antwoord, maar er is geen beter, en het is tijd om samen te gaan schilderen.

85

Marlow

Op een avond vond ik bij thuiskomst een brief, een bijzonder hartelijke brief, tot mijn verrassing, van Pedro Caillet. Nadat ik hem had
gelezen, verraste ik mezelf op mijn beurt door de telefoon te pakken
en een reisbureau te bellen.

Geachte dr. Marlow,
Bedankt voor uw brief van twee weken geleden. U weet
waarschijnlijk meer van Béatrice de Clerval dan ik, maar ik wil u
met alle plezier van dienst zijn. Kom alstublieft tussen 16 en 23
maart met me praten, als dat mogelijk is. Daarna ga ik naar Rome
en kan ik u niet ontvangen. Om uw andere vraag te beantwoorden:
ik weet niets van een Amerikaanse schilder die onderzoek doet naar
het werk van Clerval; ik ben nooit door zo iemand benaderd.
Met hartelijke groet,
P. Caillet

Ik belde Mary. 'Wat dacht je van Acapulco, over een week?'
    Haar stem klonk slaperig, al was het laat in de middag. 'Hè? Je klinkt
als een... Ik weet het niet. Een contactadvertentie?'
    'Slaap je? Weet je wel hoe laat het is?'
    'Niet zeuren, Andrew. Het is mijn vrije dag en ik heb tot diep in de
nacht geschilderd.'
    'Tot hoe laat?'
    'Halfvijf.'
    'O, jullie doorgewinterde kunstenaars ook. Ik zat vanochtend om ze-
ven uur al op mijn werk. Goed, heb je zin om naar Acapulco te gaan?'
    'Meen je dat?'
    'Ja. Het is geen vakantie. Ik moet er onderzoek doen.'

'Heeft je onderzoek toevallig iets met Robert te maken?'

'Nee, met Béatrice de Clerval.'

Ze lachte. Het was hartverwarmend om haar te horen lachen zo kort nadat ze Roberts naam had genoemd. Misschien kwam ze er echt overheen. 'Ik heb vannacht over je gedroomd.'

'Over mij?' Mijn hart sprong op, bespottelijk genoeg.

'Ja. Het was schattig. Ik droomde dat ik hoorde dat jij de uitvinder was van lavendel.'

'Wat? De kleur of de plant?'

'De geur, denk ik. Het is mijn lievelingsgeur.'

'Dank je. Wat deed je in je droom, toen je het eenmaal wist?'

'Doet er niet toe.'

'Moet ik je smeken?'

'Goed dan... nee. Ik gaf je een kus om je te bedanken. Op je wang. Meer niet.'

'Nou, wil je mee naar Acapulco?'

Ze lachte weer, nu kennelijk klaarwakker. 'Natuurlijk wil ik mee naar Acapulco, maar je weet dat ik het niet kan betalen.'

'Ik wel,' zei ik zacht. 'Ik heb jaren gespaard, want dat moest van mijn ouders.' En vervolgens had ik niemand om het geld aan uit te geven, had ik erbij kunnen zeggen. 'We kunnen in je voorjaarsvakantie gaan. Die valt toch in die week? Is dat geen voorteken?'

Er viel een stilte tussen ons, aan de lijn, zoals het moment waarop je in het bos je oren spitst. Ik luisterde; ik hoorde haar adem, zoals je (na de eerste stilte, wanneer je niet meer beweegt en op je gemak staat) vogels in de overhangende takken hoort, of een eekhoorn die op een paar passen afstand in de dode bladeren ritselt.

'Tja,' zei ze bedachtzaam. Ik dacht in haar stem ook jaren zuinigheid te bespeuren omdat zij van háár moeder ook had moeten sparen, maar zonder dat het vaak was gelukt; ze had jarenlang geschilderd zodra ze wat tijd had, of genoeg geld opzij had gelegd om zich een tijdje aan de kunst te kunnen wijden. Haar angst en haar trots weerhielden haar ervan te lenen. Ze had vermoedelijk een bescheiden, eenmalige schenking van haar moeder gekregen, het restant van haar opvoeding, maar was te toegewijd aan haar leerlingen om die in de steek te laten, die leerlingen die er geen idee van hadden hoe haar banksaldo bijna in het rood dook nadat ze de huur, de verwarming en de boodschappen had betaald. Ik had die hele samenloop van tegenslagen omzeild door geneeskunde te gaan studeren. Sindsdien had ik alles bij elkaar maar tien schilderijen gemaakt die ik zelf mooi vond. Monet had alleen al in de jaren zestig van de negentiende eeuw zestig gezichten op Étretat gemaakt, waaronder veel meesterwerken; ik had de tientallen doeken gezien die tegen Mary's muren stonden opgestapeld, de honderden etsen en tekeningen op de planken in haar atelier. Ik vroeg me af hoeveel van haar eigen werk zij nog steeds mooi vond.

'Tja,' zei ze weer, maar nu opgewekter, 'ik moet erover nadenken.' Ik stelde me voor hoe ze nu in beweging kwam in een bed dat ik nooit had gezien; ze ging rechtop zitten met de hoorn in haar hand, misschien in een van haar wijde witte blouses, en ze streek het haar uit haar gezicht. 'Maar als ik met je meega, is er nog een probleem.'

'Ik zal je de moeite besparen het hardop te zeggen. Als je mijn uitnodiging aanneemt, hoef je niet met me te slapen,' zei ik. Ik wist meteen dat het er botter uit kwam dan ik had bedoeld. 'Ik zorg wel dat we gescheiden kamers krijgen.'

Ik hoorde haar inademen alsof ze naar adem snakte, of moest lachen. 'O, nee. Het probleem is dat ik daar misschien wel met je wíl slapen, maar dat ik niet wil dat jij het als een bedankje opvat omdat je mijn reis hebt betaald.'

'Tja,' zei ik. 'Wat kan een man daarop zeggen?'

'Niets.' Mary lachte nu bijna echt, wist ik zeker. 'Zeg maar niets, alsjeblieft.'

Toen we een week later echter op de luchthaven waren aangekomen, na een sneeuwstorm zoals je die in Washington zelden meemaakt, waren we stilletjes en geremd. Ik begon me af te vragen of dit avontuur wel een goed idee was geweest, of het niet voor ons allebei een gênante vertoning zou worden. We hadden afgesproken in de vertrekhal, waar het wemelde van de studenten die leerlingen van Mary hadden kunnen zijn. Ze zaten ongedurig in rijen, al in hun zomerkleding, hoewel de vliegtuigen achter het raam langs hopen vuile sneeuw rolden. Mary kwam naar me toe met een linnen tas over haar schouder en een ingeklapte ezel onder haar arm. Ze leunde naar me over om me te kussen, maar onhandig. Ze droeg haar haar in een wrong op haar achterhoofd en ze had een lange, donkerblauwe trui aan met een zwarte rok eronder. Tegen de achtergrond van krioelende tieners in korte broeken en felgekleurde overhemden zag ze eruit als een soort lekenzuster die het klooster uit mag om veldwerk te doen. Het drong tot me door dat ik er niet eens aan had gedacht mijn schilderspullen mee te nemen. Wat mankeerde me toch? Ik zou alleen kunnen toekijken hoe zij schilderde.

In het vliegtuig maakten we zo af en toe een losse opmerking tegen elkaar, alsof we al jaren samen reisden, en toen viel ze in slaap, eerst rechtop, maar langzamerhand opzij zakkend tot haar gladde hoofd mijn schouder raakte: *Ik heb tot halfvijf vanochtend geschilderd.* Ik had gedacht dat we onafgebroken zouden praten tijdens onze eerste echte reis samen, maar in plaats daarvan hing ze half tegen me aan te slapen. Van tijd tot tijd maakte ze zich zonder wakker te worden van me los, alsof ze terugschrok voor de huiselijkheid die sluipenderwijs tussen ons groeide. Mijn schouder kwam tot leven onder haar geknikkebol. Ik pakte behoedzaam een nieuw boek over de behandeling van borderlinepatiënten dat ik al een tijdje wilde lezen – mijn vakliteratuur leed onder de last van mijn onderzoek naar Robert en Béatrice – maar ik kon niet meer dan een zin tegelijk in me opnemen; daarna werd het een woordenbrij.

Toen kwam het akelige moment dat zich vroeg of laat altijd aan me opdrong: ik stelde me voor dat ze met haar hoofd op Robert Olivers schouder lag, zijn naakte schouder... Had ze me de waarheid verteld toen ze zei dat ze niet meer van hem hield? Hij zou tenslotte kunnen genezen met mijn hulp, of in elk geval opknappen. Of was de waarheid ingewikkelder? Stel dat ik hem niet meer wilde helpen, gezien wat er zou kunnen gebeuren als hij weer goed kon functioneren? Ik sloeg nog een bladzij om. In het licht dat door de wolken buiten viel, was Mary's haar licht kastanjebruin, goudkleurig onder het zwakke leeslampje, en donker toen ze haar hoofd van het raam wegdraaide; het glansde als houtsnijwerk. Ik hief een vinger en streelde de huid die bleek door de kruin scheen, oneindig licht; ze bewoog zich en mompelde iets, nog steeds slapend. Haar wimpers rustten rozig op haar lichte huid. Bij haar linkerooghoek zat een moedervlekje. Ik dacht aan Kate's overvloedige sproeten en aan mijn moeders uitgemergelde gezicht en grote, nog steeds meelevende ogen vlak voordat ze stierf. Toen ik weer een bladzij omsloeg, ging Mary rechtop zitten, trok haar trui om zich heen en drukte zich tegen het raampje, weg van mij. Nog steeds slapend.

86

1879

Ze loopt naar de garderobekast en aarzelt tussen twee middagjaponnen, een blauwe en een lichtbruine. Uiteindelijk kiest ze de bruine, met warme kousen en stevige schoenen. Ze steekt haar haar op en pakt haar lange cape, haar met dieprode zijde gevoerde hoedje en haar oude handschoenen. Hij staat op straat op haar te wachten. Ze glimlacht zonder enige terughoudendheid naar hem, blij dat hij blij is. Misschien is die vreemde vreugde die ze elkaar schenken het enige wat echt belangrijk is. Hij draagt de twee ezels en zij staat erop de tassen van hem over te nemen. De zijne is een gehavende leren *musette de chasse* die hij al sinds zijn achtentwintigste heeft; het is een van de vele dingen die ze nu van hem weet.

Bij het strand aangekomen leggen ze hun spullen netjes opgestapeld tegen de zeewering en maken zonder te overleggen een korte wandeling, alsof ze het zo hebben afgesproken. Er staat een straffe wind, maar hij is warmer vandaag, met een geur van gras; er groeit een overdaad aan klaprozen en margrieten. Wanneer ze hulp nodig heeft om over een oneffen plek in het pad te komen, pakt ze zijn hand. Ze klimmen langs de oostelijke kliffen naar een plateau halverwege boven het Kanaal, vanwaar ze langs het strand naar de indrukwekkende zuilen en bogen aan de andere kant kunnen kijken. Zij heeft hoogtevrees en waagt zich niet aan de rand, maar hij kijkt eroverheen en vertelt dat de golven hoog zijn vandaag en woest op het klif beuken.

Ze zijn volkomen alleen en de omgeving is zo schitterend dat ze het gevoel heeft dat niets anders ertoe doet, zeker niet zoiets kleins als zij beiden; zelfs haar verlangen naar kinderen, die beurse plek onder haar ribben, heeft even geen betekenis. Ze weet niet meer wat schuldgevoel is of waar het toe dient. Zijn nabijheid is haar geruststelling, het kleine menselijke accent in een subliem landschap. Wanneer hij weer bij haar is, leunt ze tegen hem aan. Hij drukt haar schouders aan de borst van zijn schilderskiel, met zijn armen om haar heen als om haar bij de rand van het klif weg te houden. Ze wordt eerst overspoeld door een eenvoudig gevoel van bevrijding, dan door genoegen, dan door begeerte. De wind trekt hard aan hen. Hij kust haar in haar hals, onder haar hoedje, langs de rand van haar opgestoken haar; mogelijk doordat ze hem niet kan zien, vergeet ze de jaren tussen hen te tellen.

Zo zou het kunnen zijn met gedoofde lampen, zij samen zonder barrières, terwijl het donker hun verschillen verbergt. Bij die gedachte stroomt de hitte door haar aderen naar de stenen onder hun voeten. Hij moet het hebben gevoeld; hij drukt haar tegen zich aan. Ze kent de zware bolling van haar rokken, de lagen petticoats, voelt wat hij moet voelen, en daarbinnen hun vreemde bij elkaar horen, zee en horizon, zoals ze elkaar vasthouden midden in het immense. Ze blijven zo lang staan dat ze het verglijden van haar leven niet meer kan bijhouden. Wanneer ze verkild raken door de wind, dalen ze zonder iets tegen elkaar te zeggen af naar het strand en stellen hun ezels op.

87

Marlow

Ik zag de straten van Acapulco als in een droom; ik kon niet geloven dat ik al die tweeënvijftig jaar van mijn leven niet ten zuiden van de grens was geweest. De lange snelweg naar de stad kwam me zo vertrouwd voor als een film, met zijn mengelmoes van beton en staal van bouwterreinen, gammele, met bougainville en roestende auto-onderdelen versierde huisjes, vrolijk gekleurde restaurants en grote, eveneens roestig ogende dadelpalmen die deinden in de wind. De taxichauffeur sprak steenkolenengels met ons en wees de oude stad aan, waar we de volgende dag een afspraak hadden met Caillet.

Ik had een kamer voor ons gereserveerd in een vakantiehotel dat volgens John Garcia de beste plek van de wereld was voor een huwelijksreis; hij was er tijdens de zijne geweest. Hij had het niet plagerig gezegd, en geen verbazing of nieuwsgierigheid getoond toen ik hem opbelde om te zeggen dat ik verliefd was en hem om raad vroeg. Ik vertelde natuurlijk niet om wie het ging; dat zou later moeten komen, met een verklaring. 'Dat is goed nieuws, Andrew,' zei hij alleen maar; daarachter hoorde ik mogelijke gesprekken die hij met zijn vrouw had gevoerd: *Marlow wordt er niet jonger op; zou hij ooit iemand vinden, die stumper?* En daar weer achter de zelfgenoegzaamheid van iemand die al lang getrouwd is, nog steeds getrouwd is. Maar verder had hij niets gezegd, alleen de naam van het hotel, La Reina. Ik bedankte hem in stilte toen ik Mary de receptie in zag lopen, die aan alle kanten uitzicht bood op oprukkende palmen, de zee erachter en een warme wind erdoorheen. De bries rook zwoel en tropisch, een geur die ik met geen mogelijkheid kon thuisbrengen, als een rijpe vrucht van een soort die ik nog nooit had gegeten. Ze had haar lange nonnentrui uitgetrokken en stond daar in een dunne blouse, met de bries onder haar rok en haar hoofd in haar nek om langs de piramidale rijen met wijnranken be-

groeide balkons tot aan de daken rondom de enorme binnentuin te kijken.

'Het lijken de hangende tuinen van Babylon wel,' zei ik met een blik
opzij. Ik wilde achter haar gaan staan, mijn armen spontaan om haar
middel slaan en haar tegen me aan drukken, maar ik voelde aan dat ze
die intimiteit niet op prijs zou stellen op een nieuwe plek, een onbekende plek, waar we omringd waren door vreemden. Ik keek dus samen met haar naar boven. Toen gingen we naar de lange, zwartmar-
meren balie en kregen twee sleutels van dezelfde kamer. Ze aarzelde
even, en in dat moment leek ze te begrijpen en toen te aanvaarden dat
ik haar op haar woord had geloofd. We stonden zwijgend in de lift
naar boven, die glazen wanden had, zodat we de binnentuin onder onze voeten vandaan zagen vliegen tot we bijna boven waren. Ik dacht,
en niet voor het laatst, hoe ongepast het was om in zo'n hotel te verblijven in een land dat zo radeloos was van armoede dat miljoenen inwoners bij onze natie aanklopten in de hoop bij ons de kost te verdienen, maar ik deed het niet voor mezelf, praatte ik mezelf aan; ik deed
het voor Mary, die de thermostaat 's avonds op twaalf zette om de
stookkosten te drukken.

Onze kamer was groot en eenvoudig, maar elegant ingericht; Mary
liep rond en legde haar hand op de lantaarn van vierkant, opaal marmer en het zachte pleisterwerk op de muren. Het bed (ik wendde me
af) was breed en opgemaakt met een beige linnen sprei. Ons enige,
grote raam keek uit op andere balkons aan de overkant met dezelfde
ranken en zwarte houten stoelen, tot onder in de duizelingwekkende
put van de binnentuin. Ik vroeg me af of ik niet toch een kamer met
zeezicht had moeten nemen, al was die duurder – was het gierig van
me geweest, gezien de kosten die ik toch al had gemaakt? Mary draaide zich glimlachend naar me om, timide, verlegen; ik vermoedde dat
ze niet dankbaar wilde doen voor al die luxe die ik tevoorschijn had
getoverd, maar toch iets wilde zeggen. 'Vind je het mooi?' vroeg ik dus
maar om de schuld bij mezelf te leggen.

Ze lachte. 'Ja. Je bent onmogelijk, maar ik vind het echt prachtig. Ik
heb het gevoel dat ik hier tot rust kan komen.'

'Daar zal ik wel voor zorgen.' Ik sloeg mijn armen om haar heen en
drukte een zoen op haar voorhoofd, en zij kuste me op mijn mond,
maakte zich van me los en begon met haar bagage te redderen. We
raakten elkaar niet meer aan tot we samen naar het strand drentelden,

waar zij mijn hand pakte, met haar schoenen in haar andere hand, en met me door de opkomende vloed waadde. Het water was verbijsterend warm, als thee die in een pot is blijven staan. Het strand, dat was afgezet met metershoge palmen, was bezaaid met hutjes met rieten daken en mensen die Engels en Spaans spraken, radio's aan hadden staan en achter hun gebruinde kinderen aan renden. De zon overspoelde alles, een onuitputtelijke vreugde. Ik had al jaren niet meer in zee gewaad – al zes of zeven jaar niet meer, drong het met een schok tot me door – en ik had de Stille Oceaan sinds mijn tweeëntwintigste niet meer gezien. Mary trok haar rok een stukje op, zodat haar smalle knieën en lange schenen bloot in het water flonkerden, en stroopte de mouwen van haar blouse op. Ik voelde haar naast me beven in de wind, of misschien vibreerde ze gewoon mee. 'Ga je morgen met me mee?' riep ik boven de bulderende golven uit.

'Naar hoe heet hij? Caillet?' Ze waadde door een lange, vingervormige golf. 'Wil je dat ik meega?'

'Tenzij je liever hier blijft om te schilderen.'

'Dat kan de rest van de week ook nog,' zei ze schappelijk.

Toen we terugliepen naar de hoteltuin, zag ik dat er bij de toegang tot het strand werd gepatrouilleerd door een bewaker met een M-16 over de schouder van zijn uniform.

We lunchten op de veranda van de lobby. Mary stond een paar keer op om naar de kunstmatige lagune en waterval buiten te kijken, waar een paar echte flamingo's waadden; van het hotel? wild? We dronken tequila uit kleine, dikke glazen, die we naar elkaar hieven zonder er iets bij te zeggen, alleen drinkend op onze aanwezigheid hier. We aten ceviche, guacamole en tortilla's. De smaak van limoen en koriander bleef in mijn mond hangen als een belofte. Het gevoel dat me bekroop door de warme wind, de ruisende palmen en de adem van de Stille Oceaan was me niet helemaal vreemd; het was een kinderlijk geloof in oerwoud en zee, *Schateiland* en *Peter Pan* – ja, dat moesten deze toeristenparadijzen oproepen: een magische, veilige versie van de tropen. En de plek riep nog iets bij me op, het gevoel van de lange reis in een boek, zoals mijn favoriete *Lord Jim*, bijvoorbeeld, en een zuchtje van het verre oosten uiterst westelijk van ons. *Mistah Kurtz, hij dood.* Maar kwam dat niet uit een ander boek van Conrad? *Hart der duisternis.* T.S. Eliot die citeert. Gauguin die na de seks uit een hut komt om verder te schilderen. De jaargetijden van geen belang omdat niemand veel kleding hoeft te dragen. De hitte.

'We moeten om een uur of negen naar Caillet,' zei ik om mezelf af te leiden van de eerste verzachtende golf tequila in mijn hoofd en de contouren van Mary's gezicht toen ze een haarlok achter een oor streek. 'Hij heeft me gevraagd 's ochtends te komen, voordat de hitte begint. Hij woont in het oude deel van de stad, aan de baai. Het moet al een avontuur zijn om zijn huis te zien, hoe het er ook uitziet.'

'Schildert hij ook?'

'Ja, hij is kunstcriticus en collectioneur, maar ik denk dat hij toch vooral schilder is, op grond van het interview dat ik heb gelezen.'

Toen we in onze kamer terug waren, voelde ik dat ik werd overmand door het gevoel van vrijheid van de andere omgeving en de vermoeidheid van de reis die ochtend vroeg. Ik hoopte half dat Mary op het bed naast me zou ploffen, dat we samen in slaap zouden vallen en geleidelijk de verlegenheid tussen ons zouden overbruggen, maar ze pakte haar ezel en tas. 'Ga niet te ver weg,' zei ik tegen wil en dank bij de herinnering aan de bewaker. Ik had er meteen spijt van; niet omdat zij jong was en mij niet zou begrijpen, maar omdat ik oud was en het zou kunnen overkomen alsof ik haar een opdracht of een vermaning gaf.

Ze zette echter haar stekels niet op. 'Ik weet het. Ik ga in de tuin bij de lobby zitten. Rechts, naar het strand toe gezien, mocht je me nodig hebben.' Haar mildheid verbaasde me, en toen ik op het bed ging liggen (ik kon het nog niet opbrengen zelfs maar mijn overhemd uit te trekken, met haar erbij) boog ze zich naar me over en kuste me zoals we elkaar die keer op de picknickplaid hadden gekust, met al het opgekropte verlangen dat tevoren niet gepast was geweest. Ik reageerde heftig, maar bleef stil liggen en dwong mezelf haar de kamer uit te laten lopen, want dat wilde ze. Bij de deur keek ze om en glimlachte naar me, ontspannen en vol genegenheid, alsof ze zich veilig bij me voelde.

Toen was ze weg. Ik zakte weg in een slaap die een kluwen was van bomen en zonlicht, een bonzende branding ergens achter mijn oogleden. Toen de wekker ging, schemerde het al. Ik was even bang dat ik een afspraak had gemist, waarschijnlijk met Robert Oliver, en schoot panisch overeind. De angst sloeg me om het hart, maar nee: Robert leefde en maakte het althans ten dele goed, voor zover ik wist, en Goldengrove had het telefoonnummer van het hotel. Ik liep naar het raam, schoof eerst de zware gordijnen opzij en toen de vitrages en zag mensen lopen beneden in de lobby, waar een paar lampen brandden.

Opnieuw paniek: waar was Mary? Ik had maar twee uur geslapen, maar het leek me te lang om haar ergens onbewaakt achter te laten; ik pakte mijn strandschoenen en schoof mijn voeten erin. In de tuin keerden de palmen zich rumoerig binnenstebuiten, ritselend met al hun bladeren in de aanzwellende zeewind, die nu zo krachtig was dat het een beetje beangstigend werd, met woeste golven aan het strand voor het hotel. Mary was precies waar ze had gezegd. Ik zag haar een toets op haar doek aanbrengen en keurend achteruitstappen, met het penseel geheven in haar hand. Ze verplaatste haar gewicht soepel van haar ene heup naar haar andere, maar ik bespeurde er het soort haast in dat je krijgt wanneer je tegen het eind van een landschapssessie het licht verliest; de wedloop, de schaduw die steeds sneller op je afkomt, het verlangen de dag terug te draaien of die opkruipende schemering van je doek te vegen.

Ze zag me en draaide zich om. 'Er is geen licht meer.'

Ik ging achter haar staan. 'Het is schitterend,' zei ik, en ik meende het. Haar tafereel in zachte, grof aangebrachte kleuren – het blauw van de zee met daarop al de kleurloze zweem van de avond – was technisch volmaakt, maar ontroerde me ook. Ik weet niet wat sommige landschappen aandoenlijk maakt, maar het zijn die doeken waar je langer naar blijft kijken, ongeacht de schilderkunstige vaardigheid. Ze had het gevoel van het eind van een perfecte dag getroffen, een dag die perfect was omdat hij ten einde liep. Ik wist niet hoe ik haar dat allemaal kon vertellen, en of ze wel meer woorden wilde horen, dus hield ik me stil en keek naar de contouren van haar gezicht terwijl ze haar werk onderzoekend opnam.

'Het is niet al te beroerd,' zei ze uiteindelijk. Ze begon haar palet schoon te maken met een mes. De schraapsels liet ze in een kistje vallen. Ik hield het natte doek vast terwijl zij de ezel inklapte en alles opborg.

'Heb je honger? We kunnen beter vroeg naar bed gaan, want het wordt een drukke dag morgen.' Ik voelde me prompt stuntelig; het zou kunnen klinken alsof ik haar zo snel mogelijk in bed wilde krijgen, en het was ook nog eens bazig.

Tot mijn verbazing draaide ze zich vliegensvlug om in de schemering, pakte me beet en kuste me stevig, zonder het doek te raken. Ze lachte. 'Wil je nu eens ophouden met dat gepieker? Niet piekeren!' Ik lachte mee; opgelucht, lichtelijk gegeneerd. 'Ik doe mijn best.'

88

1879

Die avond gaat ze dicht bij hem zitten in de salon in plaats van aan de andere kant van het vertrek. Haar handen kunnen zich niet concentreren op het borduurwerk; ze laat het veronachtzaamd op haar schoot liggen en kijkt naar Olivier, die zit te lezen, met zijn keurig geborstelde hoofd over het boek gebogen. De voetenbank die hij heeft uitgekozen, is te kort voor zijn lange benen. Hij heeft zich omgekleed voor het diner, maar zij ziet nog steeds zijn versleten pak met de grove schilderskiel eroverheen voor zich. Hij kijkt op en biedt glimlachend aan voor te lezen. Graag, zegt ze. Het is *Het rood en het zwart*, dat ze al twee keer heeft gelezen, eerst zelf en toen hardop voor papa, en toen had ze zich vaak geërgerd aan de ongelukkige Julien, die haar ook aangreep, maar nu kan ze niet luisteren.

Ze kijkt dus maar naar zijn lippen, zich bewust van haar eigen domheid, haar trieste onvermogen de woorden te volgen. Na een paar minuten legt hij het boek weg. 'Je let helemaal niet op, kindlief.'

'Nee, het spijt me.'

'Het kan niet aan Stendhal liggen, dus moet het mijn schuld zijn. Heb ik iets fout gedaan? Ja, dat moet wel.'

'Onzin.' Verder durft ze niet te gaan in deze beleefde salon, waar andere gasten bij zijn. 'Ophouden.'

Hij kijkt haar met samengeknepen ogen aan. 'Dat zal ik dan maar doen.'

'Neem me niet kwalijk,' zegt ze zachter. Ze plukt aan het kant op haar rok. 'Je hebt gewoon geen idee wat voor effect je op me hebt.'

'Wrevel, misschien?' Maar zijn zelfbewuste glimlach boeit haar. Hij weet heel goed dat hij haar aandacht heeft getrokken. 'Kom, ik zal je iets anders voorlezen.' Hij zoekt tussen de afgedankte boeken in de kast van de waardin. 'Iets verheffends. *Griekse mythen*.'

Ze nestelt zich dieper in haar stoel en borduurt verder, maar zijn eerste keus is ondeugend. '"*Leda en de zwaan.* Leda was een zeldzaam schone maagd, die van verre de bewondering van de machtige Zeus opriep. Hij daalde op haar neer in de gedaante van een zwaan...'"

Olivier kijkt over het boek heen naar haar. 'Arme Zeus. Hij kon er niets aan doen.'

'Arme Leda,' wijst ze hem zedig terecht; de vrede is hersteld. Ze knipt de draad af met haar ooievaarsschaartje. 'Het was niet haar schuld.'

'Denk je dat Zeus het leuk vond om een zwaan te zijn, los van zijn hofmakerij aan Leda?' Olivier houdt het open boek op zijn knie. 'Laat maar. Waarschijnlijk genoot hij van alles wat hij ondernam, behalve misschien het straffen van de andere goden wanneer dat nodig was.'

'O, ik weet niet,' oppert ze vanwege het genoegen van een discussie; waarom is dat altijd zo'n genot, met hem? 'Misschien had hij de lieflijke Leda liever in de gedaante van een mens bezocht. Misschien had hij zelfs wel het verlangen een paar uur een gewoon mens te zijn, een gewoon leven te leiden.'

'Nee, nee.' Olivier pakt het boek en legt het weer neer. 'Ik vrees dat ik het niet met je eens ben. Stel je voor hoe heerlijk het moet zijn om als zwaan over het landschap te zweven en haar dan te ontdekken.'

'Tja, het zal wel.'

'Zou het geen magnifiek schilderij zijn? Net wat de jury van de Salon graag ziet.' Hij zwijgt even. 'Het is natuurlijk vaker vertoond, maar stel dat je het op een frisse manier doet, in een nieuwe stijl... een oud onderwerp, maar dan geschilderd voor ons tijdperk, natuurlijker?'

'Wat je zegt... Waarom probeer je het niet?' Ze legt het schaartje neer en kijkt hem aan. Zijn enthousiasme, zijn persoonlijkheid, vervult haar met een liefde die zich ophoopt in haar keel, achter haar ogen, en haar overstroomt terwijl ze het borduurwerkje op haar schoot verschikt.

'Nee,' zegt hij. 'Alleen een stoutmoediger schilder dan ik zou het kunnen, iemand met een goed gevoel voor zwanen, maar ook een onbevreesd penseel. Jij, bijvoorbeeld.'

Ze pakt haar werk weer op, haar naald, de borduurzijde. 'Onzin. Hoe zou ik zoiets kunnen schilderen?'

'Met mijn hulp,' zegt hij.

'O, nee.' Ze noemt hem bijna 'liefste', maar verbijt het woord. 'Ik heb nog nooit zo'n ingewikkeld doek opgezet en ik zou een model voor Leda moeten hebben, natuurlijk, en een achtergrond.'

'Je zou het grootste deel buiten kunnen schilderen.' Hij kijkt haar strak aan. 'Waarom niet in je tuin? Dat zou het nieuw en fris maken. Je zou een zwaan in het Bois de Boulogne kunnen tekenen; dat heb je al gedaan, en heel goed. En je zou je kamermeisje als model kunnen nemen, zoals eerder.'

'Het is zo'n... Ik weet het niet. Het is een uitgesproken onderwerp voor mij, voor een vrouw. Hoe zou Madame Rivière zoiets ooit kunnen indienen?'

'Dat is haar probleem, niet het jouwe.' Hij meent het, maar hij glimlacht er flauwtjes bij en zijn ogen lichten op. 'Zou je bang zijn, als ik je hielp? Kun je het risico niet nemen? Dapper zijn? Zijn er geen dingen die boven de publieke kritiek uitstijgen, dingen die je moet proberen en koesteren?'

Het moment is aangebroken; zijn uitdaging, haar paniek, haar hele verlangen dat opwelt in haar borst. 'Als jij me hielp?'

'Ja. Zou je dan nog bang zijn?'

Ze dwingt zichzelf hem aan te kijken. Ze verdrinkt. Hij zal raden dat ze hem wil, en ze wil hem, al probeert ze de woorden niet uit te spreken. 'Nee,' zegt ze bedachtzaam. 'Als jij me zou helpen, hoefde ik niet bang te zijn. Ik geloof niet dat ik ergens echt bang voor zou kunnen zijn. Met jou erbij.'

Hij houdt haar blik vast en ze is blij dat hij niet glimlacht; ze ziet geen triomf, niets wat ze tot ijdelheid kan herleiden. Hij lijkt eerder tot tranen toe geroerd te zijn. 'Dan help ik je,' zegt hij zo zacht dat ze het amper kan verstaan.

Ze zegt niets, zelf op het punt in tranen uit te barsten.

Hij kijkt haar lang aan en pakt dan het boek weer. 'Wil je het verhaal van Leda horen?'

89

Marlow

We aten die avond aan een tafel bij de bar in de lobby, aan de open kant van het hotel, waar we de net niet zichtbare golven hoorden razen en de bladeren van kokospalmen langs zagen vliegen. Het briesje van die middag was een fikse wind geworden, die de bladeren zo door elkaar schudde en liet ritselen dat het geluid zo gestaag was als dat van de zee, en ik moest weer aan *Lord Jim* denken. Ik vroeg Mary wat ze aan het lezen was en ze vertelde over een hedendaagse roman waar ik niet van had gehoord, een vertaling van een jonge Vietnamese schrijver. Mijn aandacht dwaalde van haar woorden naar haar ogen, die vreemd diep leken te liggen in het flakkerende licht van onze kaars, en haar smalle jukbeenderen. De barkeepers klommen op krukken om fakkels in stenen houders hoog boven de glazen en flessen aan te steken, zodat de bar op een offeraltaar leek; het dramatische effect van een ontwerper uit de cultuur van de Maya's of de Azteken.

Ik zag dat Mary haar hoofd er ook niet meer bij had, al vertelde ze me nog steeds over de bootvluchtelingen uit het boek, en het viel me op dat er maar één ander stel bij ons in de buurt zat te eten, terwijl drie kinderen een rode papegaai plaagden die een paar meter verderop op een stok zijn veren zat op te strijken. Toeristen kwamen binnen uit de storm, een man in een rolstoel die werd geduwd door een jongere vrouw die zich naar hem boog om iets te zeggen, een drentelend gezin met glanzend haar dat naar de effen turkooizen fonteinen en de geplaagde vogel keek.

Terwijl ik het allemaal aanzag, voelde ik me in tweeën gesplitst, half gefascineerd door Mary's aanwezigheid – het lichte haar op haar armen en het nog fijnere, bijna onzichtbare dons op haar wang in het kaarslicht – en half in de ban van al het nieuwe van de omgeving, de geuren en weergalmende ruimtes, de passerende mensen... op weg naar wat voor genoegens? Ik was zelden op een plek geweest die zuiver voor vertier was gebouwd; mijn ouders hadden niet echt in zulke ervaringen geloofd en er geen geld aan willen besteden, en mijn volwassen leven had bijna alleen om mijn werk gedraaid, met af en toe een stichtelijk uitstapje of schilderexcursie. Dit was anders, ten eerste vanwege de zachte wind, de luxe van elk oppervlak en de geur van zee en palmen, maar ook vanwege het ontbreken van eeuwenoude architectuur of een nationaal park, iets om te bestuderen of te verkennen, een rechtvaardiging; deze plek diende alleen ter ontspanning.

'Het is allemaal aanbidding van de zee, hè?' zei Mary, en het drong tot me door dat ze de beschrijving van haar boek had onderbroken om mijn gedachtegang voor me af te maken. Ik kon geen woord uitbrengen; mijn keel werd dichtgeknepen; het was zuiver toeval, de samenloop van onze gedachten, maar ik wilde over de tafel duiken om haar te kussen, ik moest bijna huilen – en om wat? Om de mensen van vroeger die niet meer leefden en dit moesten missen, misschien, of om iedereen die niet mij was op dit moment, niet mijn hoogst fortuinlijke zelf, met alles waar ik naar uit leek te kunnen zien.

Ik knikte om, naar ik hoopte, blijk te geven van oordeelkundige instemming, en we aten zwijgend door. De smaak van guave en salsa van de verfijnde vis nam me een paar minuten in beslag, maar ik bleef naar haar kijken, of me door haar laten bekijken. Ik zag mezelf als in een spiegel aan de andere kant van de bar: mijn beste tijd een stukje achter me, met brede, maar iets kromme schouders, haar dat nog dik was, maar ook grijs werd, de lange rimpels van mijn neusvleugels naar mijn mondhoeken, die nog dieper leken in het zwakke licht, mijn middel (onder het linnen servet) nog zo slank als ik het wist te houden. Ik had lang kameraadschappelijk en zonder eisen te stellen geleefd met dit lichaam, waarvan ik niet meer vroeg dan dat het me van en naar mijn werk bracht en dat het een paar keer per week wat beweging nam. Ik had het gekleed, gewassen en gevoed en het vitaminen laten slikken. Over een paar uur zou ik het in Mary's handen leggen, als ze dat nog wilde.

Toen ik daaraan dacht, huiverde ik, eerst van genot: haar vingers in mijn nek en tussen mijn benen, mijn handen op haar borsten, die ik alleen kende van hun vage omtrek in haar blouses. Toen huiverde ik van gêne: mijn jaren overgeleverd aan het licht van een schemerlamp bij het bed, mijn lange jaren zonder liefde, mijn mogelijke plotselinge falen en haar teleurstelling. Ik moest de gedachte aan Kate uit mijn hoofd bannen, en de gedachte aan Robert, liggend op hen allebei, Kate en Mary. Wat deed ik hier, met weer een van zijn vrouwen? Maar ze was nu iets anders voor me geworden; ze was zichzelf. Hoe had ik hier niet met haar kunnen zijn? 'O, god,' zei ik hardop.

Mary keek met haar vork bij haar lippen naar me op, geschrokken, en haar haar viel als een gordijn over haar ene schouder naar voren. 'Niets,' zei ik. Ze nam kalm een slok water, zonder iets te vragen. In stilte bedankte ik haar omdat ze niet het soort vrouw was dat continu vraagt wat je denkt. Toen viel het me in dat ik veel geld verdiende door mensen de hele dag uitgerekend die vraag te stellen, en ik glimlachte tegen wil en dank. Mary keek me zichtbaar verwonderd aan, maar zei niets. Ze was, besefte ik overspoeld door genegenheid, iemand die niet eens alles wilde weten. Ze had haar eigen sfeer om zich heen, haar prachtige bedeesdheid.

Na het eten gingen we zonder iets te zeggen samen naar boven, alsof de woorden ons waren ontnomen; de paar seconden die het me kostte om onze kamerdeur open te maken, kon ik me er niet toe zetten naar haar te kijken. Ik vroeg me af of ik op de gang moest wachten terwijl zij in de kamer of de badkamer bezig was en besloot dat haar vragen of ze wilde dat ik buiten wachtte nog gênanter was dan met haar mee naar binnen lopen. Ik liep dus achter haar aan onze gedeelde ruimte in en ging volledig gekleed op het bed liggen met een *Washington Post* die ik had meegebracht terwijl zij achter de dichte badkamerdeur een douche nam. Toen ze weer tevoorschijn kwam, had ze een badjas van het hotel aan, wit en dik, haar natte haar als een waaier eroverheen. Haar gezicht en hals zagen rood. We keken elkaar roerloos aan. 'Ik ga ook even douchen,' zei ik terwijl ik probeerde de krant op te vouwen en vervolgens normaal op het bed te leggen.

'Goed,' zei ze. Haar stem klonk gespannen en afstandelijk. Ze heeft er spijt van, dacht ik; ze heeft er spijt van dat ze met me mee is gegaan en zich in deze situatie met mij heeft gemanoeuvreerd. Nu voelt ze zich in het nauw gedreven. Opeens dacht ik hardvochtig: jammer dan; we zitten in hetzelfde schuitje en we moeten ons maar zien te redden, er het beste van zien te maken. Ik stond op zonder nog iets tegen haar te zeggen en trok mijn sokken en schoenen uit; mijn voeten leken erbarmelijk mager op het lichte tapijt. Ik pakte mijn toilet-

tas uit mijn koffer en Mary ging voor me opzij om me in de badkamer te laten. Hoe had ik ooit kunnen denken dat dit iets zou worden?
Ik sloot de deur zacht achter me. Waarschijnlijk mankeerde er nóg iets
aan de man in de spiegel: hij was niet Robert Oliver. Nou, Robert kon
ook doodvallen. Ik kleedde me uit en dwong mezelf mijn blik niet af
te wenden van het toefje zilverkleurig mos midden op mijn borst. Ik
had mijn conditie tenminste nog, mijn spieren van het hardlopen, maar
die zou ze nu nooit meer voelen. Het was tenslotte niet nodig om wat
dan ook door te zetten. Mary's verleden was niet terug te draaien. Het
was dwaas van me geweest het te willen proberen.

Ik waste me onder de harde straal met water dat zo heet was dat het
pijn deed en zeepte mijn genitaliën in, al zou ze die waarschijnlijk niet
aanraken. Ik schoor mijn middelbare kin met zorg voor de spiegel en
trok de andere hotelbadjas aan. ('Als u weg bent van onze badjas, kunt
u er een kopen in de hotelwinkel in de receptie!' – gevolgd door een
schrikbarend bedrag in peso's.) Ik poetste mijn tanden en kamde mijn
handdoekdroge haar. Het was ook niet mogelijk zo laat in het leven
nog een ander toe te laten, niet serieus; dat was duidelijk. Ik begon me
af te vragen hoe we zouden kunnen slapen nadat we niet hadden ge-
vrijd. Ik kon nog altijd een eenpersoonskamer voor mezelf nemen; ik
zou haar het grote bed gunnen, mijn koffer pakken en haar gerieflijk
alleen laten slapen. Ik hoopte dat we die kamerverdeling, en wat die
ook mocht inhouden, zonder ruzie zouden kunnen oplossen, waardig
en beschaafd. Ik zou op het juiste moment tegen haar zeggen dat ik
er alle begrip voor had als ze eerder uit Acapulco weg wilde. Toen ik
dit met mezelf had afgesproken en mijn vuist een paar seconden had
gebald om mijn ademhaling in bedwang te krijgen, kon ik uit de badkamer komen zonder meer te betreuren dan dat ik mijn dampende
wijkplaats moest verlaten voor zo'n gesprek.

Tot mijn verwondering was de kamer donker. Ik dacht even dat ze
het probleem zelf had opgelost door een andere kamer te nemen, maar
toen zag ik iets wits oplichten in een hoek: ze zat op de rand van het
bed, net buiten het licht dat door de badkamerdeur viel. Haar haar was
zo donker als de kamer, en de omtrek van haar naakte lichaam was
vaag. Ik knipte met versteende vingers het badkamerlicht uit en zette
twee passen in haar richting voordat ik op het idee kwam mijn badjas
uit te doen. Ik hing hem over de bureaustoel, of waar ik dacht dat die
stond, en was met nog een paar weifelende passen bij haar. Zelfs toen

durfde ik mijn handen nog niet naar haar uit te steken, maar ik voelde dat ze opstond om me tegemoet te komen, zodat de warmte van haar adem dicht bij mijn mond kwam en ik de warmte van haar huid tegen me aan voelde. Ik had het koud gehad, besefte ik. Ik had jaren kou geleden. Haar handen streken als twee vogels op mijn kille, naakte schouders neer. Toen vulde ze langzaam alle andere lacunes: mijn sprakeloze mond, de holle ruimte in mijn borstkas en mijn lege handen.

Ik tekende de menselijke anatomie voor het eerst in een cursus van George Bo op de Art League School; ik volgde de cursus twee keer in de loop van een lange periode, en toen nog een cursus schilderen van het menselijk lichaam, want ik besefte dat mijn portretten nooit beter zouden worden tenzij ik leerde welke spieren er onder het gezicht, de nek, armen en handen zitten. Tijdens de lessen tekenden we eindeloos spieren, maar uiteindelijk mochten we ze met huid bedekken, die lange, gladde lijnen; over de spieren die ons laten lopen, buigen en strekken, tekenden we huid. Er is zoveel dat zelfs een opmerkzaam iemand niet van het lichaam weet, zoveel verborgens in ons allemaal.

Toen ik de anatomie als kunstenaar begon te bestuderen, jaren nadat ik die als student geneeskunde had bestudeerd, vroeg ik me af of dit nieuwe perspectief me weer klinisch naar lichamen zou laten kijken, wat natuurlijk niet zo was. De wetenschap welke spieren de kuiltjes onderaan links en rechts van de ruggengraat maken, doet niets af aan mijn verlangen die kuiltjes te strelen, en dat geldt ook voor de manier waarop de ruggengraat zelf de rug delicaat doorsnijdt. Ik kan de spieren tekenen die het middel soepel naar links en rechts laten buigen, al heb ik ze meestal niet nodig voor mijn portretten omdat ik mijn modellen liever vanaf het borstbeen afbeeld, zodat ik me op de schouders en het gezicht kan concentreren, maar het borstbeen ken ik ook, en de spieren die ervan uitwaaieren, en de gladde, ronde haak van de sleutelbeenderen en de tere huid ertussen. Als het moet, kan ik de gespannen spieren tekenen in een dijbeen, het lange stuk tussen knie en bil, de stevige zwelling naar de binnendij. De schilder laat spieren door de huid heen zien, door de kleding heen, maar hij of zij beeldt ook iets anders af, iets wat zowel ongrijpbaar is als onwrikbaar: de warmte van het lichaam, de hitte en kloppende realiteit ervan, het leven. En in het verlengde daarvan ook de bewegingen van het lichaam, de zwakke geluiden, het getij van gevoelens dat opkomt en ons overspoelt wanneer we genoeg worden bemind om onszelf te vergeten.

Ergens tegen de ochtend legde Mary haar hoofd op mijn borst en viel in slaap; en ik, met haar in mijn voorheen lege armen, viel ook meteen in slaap, met mijn wang tegen haar haar.

90

1879

Die avond op haar kamer staart ze bij het licht van een kaars nog lang in een boek, zonder iets te zien of te begrijpen. Wanneer de klok beneden middernacht slaat, borstelt ze haar haar uit en hangt haar kleren op de haken in de garderobekast. Ze trekt haar andere nachtpon aan, de mooiste, die met de ruches langs de hals en polsen en de miljoenen plooitjes over haar borsten, en strikt haar kamerjapon erover. Ze wast haar gezicht en handen bij de waskom, trekt haar geluidloze, met gouddraad geborduurde muiltjes aan, pakt haar sleutel en blaast de kaars uit. Ze knielt bij het bed en bidt kort, ter herdenking van de staat van genade die ze achter zich gaat laten en bij voorbaat om vergiffenis vragend. Verdorven genoeg ziet ze Zeus voor zich wanneer ze haar ogen sluit.

Haar deur kraakt niet. Wanneer ze aan de zijne voelt, aan het eind van de gang, blijkt die niet op slot te zitten en haar hart bonst van zekerheid; ze sluit de deur oneindig zacht achter zich en draait hem op slot. Hij zit ook te lezen, in de stoel bij het raam met de gordijnen ervoor, bij het licht van een enkele kaars op het bureau. Zijn gezicht is oud, als een schedel in het spaarzame licht, en ze vecht tegen de aandrang naar haar eigen kamer terug te gaan. Dan vinden zijn ogen de hare en ze zijn kalm, zacht. Hij heeft een donkerrode ochtendjas aan die ze nog nooit heeft gezien. Hij slaat het boek dicht, blaast de kaars uit en staat op om de gordijnen een stukje open te trekken; ze begrijpt dat ze elkaar nu tenminste vaag kunnen onderscheiden in het licht van de gaslantaarn op straat, zonder dat iemand buiten hen kan zien. Ze heeft zich niet verroerd. Hij komt naar haar toe en legt zijn handen zacht op haar schouders. Hij zoekt haar ogen in het schemerige licht. 'Mijn liefste,' fluistert hij. Dan haar naam.

Hij kust haar mond, te beginnen bij een mondhoek. Door haar angst en twijfel heen ziet ze een zich ontvouwend panorama, een weg in de zon, een plek waar hij jaren voordat ze hem kende moet hebben gewandeld, mogelijk jaren voordat ze werd geboren, een weg die zich uitrolt onder platanen. Hij kust haar lippen, een fractie per keer. Zij legt haar handen nu ook op zijn schouders, en zijn botten zijn knokig onder de zijde, het mechaniek van een goed gebouwde klok, een tak aan een statige boom. Hij drinkt van haar mond, proeft van de jeugd erin, vertelt in de holte in haar wat de liefde hem tientallen jaren hiervoor heeft geleerd, een kiezeltje in de put gooiend.

Wanneer ze zachtjes kreunt, recht hij zijn rug, knoopt haar nachtpon vanaf het bovenste pareltje open, schuift zijn gebogen, tedere hand erin, strijkt de nachtpon over haar schouders en laat hem rond haar voeten op de vloer glijden. Even is ze bang dat dit voor hem niet meer is dan de zoveelste anatomische les, man van de wereld die hij is, oude meester van het penseel, modellenvriend, maar dan raakt hij met zijn ene hand haar mond aan en laat de andere langzaam naar beneden glijden en ze ziet het blinken, de sporen van zout water op zijn gezicht. Hij is degene die een huid afwerpt, niet zij; hij is degene die ze in haar armen zal troosten tot het bijna ochtend is.

91

Marlow

Caillet woonde in een huis dat uitkeek over de baai van Acapulco, in een straat hoog boven de watervlakte in een buurt met elegante adobe huizen tussen de oleanders en met bougainville getooide gepleisterde muren. Er werd opengedaan door een man met een snor en een wit smokingjasje, als van een ober. Binnen de poort was een andere man, in het bruin gekleed, nauwgezet bezig het gras en een sinaasappelboom water te geven. Er zaten vogels in de takken en er klommen rozen langs de luiken van het huis omhoog. Mary, die naast me stond in haar lange rok en lichte blouse, keek om zich heen – naar de kleuren, wist ik – zo waakzaam als een kat, met haar hand onbeschaamd in de mijne. Ik had Caillet die ochtend gebeld om me ervan te verzekeren dat hij me verwachtte, en ik had gevraagd of hij het goedvond dat ik mijn vriendin meebracht, een schilderes, waarvoor hij plechtig toestemming had gegeven. Hij had een volle, diepe stem aan de telefoon, met een accent dat Frans zou kunnen zijn, dacht ik.

Nu ging de deur tussen de bloemen open en er kwam een man naar ons toe om ons te begroeten; Caillet zelf, dacht ik onmiddellijk. Hij was niet lang, maar uitgesproken aanwezig. Hij droeg een zwart jasje met opstaande boord op een diepblauw overhemd, en hij had een sigaar in zijn hand, waaruit de rook rondom hem opkringelde in de deuropening. Zijn haar was wit en dik, borstelig, en zijn huid had de kleur van baksteen, alsof de Mexicaanse zon hem in de loop der jaren geheimzinnig ziek had gemaakt. Van dichtbij zag ik dat hij een oprechte glimlach had en donkere, flets geworden ogen. We gaven elkaar een hand. 'Goedemorgen,' zei hij met de bariton die ik aan de telefoon had gehoord, en hij gaf Mary een handkus, maar achteloos. Toen hield hij de deur voor ons open.

Het was heel koel in het huis, dankzij de airconditioning en dikke muren. Caillet ging ons voor door de lage hal en vrolijk geschilderde deuren naar een grote, weidse kamer met zuilen. Daar keek ik verbijsterd om me heen naar schilderijen waarvan de kwaliteit van alle muren op me af sprong. De meubelstukken waren modern en onopvallend, een bijkomstigheid, maar de schilderijen hingen in rijen van vier of vijf vanaf mijn middel tot aan het plafond, caleidoscopisch. Ze omspanden allerlei stijlen en tijdperken, van een paar doeken die van zeventiende-eeuwse Hollandse of Vlaamse meesters leken te zijn tot en met abstracten en een verontrustend portret dat volgens mij een Alice Neel moest zijn, maar het impressionisme had de overhand: zonnige velden, tuinen, populieren, water. Het was alsof we over een drempel van Mexico naar Frankrijk waren gestapt, een ander licht in. Sommige schilderijen om ons heen konden natuurlijk uit het negentiende-eeuwse Engeland afkomstig zijn, of uit Californië, maar op het eerste gezicht kreeg ik het gevoel dat we naar Caillets erfgoed keken, plekken die hij zelf misschien had gekend en waar hij had gewandeld; misschien was dat een van de redenen waarom hij die landschappen had verzameld.

Ik hoorde dat Mary zich bewoog; ze had zich omgedraaid en stond nu voor een groot doek naast de deur waardoor we binnen waren gekomen. Het was een wintertafereel met sneeuw, de oever van een rivier, goudkleurige struiken onder hun romige last, het wateroppervlak bevroren tot een zilverig patina met lichte, olijfkleurige wakken, de vertrouwde penseelstreken en lagen, wit dat geen wit was, goud, lavendel en de dikke zwarte naam en het jaartal rechtsonder. Een Monet.

Ik keek naar Caillet, die bedaard bij zijn minimalistische bank stond en de rook van zijn sigaar (schokkend) langs al die schatten liet slierten. 'Ja,' zei hij, hoewel ik niets had gevraagd. 'Ik heb hem in 1954 in Parijs gekocht.' Zijn accent was scherp, maar de stem eronder vol en vriendelijk. 'Het was heel duur, zelfs toen al, maar ik heb er nooit een moment spijt van gehad.' Hij gebaarde en we voegden ons bij hem op het lichtgrijze linnen van de bank. Er stond een glazen tafel met een bloeiende, stekelige plant en een boek met schilderijen: *Antoine et Pedro Caillet: Une Rétrospective Double*. Op het gelamineerde omslag stonden twee verticale schilderijen afgebeeld, sterk uiteenlopend in vorm en kleur, maar naast elkaar afgebeeld versterkten ze elkaar in een gedwongen tweeluik; ik herkende de stijlen van een paar abstracte doeken in het vertrek. Ik snakte ernaar het boek te pakken en door te bladeren, maar wilde niet vrijpostig zijn, en de man in het witte jasje kwam een met glazen en karaffen beladen dienblad binnenbrengen: ijs, limoen, jus d'orange, een fles spuitwater, een takje met witte bloemen. Caillet mixte onze drankjes zelf. Ik begon te denken dat hij net zo zwijgzaam was als Robert Oliver, maar hij bood Mary het takje met bloemen aan: 'Die mag u schilderen, jongedame.' Ik verwachtte dat ze fel zou reageren, net als wanneer ik zoiets tegen haar had gezegd, maar ze glimlachte en streelde de bloemen op haar donkere schoot. Caillet tikte de as van zijn sigaar af in een glazen schaal op de glazen tafel en wachtte tot zijn bediende de luiken aan één kant van de kamer had gesloten, zodat de helft van de schilderijen onzichtbaar werd. Toen richtte hij zich eindelijk tot ons.

'U wilt meer weten over Béatrice de Clerval. Ja, ik heb vroeg werk van haar gehad, en zoals u misschien hebt gelezen, is er alleen maar vroeg werk van haar. Naar wordt aangenomen stopte ze op haar achtentwintigste met schilderen. U weet vast wel dat Monet tot zijn zesentachtigste heeft geschilderd en Renoir tot zijn negenenzeventigste. Picasso heeft natuurlijk doorgewerkt tot aan zijn dood, op zijn eenennegentigste.' Hij gebaarde naar een reeks van vier stierengevechten achter zijn rug. 'Kunstenaars blijven meestal werken. Clerval was dus een geval apart, maar vrouwen werden ook niet aangemoedigd. Ze was bijzonder getalenteerd. Ze had een van de groten kunnen worden. Ze was maar iets jonger dan de eerste impressionisten, elf jaar jonger dan Monet, bijvoorbeeld. Moet je nagaan.' Hij drukte zijn sigaar uit in de glazen schaal. Zijn nagels zagen er gemanicuurd uit; ik had nog nooit een oude man met zulke volmaakte handen gezien, en zeker geen schilder. 'Ze was een belangrijk kunstenares geworden, net als Morisot en Cassatt, als ze zichzelf de weg niet had versperd.' Hij leunde weer achterover.

'U zei dat u werk van haar hebt gehad. Hebt u het niet meer?' Ik keek onwillekeurig om me heen in de spelonkachtige kamer. Mary keek ook speurend rond.

'O, ik heb nog wel iets, maar ik heb het meeste in 1936 en 1937 verkocht om mijn schulden af te betalen.' Caillet streek zijn haar naar achteren. Hij leek totaal geen spijt te hebben van zijn beslissing. 'Ik had haar schilderijen gekocht bij Henri Robinson, die trouwens nog leeft. In Parijs. We hebben geen contact meer, maar ik ben zijn naam kortgeleden in een artikel in een tijdschrift tegengekomen. Hij schrijft nog steeds over literatuur, meubelen en filosofie. Filosofie en bric-à-brac.' Ik dacht dat hij minachtend zou hebben gesnoven als hij er de man naar was geweest om te snuiven.

'Wie is Henri Robinson?' vroeg ik.

Caillet keek me even aan en liet zijn blik toen naar de kerstcactus glijden, of wat het ook was, op de tafel tussen ons in. 'Hij is een goed criticus en collectioneur, en hij was tot haar dood de geliefde van Aude de Clerval. De dochter van Béatrice. Ze heeft hem het schilderij nagelaten dat ongetwijfeld Béatrice' meesterwerk moet zijn. *Zwanenroof.*'

Ik knikte in de hoop dat hij verder zou vertellen, al was het schilderij nergens genoemd in het materiaal dat ik tot nog toe had gelezen, maar Caillet leek weer in zijn diepe zwijgen te zijn vervallen. Hij viste in de binnenzak van zijn jasje en diepte uiteindelijk een sigaar op, een kleine dunne dit keer, als een kind van de eerste. Na nog even zoeken vond hij een zilveren aansteker, en zijn fraai gemanicuurde oude handen werkten het hele ritueel af van aansteken en een hand om de sigaar houden. Hij nam een trek en de rook kringelde van hem weg.

'Hebt u Aude de Clerval zelf gekend?' vroeg ik uiteindelijk. Ik begon me af te vragen of we meer dan de meest elementaire informatie aan deze elegante man zouden kunnen ontlokken.

Hij leunde weer achterover en steunde zijn ene arm met de hand van de andere. 'Ja,' zei hij. 'Ja, ik heb haar gekend. Ze heeft me mijn minnaar afgepakt.'

Op die tot nadenken stemmende verklaring volgde een lange stilte waarin Caillet bedachtzaam rookte en Mary en ik als bij afspraak niet naar elkaar keken. Ik wist niet wat ik kon zeggen zonder onze speurtocht in gevaar te brengen en viel uiteindelijk terug op mijn beroepsmatige routine. 'Dat moet heel moeilijk voor u zijn geweest.'

Caillet glimlachte. 'Ja, destijds was het moeilijk, maar dat kwam doordat ik nog jong was en dacht dat het er iets toe deed. Hoe dan ook, ik was op Aude de Clerval gesteld. Het was een fantastische vrouw, op haar eigen manier, en ik denk dat ze mijn vriend gelukkig maakte. Ze heeft het hem ook mogelijk gemaakt ongeveer de helft van mijn collectie te kopen, en zodoende konden mijn broer en ik...' – hij gebaarde naar de museumcatalogus op tafel – '... schilderen. Zo regelt het leven de dingen. Aude wilde de werken van haar moeder hebben die ik had gekocht, vooral *Zwanenroof.* Ik heb het maar kort gehad;

het kwam uit de veiling van de nalatenschap van Armand Thomas, de jongste van de broers, in Parijs.'

Caillet tikte zijn cigarillo in de asbak af. 'Aude dacht dat het het beste schilderij van haar moeder was en ook haar laatste, al weet ik dat nog niet zo zeker. Iedereen blij, zou je kunnen zeggen, maar Aude is in 1966 overleden, dus Henri moet nu al heel lang zonder haar leven. Kennelijk zijn Henri en ik allebei gedoemd heel oud te worden. Hij is nog ouder dan ik, de arme ziel. En Aude was tweeëntwintig jaar ouder dan hij. De nicht en de oude dame, een boeiend stel. Het hart kijkt niet terug. Alleen de geest.' Hij leek zo in zijn gedachten te verzinken dat ik me begon af te vragen of hij nog andere middelen gebruikte dan tabak en tequila, of gewoon was vervallen in de stilte van iemand die alleen leeft.

Deze keer onderbrak Mary zijn gemijmer, en haar vraag verbaasde me. 'Praatte Aude veel over haar moeder?'

Caillet wierp haar een blik toe. Zijn rode gezicht leefde op bij de herinnering. 'Ja, soms. Ik zal vertellen wat ik heb onthouden, al is het niet veel. Ik heb haar maar kort gekend, want toen Henri verliefd op haar werd, ben ik uit Parijs weggegaan en hier gaan wonen, in Acapulco. Ik ben hier opgegroeid, ziet u. Mijn vader was een voornamelijk Franse ingenieur en mijn moeder, die lerares was, was een Mexicaanse. Ik herinner me dat Aude een keer zei dat haar moeder haar hele leven een groot kunstenares was geweest. "Je houdt niet op kunstenaar te zijn," zei ze tegen ons. Ik bracht ertegen in dat een schilder die ophoudt met schilderen geen schilder meer is. Het gaat om het schilderen zelf. Ja, we zaten in een café in de rue Pigalle. Ze zei ook een keer dat haar moeder haar beste vriendin was geweest, wat Henri echt leek te kwetsen. Ze schilderde zelf niet, Aude, en ze verzamelde alleen het werk van haar moeder. Nadat ze *Zwanenroof* van me had gekocht, waakte ze erover als een kloek, een traditie die die arme Henri heeft voortgezet, neem ik aan, want het is nooit ergens geëxposeerd en voor zover ik weet is er ook nooit over geschreven. Ik denk dat Henri Aude wilde omdat ze zo compleet was, zo af, zo *parfaite.* Ze had niemand nodig. Hij was deels Engels, de ouders van zijn vader waren Engels, altijd een beetje het buitenbeentje, en Aude was absoluut, door en door Frans. Misschien wilde hij haar bewijzen dat ze nog één vriend in het leven kon hebben. Ze hebben de oorlog samen onder erbarmelijke omstandigheden doorstaan. Hij is haar tot het eind trouw gebleven. Ze is een langzame dood gestorven.'

Caillet tikte de as van zijn cigarillo, hief zijn hand en wees ermee naar het plafond. Het was duidelijk dat hij lang kon praten, als hij eenmaal op dreef was. 'Aude was niet bepaald zo'n schoonheid als haar moeder, te oordelen naar het portretje van Olivier Vignot – ik bedoel, Béatrice de Clerval was een schoonheid. Maar Aude was lang, met een heel boeiend gezicht; wat ze in het Frans *jolie laide* noemen, het ene moment lelijk en het andere fascinerend. Ik heb haar zelf een keer geschilderd, kort nadat we elkaar hadden leren kennen. Dat portret heeft Henri gehouden. Ik schilder niet vaak portretten, en zelfportretten vertrouw ik niet.' Hij wendde zich tot Mary. 'Schildert u zelfportretten, madame?'

'Nee,' zei ze.

Caillet keek haar nog even aan, met zijn hoofd schuin in zijn hand, alsof ze een afgezant was van een stam die hij ooit had bestudeerd. Toen glimlachte hij weer, en zijn gezicht verried zo'n toegeeflijke vriendelijkheid dat ik onwillekeurig dacht dat hij een schat van een opa zou zijn geweest, aangenomen dat hij dat niet was, uiteraard. 'U bent gekomen voor de schilderijen van Béatrice de Clerval, niet voor een praatzieke oude Mexicaan. Ik zal ze u tonen.'

92

Marlow

We stonden meteen op, maar Caillet bracht ons niet rechtstreeks naar Béatrice' werk. In plaats daarvan gaf hij ons een rondleiding, de langdurige rondleiding van de collectioneur die van zijn schilderijen houdt en ze voorstelt alsof het mensen zijn. Er was een klein doek van Sisley, gedateerd 1894, dat hij in Arles had gekocht, vertelde hij, voor een appel en een ei, want hij had als eerste vastgesteld dat het een Sisley was. Er waren twee doeken van Mary Cassatt, van lezende vrouwen, en een landschap in pastel op bruin papier van Berthe Morisot, vijf groene strepen, vier blauwe, en een streek geel. Dat vond Mary het mooist. 'Het is zo simpel. En perfect.' En er hing een impressionistisch landschap van zo'n grote schoonheid dat we er allebei bij bleven staan: een kasteel, oprijzend uit dicht groen, palmen en gulden licht.

'Dat is Mallorca.' Caillet wees met een stompe vinger. 'Mijn oma van moederskant woonde er en ik logeerde als kind bij haar. Ze heette Elaine Gurevich. Ze woonde natuurlijk niet in dat kasteel, maar we maakten wandelingen ernaartoe. Het schilderij is van haar hand; zij was mijn eerste leermeester. Ze was dol op muziek, boeken en kunst. Ik sliep bij haar in bed, en als ik om een uur of vier 's nachts wakker werd, lag zij altijd te lezen met het licht aan. Ik heb misschien meer van haar gehouden dan van wie ook.' Hij wendde zich af. 'Had ze maar meer geschilderd. Ik had altijd het gevoel dat ik ook een beetje voor haar schilderde.'

Er hing ook twintigste-eeuws werk: De Kooning, een kleine Klee en de abstracten van Pedro Caillet zelf en van zijn broer. Pedro's doeken waren verrassend kleurig en levendig, terwijl die van Antoine voornamelijk uit zilverkleurige en witte lijnen bestonden.

'Mijn broer is dood,' zei Caillet effen. 'Hij is zes jaar geleden in Mexico-stad gestorven. Hij was mijn beste vriend; we hebben dertig jaar samengewerkt. Ik ben trotser op Antoines werk dan op het mijne. Hij was een diepzinnig, beschouwend mens, een fantastisch mens. Zijn werk inspireerde me. Ik ga naar Rome voor een expositie van zijn werk. Dat wordt mijn laatste reis.' Hij streek zijn haar glad. 'Na Antoines dood besloot ik op te houden met schilderen. Dat was zuiverder dan almaar doorgaan. Soms kan een kunstenaar beter niet te lang aan het werk blijven. Dat betekent dat ik geen schilder meer ben. Ik heb mijn laatste schilderij met hem begraven. Wist u dat Renoir zijn penseel aan zijn hand moest laten vastbinden, tegen het eind? Dufy ook.'

Vandaar die onberispelijke nagels, dacht ik, die perfecte blauw en zwarte kleren, het ontbreken van ateliergeuren. Ik had hem graag willen vragen waarmee hij zijn dagen nu vulde, maar het huis, dat al even volmaakt was als zijn eigenaar, maakte het antwoord duidelijk: met ledigheid. Hij had de houding van iemand die peinzend op een afspraak wacht, de patiënt die te vroeg in de wachtkamer komt en geen boek of krant bij zich heeft, maar de glimmende tijdschriften te min vindt. Nietsdoen leek een dagtaak te zijn voor Pedro Caillet; hij kon het zich permitteren en zijn schilderijen hielden hem zwijgend gezelschap. Het trof me dat hij ons niets over onszelf had gevraagd, behalve dan of Mary zelfportretten schilderde; hij leek niet benieuwd te zijn naar het waarom van onze interesse in zijn oude vrienden. Hij had zich zelfs bevrijd van nieuwsgierigheid.

Caillet liep van zijn spelonkachtige woonkamer door de rood met gele deur naar de eetkamer. Hier zagen we iets anders: schatten van Mexicaanse volkskunst. Er stond een lange, groene tafel met blauwe stoelen eromheen onder een blikken, opengewerkte lamp in de vorm van een vogel, en een eeuwenoud houten buffet, allemaal wachtend op gasten, leek het. Aan een van de wanden hing een geborduurd wandkleed in magenta, smaragd en oranje van bedrijvige dieren en mensen tegen een zwarte achtergrond. Aan de wand ertegenover hingen (totaal niet passend, dacht ik) drie impressionistische schilderijen en een realistischer portret in potlood, een vrouwenhoofd, dat twintigste-eeuws aandeed. Caillet stak een hand op als om ze allemaal te begroeten. 'Aude was vooral gebrand op deze drie doeken,' merkte hij op, 'dus heb ik ze niet aan haar verkocht. Verder was ik heel beleefd, en ik heb haar al het andere verkocht, mijn hele collectie – die niet groot was, twaalf stuks, misschien, want zoveel had Béatrice niet geschilderd.'

De schilderijen, die op het eerste gezicht al opmerkelijk waren, getuigden van een ingehouden, schitterend impressionistisch talent. Op een ervan stond een meisje met goudblond haar voor een spiegel. Een kamermeisje, schimmig op de achtergrond, bracht haar haar kleren of liep misschien met iets de kamer uit, of keek gewoon naar haar; die figuur op de achtergrond had iets heimelijks, een glimp in de spiegel, als een geest. Het totaaleffect was lieflijk, sensueel en verontrustend. Ik zag mijn eerste Béatrice de Clerval in het echt, en de weinige doeken die ik sindsdien heb gezien, straalden allemaal diezelfde onbehaaglijke sfeer uit. In een hoek stond een krachtig teken, zo decoratief als een Chinees karakter, tot je de letters ontcijferde: het monogram *BdC*.

Op het grootste doek was een man afgebeeld, zittend op een bank in de schaduw van grof geschilderde bloeiende struiken. Ik dacht aan de tuin uit Béatrice' brieven en zette een stap achteruit om het doek scherper te zien, behoedzaam de blauwe stoelen mijdend. De man, die een boek las, droeg een hoed en een open jas met een sjaaltje om zijn nek. Op de voorgrond bloeiden stralende bloemen, rood, geel en roze, vlammend tegen het groen, terwijl de man waziger was, ontspannen en stevig neergezet, maar veel minder belangrijk in de compositie, leek me. Had Béatrice de Clerval haar echtgenoot een veel minder uitgesproken karakter toegedicht dan haar tuin, of had ze hun intimiteit gewoon in vaagheid gehuld?

Caillet, die aan de andere kant van de tafel stond, bevestigde een paar van mijn vermoedens. 'Die man is de echtgenoot van Béatrice, Yves Vignot, zoals hun dochter Aude heeft bevestigd. U weet misschien dat Aude haar naam na de dood van haar moeder van Aude Vignot in Aude de Clerval heeft laten veranderen? Uit een fanatieke loyaliteit, neem ik aan, of misschien begreep ze wat haar moeder als kunstenares had gepresteerd en wilde ze iets van die glorie op zichzelf laten afstralen. Ze was te trots op haar moeder.'

Hij liep naar een hoek van de eetkamer en keek naar een met kaarsen bezette aardewerken eend op een opengewerkt blikken kastje. Mary en ik richtten onze aandacht op het derde schilderij van Béatrice de Clerval, een vijver in een park, het gladde wateroppervlak in beroering gebracht door de wind, waardoor de weerspiegeling van de overhangende bomen werd verstrooid. Het vakkundig weergegeven tafereel werd opgefleurd door een bloementuin aan een kant van de vijver en de vogels op het water, waaronder een zwaan die net zijn vleugels spreidde om op te vliegen. Het was een verbluffend staaltje; ik dacht dat de weergave van het licht op het water dicht bij die van Monet kwam, in mijn ogen althans. Waarom zou iemand met zo'n talent ooit ophouden met schilderen? De vorm van de zwaan, met snelle streken neergezet, gaf de essentie weer van vliegen, van plotse, vrije beweging. 'Ze moet veel naar zwanen hebben gekeken,' zei Mary.

'Het leeft echt,' beaamde ik. Ik wendde me tot Caillet, die op de rug van een stoel leunde en naar ons keek. 'Weet u waar dit is geschilderd?'

'Toen Aude het van me wilde kopen, heeft ze me verteld dat het in het Bois de Boulogne was, niet ver van hun huis in Passy. Haar moeder had het in juni 1880 geschilderd, vlak voordat ze ermee ophield. Ze noemde het *De laatste zwaan*, dat staat tenminste op de achterkant. Het is echt prachtig, hè? Henri had bijna een moord willen doen om het terug te kopen voor Aude. Hij heeft me er drie keer over geschreven toen ze stervende was. De derde keer was het een boze brief, voor Henri's doen.'

Hij wuifde met zijn hand alsof hij die emotie voor eens en altijd van tafel veegde. 'Ik geloof dat dit Béatrice de Clervals laatste schilderij is, al kan ik het niet bewijzen, maar het zou de titel verklaren – het is haar laatste zwaan – en ik heb nooit iets kunnen vinden over een schilderij van latere datum. Henri denkt natuurlijk dat zijn schilderij het laatste is, *Zwanenroof*. Hij doet er heel vreemd over. Het is waar dat er geen later werk was op de eerste expositie van haar werk in de jaren tachtig, in het Musée de Maintenon in Parijs. Hebt u van die expositie gehoord? Ik heb dit grote doek toen in bruikleen afgestaan. Uiteindelijk doet het er niet toe,' besloot hij terwijl hij langzaam naar voren leunde met zijn handen op de rug van de stoel. 'Het is een subliem schilderij, een van de beste in mijn collectie. Het blijft hier tot mijn dood.'

Hij zei er niet bij wat er daarna mee moest gebeuren, en ik besloot er niet naar te vragen. In plaats daarvan wees ik naar de portretschets. 'Wie is dat?' Het was net geen professioneel werk, een weergave van een vrouw met kort, golvend haar, als van een filmster uit de jaren dertig, een beetje onbeholpen uitgevoerd, maar ook expressief rond de ogen, die vol leven waren, en de smalle, gevoelige mond. Ze leek meer te kijken dan te spreken, alsof ze zich had voorgenomen niets te zeggen, ook later niet, wat haar blik nog indringender maakte. Het was niet echt een knappe vrouw, maar ze had iets heerlijk aantrekkelijks; ze had brutaalweg geweigerd knap te zijn.

Caillet hield zijn hoofd schuin. 'Dat is Aude,' zei hij. 'Ze heeft me dat portret gegeven toen we nog bevriend waren en ik heb het ter ere van haar bewaard. Ik dacht dat ze het fijn zou vinden dat het hier bij de schilderijen van haar moeder hangt. Ik weet wel zeker dat ze het fijn vindt, waar ze nu ook mag zijn.'

'Van wie is het?' In een hoek van de schets stond alleen '1936'.

'Henri. Ze kenden elkaar toen zes jaar. Het was het jaar voordat ik wegging. Hij was vierendertig, ik vierentwintig en Aude zesenvijftig. Ik heb dus dit portret van Aude en hij heeft het mijne, een aardige symmetrie. Ze was niet mooi, zoals ik al zei, maar hij wel.'

Hij wendde zich af alsof het gesprek tot een logisch einde was gekomen, en als hij dat wilde, was het ook zo. Ik stelde het me allemaal snel voor: hij was vlak voor de oorlog naar Mexico gegaan, zodat hij niet alleen aan zijn liefdesperikelen, maar ook aan de naderende ramp in Europa was ontsnapt. Hij was tien jaar jonger dan Henri, en voor een kunstenaar van in de twintig moest Aude stokoud hebben geleken, met haar zesenvijftig jaar (maar vier jaar ouder dan ik nu, drong het met een steek tot me door). De vrouw op de schets zag er echter niet stokoud uit, en ze leek niet op Béatrice de Clerval, als het portret van Vignot betrouwbaar was. Absoluut niet, tenzij je de gloed in de ogen meetelde. Waar en hoe waren Aude en Henri de oorlog doorgekomen? Ze hadden hem beiden overleefd. 'Dus Henri Robinson leeft nog?' flapte ik eruit toen we met Caillet mee terugliepen naar zijn museale woonkamer.

'Vorig jaar nog wel,' zei Caillet zonder naar me om te kijken. 'Hij heeft me een briefje gestuurd op zijn zevenennegentigste verjaardag. Wanneer je zevenennegentig wordt, zul je je al je vroegere *amours* wel herinneren, denk ik.'

Toen we weer bij de banken waren, bood hij ons niet met een hoffelijk gebaar aan te gaan zitten, maar bleef midden in de kamer staan. Hijzelf moest nu achtentachtig zijn, als ik het goed had uitgerekend. Het leek bijna onmogelijk. Hij stond voor ons, elegant, rechtop, met zijn gladde, donkerrode huid, zijn dikke, keurig achterover geborstelde witte haar en zijn goed geperste zwarte pak van ongebruikelijke snit, een volmaakt geconserveerde man, alsof hij op het geschenk van het eeuwige leven was gestuit en zelfs daar op een beleefde manier genoeg van had. 'Ik ben nu moe,' zei hij, hoewel hij eruitzag alsof hij de hele dag zo zou kunnen blijven staan.

'U bent heel vriendelijk geweest,' zei ik meteen. 'Neem me niet kwalijk, maar ik wil u nog één ding vragen. Ik zou Henri Robinson graag willen schrijven, met uw toestemming, om hem om nadere informatie over het werk van Béatrice de Clerval te vragen. Hebt u een adres, en zou u me dat willen geven?'

'Natuurlijk,' zei hij terwijl hij zijn armen over elkaar sloeg, het eerste teken van ongeduld dat ik bij hem had bespeurd. 'Ik zal het voor u opzoeken.' Hij draaide zich om en liep de kamer uit. We hoorden hem met beheerste, zachte stem roepen. Even later kwam hij terug met een stokoud, in leer gebonden adresboek en de man die ons het dienblad met drankjes had gebracht. Ze overlegden met elkaar en de man schreef onder het toeziend oog van Caillet iets voor me op.

Ik bedankte hen beiden – het was een adres in Parijs, met het nummer van een appartement. Caillet controleerde het over mijn schouder. 'U mag hem mijn hartelijke groeten doen, van de ene oude Fransoos aan de andere.' Hij glimlachte alsof hij heel in de verte iets vertrouwds zag, en ik schaamde me ervoor dat ik een zo persoonlijke gunst van hem had gevraagd.

Hij wendde zich tot Mary. 'Tot ziens, kind. Het was fijn om weer eens een mooie vrouw te zien.' Ze reikte hem de hand en hij kuste hem met respect, maar zonder warmte. 'Tot ziens, *mon ami*.' Hij gaf me een hand. Zijn greep was sterk en droog, als tevoren. 'We zullen elkaar waarschijnlijk nooit meer zien, maar ik wens u veel succes met uw naspeuringen.'

Hij liep zwijgend met ons naar de voordeur en hield hem open; de bediende was nergens meer te bekennen. 'Tot ziens, tot ziens,' zei hij weer, maar zo zacht dat we hem amper konden horen. Ik draaide me op het pad om en wuifde naar hem, in de omlijsting van zijn rozen en bougainville, verbazingwekkend rechtop, knap, gebalsemd, alleen. Mary wuifde ook en schudde toen zwijgend haar hoofd. Hij wuifde niet terug.

Toen we die avond voor de tweede keer met elkaar vrijden – we zwommen met meer zelfvertrouwen de stroom in, van de ene dag op de andere oude geliefden – merkte ik dat haar wang nat van tranen was.

'Schat, wat is er?'

'Gewoon... vandaag.'

'Caillet?' raadde ik.

'Henri Robinson,' zei ze. 'Al die jaren zorgen voor de oude vrouw van wie hij hield.' En ze liet haar hand over mijn schouder glijden.

93

1879

Ze komt een tikje laat, maar fris en gewassen aan het ontbijt. Haar ogen zijn nog dik. Haar lichaam is compleet nieuw voor haar, onherkenbaar. Ze heeft haar haar simpel gekapt, zoals altijd wanneer Esmé er niet is. Haar ziel trekt in haar. Misschien is dat hoe zonde voelt, de vorm van de ziel kennen en hem in het lichaam voelen schuren. Haar hart daarentegen voelt schandalig licht, waardoor het een mooie ochtend lijkt: de zee achter de ramen is als een reusachtige spiegel en het mousseline van haar rok voelt prettig aan haar handen. Ze vraagt de waardin slinks of ze weet waar Olivier is, waarbij ze probeert haar recht aan te kijken. De oude vrouw zegt dat monsieur vroeg is gaan wandelen en een envelop voor Béatrice op de tafel in de hal heeft neergelegd. Ze gaat kijken en vindt niets; misschien heeft hij de brief weer gepakt om hem zelf aan haar te geven. Ze moet het hem later vragen.

De vrouw zet hete koffie, broodjes en een taartje met jam voor haar neer; die dikke vrouw op leeftijd in haar blauwe jurk, krom in de schouders en het middel, is van Oliviers leeftijd. Ze voelt een soort plaatsvervangende verontwaardiging voor die oude vrouw met wie Olivier fatsoenlijk zou kunnen trouwen en die hij gelukkig zou kunnen maken. Dan denkt ze aan iets van die nacht, een bepaalde streling die hooguit twee of drie minuten heeft geduurd, maar tastbaar op haar huid is blijven liggen. Ze vraagt bescheiden of er meer boter is, hoort het 'oui' van de vrouw, uitgesproken op een inademing, en voelt de druk van een warme, onpersoonlijke hand op haar schouder. Béatrice vraagt zich af waarom ze zich schuldiger voelt ten opzichte van die onbekende met haar schort en tevreden uitstraling dan ten opzichte van Yves, haar overwerkte en nu bedrogen man, maar het is gewoon zo.

En dan is hij er: Yves Vignot. Het is een van de twee vreemdste momenten van haar leven. Hij komt de eetzaal in als een hallucinatie, zijn handschoenen afstropend, zijn hoed en wandelstok al ergens bij de ingang; nu herinnert ze zich dat ze de voordeur open en dicht heeft horen gaan. Het kleine hotel is vol van hem, hij is overal, een waas van een nette donkere jas, een glimlach door een baard, zijn 'eh, bien'. Hij wilde haar verrassen, maar haar verrassing is bijna een bezwijming. De prettig provinciale ruimte, een beetje grof en nieuw, gaat heel even over in hun kamers in Passy, alsof hij hier is opgeroepen door haar verrukking, haar schuldgevoel.

'Ik heb je echt aan het schrikken gemaakt!' Hij gooit zijn handschoenen op tafel en komt naar haar toe om haar te kussen, en het lukt haar op tijd te gaan staan. 'Het spijt me, lieve. Ik had beter moeten weten.' Zijn gezicht is een en al berouw. 'En je bent nog steeds niet helemaal gezond... Hoe kwam ik op het idee je te verrassen?' Zijn kus op haar wang is warm, alsof hij weet dat die haar zal herstellen.

'Wat een heerlijke schrik,' brengt ze moeizaam uit. 'Hoe kon je wegkomen?'

'Ik heb gezegd dat mijn beminde echtgenote ziek was en dat ik voor haar moest zorgen – o, ik heb geen gevaarlijke ziekte genoemd, maar mijn chef leefde met me mee, en aangezien alle anderen ondergeschikt zijn aan mij...' Hij glimlacht.

Ze kan niets te zeggen bedenken wat er niet beverig uit zou komen of als een leugen zou klinken. Gelukkig gaat hij op in zijn blijdschap om het weerzien en het avontuur van zijn reis, dus tegen de tijd dat ze weer gaan zitten en haar koffie koud is, heeft hij al geconstateerd dat ze er beter uitziet dan verwacht, en dat de treinverbinding beter is dan hij zich herinnerde en dat hij dolblij is dat hij weg is van kantoor. Nadat hij zijn handen heeft gewassen en twee koppen koffie en een grote portie brood, boter en jamtaart naar binnen heeft gewerkt, vraagt hij of hij haar vertrekken mag zien. Hij heeft al een kamer voor zichzelf gereserveerd; hij zal geen inbreuk maken op haar koninkrijkje, voegt hij er met een kneepje in haar schouder aan toe. Wat is hij groot en waardig, maar toch vrolijk, met zijn dikke, goedverzorgde baard. Wat is hij jong, denkt ze.

Op weg naar boven slaat hij zijn arm om haar middel. Hij heeft haar gemist, zegt hij, nog meer dan hij had gedacht. Niet dat hij dacht dat hij haar niet zou missen, maar hij miste haar nog meer. Ze kan wel huilen om zijn blijdschap. Ze was vergeten hoe veilig zijn arm voelt, hoe stevig; door de aanraking herinnert ze het zich weer. In haar kamer sluit hij de deur achter hen en bewondert alles met de luchthartigheid van een vakantieganger: de schelpen die ze heeft verzameld voor op de toilettafel, het gepolitoerde bureautje waaraan ze schetst bij slecht weer. Ze beschrijft alles zo uitvoerig mogelijk. Hij hoort het allemaal glimlachend aan.

'Je ziet er kerngezond uit, nu ik je goed bekijk. Je hebt echt rozen op je wangen.'

'Tja, ik heb bijna elke ochtend en middag buiten geschilderd.' Hierna zal ze hem haar doeken laten zien.

'Ik hoop dat Olivier met je meegaat,' zegt hij een tikje streng.

'Natuurlijk.' Ze vindt haar doek met de vissersboten van de eerste sessies en reikt het hem aan. 'Hij heeft me zelfs aangespoord elke dag te werken, als ik me maar warm kleed. Ik denk er altijd om dat ik me warm moet kleden.'

'Dit is prachtig.' Hij houdt het schilderij op en ze beseft met een steek hoe hij haar altijd heeft aangemoedigd, lang voordat Olivier zich aandiende. Dan zet hij het voorzichtig neer, want hij begrijpt dat het nog niet droog is, en pakt haar handen. 'En jij bent stralend.'

'Ik ben nog wat vermoeid,' zegt ze, 'maar dank je wel.'

'Je bloost zelfs – nu ben je echt weer de oude.' Hij houdt haar handen gevangen in de zijne, nu stevig, en geeft haar een trage kus. Zijn lippen zijn haar vertrouwd, en beangstigend. Hij omvat haar gezicht, kust haar nog eens, trekt zijn jas uit en mompelt iets over een bad dat hij nog moet nemen. Hij draait de deur op slot en trekt de gordijnen dicht. De reis en de vakantie van zijn werk hebben hem weer jong gemaakt, prevelt hij, of dat denkt ze tenminste te verstaan, want hij zegt het vanachter het gordijn van haar haar, waar hij de spelden uit heeft getrokken, en dan nog eens tijdens zijn tedere openknopen, losgespen en losmaken van haakjes. Hij trekt een trage lijn langs haar lichaam op het bed en neemt haar op zijn lome, achteloze manier. Ze reageert als vanouds en de kloof tussen hen dicht zich met een vurige vertrouwdheid, ondanks de beelden achter haar oogleden. Hij heeft haar al maanden niet meer benaderd, en nu begrijpt ze dat hij zich waarschijnlijk heeft ingehouden omdat hij zich zorgen maakte om haar gezondheid. Hoe had ze iets anders kunnen denken?

Ten slotte slaapt ze even met haar hoofd op de schouder van die vermoeide, verbazend jonge man met zijn aanwassende banksaldo, een man die zijn leven even is ontvlucht en een trein heeft genomen om weer dicht bij haar te zijn.

Geachte Monsieur Robinson,

Neem me niet kwalijk dat ik u schrijf. U kent me niet. Ik werk als psychiater in Washington; sinds kort ben ik betrokken bij de behandeling van een vooraanstaand Amerikaans kunstenaar. Zijn geval is vrij ongebruikelijk, en het gaat ten dele om een obsessie voor de Franse impressionistische schilderes Béatrice de Clerval. Ik heb begrepen dat u zowel zakelijk als privé een band met haar had en dat u collectioneur bent van haar werk, waaronder Zwanenroof.

Zou u bereid zijn me de komende maand bij u in Parijs een uurtje te ontvangen? Ik zou u heel dankbaar zijn als u me behulpzaam kon zijn met wat nadere informatie over haar leven en werk. Het zou van groot belang kunnen zijn bij het helpen van mijn getalenteerde patiënt. Laat het me alstublieft zo spoedig mogelijk weten.

Hoogachtend,

Dr. Andrew Marlow

94

Marlow

Deels om mezelf af te leiden van mijn visioenen en deels om te zien wat hij deed, ging ik net één keer te veel bij Robert op bezoek. Ik was die vrijdagochtend bij hem geweest. Toen ik 's middags terugkwam, stond hij aan de ezel die ik hem had gegeven. Ik had een lange week achter de rug en ik had slecht geslapen. Ik vond het jammer dat Mary niet vaker bij me kwam; in haar armen leek ik altijd goed uit te rusten. Zoals gewoonlijk dacht ik aan haar toen ik Roberts kamer in liep. Ik vroeg me zelfs af hoe hij naar me kon kijken zonder te zien wat ik voor hem verzweeg, en dat herinnerde me eraan hoe weinig ik eigenlijk van hem wist. Ik zag zijn leven niet door die verwassen oude kleren heen, door zijn rafelige gele overhemd en broek met verfvlekken, en zelfs niet door de warme tint van zijn gezicht en zijn armen onder de opgerolde mouwen, zijn met zilver doorweven krullen. Ik kon hem niet eens kennen aan de bloeddoorlopen, vermoeide ogen die hij op me richtte. Hoe kon ik hem helpen zonder meer van hem te weten? En als ik hem liet gaan, hoe zou ik me dan ooit kunnen bevrijden van mijn vragen over zijn liefde voor een vrouw die al sinds 1910 dood was?

Hij schilderde haar die dag, wat geen verrassing was, en ik ging in de leunstoel zitten kijken. Hij draaide zijn ezel niet weg. Ik nam aan dat het een vorm van trots was, net als zijn zwijgen. Ze had nog geen gezicht; hij was nog bezig met het invullen van het roze van haar jurk en het zwart van de bank waarop ze zat. Zijn vaardigheid werd deels bepaald door zijn vermogen zonder model te schilderen, besefte ik. Was dat een van de dingen die ze hem had geschonken?

Plotseling werd het me te veel. Ik sprong uit mijn stoel en zette een stap naar voren. Hij schilderde door, met het penseel in zijn geheven hand, zonder notitie van me te nemen. 'Robert!'

Hij zei niets, maar keek me een fractie van een seconde aan voordat hij zich weer op zijn doek richtte. Ik ben redelijk lang en redelijk fit, zoals ik al heb gezegd, al heb ik niets van Roberts imposante, achteloze aanwezigheid. Ik vroeg me af hoe het zou zijn om hem een stomp te geven. Kate moest dat zeker hebben gewild. En Mary. Ik zou kunnen zeggen: *Ik heb het voor haar gedaan. Je mag praten met wie je wilt.* 'Robert, kijk me aan.'

Hij liet zijn penseel zakken en keek me aan met het lijdzame, geamuseerde gezicht dat ik als tiener bewust trok tegen mijn ouders. Ik had zelf geen kinderen in de tienerleeftijd, maar deze aandacht, die iets had moeten betekenen, maakte me kwader dan welke uitbarsting van zijn kant ook. Hij leek te wachten tot de vervelende onderbreking voorbij was en hij verder kon schilderen.

Ik schraapte mijn keel en vermande me. 'Robert, begrijp je wel hoe graag ik je wil helpen? Zou je weer een normaal leven willen leiden, een leven buiten?' Ik wuifde naar het raam, maar ik wist dat ik het pleit al had verloren door het woord 'normaal' te gebruiken.

Hij keek weer naar zijn ezel.

'Ik wil je helpen, maar dat kan alleen als je meewerkt. Ik heb de nodige moeite voor je gedaan, hoor, en als je in staat bent om te schilderen, moet je zeker in staat zijn iets te zeggen.'

Zijn gezicht stond zacht, maar hij had zich voor me afgesloten.

Ik wachtte. Wat kon er erger zijn dan een patiënt uitfoeteren? (Met zijn vroegere geliefde slapen, misschien?) Of ik wilde of niet, ik ging harder praten. Wat me het kwaadst maakte, was mijn gevoel dat hij wist dat ik hem niet alleen in zijn belang wilde helpen.

'Val dood, Robert,' zei ik. Ik schreeuwde niet, maar mijn stem beefde. Het viel me in dat ik me in al die jaren van mijn opleiding en werken in de praktijk nooit zo tegen iemand had gedragen. Nog nooit. Ik bleef hem aankijken toen ik de kamer uit liep. Ik was niet bang dat hij me zou aanvallen of iets naar me zou gooien – ik liep alleen het gevaar dat zelf te doen. Later had ik er spijt van dat ik hem zo goed in de gaten had gehouden, want nu moest ik de verandering op zijn gezicht wel zien; hij beantwoordde mijn blik niet, maar hief zijn gezicht naar het doek en glimlachte flauwtjes. Triomf: een goedkope overwinning, maar vermoedelijk het enige soort dat hij nog kon behalen.

95

1879

Yves blijft een halve week. Hij wandelt over het strand met een hand op Oliviers schouder en kust Béatrice in haar nek wanneer ze die buigt om haar haar op te steken. Hij heeft echt vakantie; stiekem noemt hij het een huwelijksreis. Hij geniet van het uitzicht op het Kanaal; hij komt er helemaal door tot rúst. Maar hij moet weer weg, tot zijn spijt, en hij biedt zijn verontschuldigingen aan omdat hij zo snel weer vertrekt. Zolang Yves er is, durft ze Olivier niet één keer aan te kijken, behalve dan wanneer ze het zout of het brood doorgeeft aan tafel. Het is ondraaglijk, en toch zijn er momenten, wanneer ze zichzelf in de spiegel bekijkt of hen samen ziet wandelen, dat ze zich omringd voelt door liefde, bemind door beiden, alsof het zo hoort te zijn. Ze brengen Yves met een huurkoets naar het station van Fécamp; Olivier stribbelt tegen, maar Yves staat erop dat hij meegaat, want anders moet Béatrice alleen terug. De trein blaast rumoerig stoom uit en de wielen zetten zich krachtig in beweging. Yves leunt uit het raam en wuift, met zijn hoed in zijn hand.

Ze rijden terug naar het hotel en praten op de veranda over alledaagse dingen. Ze schilderen aan het strand en eten 's avonds, als een oud echtpaar nu de derde gast weg is. Alsof ze het zo hebben afgesproken, bezoekt ze hem niet meer in zijn kamer, noch komt hij naar de hare. Alle muren tussen hen zijn al geslecht en ze verlangt niet naar een herhaling. De onuitgesproken herinnering tussen hen beiden is genoeg. Het moment dat hij... of het moment dat zij... of hoe zijn tranen van verwondering en genot op haar gezicht vielen. Ze had wel verwacht dat hij na zo'n overtreding voorgoed de hare zou zijn, maar andersom blijkt het ook op te gaan.

In de trein terug naar Parijs, als ze alleen zijn, houdt hij haar hand als een vogeltje in zijn grote handschoen en drukt er een kus op voordat ze uitstapt om haar bagage te halen. Ze zeggen weinig. Ze weet zonder iets te vragen dat hij de volgende dag zal komen eten. Samen zullen ze papa bijna alles over hun vakantie vertellen. Ze zullen aan hun grote schilderij beginnen. Ze zal zich hem herinneren, zijn lange, gladde lichaam en zijn zilvergrijze haar, de jonge, verliefde man in zijn binnenste, tot de dag van haar eigen dood. Hij zal altijd bij haar zijn, een geest van het Kanaal.

96

Marlow

Henri Robinsons antwoord was een schok.

Monsieur le Docteur,
Dank u voor uw brief. Ik vermoed dat uw patiënt een zekere Robert
Oliver is. Hij heeft me een jaar of tien geleden opgezocht in Parijs,
en recenter nog eens, en ik heb gegronde redenen om aan te nemen
dat hij bij zijn tweede bezoek iets van waarde uit mijn
appartement heeft meegenomen. Ik kan niet veinzen dat ik hem wil
helpen, maar als u licht op deze zaak kunt werpen, wil ik u graag
ontvangen. Ik zal erover nadenken of ik u Zwanenroof wil laten
zien. Denk er alstublieft om dat het niet te koop is. Zullen we
zeggen de eerste week van april, op een ochtend, als het u schikt?

Hoogachtend,
Henri Robinson

97

Marlow

Ik wilde niets liever dan samen met Mary naar Parijs gaan, maar ze moest lesgeven. Uit de manier waarop ze weigerde, leidde ik af dat ze ook niet was meegegaan als ik het zo had geregeld dat de reis in haar volgende vakantie viel; na Acapulco kon ze dit niet ook nog eens van me aannemen. Eén keer was leuk geweest, maar na een tweede keer zou ze bij me in het krijt staan. Ik vond een boek over het Musée d'Orsay waarvan ik wist dat ze het graag wilde zien, en ze sloeg langzaam de bladzijden om.

Toch schudde ze haar hoofd, staand in mijn keuken, zodat haar lange haar het licht ving. Een resoluut hoofdschudden: nee. Het was niet zozeer een afwijzing als woordeloze zelfkennis van haar kant. Terwijl we praatten, maakte ze ontbijt voor ons, een verrassend huiselijk gebaar. Het was de vierde keer dat ze bij me was blijven slapen; ik kon de nachten toen nog tellen. Wanneer ze wegging, nog vroeger dan ik – naar het atelier op de universiteit of het leslokaal, of naar het café waar ze op minder zware werkdagen graag tekende – liet ik het bed onopgemaakt achter en trok de slaapkamerdeur dicht om haar geur vast te houden. Nu wipte ze vier eieren met bacon uit de pan op een bord en zette het grinnikend voor me neer. 'Ik kan niet met je mee naar Frankrijk, maar ik kan wel een ei voor je bakken, voor deze ene keer. Maar haal je niets in je hoofd.'

Ik schonk koffie in. 'Als je met me meegaat naar Frankrijk, kun je van die lekkere hardgekookte eieren uit een dopje eten bij je brood met jam, en de koffie is er veel beter dan hier.'

'Merci. Je kent mijn antwoord.'

'Ja, maar als je niet eens op het vliegtuig naar Frankrijk wilt stappen, hoe moet het dan als ik je ten huwelijk vraag?'

Ze verstijfde. Ik had het als terloops gezegd, bijna zonder erbij stil te staan, maar nu begreep ik dat ik er weken naartoe had geleefd. Ze speelde met haar vork. Mijn hinderpaal, bedacht ik te laat, nam de gedaante aan van Robert Oliver, ergens achter me. Ik hoefde haar niet te vragen waar ze naar keek of haar erop te wijzen dat er niemand was, of dat de Robert die zij had gekend nu een lethargische man was die op een ziekenhuisbed zat te schetsen. Had Robert haar ooit ten huwelijk gevraagd, al was het maar voor de grap? Het antwoord, dacht ik, stond geschreven in de rimpeltjes rond haar mond en ogen, haar sluike haar.

Toen lachte ze. 'Als ik het tot nu toe heb gered zonder te trouwen, dokter, hoef ik het nu ook niet meer te doen.' Toen verraste ze me, want ze wist dingen die iemand van haar generatie volgens mij niet zou weten, met een regel uit een nummer van Cole Porter: '"*For husbands are a boring lot, and only bring you bother.*"'

'"*Kiss me, Kate,*"' repliceerde ik prompt, en ik sloeg met mijn vuist op tafel. 'Je bent trouwens nog te jong om zonder toestemming van je moeder te trouwen. En ik ben geen vieze man, geen Humbert Humbert, geen...'

Ze lachte en knipte een druppel jus d'orange naar me toe. 'Genoeg geslijmd.' Ze pakte haar vork weer op en begon haar eieren aan te snijden. 'Als jij tachtig bent, maatje, dan ben ik...'

'... ouder dan ik nu, maar moet je zien hoe jong dat is. *Come and kiss me, Kate,*' riep ik, en ze lachte minder gekunsteld, liep om de tafel heen en kroop bij me op schoot. Maar er hing een vreemde nagalm in de kamer, de naam van Roberts Kate. We voelden het samen zonder iets te zeggen. Mary kuste me stevig, misschien om de naam te laten verstommen. Toen gaf ik haar mijn laatste hap bacon en zo besloten we ons ontbijt, met Mary op mijn schoot, dicht bij elkaar gekropen om de boze geesten op afstand te houden.

Ik had nog veel te doen voordat ik vertrok, en de ochtend voordat ik naar Parijs zou vliegen, ging grotendeels op aan administratief werk. Rond het middaguur ging ik naar Robert en zat zoals gebruikelijk zwijgend bij hem; ik was niet van plan hem al te vertellen dat ik Henri Robinson ging opzoeken. Hij zou kunnen merken dat ik er niet was, maar hij mocht zich afvragen waar ik zat, want hij zou het aan niemand willen vragen.

Ik moest nog iets regelen. Om een uur of vier, toen ik wist dat Robert op het gazon aan het schilderen was, ging ik terug naar zijn kamer. Zijn deur stond open, tot mijn opluchting, zodat ik niet het gevoel hoefde te hebben dat ik inbrak, al keek ik wel een paar keer over mijn schouder de gang in. Ik vond de brieven keurig gebundeld op de bovenste plank van de kast. Het was prettig om de originelen weer in mijn hand te hebben, alsof ik ze zonder het te weten had gemist – het versleten papier, de bruine inkt, Béatrice' sierlijke handschrift. Robert zou heel goed overstuur kunnen raken wanneer hij ontdekte dat ze weg waren, en hij zou raden wie ze had gepakt. Niets aan te doen. Ik stopte ze in mijn koffertje en vertrok stilletjes.

Mary bleef die nacht bij me slapen. Ik werd een keer wakker en zag dat zij ook wakker was, en in het halfdonker naar me keek. Ik legde mijn hand op haar wang. 'Waarom slaap je niet?'

Ze zuchtte en kuste mijn vingers. 'Ik heb wel geslapen, maar ik schrok van iets. Toen begon ik aan jou in Frankrijk te denken.'

Ik trok haar zijdezachte hoofd in mijn hals. 'Hoezo?'

'Ik ben jaloers, denk ik.'

'Ik heb toch gevraagd of je mee wilde?'

'Daar gaat het niet om. Ik wil niet mee. Maar in zekere zin ga je naar háár toe, nietwaar?'

'Vergeet niet dat ik...'

'... dat jij Robert niet bent. Ik weet het. Maar je kunt je niet voorstellen hoe het was om met die twee te leven.'

Ik hees me op mijn elleboog om haar aan te kunnen kijken. 'Die twee? Waar heb je het over?'

'Robert en Béatrice.' Haar stem klonk scherp en helder, niet doezelig. 'Ik denk dat ik zoiets alleen tegen een psychiater zou kunnen zeggen.'

'En ik zou het alleen van mijn grote liefde kunnen horen.' Ik zag de glans van haar tanden in het donker, pakte haar gezicht en kuste haar. 'Stop daarmee, liefste, ga slapen.'

'Laat haar alsjeblieft fatsoenlijk sterven, die arme vrouw.'

'Dat zal ik doen.'

Ze vond het plekje voor haar voorhoofd op mijn schouder en ik schikte haar haar als een brede sjaal om haar heen voordat ze weer in slaap viel. Nu kon ik zelf niet meer in slaap komen. Ik dacht aan Robert, slapend of niet in zijn bed op Goldengrove, het bed dat iets te klein was voor zijn machtige lichaam. Waarom was hij die twee keer naar Frankrijk gegaan? Was het omdat hij zich, net als ik, had afgevraagd wiens hand *Leda* had geschilderd? Had hij een antwoord gekregen? Misschien was het echt een te gedurfd onderwerp geweest voor een vrouw in 1879, in een katholiek land. Als Robert geloofde dat zijn zwaarmoedige geliefde het schilderij zelf had gemaakt, waarom had hij het dan willen vernielen? Was hij jaloers geweest op de zwaan, om een reden die ik niet kon bevroeden? Ik overwoog op te staan, me aan te kleden, mijn autosleutels te pakken en naar Goldengrove te rijden. Ik kende de codes van de alarminstallatie, de balieprocedures en de nachtploeg. Ik zou stilletjes naar Roberts kamer gaan, op de deur kloppen, naar binnen lopen en hem wakker schudden. Uit zijn slaap opgeschrokken zou hij willen praten. *Ik nam een mes mee naar het museum. Ik wilde haar vernielen omdat...*

Ik drukte mijn gezicht in Mary's haar en wachtte tot de aanvechting voorbij was.

98

Marlow

Luchthaven De Gaulle was rumoeriger dan ik me herinnerde, en op de een of andere manier groter en vreugdelozer saai. Bij mijn aankomst drie jaar later, op een verlate huwelijksreis, zou ik zien hoe de hal door de politie werd geëvacueerd en de ontploffing vanaf een veilige plek achter wat winkels horen: er werd een onbewaakte koffer in een van de grote hallen tot ontploffing gebracht. Het geluid ging door merg en been, een echo van de bom die niet in de koffer bleek te zitten, maar in 2000 waren de zenuwen minder gespannen en was ik nog alleen.

Ik nam een taxi naar het hotel dat Zoe me had aanbevolen; mijn kamer was weinig meer dan een betonnen doos, met een raam dat uitkeek op een centrale schacht en een hard, krakend bed, maar het was op een steenworp afstand van het Gare de Lyon en ertegenover lag een bistro met de obligate luifel, die de bedrijfsleider 's ochtends met een slinger aan een lange stok liet zakken. Ik zette mijn bagage in de kamer en ging naar de bistro voor de eerste van vele maaltijden; deze schonk buitengewoon veel voldoening na de vlucht, en de koffie was dampend en sterk, met veel melk. Toen ging ik terug naar mijn dooskamer en sliep ondanks de cafeïne een uur alsof ik verdoofd was. Toen ik wakker werd, leek de dag al half om; ik nam een warme douche, kreunend van genoegen; ik schoor me en drentelde met een pocketgidsje door de stad.

Henri woonde in Montmartre, maar ik zou pas de volgende ochtend naar hem toe gaan. Een paar minuten nadat ik het hotel uit was gekomen, zag ik de koepels van de Sacré-Coeur tegen de lucht afgetekend. Ik herinnerde me herkenningspunten van mijn vorige bezoek, een jaar of twaalf, dertien eerder. Het gidsje wees me erop dat de witte droomkerk was gebouwd als een symbool van macht van de regering, na de val van de Parijse Commune. Ik kon me er echter niet toe zetten de basiliek te bezoeken en doolde verder; het gidsje bleef het grootste deel van de dag in mijn zak, tot ik ver van het hotel bij de Seine belandde, waar ik kramen met boeken bekeek. Het was een vochtige dag, tussen warm en koel in. Af en toe brak de zon door en liet het water schitteren. Ik vond het jammer dat ik hier al zo lang niet meer was geweest, terwijl het maar een kwestie was van in Washington op het vliegtuig stappen. Op een trap naar het niveau van de rivier spreidde ik mijn zakdoek over de glibberige stenen uit en schetste de boot die aan de overkant lag aangemeerd, een restaurant met bloemen in potten.

Ik wilde ook graag de schilderijen van Béatrice de Clerval in het Musée d'Orsay zien; die in het Musée de Maintenon konden wel tot de volgende dag wachten, als ik bij Henri Robinson was geweest. Ik volgde de rivier naar het Musée d'Orsay; de vorige keer dat ik in Parijs was, was het nog maar net geopend en had ik het niet bezocht. Ik zal niet proberen te beschrijven wat voor uitwerking de enorme hal met het glazen dak op me had, de beelden die er stonden, de schitterende herinnering aan een station dat ooit de generatie van Béatrice de Clerval en anderen had gediend. Het was adembenemend, en ik bleef er een paar uur hangen.

Ik ging eerst naar Manet en de bedwelmende ervaring voor *Olympia* te staan en haar tartende blik te beantwoorden. Toen stuitte ik op een prachtige verrassing: een doek van Pissarro met een huis in Louveciennes in de winter. Ik herinnerde me niet het ooit ergens te hebben gezien, het roodachtige huis en de met sneeuw beladen, kromme bomen, de sneeuw op de grond en de vrouw en het meisje hand in hand, dik ingepakt tegen de kou. Ik dacht aan Béatrice en haar dochter, maar dit schilderij droeg het jaartal 1872, jaren voor de geboorte van Aude. Er hingen meer winterse taferelen in de zaal: van Monet en Sisley, meer van Pissarro, *effets d'hiver*, sneeuw, koetsen en schuttingen, bomen en nog meer sneeuw. Ik zag zware wolkenluchten boven de kerktorens van hun adoptiedorpen: Louveciennes, Moret-sur-Loing en andere, en boven de Parijse parken. Net als Béatrice waren ze dol geweest op hun tuinen in de winter.

Bij Sisley en Pissarro vond ik twee Béatrice de Clervals, het ene een portret van een naaiend kamermeisje, het meisje met het goudblonde haar dat in de brieven beschreven moest zijn. Het andere was een schilderij van een statig over bruin water glijdende zwaan, een alledaagse zwaan, geen goddelijke. Béatrice had de vorm heel nauwkeurig bestudeerd, meende ik, mogelijk ter voorbereiding op het doek dat ik de volgende dag bij Henry Robinson zou zien. Ik vond een landschap van Olivier Vignot, een landelijk tafereel met grazende koeien, een veld, een rij populieren en lome, overvloedige wolken. Mogelijk had Béatrice meer respect voor zijn werk gehad dan ik me had voorgesteld; het schilderij was technisch goed, maar niet bepaald vernieuwend. Volgens het bijschrift dateerde het uit 1854. Béatrice was toen drie jaar geweest, bedacht ik.

Toen ik klaar was met mijn bezichtiging, at ik ergens steak en frites en ging terug naar mijn hotel, waar ik, in weerwil van mijn pogingen een hoofdstuk te lezen in een uitstekende geschiedenis van de Frans-Pruisische oorlog, dertien uur sliep. De volgende ochtend werd ik op een redelijk tijdstip wakker met de al even redelijke verklaring dat ik geen jonge reiziger meer was.

99

Marlow

De straat in Montmartre waar Henri Robinson woonde was steil, niet smal, maar toch pittoresk, met smeedijzeren balkons. Ik vond het huisnummer en bleef nog een paar minuten op straat staan voordat ik aanbelde; de bel was hoorbaar, hoewel Henri op de eerste verdieping woonde. Ik liep de donkere, stoffige trap op en vroeg me af hoe een man van achtennegentig de klim kon maken. De enige deur op de eerste verdieping ging open voordat ik hem kon aanraken, en erachter stond een oude vrouw in een bruine jurk met dikke kousen en schoenen. Een bizar moment lang dacht ik dat ik Aude Vignot voor me zag. Ze had een schort om, glimlachte naar me en leidde me met een paar woorden die ik niet verstond naar de woonkamer. Als Aude nog had geleefd, was ze honderdtwintig geweest.

Henri Robinson hield audiëntie in een oerwoud: de ruimte stond boordevol planten, netjes in het gelid. Het was een zonnige kamer, aan de straatkant althans, waar het licht door banen roze zijde werd gefilterd. De wanden waren zacht, licht jadegroen, evenals een paar dichte deuren. Overal hingen schilderijen, niet zo zorgvuldig gerangschikt als bij zijn oude vriend Caillet, maar overal maar waar plaats was. Bij Henri's stoel hing een olieverfportret waarvan ik dacht dat het Aude de Clerval moest voorstellen: een vrouw van middelbare leeftijd met een lang gezicht, blauwe ogen en een kapsel uit de jaren veertig of vijftig. Ik vroeg me af of dit het portret was dat Pedro Caillet beweerde te hebben geschilderd; ik kon geen signatuur vinden. Er hingen ook kleine werken die van Seurat zouden kunnen zijn, in elk geval pointillistisch, en een massa schilderijen van tussen beide wereldoorlogen. Ik zag niets wat op het werk van Béatrice de Clerval leek, en geen spoor van een schilderij dat *Zwanenroof* zou kunnen heten. In de nissen en op de planken die niet doorbogen onder de boeken stond een collectie celadon uitgestald, mogelijk van Koreaanse herkomst, en oud. Misschien zou ik hem er later naar kunnen vragen.

Henri Robinson zat in een leunstoel die bijna net zo versleten was als hijzelf. Toen ik binnenkwam, stond hij langzaam op, al protesteerde ik met mijn paar onhandige woordjes Frans, en reikte me een doorschijnende hand. Hij was iets kleiner dan ik, graatmager maar nog bij machte zijn rug te rechten wanneer hij eenmaal stond. Hij droeg een gestreept overhemd, een donkere broek en een rood vest met gouden knopen. Zijn laatste plukjes haar waren achterovergekamd. Zijn neus was net zo doorschijnend als zijn handen, zijn wangen zagen vurig rood en zijn ogen waren bruin, maar flets achter zijn brillenglazen. Zijn gezicht moest markant geweest zijn toen hij nog jong was, met donkere ogen, hoge jukbeenderen en een smalle, rechte neus. Zijn armen en handen beefden, maar hij schudde mijn hand kordaat. Met een huivering besefte ik dat ik een hand aanraakte die de dochter van Béatrice had gestreeld, wier hand Béatrice ongetwijfeld ooit had vastgehouden en gestreeld.

'Goedemorgen,' zei hij in het Engels, met een accent, maar duidelijk. 'Komt u binnen en gaat u zitten, alstublieft.' De blauw dooraderde hand wees naar een stoel. 'Te veel kranten.' Zijn glimlach liet verbazend jeugdige, rechte tanden zien – een kunstgebit. Ik haalde de kranten van een tweede stoel en wachtte tot hij zich steunend op zijn magere armen in zijn eigen stoel had laten zakken.

'Monsieur Robinson, dank u dat u me wilt ontvangen.'

'Het is me een genoegen,' zei hij. 'Hoewel de man wiens naam u noemde niet bepaald een vriend van me is, zoals ik al heb geschreven.'

'Robert Oliver is ziek,' zei ik. 'Ik vermoed dat hij al ziek was toen hij de brieven van u stal, want zijn aandoening is cyclisch en chronisch, maar ik begrijp dat het u van streek heeft gemaakt.' Ik pakte de brieven voorzichtig uit de binnenzak van mijn colbert; ik had ze in een dubbelgevouwen envelop gestopt, waar ik ze uit haalde voordat ik ze in zijn handen legde.

Hij keek verbouwereerd van de brieven naar mij.

'Zijn ze van u?' vroeg ik.

'Ja,' zei hij. Zijn gezicht trok een beetje, zijn neus werd rood en zijn stem sloeg over, alsof hij zijn tranen moest bedwingen. 'Ze waren eigenlijk van Aude de Clerval, met wie ik meer dan vijfentwintig jaar heb samengeleefd. Haar moeder had ze op haar sterfbed aan Aude gegeven.'

Ik dacht aan Béatrice, niet jong en serieus, maar van middelbare leeftijd, misschien met wit haar, geteisterd door ziekte, verteerd in wat de bloei van haar leven had moeten zijn. Ze was eind vijftig geweest toen ze stierf. Mijn leeftijd, min of meer, en ik had niet eens een dochter om afscheid van te nemen.

Ik knikte ernstig om duidelijk te maken dat ik begrip had voor zijn gevoelens aangaande het vergrijp. Henri Robinsons ogen leken nog behoorlijk scherp achter het gouden brilmontuur. 'Mijn patiënt, Robert Oliver, heeft vermoedelijk niet beseft wat hij u aandeed met zijn diefstal. Ik kan u niet vragen hem te vergeven, maar misschien kunt u het begrijpen. Hij was verliefd op Béatrice de Clerval.'

'Dat weet ik,' zei de oude man nogal bits. 'Ik weet ook wat een obsessie is, als u daarop doelt.'

'Ik moet u zeggen dat ik de brieven heb gelezen. Ik heb ze laten vertalen, en ik zou niet weten hoe iemand niet van haar zou kunnen houden.'

'Ze schijnt heel lief te zijn geweest, *tendre*. U weet dat ik ook van haar hield, via haar dochter, maar hoe bent u in haar geïnteresseerd geraakt, dokter Marlow?'

Hij wist mijn naam nog.

'Door Robert Oliver.' Ik vertelde hem over Roberts aanhouding, de strijd die ik had geleverd om hem te leren kennen tijdens zijn eerste weken bij mij, het gezicht dat hij had getekend en later geschilderd in plaats van iets te zeggen, mijn behoefte aan inzicht in het visioen dat hem dreef. Henri Robinson luisterde met gevouwen handen en zijn schouders krom onder zijn vest, aapachtig en geconcentreerd. Hij knipperde zo nu en dan met zijn ogen, maar zei niets. Vervolgens vertelde ik hem, vreemd opgelucht, over mijn gesprekken met Kate, Roberts schilderijen van Béatrice, over Mary en het verhaal dat Robert haar had verteld, dat hij Béatrice' gezicht in een mensenmassa had ontdekt. Ik verzweeg dat ik ook bij Pedro Caillet was geweest. Ik kon zijn groeten later overbrengen, als het gepast leek.

Hij luisterde zwijgend. Ik dacht aan mijn vader, een jonge man nog, compleet met auto en vriendin, in tegenstelling tot Henri Robinson. Robinson zou er, net als mijn vader, het zijne van denken, al vertelde ik hem niet alles. Ik sprak langzaam en duidelijk, want ik wist niet hoe goed zijn Engels was, en ik schaamde me ervoor dat ik niet eens probeerde mijn weggezakte Frans op te frissen. Hij leek me te begrijpen, in alle opzichten. Toen ik klaar was, tikte hij met zijn vingers op de bundel brieven op zijn schoot. 'Dokter Marlow,' zei hij, 'ik ben u innig dankbaar voor het terugbrengen van deze brieven. Ik wist dat Robert Oliver ze moest hebben gestolen, want na zijn tweede bezoek kon ik ze niet meer vinden. Hij heeft ze jaren bij zich gehouden, weet u.'

Ik herinnerde me hoe ik bij Kate op de vloer van de werkkamer had gelegen om een woord op de muur te lezen: *Étretat*.

'Tja. Als hij niet meer praat, zal hij u dat ook wel niet hebben verteld.' Henri Robinson verzette zijn knokige knieën. 'Hij kwam hier begin jaren negentig, denk ik, nadat hij een artikel had gelezen over mijn relatie met Aude de Clerval. Hij schreef me, en ik was zo geroerd door zijn enthousiasme en overduidelijk serieuze kunstopvatting dat ik hem toestemming gaf me te bezoeken. We praatten veel... Ja, toen sprak hij wel degelijk. En hij kon goed luisteren. Hij was al met al heel boeiend.'

'Kunt u me vertellen waarover u met elkaar praatte, Monsieur Robinson?'

'Jazeker.' Hij legde zijn armen op de leuningen van zijn stoel. Hij had iets opmerkelijk sterks, die oude man met zijn geciseleerde neus en kin en zijn ragfijne haar. 'Ik zal nooit meer vergeten hoe hij voor het eerst mijn appartement binnen kwam. Hij is heel groot, zoals u weet, Robert Oliver, een echte aanwezigheid, als een operazanger. Ik voelde me onwillekeurig een beetje geïntimideerd; hij was een volslagen onbekende en ik woonde toen alleen, maar hij was charmant. Hij ging zitten, op uw stoel, denk ik, en we praatten eerst over de schilderkunst en toen over mijn collectie, die ik aan het Musée de Maintenon had afgestaan, op één stuk na. Hij had het museum die middag bezichtigd en hij was diep onder de indruk.'

'Ik ben nog niet in het Maintenon geweest, maar ik wil er nog heen,' zei ik.

'Hoe dan ook, we praatten samen en ten slotte vroeg hij of ik hem alles wilde vertellen wat ik wist over Béatrice de Clerval. Ik vertelde hem iets over haar leven en werk, en hij zei dat hij dat voor het grootste deel zelf al had achterhaald. Hij wilde weten hoe Aude over haar moeder had gesproken. Het was me zonneklaar dat hij van Béatrice' schilderijen hield, als je van "houden van" kunt spreken. Hij had iets heel warms over zich... Ik voelde me zelfs tot hem aangetrokken.'

Henri kuchte. 'Ik vertelde hem dus wat ik me van Aude herinnerde: dat haar moeder zachtaardig en levendig was geweest en altijd van kunst was blijven houden maar zich volledig aan haar, Aude dus, had gewijd. In alle jaren dat Aude haar moeder had gekend, had ze haar nooit zien tekenen of schilderen, zei ze. Nooit. En ze praatte nooit met spijt over het schilderen; ze lachte als Aude erover begon en zei dat haar dochter het werk was dat haar het gelukkigst maakte en dat ze niets anders meer nodig had. Toen Aude een tiener was, begon ze zelf een beetje te tekenen en te schilderen. Haar moeder was altijd enthousiast en behulpzaam, maar ze deed nooit mee. Aude vertelde me dat ze haar moeder een keer had gesmeekt met haar mee te doen en dat haar moeder toen zei: "Ik heb mijn laatste tekeningen gemaakt, lieverd, en ze wachten op je." Ze wilde niet vertellen wat ze bedoelde en waarom ze niet meer tekende. Het is Aude altijd dwars blijven zitten.'

Henri Robinson keek me aan. Er lag een glanzend waas over zijn ogen, als zeep op water. Het kon staar zijn, maar ook de weerspiegeling van zijn brillenglazen. 'Dokter Marlow, ik ben een oude man en ik hield zielsveel van Aude. Ze is altijd bij me gebleven. En Robert Oliver leek erg geïnteresseerd in haar verhaal en dat van Béatrice de Clerval, dus heb ik hem de brieven voorgelezen. Achteraf gezien denk ik dat Aude het zou hebben gewild. Zij en ik hebben ze een paar keer aan elkaar voorgelezen en ze zei dat ze vond dat ze alleen bedoeld waren voor mensen die het verhaal op waarde konden schatten. Daarom heb ik ze nooit gepubliceerd en er niet over geschreven.'

'Hebt u Robert de brieven voorgelezen?'

'Tja, ik weet nu dat ik dat nooit had moeten doen, maar ik dacht dat hij ze moest horen omdat hij zo geïnteresseerd was. Een vergissing.'

Ik stelde me voor hoe Robert, steunend op zijn grote ellebogen, luisterde naar de broze man in de andere stoel, die de woorden van Béatrice en Olivier voorlas. 'Begreep hij ze?'

'De taal, bedoelt u? O, waar nodig vertaalde ik iets. Zijn Frans is vrij goed, weet u. Of bedoelt u de inhoud van de brieven? Ik weet niet hoeveel hij daarvan heeft begrepen.'

'Hoe reageerde hij?'

'Toen ik bij het eind was aangekomen, zag ik dat zijn gezicht heel – hoe zeg je dat? – bars stond. Ik was bang dat hij moest huilen. Toen zei hij iets vreemds, maar tegen zichzelf: "Ze hebben echt geleefd, hè?" En ik zei ja, bij het lezen van oude brieven besef je dat mensen uit het verleden echt hebben geleefd, en dat dat heel ontroerend is. Ik was zelf ontroerd geraakt door ze aan die onbekende voor te lezen. Nee, nee, zei hij; hij bedoelde dat zíj echt hadden geleefd, maar hij niet.' Henri schudde zijn hoofd en keek me aan. 'Toen begon ik te denken dat hij een beetje vreemd was, maar ik weet hoe kunstenaars zijn, begrijpt u. Aude deed heel vreemd over haar verleden en de schilderijen van haar moeder; dat vond ik leuk aan haar.' Hij zweeg even. 'Voordat we afscheid namen, zei Robert tegen me dat de brieven hem hadden geholpen beter te begrijpen wat Béatrice zou hebben gewild dat hij schilderde. Hij zei dat hij zich zou wijden aan het schilderen van haar leven, ter nagedachtenis en om haar te eren. Hij praatte alsof hij verliefd was op de doden, zoals u zegt, en ik weet wat dat inhoudt, dokter. Ik leef met hem mee.'

Terwijl ik naar hem keek, kreeg ik een indruk van de rusteloze man die hij ooit was geweest en de hoogst intelligente man die hij nog altijd was; twintig jaar eerder zou hij door de kamer hebben gelopen terwijl hij met me praatte, de ruggen van zijn boeken aanrakend, een schilderij recht hangend of een dood blad van een plant plukkend. Misschien was Aude echt zo rustig en beheerst geweest als de twee portretten die ik van haar had gezien deden vermoeden: een krachtige vrouw met veel waardigheid. Ik dacht aan die twee samen, de energieke, charmante jonge man die haar mogelijk had aangezet tot bezigheid, en de zelfverzekerde, tamelijk afstandelijke vrouw die hij had aanbeden alsof het zijn roeping was. 'Zei Robert verder nog iets?'

Robinson schokschouderde. 'Niet dat ik me herinner, maar mijn geheugen is niet meer wat het geweest is. Kort daarna ging hij weg. Hij bedankte me heel beleefd en zei dat zijn bezoek aan mij altijd een deel van zijn kunst zou blijven. Ik verwachtte niet hem ooit nog te zien.'

'Maar er kwam een tweede keer?'

'Dat was een onverwacht en veel korter bezoek, nog geen twee jaar geleden, denk ik. Hij had me niet geschreven dat hij naar Parijs zou komen, dus ik wist niet dat hij er was. Op een dag ging de bel en Yvonne ging opendoen en kwam terug met Oliver. Ik stond perplex. Hij zei dat hij in Parijs was om achtergrondmateriaal voor zijn werk te verzamelen en dat hij mij ook even wilde bezoeken. Ik had inmiddels meer problemen: ik kon niet goed meer lopen en ik was soms vergeetachtig. U weet dat ik dit jaar achtennegentig ben geworden?'

Ik knikte. 'Ja. Gefeliciteerd.'

'Het is iets wat je overkomt, dokter Marlow, geen prestatie. Maar goed, Robert kwam binnen en we praatten. Ik moest een keer naar de wc en hij hielp me ernaartoe, want Yvonne was in de keuken aan het telefoneren. Hij was heel sterk. Maar ziet u, dat herinner ik me allemaal alleen omdat ik ongeveer een week na zijn bezoek de brieven wilde pakken en merkte dat ze weg waren.'

'Waar bewaarde u ze?' Ik probeerde het nonchalant te vragen.

'In die la daar.' Hij wees met een witte vinger naar een kast aan de andere kant van de kamer. 'U mag erin kijken, als u wilt. Hij is nog steeds leeg, op één ding na.' Hij legde een hand om de brieven op zijn schoot. 'Nu kan ik ze terugleggen. Ik wist dat het Oliver geweest moest zijn, want ik krijg zelden bezoek en Yvonne zou ze met geen vinger aanraken; ze weet wat ze voor me betekenen. Ziet u, ik heb alle schilderijen, alle schilderijen van Béatrice, jaren geleden weggegeven. Allemaal, op *Zwanenroof* na. Ze hangen in het Musée de Maintenon. Ik weet dat ik elk moment kan sterven. Aude wilde dat we ze zelf zouden houden, maar vooral om ze te beschermen, dus heb ik de best mogelijke beslissing genomen. *Zwanenroof* is anders. Ik weet nog steeds niet zeker wat ik ermee zal doen. Tijdens Robert Olivers eerste bezoek heb ik even gedacht dat ik het ooit aan hem zou kunnen geven. Goddank heb ik het niet gedaan. De brieven waren het enige wat ik nog had van Audes liefde voor haar moeder. Ze zijn me heel dierbaar.'

Ik voelde de woede van de oude man meer dan dat ik die zag, verhuld in zijn kiese bewoordingen. 'Hebt u geprobeerd ze terug te krijgen?'

'Uiteraard. Ik heb Robert geschreven op het adres dat hij me de eerste keer had gegeven, maar mijn brief kwam na een maand terug. Iemand had erop geschreven dat de naam onbekend was op dat adres.'

Kate, misschien, zelf ook woest. 'En u hebt nooit meer iets van hem gehoord?'

'Juist wel. Dat maakte het nog erger, denk ik. Hij heeft me een briefje gestuurd. Dat is nu het enige wat er in die la ligt.'

Marlow

Gadegeslagen door Henri Robinson stond ik op en liep langzaam naar de door hem aangewezen kast. Het kwam me onwezenlijk voor dat ik in dit overvolle appartement was met een man van bijna een eeuw oud, en dat ik weer rommelde in het verleden van een patiënt die niet alleen een kunstwerk had willen vernielen, maar ook persoonlijke papieren bleek te hebben ontvreemd. Toch kon ik het niet over mijn hart verkrijgen Robert te veroordelen. Ik kreeg weer last van heimwee; ik dacht aan Mary's armen en wilde opeens naar huis, naar haar toe. Toen schoot het me te binnen dat ze niet bij mij was, maar in haar eigen huis. Wat betekenden vier nachten en een ontbijt voor iemand die jong en vrij was? Ik trok de la met trillende vingers open.

Er lag een envelop in, zonder retouradres, een paar weken voor Roberts aanslag op *Leda* afgestempeld in Washington, gefrankeerd als buitenlandse post. Erin zat een gevouwen vel postpapier.

Geachte heer Robinson,
Vergeef me alstublieft dat ik uw brieven heb geleend. U krijgt ze vroeg of laat van me terug, maar ik werk aan een paar grote schilderijen en moet ze elke dag lezen. Het zijn heerlijke brieven, vol van haar, en ik hoop dat u dat met me eens bent. Ik heb geen enkel excuus voor mezelf, maar misschien zijn ze uiteindelijk wel veiliger bij mij. Ik herinnerde me er nog genoeg van om een serie schilderijen te maken die ik als mijn beste tot nog toe beschouw, maar ik móét ze elke dag kunnen lezen. Soms sta ik 's nachts op om ze te lezen. Mijn nieuwe serie, een belangrijke, zal de wereld bewijzen dat Béatrice de Clerval een van de grootste vrouwen van haar tijd was, en een van de grootste kunstenaars van de negentiende eeuw. Ze is te jong opgehouden met schilderen. Ik moet haar werk voor haar

voortzetten. Iemand moet haar wreken, want ze had nog tientallen jaren kunnen blijven schilderen als ze er niet zo wreed van was weerhouden. En door wat? U en ik weten dat ze een genie was. U kunt begrijpen hoe ik haar ben gaan beminnen en bewonderen. Mogelijk weet u hoe het is om niet te kunnen schilderen wanneer je dat wilt, al bent u zelf geen schilder.

Dank u voor uw hulp en het gebruik van haar woorden, en vergeef me mijn besluit, alstublieft. Ik zal het duizend keer goedmaken.

Hoogachtend,
Robert Oliver

Ik kan niet beschrijven hoe triest die brief me maakte. Het was voor het eerst dat ik Robert uitgebreid hoorde spreken met zijn eigen stem, of althans zijn stem van dat moment. De herhalingen, het gebrek aan realiteitszin en de fantasieën over het belang van zijn missie duidden allemaal op een manie. De egocentrische diefstal van andermans dierbare bezit leek hem niet te deren, wat mij des te droeviger maakte, maar tegelijkertijd vatte ik het op als het verlies van contact met de werkelijkheid dat had geculmineerd in zijn aanslag op *Leda*. Ik wilde de brief terugleggen, maar Henri Robinson stak zijn hand op. 'U mag hem hebben, als u wilt.'

'Triest en schokkend,' zei ik, maar ik stopte de brief in mijn binnenzak. 'We moeten proberen te onthouden dat Robert Oliver geestesziek is, en dat u de brieven inderdaad hebt teruggekregen, maar ik kan en mag hem niet verdedigen.'

'Ik ben blij dat u me de brieven hebt teruggegeven,' zei hij simpelweg. 'Ze zijn heel persoonlijk. Ik zou ze nooit publiceren, omwille van Aude. Ik was bang dat Robert Oliver het wel zou doen.'

'In dat geval kunt u ze misschien beter vernietigen,' opperde ik, hoewel de gedachte alleen al bijna ondraaglijk voor me was. 'Ze zouden op een dag te belangwekkend kunnen zijn voor de een of andere kunsthistoricus.'

'Ik zal het in overweging nemen.' Hij vouwde zijn handen en verstrengelde de vingers.

Denk er niet te lang over, wilde ik tegen hem zeggen.

'Neem me niet kwalijk.' Hij keek naar me op. 'Waar zijn mijn manieren? Wilt u een kop koffie? Thee, misschien?'

'Nee, dank u. U bent heel vriendelijk voor me geweest, en ik zal u niet langer ophouden.' Ik ging weer tegenover hem zitten. 'Zou ik u nog één gunst mogen vragen zonder misbruik te maken van uw gastvrijheid?' Ik aarzelde. 'Zou ik *Zwanenroof* mogen zien?'

Hij keek me ernstig aan, alsof hij nadacht over alles wat we al hadden gezegd. Had hij me informatie gegeven die niet klopte, of die verzonnen was? Ik zou het nooit weten. Hij drukte zijn vingertoppen tegen elkaar en liet zijn kin erop rusten. 'Ik heb het niet aan Robert Oliver laten zien, en daar ben ik nu blij om.'

Het verbaasde me. 'Heeft hij er niet naar gevraagd?'

'Ik denk dat hij niet wist dat ik het in mijn bezit had. Het is niet algemeen bekend. Het is zelfs vertrouwelijke informatie.' Hij keek met een ruk op. 'Hoe wist ú het eigenlijk? Hoe wist u dat ik het heb?'

Ik moest nu bekennen wat ik eerder had moeten zeggen, en ik was bang dat het oude wonden zou openrijten. 'Monsieur Robinson,' zei ik, 'ik had het u al willen vertellen, maar ik wist niet... Ik heb Pedro Caillet opgezocht in Mexico. Hij is heel vriendelijk voor me geweest, net als u, en ik heb uw naam van hem gekregen. Hij doet u de hartelijke groeten.'

'Ach, Pedro en zijn groeten.' Maar hij glimlachte ondeugend. Er was nog vriendschap tussen die beide mannen met hun oudbakken, allang vergeven rivaliteit die een oceaan overspande. 'Dus hij heeft u verteld dat hij me *Zwanenroof* had verkocht, en u geloofde hem?'

Het was mijn beurt om hem aan te gapen. 'Ja. Dat zei hij.'

'Volgens mij gelooft hij het ook nog, die arme ouwe jongen. In feite heeft hij geprobeerd het van Aude zelf te kopen. Ze vonden het beiden een *extraordinaire* werk. Aude had het gekocht uit de nalatenschap van Armand Thomas, een galeriehouder in Parijs. Het was nooit geëxposeerd, merkwaardig genoeg, en sindsdien is het ook nergens getoond. Aude had het nooit aan Pedro verkocht, of aan wie dan ook, omdat haar moeder haar had verteld dat het haar enige belangwekkende doek was. Ik weet niet hoe Armand Thomas eraan was gekomen.' Hij legde zijn handen om de brieven op zijn schoot. '*Zwanenroof* was een van de weinige doeken die overbleven na het mislukken van de onderneming van de gebroeders Thomas – Armands oudere broer Gilbert was wel een goed schilder, maar geen goed zakenman. Ze worden genoemd in de briefwisseling tussen Béatrice en Olivier, weet u. Ik had altijd de indruk dat ze over lijken gingen om geld te verdienen. Het waren beslist geen goede vrienden van schilders, zoals Durand-Ruel, en uiteindelijk verdienden ze ook veel minder. Ze hadden niet zijn gevoel voor smaak.'

'Ja, ik heb twee schilderijen van Gilbert in de National Gallery gezien,' zei ik. 'Waaronder uiteraard *Leda*, het doek dat Robert kapot wilde snijden.'

Henri Robinson knikte. 'U mag *Zwanenroof* bekijken. Ik blijf maar hier, denk ik. Ik zie het een aantal keren per dag.' Hij gebaarde naar een dichte deur aan de andere kant van de woonkamer.

Ik liep erheen. Erachter bevond zich een kleine slaapkamer, waarschijnlijk van Robinson zelf, te oordelen naar de potjes medicijnen op het bureau en bij het tweepersoonsbed, waarop een groene damasten sprei lag. Voor het raam hingen bijpassende gordijnen, en ook hier stonden kasten vol boeken. Er viel weinig zon door de gordijnen en ik deed het licht aan. Ik voelde Henri's blik, maar wilde de deur niet tussen ons sluiten. Eerst dacht ik dat er boven het hoofdeind van het bed een raam zat dat uitzicht bood op een tuin, en toen dacht ik een schilderij van een zwaan te zien, maar meteen daarop zag ik dat het een spiegel was die zo was opgehangen dat hij het enige schilderij in de kamer reflecteerde, aan de muur ertegenover.

Ik moet hier even stoppen om op adem te komen. *Zwanenroof* laat zich niet makkelijk in woorden vatten. Ik had de schoonheid ervan wel verwacht, maar de boosaardigheid niet. Het was een vrij groot doek, ongeveer een meter twintig bij negentig, in het zonnige palet van de impressionisten. Er stonden twee bruinharige mannen in ruwe, donkere kleding op, van wie er een vreemd rode lippen had. Ze liepen steels op de beschouwer af, naar een zwaan toe die geschrokken opwiekte uit het riet. Een omkering, dacht ik, van de schrik van Leda: deze keer was de zwaan het slachtoffer in plaats van de overwinnaar. Béatrice had de vogel met snelle, levendige penseelstreken neergezet, waardoor hij tot aan de puntjes van zijn vleugels echt leek; hij haastte zich in een waas uit zijn nest, met eronder de suggestie van leliebladeren en grijs water, de ronding van een witte borst, grijs rond het starre donkere oog, de paniek van de mislukte vlucht, in beroering gebracht water onder zijn geel met zwarte poten. De rovers waren al te dichtbij, en de handen van de grootste man konden nu elk moment de nek van de zwaan omklemmen; de kleinste man leek klaar te staan om naar voren te springen en het lijf te pakken.

Het contrast tussen de sierlijkheid van de zwaan en de ruwheid van de beide mannen was duidelijk zichtbaar door de snelle penseelstreken heen. Ik had het gezicht van de grootste man eerder gezien, in de National Gallery; het was het gezicht van een kunsthandelaar die munten telde, te gretig nu, op zijn prooi belust. Als dit Gilbert Thomas was, moest de andere man natuurlijk zijn broer zijn. Ik had zelden zoveel vakmanschap in een schilderij gezien, of zo'n radeloosheid. Misschien had ze zichzelf dertig minuten gegund, misschien dertig dagen. Ze had diep nagedacht over dit beeld en het toen snel en bezield geschilderd. En daarna had ze, als haar dochter gelijk had, haar penseel neergelegd en nooit meer opgepakt.

Ik moet daar lang als aan de grond genageld hebben staan staren, want ik werd plotseling bevangen door vermoeidheid; de hopeloosheid van je inleven in anderen. Die vrouw had een zwaan geschilderd die iets voor haar betekende, en we zouden nooit meer te weten komen wát. Het deed er ook niet meer toe, afgezien van de felheid van het werk zelf. Zij was weg en wij waren er nog, en op een dag zouden wij er ook allemaal niet meer zijn, maar zij had een schilderij nagelaten.

Toen dacht ik aan Robert. Hij had nooit voor dit beeld gestaan en zich het hoofd gebroken over de hartstochtelijke wanhoop ervan. Of toch? Hoe lang was Henri Robinson, oud en alleen, veilig uit de buurt geweest? Ik had maar één wc gezien, tot dusver, dicht bij de voordeur, en er grensde geen badkamer aan de slaapkamer – het was een oud, vreemd ingedeeld appartement. Zou Robert ervoor zijn teruggedeinsd een dichte deur te openen? Nee, hij moest *Zwanenroof* hebben gezien; waarom zou hij anders naar Washington zijn teruggekeerd met een razernij die tot uitbarsting was gekomen in de National Gallery? Ik dacht aan zijn portret van Béatrice in Greenhill, haar glimlach, haar hand die een zijden ochtendjas op haar borst dichthield. Robert had haar gelukkig willen zien. *Zwanenroof* zat vol dreiging en gevangenschap – en mogelijk ook wraaklust. Vermoedelijk had Robert haar verdriet begrepen op een manier waartoe ik, goddank, nooit in staat zou zijn. Hij had niet naar dit schilderij hoeven kijken om het te begrijpen.

Toen dacht ik weer aan Robinson, die aan zijn stoel gekluisterd zat, en liep terug naar de salon. Ik wist dat ik *Zwanenroof* nooit meer zou zien. Ik had er vijf minuten bij doorgebracht en het had het aangezicht van de wereld veranderd.

'U bent onder de indruk.' Hij hield een hand op, met de palm naar boven: goedkeuring.

'Ja.'

'Denkt u dat het haar meesterwerk is?'

'Dat weet u beter dan ik.'

'Ik ben nu moe,' zei Henri, net zoals Caillet tegen Mary en mij had gezegd, herinnerde ik me opeens. 'Maar wilt u morgen terugkomen, nadat u mijn collectie in het Maintenon hebt gezien? Dan kunt u me zeggen of ik het mooiste voor mezelf heb bewaard.'

Ik liep snel naar hem toe om hem een hand te geven. 'Het spijt me dat ik zo lang ben gebleven. En het zou me een eer zijn om morgen terug te komen. Hoe laat verwacht u me?'

'Ik doe om drie uur mijn middagdutje. Komt u maar 's ochtends.'

'Ik weet niet hoe ik u moet bedanken.'

We gaven elkaar een hand en hij lachte die kunstmatig volmaakte tanden weer bloot. 'Ik heb van ons gesprek genoten. Misschien vergeef ik Robert Oliver alsnog.'

Marlow

Het Musée de Maintenon stond in Passy, dicht bij het Bois de Boulogne en mogelijk in de buurt van het huis van Béatrice de Clerval, al had ik geen idee waar ik dat kon vinden en was ik vergeten het aan Henri te vragen. Het zou waarschijnlijk toch geen museum zijn geworden; ik betwijfelde of haar korte carrière zelfs maar een plaquette waard was. Ik nam de metro en wandelde door een park vol kinderen in vrolijk gekleurde kleren die op schommels zaten en over modernistische klimrekken klauterden. Het museum zelf was een hoog, roomwit negentiende-eeuws gebouw met barok lofwerk op de gipsen plafonds. Ik dwaalde over de begane grond door een zaal met werken van Manet, Renoir en Degas waarvan ik er maar weinig eerder had gezien naar een kleinere zaal met de donatie van Robinson: de schilderijen van Béatrice de Clerval.

Ze had meer gemaakt dan ik had beseft, en ze was jong begonnen; het vroegste werk uit de collectie had ze op haar achttiende gemaakt, toen ze nog bij haar ouders woonde en les kreeg van Georges Lamelle. Het was een levendige poging, maar zonder de technische vaardigheid van haar latere doeken. Ze had hard gewerkt, net zo hard als Robert gedurende zijn obsessie, op haar eigen manier. Ik had me haar voorgesteld als echtgenote, de jonge vrouw des huizes, en zelfs als minnares, maar ik was vergeten wat een sterke schilderes ze overdag geweest moest zijn om al die schilderijen te voltooien en jaar in, jaar uit technisch beter te worden. Er waren portretten van haar zus, soms met een baby in haar armen, en er hingen schitterende bloemen, misschien uit Béatrice' eigen tuin. Er waren kleine grafietschetsen en een paar aquarellen van tuinen en de kust. Er hing een vrolijk portret van Yves Vignot als pasgetrouwd man.

Ik kon me er moeilijk van losmaken. De tweede verdieping van het

Musée de Maintenon was behangen met enorme doeken van Monet uit Giverny, voornamelijk waterlelies, veel uit zijn laatste periode, op het abstracte af. Tot dan toe had ik me niet gerealiseerd hoeveel waterlelies hij had weten te schilderen: kilometers, die nu door heel Parijs verspreid hingen. Ik kocht wat ansichtkaarten, ook voor Mary, om in haar atelier op te hangen, liep het museum uit en maakte een wandeling in het Bois de Boulogne. Een overhuifde boot kwam net aan de oever van een meertje aan, alsof hij was gekomen om me over te zetten; hij voer naar een eiland met een voornaam huis erop. Ik betaalde en stapte op de boot, gevolgd door een Frans gezin met twee kleine kinderen, allemaal op hun paasbest gekleed. Het kleinste meisje keek steels naar me en beantwoordde mijn glimlach voordat ze haar gezichtje in de schoot van haar moeder verborg.

Het huis bleek een restaurant te zijn met een beschaduwd terras met bloeiende blauweregen en schrikbarende prijzen. Ik nam koffie met gebak en liet me loom maken door de zon op het water. Geen zwanen, merkte ik op, al moesten ze er in Béatrice' tijd wel zijn geweest. Ik stelde me Béatrice en Olivier achter hun ezels aan het water voor, zijn summiere aanwijzingen, haar pogingen de uit het riet oprijzende zwaan te treffen. Rees hij op of streek hij neer? En had ik hun gesprekken te vrijelijk gereconstrueerd, in mijn verbeelding?

Ondanks de rustpauze op het eiland voelde ik me afgepeigerd tegen de tijd dat ik het Gare de Lyon bereikte. De bistro bij het hotel was open en de ober leek me al als een oude vriend te beschouwen, waarmee hij de mythe ontkrachtte dat alle Parijzenaars buitenlanders onbeschoft behandelen. Hij glimlachte alsof hij begreep hoe mijn dag was geweest en hoe dringend ik aan een glas rode wijn toe was; toen ik wegging, hield hij glimlachend de deur voor me open en beantwoordde mijn 'au revoir, monsieur' alsof ik er al jaren kind aan huis was.

Ik was van plan geweest een plek te zoeken om Mary te bellen met mijn nieuwe telefoonkaart, maar bij terugkeer in het hotel plofte ik in bed en viel als een blok in slaap, zonder eerst te doen alsof ik las. Henri en Béatrice drongen in mijn slaap binnen; ik werd wakker met een schok die iets met Aude de Clervals gezicht te maken had. Robert wachtte en ik moest hem bellen, niet Mary. Ik werd wakker en viel weer in slaap, en versliep me.

102

1892

Het is een vroege ochtend in juni, en de twee mensen die op een perron in de provincie staan te wachten hebben de wakkere, waakzame uitstraling van reizigers die voor het krieken van de dag zijn opgestaan; ze zijn keurig gekleed en houden zich afzijdig van de dorpse bedrijvigheid. De grootste van de twee is een vrouw in de bloei van haar jaren, de kleinste een meisje van elf of twaalf met een mand aan haar arm. De vrouw, die in het zwart is gekleed, heeft haar zwarte hoedje stevig vastgestrikt onder haar kin. Door haar voile ziet ze de wereld als door een waas van roet en ze zou hem het liefst omhoogslaan om de tinten van het okerkleurige station en de velden aan de andere kant van de rails aan te vullen: goudgroen gras en de eerste klaprozen van de zomer, waarvan het cadmium zelfs door de voile heen schijnt. Ze houdt haar hand echter stevig op haar tasje en de voile voor haar gezicht. Hun dorp is heel behoudend, ten opzichte van vrouwen althans, en ze is een dame onder de dorpelingen.

Ze wendt zich tot het meisje. 'Wilde je ons boek niet meebrengen?' Ze lezen sinds een paar avonden samen een vertaling van *Great Expectations.*

'Non, maman. Maar ik heb mijn borduurwerkje dat ik nog moet afmaken.'

De vrouw steekt een in tere zwarte kant gestoken hand uit en legt hem op de wang van het meisje, op de ronding bij de mond die sprekend op de hare lijkt. 'Lukt het toch nog op tijd voor papa's verjaardag?'

'Als het mooi genoeg wordt.' Het meisje kijkt in haar mand alsof haar handwerkje leeft en constante zorg behoeft.

'Vast wel.' De vrouw wordt even overmand door het besef dat de tijd vliegt, de tijd die ervoor heeft gezorgd dat deze bloem, haar schoonheid, van de ene dag op de andere groot en welbespraakt is geworden. Ze voelt nog steeds de stevige babybeentjes van haar dochter in haar armen, hoe ze zich overeind hees op haar schoot. Ze kan de herinnering elk moment tot leven wekken en doet het vaak, met een mengeling van blijdschap en spijt. Ze heeft er echter geen moment spijt van dat ze hier staat, een vrouw die in haar hart alleen is, over de veertig, een vrouw met een toegewijde echtgenoot die in Parijs op haar wacht, een rijpe, in rouw gehulde vrouw. Het afgelopen jaar hebben ze afscheid moeten nemen van de lieve blinde man die in haar hart de plek van een vader innam. Nu is er nog een reden tot droefenis bij gekomen.

Ze voelt echter ook dat het leven zijn loop neemt, zoals het hoort: een kind dat opgroeit, een sterfgeval dat niet alleen een verlies, maar ook een opluchting is, de coupeuse die net iets moderners voor haar maakt dan wat ze aanhad toen haar moeder was gestorven, jaren geleden; de rokken zijn sindsdien weer veranderd. Het kind heeft dit allemaal nog voor zich, met de mand met haar borduurwerkje, de dromen van haar verjaardag, haar liefde voor papa die de beste papa van de wereld is. Béatrice heeft haar dochter niet in saai zwart gekleed; het meisje draagt een witte jurk met een grijs kraagje en grijze manchetten en een zwarte sjerp om het middeltje dat nu nog dun is, maar binnenkort welgevormd zal zijn. Ze pakt de hand van het kind en kust die door haar voile heen, tot hun beider verrassing.

De trein naar Parijs komt zelden te laat en deze ochtend is hij iets te vroeg, een ver gerommel dat de kus onderbreekt, en ze richten zich beiden op. Het kind stelt zich altijd voor dat de trein door het dorp zelf dendert, huizen verpletterend en oude stenen opstapelend, met stofwolken in zijn kielzog, kippenhokken omgooiend en marktkramen verwoestend – een wereld *bouleversé*, zoals op een van de prenten in haar boek met kinderversjes, oude vrouwtjes die hun schort opnemen en wegrennen op de houten *sabots* die verlengstukken van hun grote voeten lijken. Een komische ramp, en dan daalt het stof en staat alles prompt weer overeind terwijl mensen als maman bedaard in de trein stappen. Maman doet alles bedaard, waardig: ze leest stilletjes, ze draait zachtjes je hoofd iets naar rechts wanneer je voor haar zit zodat ze je haar kan vlechten en ze legt zonder iets te zeggen een hand op je wang.

Maman heeft ook plotselinge momenten die Aude in zichzelf herkent, al kan ze nog niet weten dat het de momenten zijn van de jeugd die ons nooit verlaat: de verrassende handkus, een lachende omhelzing van papa's hoofd en hoed wanneer hij op de bank in de tuin zijn krant zit te lezen. Ze ziet er beeldschoon uit, zelfs in rouwkleren, want ze zijn in de rouw voor Audes grootvader en sinds kort ook voor papa's oom, die is gestorven in het verre Algerije, waar hij jaren geleden is gaan wonen. Of ze betrapt maman bij het achterraam, waar ze naar de regen kijkt die op de wei valt, en ziet dan het zeldzame verdriet in haar ogen. Hun huis in het dorp staat helemaal aan de rand, zodat je zo uit de tuin de velden in kunt lopen; daarachter is een rij donkerder bomen, het bos, waar Aude alleen mag komen als een van haar ouders erbij is.

Zodra de conducteur hun bagage heeft opgeborgen, nestelt Aude zich in de coupé, het voorbeeld van haar moeder volgend. Haar zelfbeheersing is van korte duur; binnen de kortste keren springt ze op om door het raam naar een span paarden te kijken dat wordt gemend door haar lievelingskoetsier, Pierre le Triste, die dagelijks pakketten komt afleveren voor de kleine winkels in het centrum van het dorp en soms voor maman zelf. Ze kennen hem goed, na al die jaren; papa heeft hun huis in het dorp gekocht in het jaar van haar geboorte, het volmaakte, ronde jaar 1880. Aude kan zich niet heugen dat ze ooit niet in het dorp kwamen, dat tussen Louveciennes en Moret-sur-Loing ligt en waar de trein drie keer per week doorheen stoomt, de korte bezoekjes en lange zomers met haar moeder en soms haar beide ouders hier. Pierre is van de bok geklommen en lijkt buiten met de conducteur te overleggen over een pakje en een brief; zijn gezicht is een en al glimlach: de overmaat aan vrolijkheid waaraan hij zijn ironische bijnaam te danken heeft. Ze kan zijn stem vanachter het raam wel horen, maar verstaat de woorden niet.

'Wat is er lieverd?' Haar moeder ontdoet zich van haar handschoenen en mantel en zet haar tas en Audes mand weg, hun kleine picknick.

'Daar is Pierre.' De conducteur krijgt haar in het oog en zwaait, en Pierre zwaait ook. Hij loopt langs de trein en gebaart met zijn grote armen dat ze het raam open moet draaien voor een pakje en een brief. Haar moeder staat op om ze in ontvangst te nemen en geeft het pakje aan Aude, met een knikje om aan te geven dat ze het meteen mag openmaken. Het komt van papa uit Parijs, een verlaat, maar welkom geschenk; ze zullen hem vanavond zien, maar hij heeft Aude alvast een ivoorwit sjaaltje met margrieten in de hoeken gestuurd. Ze vouwt het tevreden open en drapeert het over haar schoot. Maman heeft een lange speld met gitten uit haar haar getrokken om de brief open te maken, die ook van papa afkomstig is, maar er valt nog een envelop uit, eentje met vreemde stempels en een beverig handschrift dat Aude nooit eerder heeft gezien. Maman vangt de envelop en maakt hem met bevende handen omzichtig open; ze lijkt de nieuwe sjaal vergeten te zijn. Ze vouwt het enkele vel open, leest het, vouwt het op, vouwt het weer open en leest het, stopt het langzaam terug in de envelop en legt die op de zwarte zijde van haar schoot. Ze leunt achterover en slaat haar voile terug voor haar gezicht, maar Aude ziet dat ze haar ogen sluit en dat haar mondhoeken naar beneden trekken en sidderen alsof ze per se niet wil huilen. Aude slaat haar ogen neer en aait over de sjaal en de margrieten; waarom zou maman zich zo voelen? Moet ze proberen haar te troosten, iets tegen haar zeggen?

Maman zit heel stil, en Aude kijkt door het raam, op zoek naar antwoorden, maar ze ziet alleen Pierre op zijn laarzen en in zijn dikke jas. Hij laadt een vat wijn uit en een jongen tilt het op een handkar en loopt ermee weg. De conducteur zwaait ten afscheid naar Pierre en de trein fluit een keer schel, en dan nog een keer. Er is niets aan de hand in het dorp, dat overal tot leven is gekomen.

'Maman?' zegt ze met een klein stemmetje.

De donkere ogen achter de voile gaan open, blinkend van tranen, zoals Aude al vreesde.

'Ja, lieverd?'

'Is er iets... Is het slecht nieuws?'

Maman kijkt haar lang aan en zegt dan een beetje beverig: 'Nee, geen nieuws. Gewoon een brief van een oude vriend die er lang over heeft gedaan me te bereiken.'

'Van oom Olivier?'

Mamans adem stokt en dan ademt ze uit.

'Ja, inderdaad. Hoe heb je dat geraden, schat van me?'

'O, omdat hij dood is, denk ik, en dat is heel triest.'

'Ja, heel triest.' Maman legt haar gevouwen handen op de envelop.

'En heeft hij u geschreven over Algerije en de woestijn?'

'Ja,' zegt maman.

'Maar zijn brief is te laat gekomen?'

'Niets komt ooit echt te laat,' zegt maman, maar haar woorden struikelen over een snik. Het is verontrustend; Aude zou willen dat de reis voorbij was en dat ze papa bij zich hadden. Ze heeft maman nog nooit zien huilen. Ze kent bijna niemand die zoveel glimlacht als maman, behalve Pierre le Triste dan. Ze glimlacht vooral wanneer ze naar Aude kijkt.

'Hielden papa en u veel van hem?'

'Ja, heel veel. En je grootvader ook.'

'Herinnerde ik me hem nog maar.'

'Ja, dat zou ik ook fijn vinden.' Maman lijkt zich te hebben vermand; ze klopt op de zitplaats naast de hare en Aude schuift dankbaar tegen haar aan, met haar nieuwe sjaaltje.

'Zou ik ook van oom Olivier hebben gehouden?'

'O, zeker,' zegt maman. 'En hij van jou. Ik vind dat je op hem lijkt.'

Aude vindt het prachtig om op mensen te lijken. 'Hoe dan?'

'O, jij bent ook vol leven en nieuwsgierigheid, en je bent handig.' Maman zwijgt even; ze kijkt Aude recht aan, met bodemloos donkere ogen. Aude geniet van die blik, maar krimpt er ook onder in elkaar. Dan zegt maman: 'Je hebt zijn ogen, schat van me.'

'Echt?'

'Hij was schilder.'

'Net als u. Was hij net zo goed als u?'

'O, veel beter,' zegt maman. Ze streelt de brief. 'Hij kon meer levenservaring in zijn schilderijen verwerken, wat heel belangrijk is, al wist ik dat toen nog niet.'

'Gaat u die brief bewaren?' Aude is wel zo wijs niet te vragen of ze hem mag zien, al zou ze graag over de woestijn lezen.

'Misschien. Samen met andere brieven. Alle brieven die ik heb kunnen bewaren. Ze zijn voor jou als je een oud dametje bent.'

'Hoe krijg ik ze dan?'

Maman slaat haar voile op, glimlacht en klopt op Audes wang, nu zonder handschoenen. 'Ik zal ze je zelf geven, en anders vertel ik je wel waar je ze kunt vinden.'

'Vindt u mijn sjaaltje van papa mooi?' Aude spreidt het uit over haar eigen rok van witte mousseline en die van maman, van zware, zwarte zijde.

'Heel mooi,' zegt maman. Ze strijkt het sjaaltje glad over de brief met de grote buitenlandse stempels. 'De margrieten zijn bijna net zo mooi als de bloemen die jij borduurt, maar net niet helemaal, want de jouwe lijken altijd te leven.'

103

Marlow

Robinson begroette me joviaal bij mijn terugkeer in zijn salon. Hij deed geen poging op te staan, maar hij zag er keurig uit in een grijze flanellen broek, een zwarte coltrui en een donkerblauw jasje, alsof we gingen lunchen in plaats van bewegingloos in zijn salon te blijven zitten. Ik hoorde pannen kletteren in de keuken, waar Yvonne zich had teruggetrokken, en ik rook de geur van in boter gebakken uien. Tot mijn blijdschap vroeg Robinson me prompt of ik wilde blijven lunchen. Ik deed hem verslag van mijn bezoek aan het Musée de Maintenon. Hij liet me de titels noemen van alle doeken die hij het museum had geschonken. 'Geen slecht gezelschap voor onze Béatrice,' zei hij met een glimlach.

'Nee – Monet, Renoir, Vuillard, Pissarro...'

'In de nieuwe eeuw zal ze meer waardering krijgen.'

Het was moeilijk om te geloven dát er een nieuwe eeuw zou komen, hier in dit appartement waar misschien al wel vijftig jaar dezelfde boeken en schilderijen stonden en hingen en waar zelfs de planten minstens zo oud leken te zijn als Mary. 'Het is flink gevierd in Parijs, hè, het millennium?'

Hij glimlachte. 'Aude herinnerde zich de eeuwwisseling van 1900 nog, weet u. Ze was toen bijna twintig.' En hij was nog niet eens geboren. Hij had de eeuw van Audes jeugd gemist.

'Mag ik u nog één ding vragen, als het niet te brutaal is? Het zou me kunnen helpen bij mijn behandeling van Robert, aangenomen dat u zo ruimhartig wilt zijn.'

Hij schokschouderde zonder bezwaar te maken; de onwillige toestemming van een heer.

'Ik vraag me af waarom Béatrice de Clerval volgens u is gestopt met schilderen. Robert Oliver is hoogst intelligent en moet er diep over hebben nagedacht. Hebt u zelf een theorie?'

'Ik doe niet aan theorieën, dokter. Ik heb mijn leven met Aude de Clerval gedeeld. Ze heeft me alles toevertrouwd.' Hij ging iets rechter zitten. 'Ze was een fantastische vrouw, net als haar moeder, en de kwestie zat haar dwars. Als psychiater moet u begrijpen dat ze zichzelf de schuld gaf van het eind van haar moeders loopbaan. Niet iedere vrouw geeft alles op voor haar kind, maar Aude wist dat haar moeder dat wel had gedaan en dat is haar hele leven een zware last voor haar geweest. Ze heeft geprobeerd zelf te tekenen en te schilderen, zoals ik u al had verteld, maar ze had er geen aanleg voor, en ze heeft nooit iets persoonlijks over haar moeder of over haar eigen leven geschreven; ze was een strikte journalist, heel professioneel, heel moedig. Tijdens de oorlog was ze verslaggever in Parijs voor *la Résistance*, een ander verhaal. Maar met mij praatte ze wel eens over haar moeder.'

Ik wachtte in een stilte die minstens zo diep was als de stiltes met Robert. Uiteindelijk vervolgde de oude man: 'Het is een raadsel, uw komst hier en die van Robert vóór u. Ik ben er niet aan gewend met onbekenden te praten, maar ik zal u iets vertellen wat ik niemand anders heb verteld, en zeker Robert Oliver niet. Toen Aude op sterven lag, heeft ze me dat pakketje brieven gegeven dat u me zo gedienstig hebt teruggebracht. Er zat een briefje bij van Audes moeder aan haar dochter. Aude vroeg me het briefje te lezen en dan te verbranden, wat ik heb gedaan, en de rest van de brieven moest ik bewaren. Aude had ze me nooit eerder laten zien. Dat kwetste me, begrijpt u, want ik dacht dat we alles deelden. In het briefje van Audes moeder stonden twee dingen. Ten eerste dat ze meer van Aude hield dan van wie ook, omdat ze het kind van haar grote liefde was, en ten tweede dat ze bewijs van die liefde had toevertrouwd aan haar kamermeisje, Esmé.'

'Ja... Die naam herinner ik me uit de brieven.'

'Hebt u ze gelezen?'

Ik was verbaasd, maar toen begreep ik dat hij het had gemeend toen hij zei dat hij wel eens iets vergat. 'Ja. Zoals ik al zei, vond ik dat ik ze omwille van mijn patiënt moest lezen.'

'Aha. Enfin, het doet er niet meer toe.' Hij trommelde met zijn vingertoppen op de armleuning van zijn stoel; ik dacht een sleetse plek op het hout te zien.

'U zei dat Béatrice iets voor Aude aan Esmé had gegeven?'

'Ik neem aan van wel, maar Esmé stierf kort na Béatrice, ziet u. Ze werd plotseling ziek en mogelijk was ze niet meer in staat het aan Aude door te geven, wat het ook was. Aude zei altijd dat Esmé was bezweken aan een gebroken hart.'

'Béatrice moet een lieve vrouw des huizes zijn geweest.'

'Als ze ook maar enigszins op haar dochter leek, moet ze een geweldige vrouw zijn geweest.' Zijn gezicht kreeg iets droevigs.

'En Aude heeft nooit geweten wat dat bewijs van liefde was?'

'Nee, we zijn er nooit achter gekomen. Aude wilde het heel graag weten. Ik heb informatie over Esmé gezocht en ontdekte in een gemeentelijk archief dat ze voluit Esmé Renard heette, en dat ze was geboren in, ik denk, 1859, maar verder kon ik niets vinden. Audes ouders hadden een huis gekocht in het dorp waar Esmé vandaan kwam, maar dat is na Yves' dood verkocht. Ik herinner me de naam van dat dorp niet eens meer.'

'Ze was dus acht jaar jonger dan Béatrice,' constateerde ik.

Hij ging verzitten en hield een hand boven zijn ogen als om me beter te kunnen zien. 'Wat weet u veel van Béatrice,' zei hij verwonderd. 'Houdt u ook van haar, net als Robert Oliver?'

'Ik heb een goed geheugen voor getallen.' Ik begon te denken dat ik afscheid van de oude man moest nemen voor hij weer moe werd.

'Hoe dan ook, ik heb niets gevonden. Vlak voordat Aude overleed, zei ze dat haar moeder de liefste van de wereld was geweest...' – hij schraapte zijn keel – '... op mij na. Misschien hoefde ze dus niet meer te weten.'

'Het was vast en zeker genoeg,' zei ik troostend.

'Wilt u haar portret zien? Het portret van Béatrice?'

'Ja, natuurlijk. Ik heb het doek van Olivier Vignot in het Metropolitan Museum gezien.'

'Een goed portret, maar ik heb een foto, een van de weinige; Aude zei dat haar moeder niet graag op de foto ging. Aude heeft hem nooit door iemand laten publiceren. Ik bewaar hem in mijn album.' Voordat ik bezwaar kon maken, hees hij zich uiterst langzaam op uit zijn stoel en pakte de wandelstok die ernaast stond. Ik bood hem mijn arm aan, die hij onwillig aannam, en liep met hem door de kamer naar een boekenkast. Hij wees met zijn stok en ik pakte het zware, in leer gebonden album dat hij had aangewezen. Het vertoonde kale plekken, maar had nog steeds een vergulde rechthoek in reliëf op het omslag. Ik legde het op een tafel en sloeg het open. Er zaten familiefoto's van verschillende generaties in, en ik had het liefst gevraagd of ik ze allemaal mocht zien: kleine kinderen in kleren met veel kwikjes en strikjes die strak voor zich uit keken, negentiende-eeuwse bruiden als witte pauwen, voorname broers of vrienden met hoge hoeden en geklede jassen, de handen op elkaars schouders. Ik vroeg me af of Yves ertussen stond; misschien was hij die glimlachende man met brede schouders en een donkere baard, en was Aude dat kleine meisje in een jurk met wijde rok en knooplaarsjes? Ook al zaten ze ertussen en al was een van die mensen Olivier Vignot zelf, Henri Robinson sloeg ze over in zijn missie, en ik waagde het niet zijn broze geest of handen te onderbreken. Toen vond hij wat hij zocht. 'Dit is Béatrice,' zei hij.

Ik had haar uit duizenden herkend, maar toch was het griezelig om haar echte gezicht te zien. Ze stond alleen, met een hand op een piëdestal in een fotostudio, terwijl ze met de andere haar rok vasthield; een houterige pose, en toch straalde ze energie uit. Ik kende die indringende donkere ogen, de kaaklijn, de slanke hals en de overdaad aan opgestoken krullen boven haar oren. Ze droeg een lange, donkere jurk met een soort stola om haar schouders; de mouwen van haar jurk waren van boven wijd en strak om haar polsen; haar middel was slank en strak en haar rok was langs de zoom afgezet met een brede strook in een lichtere kleur met ingewikkelde geometrische patronen. Een modeplaatje, dacht ik: misschien geen werkend kunstenares, maar wel kunstig gekleed.

De foto was achterop voorzien van een datumstempel, 1895, met de naam en het adres van een Parijse fotostudio. Er knaagde iets aan me, een verhulde herinnering, een figuur ergens anders, een melancholie die ik niet kon afschudden. Ik dacht een lang moment dat mijn geheugen niet veel beter was dan dat van Henri Robinson; veel slechter, zelfs. Toen keek ik hem aan. 'Monsieur, hebt u misschien een boek met werk van...' Wie was het? Waar was het? 'Ik zoek een schilderij... ik bedoel een boek met schilderijen van Sisley, als u dat toevallig hebt.'

'Sisley?' Hij keek peinzend, alsof ik om een drankje vroeg dat hij niet in huis had. 'Ik neem aan dat ik wel iets heb. Het zou daar moeten staan...' Hij prikte weer met zijn stok, zich in evenwicht houdend aan mijn arm. 'Daar staan de impressionisten, te beginnen bij de oorspronkelijke zes.'

Ik liep naar de kast, zocht langzaam en vond niets. Er was een boek over impressionistische landschappen met Sisley in de index, maar het was niet wat ik zocht. Ten slotte vond ik een boek met wintertaferelen.

'Dat is nieuw.' Henri Robinson keek me verbazend scherp aan. 'Ik heb het van Robert Oliver gekregen bij zijn tweede bezoek.'

Ik pakte het boek; een duur cadeau. 'Hebt u hem de foto van Béatrice laten zien?'

Hij dacht even na. 'Ik geloof het niet. Dan zou ik het nog wel weten. Bovendien had hij die dan waarschijnlijk ook gestolen.'

Ik moest toegeven dat het niet ondenkbaar was. Het schilderij van Sisley stond erin, tot mijn opluchting, en net zoals ik het me uit de National Gallery herinnerde: een vrouw die in een dorp over een weg loopt met een hoge muur, door de sneeuw; de naargeestig donkere takken van bomen, een winterse zonsondergang. Het was een adembenemend werk, zelfs in reproductie. De rok van de vrouw, die onder het lopen om haar benen zwaaide, de haast die haar gestalte uitdrukte, de korte, donkere cape en de bijzondere blauwe strook langs de zoom van haar rok. Ik liet de reproductie aan Henri Robinson zien. 'Komt dit u bekend voor?'

Hij keek er lang naar voordat hij zijn hoofd schudde. 'Denkt u echt dat er een verband is?'

Ik pakte het fotoalbum en hield de foto bij de reproductie. De rok was onmiskenbaar hetzelfde. 'Zou die jurk een geliefd model zijn geweest?'

Henri Robinson omklemde mijn arm stevig en ik dacht weer aan mijn vader. 'Dat lijkt me niet mogelijk. In die tijd lieten dames hun jurken speciaal door coupeuses maken.'

Ik las de tekst onder het schilderij. Alfred Sisley had het twee jaar voor zijn dood gemaakt, in Grémière, even ten westen van zijn eigen dorp, Moret-sur-Loing. 'Mag ik even gaan zitten om na te denken?' vroeg ik. 'Mag ik de brieven nog heel even zien?'

Henri Robinson liet zich door me naar zijn stoel brengen en reikte me onwillig de brieven aan. Nee, ik kon het Frans niet goed genoeg lezen, of het handschrift. Ik zou mijn eigen kopieën moeten doornemen, de vertalingen van Zoe, die in mijn hotelkamer lagen. Ik vond het nu jammer dat ik ze niet bij me had gestoken; het had zo voor de hand gelegen. Mary zou het al hebben uitgeknobbeld, wist ik zeker, met een zwierig, bot 'Zo zit dat, Sherlock'. Ik gaf de brieven teleurgesteld terug. 'Monsieur, zou ik u vanavond mogen bellen, alstublieft? Ik probeer het verband te leggen tussen de foto en het schilderij van Sisley.'

'Ik zal er ook over nadenken,' zei hij vriendelijk. 'Ik betwijfel of het iets belangrijks kan zijn, al is het dezelfde jurk, en als je eenmaal zo oud bent als ik, besef je dat het er uiteindelijk niet toe doet. Nu verwacht Yvonne ons aan de lunch.'

We gingen tegenover elkaar aan een gepolitoerde eettafel zitten, achter weer een dichte groene deur. Ook die kamer was behangen met schilderijen en ingelijste foto's van Parijs tussen beide oorlogen, heldere, hartbrekende beelden: de rivier, de Eiffeltoren, mensen in donkere jassen met hoeden, een stad die ik nooit zou kennen. De in uien gestoofde kip was verrukkelijk; Yvonne kwam vragen hoe het smaakte, veegde met de rug van haar hand het zweet van haar voorhoofd en dronk een half glaasje wijn met ons.

Na de lunch leek Henri zo vermoeid dat ik besloot te vertrekken. Ik herinnerde hem eraan dat ik hem nog zou bellen. 'En u moet afscheid komen nemen,' zei hij tegen me. Ik hielp hem naar zijn stoel en bleef nog even bij hem zitten. Toen ik opstond, probeerde hij ook weer overeind te komen, maar ik hield hem tegen en gaf hem een hand. Hij leek even weg te doezelen. Ik stond stilletjes op.

Toen ik bij de deur was, riep hij me na: 'Had ik al tegen u gezegd dat Aude het kind was van Zeus?' Zijn ogen straalden; ik zag de jonge man door het verdwaasde oude gezicht heen kijken. Ik had kunnen weten, dacht ik, dat hij degene zou zijn die me hardop vertelde wat ik al zo lang dacht.

'Ja. Dank u, monsieur.'

Toen ik wegging, was zijn kin in zijn handen gezakt.

104

Marlow

Ik ging in de smalle hotelkamer op het bed liggen en vond de passage in de vertaling van Zoe.

Ik ben zelf vandaag een beetje moe en kan me op niets anders richten dan het schrijven van brieven, hoewel het schilderen gisteren goed ging doordat ik een goed model heb gevonden, mijn kamermeisje Esmé; toen ik haar een keer vroeg of ze uw geliefde Louveciennes kende, vertelde ze me schuchter dat zij uit het dorp ernaast komt, dat Grémière heet. Yves zegt dat ik de bedienden niet moet kwellen door hen voor mij model te laten zitten, maar waar kan ik anders zo'n geduldig model vinden?

In de winkel naast het hotel kocht ik een telefoonkaart voor het equivalent van twintig dollar – veel belminuten met Amerika – en een wegenkaart van Frankrijk. Ik had een aantal telefooncellen gezien op het Gare de Lyon aan de overkant van de straat, en ik liep erheen met de brieven in mijn hand. Ik voelde het immense gebouw boven me uittorenen. De sculpturen aan de buitenkant waren aangetast door zure regen. Even vond ik het jammer dat ik niet naar binnen kon lopen en op een stoomtrein stappen, die horen fluiten en snokken, het station uit rijden, een wereld in die Béatrice zou hebben herkend. Er stonden echter alleen drie gestroomlijnde tgv's uit het ruimtevaarttijdperk aan het eind van het spoor, en in de hal weergalmden onverstaanbare mededelingen over vertrektijden.

Ik ging op de eerste de beste lege bank zitten en vouwde de wegenkaart open. Louveciennes lag ten westen van Parijs, als je de Seine en het voetspoor van de impressionisten volgde; ik had op mijn eerste dag in Parijs verschillende taferelen van Louveciennes gezien in het Musée d'Orsay, waaronder een van Sisley zelf. Ik vond Moret-sur-Loing, waar hij was overleden, en een stipje ernaast: Grémière. Ik verschanste me in een telefooncel en belde Mary. Het was thuis avond, maar ze zou nu klaar zijn met lesgeven en schilderen en misschien willen gaan slapen. Tot mijn opluchting nam ze snel op.

'Andrew? Alles goed?'

'Natuurlijk. Ik ben in het Gare de Lyon. Het is schitterend.' Vanaf de plek waar ik stond, kon ik door het glas omhoogkijken en de wandschilderingen boven Le Train Bleu zien, het vroegere Buffet de la Gare de Lyon, de chicste stationsrestauratie uit het tijdperk van Béatrice, of dat van Aude, in elk geval. Na meer dan een eeuw kon je er nog steeds eten. Was Mary er nu maar, dacht ik.

'Ik wist wel dat je zou bellen.'

'Hoe is het met je?'

'O, ik schilder,' zei ze. 'Aquarellen. Ik heb even genoeg van mijn stilleven. Als je terug bent, moeten we een landschapsexcursie maken.'

'Absoluut. Zeg maar wanneer.'

'Bij jou alles goed?'

'Ja, al bel ik je vanwege een probleem. Niet echt een praktisch probleem; meer een puzzel voor Holmes.'

'Zal ik je Watson dan zijn?' zei ze met een lach.

'Nee, jij bent mijn Holmes. Let op. Alfred Sisley heeft in 1895 een dorpslandschap geschilderd. Je ziet een vrouw over een weg lopen. Ze heeft een donkere jurk aan met een bijzonder patroon langs de zoom, een soort Grieks geometrisch patroon. Ik heb het in de National Gallery gezien, dus misschien ken jij het ook.'

'Er staat me niets van bij.'

'Volgens mij is het een jurk van Béatrice de Clerval.'

'Hè? Hoe weet je dat in vredesnaam?'

'Henri Robinson heeft een foto van haar in die jurk. Hij is fantastisch, trouwens. En je had gelijk, wat de brieven betreft. Robert had ze uit Frankrijk. Hij had ze van Henri gestolen, moet ik tot mijn spijt bekennen.'

Ze zweeg even. 'En jij hebt ze teruggegeven?'

'Uiteraard. Henri is heel blij dat hij ze terug heeft.'

Ik dacht dat ze zat te broeden op Robert en zijn groeiende aantal misdrijven, maar toen zei ze: 'Zelfs al ben je er zeker van dat het die jurk is, wat dan nog? Misschien kenden ze elkaar en heeft ze voor hem geposeerd.'

'Het dorp waar hij haar heeft geschilderd, heet Grémière, en daar kwam Béatrice' kamermeisje vandaan. Henri heeft me verteld dat Aude, haar dochter, hem op haar sterfbed had verteld – volg je me nog? – dat Béatrice haar kamermeisje iets belangrijks had gegeven, een bewijs van haar liefde voor Aude. Aude is er nooit achter gekomen wat het was.'

'Wil je dat ik met je meega naar Grémière?'

'Als dat zou kunnen... Vind je dat ik erheen moet?'

'Ik zou niet weten hoe je na al die tijd nog iets in dat hele dorp zou kunnen vinden. Misschien ligt er iemand begraven?'

'Esmé, vermoedelijk... Ik weet het niet. Ik neem aan dat de Vignots in Parijs zijn begraven.'

'Ja.'

'Doe ik dit voor Robert?' Ik wilde haar stem weer horen, geruststellend, warm en spottend.

'Doe niet zo gek, Andrew. Je doet het voor jezelf, zoals je maar al te goed weet.'

'En een beetje voor jou.'

'En een beetje voor mij.' Ze zweeg over die eindeloze Atlantische kabelverbinding. Of was het tegenwoordig een satellietverbinding? Het schoot me te binnen dat ik mijn vader ook moest bellen, nu ik toch bezig was.

'Goed, ik rij er snel even heen, want het is niet ver van Parijs. Het kan niet al te moeilijk zijn om het te vinden. Jammer dat ik niet ook naar Étretat kan.'

'Misschien gaan we er nog een keer samen heen, je weet het niet.' Haar stem klonk nu gespannen, en ze schraapte haar keel. 'Ik wilde wachten, maar mag ik iets met je bespreken?'

'Ja, natuurlijk.'

'Ik weet niet goed waar ik moet beginnen,' zei ze, 'maar ik heb gisteren ontdekt dat ik zwanger ben.'

Ik kneep in de hoorn en was me een ogenblik lang alleen maar bewust van de lichamelijke sensatie, de registratie van een soort aardschok. 'En het is...'

'Het is zeker.'

Ik had iets anders bedoeld. 'En het is...' De deur die op dat moment in mijn geest openging, leek een opdoemende gestalte te onthullen, al bleef mijn telefooncel potdicht.

'Het is van jou, als je dat wilde vragen.'

'Ik...'

'Het kan niet van Robert zijn.' Ik hoorde haar vastberadenheid door de telefoon, haar vaste voornemen me alles eerlijk te vertellen, en ik zag de lange vingers met het mobieltje erin aan de andere kant van de oceaan. 'Ik heb Robert in geen maanden gezien, zoals je weet, en ik wilde hem ook niet zien. Je weet best dat ik hem nooit heb opgezocht. En er is geen ander geweest. Alleen jij. Ik heb voorzorgsmaatregelen genomen, zoals je weet, maar bijna alles kan een keer misgaan. Ik ben nog nooit eerder zwanger geweest. Mijn hele leven niet. Ik heb altijd heel goed opgepast.'

'Maar ik...'

Ze lachte ongeduldig. 'Heb je er niets over te zeggen? Ben je blij? Vind je het een ramp? Ben je teleurgesteld?'

'Gun me even, alsjeblieft.'

Ik leunde tegen de wand van de telefooncel en drukte mijn voorhoofd tegen het glas, zonder me erom te bekommeren welke andere hoofden het de afgelopen vierentwintig uur hadden aangeraakt. Toen barstte ik in snikken uit. Ik had al jaren niet meer gehuild; er was een moment van hete tranen van woede geweest nadat een favoriete patiënt zich van het leven had beroofd, maar het allerbelangrijkste moment was jaren eerder geweest, toen ik aan het bed van mijn moeder had gezeten met haar warme, zachte, dode hand in de mijne en pas na lange minuten had beseft dat ze niet meer kon horen en het dus niet erg zou vinden als ik me liet gaan, al had ik beloofd sterk te zijn voor mijn vader. Trouwens, hij was sterk geweest voor mij. We kenden de dood allebei, door ons werk, maar hij had zijn leven lang nabestaanden getroost.

'Andrew?' Mary's stem zocht me over de lijn, angstig, gekwetst. 'Vind je het zo erg? Je hoeft niet te doen alsof...'

Ik wreef met mijn mouw over mijn gezicht en schaafde mijn neus aan mijn manchetknoop. 'Dus je wilt wel met me trouwen?'

Nu klonk haar lach vertrouwd, zij het een beetje verstikt, die aanstekelijke vrolijkheid die me ook bij Robert Oliver was opgevallen. Was het me wel zelf opgevallen? Hij had nooit met mij gelachen; ik moest aan een beschrijving van een ander denken. Ik hoorde haar worstelen om haar stem in bedwang te krijgen. 'Dat wil ik wel, Andrew. Ik had niet gedacht dat ik ooit met iemand zou willen trouwen, maar jij bent niet zomaar iemand. En ik doe het niet vanwege het kind.'

Toen ik die woorden hoorde – het kind – deelde mijn leven zich in tweeën; de mitose van de liefde. De ene helft was er nog niet eens echt, maar die twee woordjes, door de telefoon uitgesproken, hadden een nieuwe wereld voor me aangesneden, of de wereld die ik kende verdubbeld.

105

Marlow

Toen ik mijn neus had gesnoten en een paar minuten door het station had gelopen, belde ik het nummer dat Henri me had gegeven. 'Ik wil morgenochtend een auto huren om naar Grémière te gaan. Wilt u mee?'

'Ik heb erover nagedacht, Andrew, en ik denk niet dat je iets aan de weet kunt komen, maar misschien schenkt het je voldoening om te gaan.' Het deed me goed te horen dat hij me bij de voornaam noemde.

'Dus u zou mee kunnen gaan, als het u geen gekkenwerk lijkt? Ik zou het u zo comfortabel mogelijk maken.'

Hij zuchtte. 'Ik kom niet vaak meer buiten de deur, behalve als ik naar de dokter moet. Ik zou je maar ophouden.'

'Ik vind het niet erg om er lang over te doen.' Ik zag ervan af hem over mijn vader te vertellen, die nog steeds autoreed, gemeenteleden bezocht en wandelingen maakte. Hij was bijna tien jaar jonger, wat op die leeftijd een heel leven was, als het op mobiliteit aankwam.

'Aha...' Hij dacht na. 'In het ergste geval wordt het mijn dood. Dan kun je mijn lichaam terugbrengen naar Parijs en me naast Aude de Clerval begraven. In een mooi dorp sterven van vermoeidheid lijkt me niet het wreedste lot.' Ik wist er niets op te zeggen, maar hij grinnikte en ik lachte mee. Ik had hem graag mijn nieuws verteld. Het was verschrikkelijk dat Mary deze man niet kon ontmoeten, die haar grootvader had kunnen zijn, of zelfs haar overgrootvader, met net zulke lange dunne benen als zij en hetzelfde ironische gevoel voor humor.

'Zal ik u morgenochtend om negen uur ophalen?'

'Ja. Ik zal geen oog dichtdoen.' Hij hing op.

In Parijs rijden is een nachtmerrie voor buitenlanders. Alleen Béatrice had me ertoe kunnen overhalen, en ik had het gevoel dat ik gewoon mijn ogen dichtdeed (en soms wijder opensperde dan ooit) om het krioelende verkeer, de onbekende borden en het eenrichtingsverkeer te overleven. Tegen de tijd dat ik Henri's appartement bereikte, was het zweet me al uitgebroken, en het was een opluchting dat ik een plekje vond om te parkeren, met mijn knipperlichten aan, want ik mocht daar niet staan. Het kostte Yvonne en mij twintig minuten om Henri de trap af te helpen. Als ik Robert Oliver was geweest, had ik hem gewoon kunnen optillen en naar beneden dragen, maar ik durfde het niet eens voor te stellen. Hij installeerde zich voorin en Yvonne legde een ingeklapte rolstoel en een extra deken in de kofferbak, tot mijn opluchting – we zouden althans een deel van het dorp veilig kunnen verkennen.

Het lukte ons levend en wel van een van de grote boulevards af te komen, op aanwijzing van Henri, wiens geheugen nu verbazend goed was, en reden door de voorsteden, waar we soms nog een glimp konden opvangen van de brede Seine, en toen over kronkelende wegen en door bossen naar de eerste dorpen. Even ten westen van Parijs werd de omgeving landelijker; ik was hier nog nooit geweest. Het was een mengeling van steile heuvels en pannendaken, vriendelijke kerkjes, statige bomen en schuttingen beladen met rozen in de eerste bloei. Ik draaide een raam open voor wat frisse lucht en Henri keek continu om zich heen, zwijgend, met een strak gezicht, maar soms glimlachend.

'Dank je,' zei hij op een gegeven moment.

We namen de afslag naar Louveciennes en reden langzaam door het dorp, zodat Henri me kon wijzen waar de grote schilders hadden geleefd en gewerkt. 'Het dorp is bijna verwoest tijdens de Pruisische invasie. Pissarro had hier een huis. Hij moest vluchten, met zijn gezin, en de Pruisische soldaten die in zijn huis woonden, gebruikten zijn schilderijen als vloerkleden. De slagers in het dorp maakten er schorten van. Hij raakte meer dan honderd doeken kwijt, jaren werk.' Hij schraapte zijn keel en kuchte. '*Salauds.*'

Na Louveciennes dook de weg diep naar beneden; we kwamen langs de poorten van een klein chateau, een flits van grijze steen en hoge bomen. Het volgende dorp was Grémière, en het was zo klein dat ik de afslag bijna had gemist. Ik zag het bord toen we op het dorpsplein aankwamen, dat niet meer was dan een lapje klinkers voor een kerk. De kerk was heel oud, waarschijnlijk romaans, vierkant met een massieve toren en beesten rond het portaal die waren verweerd door de wind. Ik parkeerde er vlakbij, gadegeslagen door een paar oude vrouwen op degelijke rubberlaarzen en met boodschappentassen, en haalde eerst de rolstoel en toen Henri uit de auto. We hadden geen haast, want we wisten niet wat we hier kwamen doen. We dronken dus op ons gemak een kop koffie op het terras van het enige café in het dorp, waar ik Henri's stoel bij een tafel zette en de deken over zijn knieën uitspreidde. Het was een koele ochtend met een lentezonnetje; de kastanjes langs een weg rechts bloeiden met ro-ze en witte kaarsen. Ik kreeg de slag van het duwen van de rolstoel te pakken, mijn vader zou er vermoedelijk nog eens een nodig hebben, en we sloegen de eerste weg met een muur in om te zien of het de goe-de was. Ik stuurde om een kapotte klinker heen. Mijn vader zou hoogst-waarschijnlijk zijn kleinkind nog te zien krijgen.

Henri had erop gestaan het boek over Sisley mee te brengen; na een paar pogingen stelden we vast dat een van die weggetjes met muren overeenkwam met dat op het schilderij, en ik maakte een paar foto's. Ceders en platanen lieten hun takken over de muur hangen, en aan het eind stond het huis, het huis waar Béatrice, als ze het was, op het schilderij naartoe liep. Het huis had blauwe luiken en geraniums in potten bij de voordeur; het was netjes gerenoveerd en de eigenaren woonden mogelijk in Parijs. Ik belde vergeefs aan terwijl Henri in zijn rolstoel op het pad bleef zitten. 'Zinloos,' zei ik.

'Zinloos,' beaamde hij.

We gingen naar de winkel en vroegen de eigenaar naar een familie Renard, maar hij haalde vriendelijk zijn schouders op en ging verder met het wegen van worstjes. Toen gingen we naar de kerk, waar we binnen wisten te komen door de treden te omzeilen. Het was koud binnen, onverlicht, een spelonk. Henri rilde en vroeg of ik hem door het gangpad naar voren wilde rijden, waar hij een tijdje met gebogen hoofd bleef zitten – voor een bezoek aan zijn geesten, dacht ik. Ver-volgens gingen we naar de *mairie* om te zien of er gegevens over Esmé Renard of haar familie bewaard waren gebleven. De vrouw achter de balie wilde ons graag helpen; het was duidelijk dat ze de hele ochtend geen mens had gezien en haar typewerk beu was, en toen kwam er nog een functionaris bij – ik heb nooit echt begrepen wie het was, maar in zo'n gehucht had het de burgemeester zelf kunnen zijn – en zochten ze samen wat documenten voor ons op. Ze hadden dossiers over de geschiedenis van het dorp en ook een geboorte- en overlijdensregister dat oorspronkelijk uit de kerk kwam, maar nu in een brandveilige metalen kist werd bewaard. Geen Renards; wellicht was het huis niet hun eigendom geweest, maar hadden ze het gehuurd?

We bedankten hen en verlieten het stadhuis. In de entree gebaarde Henri me te stoppen en reikte naar achteren om mijn hand te pakken. 'Het geeft niet,' zei hij vriendelijk. 'Veel dingen worden nooit verklaard, zie je. Het is eigenlijk niet zo erg.'

'Dat zei u gisteren ook al, en u hebt vast gelijk,' zei ik. Ik gaf een zacht kneepje in zijn hand, die aanvoelde als een bosje warme twijgen. Het was waar wat hij had gezegd; mijn hart haastte zich al naar iets anders. Hij gaf een klopje op mijn arm.

Het duurde even voordat ik de stoel in de juiste stand had om naar buiten te gaan en toen ik opkeek, zag ik hem, de schets. Hij hing ingelijst aan de oude gepleisterde muur van de entree, een krachtig fragment in grafiet op papier: een zwaan, maar niet het slachtoffer van het schilderij dat ik de vorige dag had gezien; deze spoedde zich naar het land, in plaats van zich omhoog te worstelen. Eronder lag een menselijke gedaante, een sierlijk been, een stukje draperie. Ik zette Henri's stoel zorgvuldig op de rem en liep naar de schets toe. Ik zag de zwaan, de kuit van de maagd, haar lieftallige voet, en het monogram in een hoek, slordig maar herkenbaar, zoals ik het op bloemen en gras en bij de voet van een rover op zware laarzen had gezien. Het was een bekende signatuur, eerder een Chinees karakter dan een combinatie van Latijnse letters, haar handelsmerk. Ze had het teken een beperkt, te gering aantal keren gezet en was toen voorgoed opgehouden met schilderen. De deur naar het kantoor was dicht en ik tilde het lijstje behoedzaam van de muur, legde het op Henri's schoot en hield het vast, zodat hij het niet per ongeluk kon laten vallen. Hij zette zijn bril recht en keek aandachtig. 'Ach, *mon Dieu*,' zei hij.

'Laten we weer naar binnen gaan.' We keken een hele tijd voordat ik het lijstje met bevende vingers terughing. 'Ze weten er vast wel iets van, of ze kennen iemand die er iets van weet.'

We keerden op onze schreden terug, en Henri informeerde in het Frans naar de tekening in de entree. De jonge burgemeester of wie hij ook mocht zijn was blij dat hij ons nogmaals van dienst kon zijn. Ze hadden meer van zulke tekeningen in een la; hij was er niet bij geweest toen ze gevonden waren, in een huis dat werd opgeknapt, maar zijn voorganger had die tekening mooi gevonden en hem laten inlijsten. We vroegen of we de rest mochten zien, en na enig zoeken vond hij een envelop die hij ons aanreikte. Hij moest een telefoontje opnemen in zijn kamer, maar we mochten de tekeningen best bekijken onder toezicht van de secretaresse, als we wilden.

Ik haalde de vellen uit de envelop en gaf ze een voor een aan Henri. Het waren voorstudies, de meeste op dik, bruin papier: vleugels, struiken, de kop en de nek van de zwaan, het meisje op het gras, een close-up van een hand die in de aarde klauwde. Er zat een opgevouwen vel papier bij dat ik openvouwde en aan Henri gaf.

'Het is een brief,' zei hij. 'Die ligt daar zomaar, een brief.'

Ik knikte en hij las hem hakkelend voor en vertaalde de inhoud voor me, en soms begaf zijn stem het en moest hij even stoppen.

September 1879

Mijn heerlijkheid,

Ik schrijf je van wat als de grootst mogelijke afstand voelt, met de grootst mogelijke hartenpijn. Ik vrees dat ik voor altijd van je gescheiden ben, en dat is dodelijk voor me. Ik schrijf je in haast vanuit mijn atelier, waar je niet meer terug mag komen. Kom maar naar het huis. Ik weet niet waar ik beginnen moet. Nadat je vanmiddag was vertrokken, werkte ik verder aan de figuur; het kostte me moeite, waardoor ik langer bleef dan ik van plan was geweest. Rond een uur of vijf, toen het donker begon te worden, werd er geklopt; ik dacht dat het Esmé was, die mijn sjaal kwam brengen. In plaats daarvan was het Gilbert Thomas, die je wel kent. Hij kwam buigend binnen en sloot de deur achter zich. Ik was verbaasd, maar veronderstelde dat hij had gehoord dat Yves me een atelier had gegeven.

Hij zei dat hij eerst bij het huis was geweest en daar had gehoord dat ik in de buurt was. Hij was beleefd; hij zei dat hij al een tijdje met me wilde praten over mijn carrière, dat zijn galerie een groot succes was, zoals ik wist, en alleen nieuwe kunstenaars nodig had om nog groter te worden, en dat hij mijn talent al heel lang bewonderde, et cetera. Hij boog weer, met zijn hoed op zijn borst. Toen liep hij naar voren, bekeek ons schilderij en vroeg of ik het zelf had gemaakt, zonder hulp – hij maakte er een tactvol gebaar bij waarmee hij op mijn toestand doelde, al had ik mijn schilderskiel

nog aan. Ik wilde niet uitleggen dat ik binnenkort zou ophouden om
me op te sluiten; ik wilde hem of mezelf niet in verlegenheid
brengen, of vertellen dat jij me helpt, dus zei ik niets. Hij keek
aandachtig naar de verfhuid van het doek, zei dat het een
opmerkelijk werk was en dat ik was opgebloeid onder begeleiding
van mijn mentor. Ik kreeg een onbehaaglijk gevoel, al kon hij niet
weten dat we samen hebben gewerkt. Hij vroeg welke prijs ik aan
het doek wilde hangen, en ik zei dat ik niet van plan was het te
verkopen voordat het was beoordeeld door de Salon, en dat ik het
daarna misschien nog wilde houden. Hij glimlachte vriendelijk en
vroeg wat voor prijs ik dan aan mijn reputatie wilde hangen, of die
van mijn kind.

Ik deed alsof ik mijn penseel schoonmaakte om even te kunnen
nadenken en vroeg toen zo bedaard mogelijk wat hij bedoelde. Hij
zei dat ik van plan moest zijn het schilderij weer in te zenden onder
de naam Marie Rivière – dat was geen geheim voor hem, want hij
zag dagelijks werk van schilders. Maar Marie noch ik zou meer
waarde hechten aan een schilderij dan aan haar goede naam. Hij
was natuurlijk heel ruimdenkend als het op schilderessen aankwam.
Hij had tijdens zijn uitstapje naar Étretat, eind mei, zelfs een
vrouw en plein air zien werken, op het strand bij de kliffen,
fatsoenlijk gechaperonneerd door een ouder familielid, en hij had een
brief die die vrouw wellicht over het hoofd had gezien. Hij haalde
hem uit zijn zak, hield hem omhoog zodat ik hem kon lezen en trok
hem weg toen ik ernaar reikte. Ik zag direct dat het de brief was die
je me die ochtend had geschreven en dat het zegel was verbroken. Ik
had hem nooit gezien, maar hij was in jouw handschrift, aan mij
geadresseerd, met jouw woorden over ons, over onze nacht – hij
stopte hem weer in zijn zak.

Hij zei dat het geweldig was dat steeds meer vrouwen gingen
schilderen en dat mijn schilderijen het konden opnemen tegen alle
andere die hij had gezien. Een vrouw zou evenwel van gedachten
kunnen veranderen wanneer ze eenmaal moeder was geworden, en
zeker als er een publiek schandaal van zou kunnen komen. Dit
sublieme schilderij was met geen goud te betalen, maar als ik het zo
goed mogelijk zou willen voltooien, zou hij als teken van
waardering zijn eigen naam in de hoek zetten. Het zou hem zelfs
een eer zijn, want het was nu al schitterend, een volmaakte

combinatie van oud en nieuw, klassieke en natuurlijke schilderkunst;
vooral het meisje was heel goed, jong en mooi genoeg afgebeeld om
voor iedereen aantrekkelijk te zijn, en hij zou met genoegen hetzelfde
doen voor volgende schilderijen, en dan zouden verdere
onaangenaamheden me bespaard blijven. Hij bazelde door alsof hij
het gewoon over de inrichting van het atelier had, of over een
boeiende kleur die ik gebruikte.

Ik kon hem niet aankijken, noch een woord uitbrengen. Als jij er
was geweest, had je hem kunnen vermoorden, vrees ik, of hij jou.
Was hij maar echt dood, maar dat is hij niet en ik twijfel er niet aan
dat het hem ernst is. Geld kan hem niet op andere gedachten
brengen. Zelfs al geef ik hem het schilderij wanneer het voltooid is,
dan nog zal hij ons niet met rust laten. Je zult moeten vertrekken,
mijn liefste. Het is verschrikkelijk, temeer daar de vriendschap die de
vreugde van mijn leven is en die mijn penseel al die nieuwe
vaardigheden heeft bijgebracht, nu compleet zuiver is. Zeg me wat
ik moet doen en weet dat mijn hart je zal volgen, wat je ook beslist,
maar spaar Yves, dat is alles wat ik je vraag, liefste. Ik kan jou of
mezelf niet genadig zijn. Kom nog één keer naar het huis om me al
mijn brieven terug te geven, dan zal ik erover nadenken wat ik
ermee moet doen. En ik zal nooit meer voor dat monster schilderen
nadat ik dit schilderij heb voltooid, of anders nog maar één keer, om
zijn eerloosheid vast te leggen.

B.

Henry keek vanuit zijn stoel naar me op.

'Mijn god,' zei ik. 'We moeten het ze vertellen. Wat ze hier hebben. En die tekeningen.'

'Nee,' zei hij. Hij probeerde alles weer in de envelop terug te stoppen en gebaarde dat ik hem moest helpen. Ik gehoorzaamde, maar traag. Hij schudde zijn hoofd. 'Als ze al iets weten, hoeven ze niet nog meer aan de weet te komen. Het is beter voor ze om niets te weten. En het zou het gunstigst zijn als ze helemaal niets wisten.'

'Maar geen mens begrijpt...' Ik maakte mijn zin niet af.

'Jawel... Jij begrijpt het. Jij weet alles wat je moet weten, en ik ook. Was Aude er nog maar. Die zou hetzelfde zeggen.' Ik dacht dat hij zou gaan huilen, net als toen hij de brieven terugkreeg, maar zijn gezicht straalde. 'Breng me naar buiten, de zon in.'

106

Marlow

Ik zat in het vliegtuig naar Dulles, met een deken over mijn benen. Ik dacht aan de laatste brief van Olivier, misschien verbrand in de haard van haar slaapkamer in Parijs.

1891

Mijn schat,
Ik weet dat ik een risico neem door je te schrijven, maar vergeef een oude kunstenaar zijn behoefte afscheid te nemen van een kameraad. Ik zal deze brief met zorg verzegelen in het vertrouwen dat geen ander dan jij het zegel zal verbreken. Je schrijft niet, maar ik voel je aanwezigheid in al mijn dagen in dit vreemde, naargeestige, prachtige oord – ja, ik heb geprobeerd het te schilderen, al mag de hemel weten wat er ooit van mijn doeken zal worden. Yves schreef me in zijn laatste brief, een maand of acht geleden, dat je helemaal niet meer schildert en je geheel aan je dochter wijdt, die blauwe ogen, een open karakter en een scherpe geest heeft. Hoe lieftallig en slim moet ze zijn als jij je gave hebt overgebracht naar je zorg om haar, maar, liefste, hoe heb je je genie terzijde kunnen schuiven? Je had er ten minste in de beschutting van je woning van kunnen genieten. Nu ik tien jaar in Afrika woon en Thomas is overleden, kunnen we geen van beiden je reputatie nog in gevaar brengen. Hij is met de eer van je beste werk gaan strijken; zou je geen wraak kunnen nemen door nu nog beter werk te maken? Maar je bent een koppige vrouw, herinner ik me, of in elk geval een doelbewuste vrouw.
Enfin, nu ik tachtig ben, zie ik in wat ik op mijn zeventigste nog niet wist: dat je uiteindelijk bijna alles vergeeft, behalve jezelf. Nu ben ik echter in staat ook mezelf te vergeven, hetzij omdat ik een zwak karakter heb, hetzij omdat iedereen in mijn plaats aan je

voeten was gevallen, of mogelijk gewoon omdat ik niet lang meer te leven heb, vier maanden, zes maanden hooguit. Ik vind het niet zo erg. Alles wat je me hebt gegeven, heeft mijn jaren met terugwerkende kracht verlicht en hun glans verdubbeld. Na zoveel te hebben gekregen, mag ik niet klagen.

Maar ik heb de pen vandaag niet ter hand genomen om je geduld op de proef te stellen met gefilosofeer; ik wil je zeggen dat de wens die je me toefluisterde op een moment dat ik me met de diepste gevoelens herinner, verhoord zal worden, je verzoek aan mij om met jouw naam op mijn lippen te sterven. Ik zal het doen. Ik weet zeker dat het niet nodig is je dit te vertellen, en misschien bereikt deze brief je niet eens; de postbestelling vanuit hier is in het gunstigste geval onzeker, maar je zult het op de een of andere manier horen, die geprevelde naam.

Mijn allerliefste, denk aan me met alle genade die je kunt opbrengen, en mogen de goden je overladen met geluk tot je veel ouder bent dan dit oude wrak. God zegene je dochtertje en Yves, gelukkig als ze zijn onder jouw hoede. Vertel haar een paar verhalen over mij wanneer ze volwassen is. Ik laat mijn geld na aan Aude – ja, Yves heeft me haar naam verteld en zal mijn spaargeld voor haar bewaren op de rekening in Parijs. Gebruik een klein deel ervan om een keer met haar naar Étretat te gaan. Je weet dat het een schildersparadijs is, met alle dorpen, kliffen en wandelpaden, mocht je ooit het penseel weer oppakken. Ik kus je hand, mijn lief.
Olivier Vignot

107

Marlow

Op de ochtend van mijn terugkeer op Goldengrove was het al net zo zonnig als in Parijs; ik leek de lente met me mee te hebben gebracht uit Frankrijk. Ik had ook een ring voor Mary gekocht, goud met robijnen in een negentiende-eeuwse zetting, die me meer had gekost dan al mijn uitgaven van het voorgaande halfjaar bij elkaar. Het personeel was blij me weer te zien. Ik werkte me op een enkele kop koffie door de eerste lading berichten en administratie heen. De berichten, ook van dokter Crown, aan wie ik Robert had toevertrouwd, waren geruststellend positief; Robert had nog steeds niets gezegd, maar hij was actief en opgewekt geweest, leek van de gezamenlijke maaltijden te genieten en had naar patiënten en personeel geglimlacht.

Daarna ging ik naar mijn andere patiënten kijken, van wie er twee nieuw waren. De ene was een jong meisje, dat in een ziekenhuis was opgenomen omdat ze dreigde zelfmoord te plegen, maar nu vastbesloten was te herstellen om haar ouders niet nog meer verdriet te doen. Ze vertelde me dat ze over veel dingen anders was gaan denken toen ze haar moeder had zien huilen uit angst om haar. De andere nieuweling was een oudere vrouw; ik betwijfelde of ze lichamelijk fit genoeg was om te blijven, maar ik zou met haar familie overleggen. Ze bood me haar broze hand, die ik aannam. Toen pakte ik mijn koffertje en ging naar Robert.

Hij zat op zijn bed, met een schetsboek op zijn knieën en een starende blik in zijn ogen. Ik liep regelrecht op hem af en legde mijn hand op zijn schouder. 'Robert, mag ik even met je praten?'

Hij stond op. Ik zag de woede op zijn gezicht, de verbazing, iets als gekwetstheid. Ik vroeg me af of hij nu iets zou moeten zeggen: *Je hebt mijn brieven gestolen.* Misschien zou hij verbitterd *Val dood* zeggen, zoals ik tegen hem had gezegd. Maar hij stond daar gewoon.

'Mag ik gaan zitten?'

Hij bewoog zich niet, dus ging ik op mijn gebruikelijke plek zitten, de leunstoel, een soort thuis, een vertrouwde plaats. Het voelde vreemd knus aan, die dag.

'Robert, ik ben in Frankrijk geweest. Ik heb Henri Robinson opgezocht.'

Het had onmiddellijk effect: zijn hoofd schokte en hij liet zijn schetsboek op de vloer vallen.

'Henri heeft het je vergeven, denk ik. Ik heb hem de brieven teruggegeven. Het spijt me dat ik ze moest pakken zonder het je eerst te vragen, maar ik was bang dat je geen toestemming zou geven.'

Hij reageerde weer onmiddellijk; hij zette een pas naar voren en ik stond op, want staand voelde ik me veiliger. Ik had de deur open laten staan, zoals altijd, maar ik zag dat hij niet agressief was, alleen verbaasd.

'Hij is blij dat hij ze terug heeft. Ik ben met hem naar een dorp gegaan dat in de brieven wordt genoemd. Ik weet niet of je het je nog herinnert – Grémière, waar Béatrice' kamermeisje vandaan kwam.'

Hij keek me strak aan, wit weggetrokken, met zijn handen slap langs zijn zij.

'Er was niets te vinden over de familie van het kamermeisje, maar ik ging erheen omdat Henri me had verteld dat Béatrice er iets had ondergebracht wat de liefde voor haar dochter kon bewijzen. We hebben een tekening gevonden, of eigenlijk een aantal studies, met haar monogram.'

Ik pakte mijn eigen schetsen uit mijn koffertje en was me even pijnlijk bewust van mijn onvermogen. Ik reikte ze hem zwijgend aan. 'Béatrice de Clerval, niet Gilbert Thomas. Had je dat geraden?'

Hij pakte mijn schetsen aan. Het was voor het eerst dat hij iets aannam wat ik hem wilde geven.

'Er zat een brief bij die studies. Daarvan heb ik ook een kopie voor je meegebracht, zodat je hem zelf kunt lezen. Henri heeft hem ook voor me vertaald. Het is een brief van Béatrice aan Olivier die bewijst dat Thomas haar chanteerde en een van haar grootste werken opeiste als het zijne. Dat vermoedde je ook al, denk ik.'

Ik gaf hem de opgevouwen vellen. Hij pakte ze aan en staarde ernaar. Toen sloeg hij een hand voor zijn gezicht en bleef zo een paar oneindige seconden staan. Toen hij zijn hand weghaalde, keken zijn ogen me recht aan. 'Dank je,' zei hij. Ik had niet geweten, of niet ont-houden, hoe prettig die stem klonk, vol en vrij laag, een stem die bij hem paste.

'Er is nog iets wat ik domweg niet kan begrijpen.' Ik bleef bij hem staan, me bewust van zijn ogen, die van mij naar de schets gleden. 'Als je vermoedde dat *Leda* van Béatrice' hand was, waarom wilde je het dan kapotmaken?'

'Dat wilde ik niet.'

'Maar je ging erheen met een mes op zak, opzettelijk.'

Hij glimlachte, of bijna. 'Ik wilde hem steken, niet haar. En ik was niet goed bij mijn hoofd.'

Toen begreep ik het: het portret van Gilbert Thomas die zijn mun-ten telde. Robert was alleen in de zaal geweest. Ja, en hij had het mes uit zijn zak gepakt en snel opengeknipt, en hij was op het doek af ge-doken terwijl de suppoost die net binnenkwam op hem was gedoken. En hij had met het mes langs de lijst geschampt van het doek dat naast het zelfportret van Gilbert Thomas hing. Ik vroeg me af wat er met Robert was gebeurd, in zijn toch al kwetsbare toestand, als hij *Leda* had beschadigd, zijn geliefde. Een van zijn geliefdes. Ik legde een hand op zijn schouder. 'En voel je je nu beter?'

Hij was nu ernstig, een man die een gelofte aflegt. 'Al een tijdje, ja. Denk ik.'

'Weet je, er zou nog eens zoiets met je kunnen gebeuren, met of zonder Béatrice. Je zult naar een psychiater moeten gaan en mogelijk naar een therapeut, en je moet je medicijnen blijven slikken. Misschien voorgoed, voor de zekerheid.'

Hij knikte. Zijn gezicht was open, aandachtig.

'Ik zou je een psychiater kunnen aanbevelen, als je niet hier blijft. En je mag me altijd bellen. Denk er eerst eens goed over na. Je bent hier al heel lang.'

Robert glimlachte. 'Jij ook.'

Ik moest wel met hem meelachen. 'Ik wil je morgen graag weer zien. Ik kom vroeg, en dan kun je je ontslagformulieren tekenen, als je er-aan toe bent. Ik zal het personeel op de hoogte stellen – je mag van-daag vrijelijk telefoneren.' Dat laatste was het moeilijkst voor me om te zeggen; er was één iemand die ik buiten zijn leven wilde houden.

'Ik wil mijn kinderen graag zien,' zei hij zacht, 'maar ik zal ze later bellen, als ik onderdak heb. Binnenkort.' Hij stond midden in de kamer, met zijn armen over elkaar en stralende ogen. Ik nam afscheid van hem – hij beantwoordde mijn handdruk warm, zij het afwezig – en richtte me op mijn andere taken.

De volgende ochtend lukte het me inderdaad heel vroeg op Goldengrove te zijn, want ik leefde nog op de Parijse tijd. Robert moest naar me hebben uitgekeken, want hij kwam naar mijn kamer toen ik mijn werkdag voorbereidde. Hij had zich al gedoucht en geschoren en de kleren aangetrokken waarin ik hem voor het eerst had gezien, en zijn haar glom nog vochtig. Hij zag eruit alsof hij uit een slaap van honderd jaar was ontwaakt. Het personeel had hem kennelijk een paar grote tassen gegeven voor zijn bezittingen, die hij in de hal had gezet. Ik voelde Mary's armen nog om mijn nek en zag de ring aan haar hand terwijl ze sliep. Hij had haar niet gebeld, en ik wist nu heel zeker dat ze dat ook niet wilde. Ik zou erover moeten nadenken of ik Kate ook op de hoogte zou stellen van zijn ontslag.

Robert glimlachte. 'Ik ben er klaar voor.'

'Weet je het zeker?' vroeg ik.

'Ik zal je bellen als het misgaat.'

'Vóór het misgaat.' Ik gaf hem mijn telefoonnummers en zijn ontslagformulieren.

'Goed.' Hij nam de formulieren aan, las ze door, tekende ze zonder aarzeling en gaf me mijn pen terug.

'Kan ik je een lift geven? Of een taxi voor je bellen?'

'Nee, ik wil liever eerst een stukje lopen.' Hij leek heel lang in mijn deuropening.

'Weet je, ik heb verdomme alle regels voor jou geschonden.' Ik wilde dat hij het hoorde, of misschien wilde ik het gewoon hardop zeggen.

Hij lachte erom. 'Ik weet het.'

We keken elkaar aan en toen sloeg Robert Oliver zijn armen om me heen en hield me even vast. Ik had nooit een broer gehad, of een vader die groot genoeg was om me fijn te drukken, of een vriend van zijn formaat. 'Bedankt voor je moeite,' zei hij.

Bedankt voor je leven, wilde ik zeggen, maar ik deed het niet. Bedankt voor mijn leven, bedoelde ik.

Hoewel ik graag met hem mee naar buiten was gelopen, liet ik hem alleen, om de vroege ochtend te ruiken die nu weer van hem was, de bloeiende bomen langs de oude oprijlaan voor het gebouw. Hij beende doelbewust door de hal naar de buitendeur, en ik zag hem zijn tassen pakken, naar buiten lopen en de deur achter zich sluiten.

Ik ging naar zijn kamer, die leeg was, op de schildersbenodigdheden na, die hij netjes bij elkaar op een plank had gelegd. De ezel stond midden in de kamer met een voltooid schilderij van Béatrice erop, zonder glimlach maar toch stralend. Het moest voor Mary zijn, en ik wilde het haar nu graag geven. Zijn andere schilderijen had hij meegenomen.

Ik weet nu dat ik het bij het rechte eind had, die dag: Robert zou ergens opnieuw beginnen en weer gaan schilderen: landschappen, stillevens, levende mensen met hun malle en leuke trekjes, met het vermogen oud te worden, stukken die meer dan ooit collecties zouden sieren en in musea zouden komen te hangen. Ik kon toen nog niet voorzien dat zijn ster zou rijzen en hem blijvende erkenning zou brengen, mogelijk zijn enige bericht aan mij, en het enige dat ik wilde hebben; ik zou de schilderijen van zijn opgroeiende kinderen volgen, van de nieuwe vrouwen in zijn leven, van de onbekende weiden en stranden waar hij zijn ezel neerzette. Robert had gelijk gehad: ik had de nodige moeite gedaan, al was het niet alleen voor hem. Als beloning had ik iets voor mezelf gehouden: die lange minuten in Parijs voor een schilderij dat de wereld misschien nooit te zien zou krijgen. Ik heb mijn grote beloningen gekend, mijn momenten van vreugde, maar de kleine zijn net zo zoet.

1895

Bijna avond. Het licht is nu hopeloos; donkere takken lopen over in elkaar en in de duister wordende hemel. Ik stel me voor dat hij zijn spullen opbergt en zijn palet afschraapt. Wanneer hij zijn penselen bij de lantaarn schoonmaakt, komt ze weer langs, nu dicht bij zijn ramen, met haastige tred terugkerend van haar bezoek. Hij kan haar gezicht onder de kap niet goed onderscheiden; ze moet naar de grond kijken, naar het ijs, de bevriezende plassen, de modderplekken in de sneeuw. Dan kijkt ze op en ziet hij dat ze donkere ogen heeft, zoals hij had gehoopt; hij vangt hun glans – haar gezicht is niet jong, ondanks haar soepele lichaam, maar hij had er verliefd op kunnen worden toen zijn hart jonger was, en hij wil haar ook nu nog graag schilderen. Haar ogen vangen het licht dat door zijn raam valt en ze buigt haar hoofd weer, haar weg zoekend op schoenen die te goed zijn voor deze vertrapte weg. Hij ziet dat haar handen leeg langs haar zij hangen, alsof ze heeft achtergelaten wat ze droeg – een geschenk, eten voor een zieke bejaarde, verstelwerk voor de naaister van het dorp, denkt hij, of misschien zelfs een baby. Nee: het is te koud buiten voor een baby.

Hij kent dit dorp niet zo goed als het zijne; Moret-sur-Loing, waar hij over een jaar of vier zal sterven, ligt naar het westen. Hij is zich al bewust van een einde. De pijn in zijn goed ingepakte keel is niet genoeg om zijn nieuwsgierigheid te temperen, en hij maakt behoedzaam de deur open en kijkt haar na. Aan het einde van het weggetje, voor de kerk, wacht een koets met mooie paarden en hoog opgehangen, brandende lantaarns. Hij ziet haar donkere, langs de onderrand versierde rok zwaaien wanneer ze instapt; ze trekt het portier dicht met een zwart gehandschoende hand, alsof ze wil voorkomen dat de koetsier zal afstappen en hen nog langer zal ophouden. De paarden komen in beweging, hun spookachtige adem zichtbaar in de lucht; de koets rolt krakend naar voren.

Dan zijn ze weg en is het weer stil in het dorp, zoals gewoonlijk op dit uur, het zinkt weg in de nacht. Hij sluit de deur en roept zijn bediende uit de achterkamer voor een licht avondmaal. Morgen moet hij naar huis, naar zijn vrouw en zijn atelier, die een stukje verderop langs de rivier op hem wachten, en hij moet een bedankbriefje sturen aan de vriend die zo vriendelijk is hem dit huis elke winter te lenen. Een korte rit terug, morgenochtend, en dan verder schilderen, alle tijd die hem nog rest. Intussen werpt het vuur schaduwen door de kamer en zingt de ketel op de zijplaat van de haard. Hij kijkt naar zijn landschap van die middag: de bomen zijn heel goed, en het silhouet van de onbekende vrouw steekt af tegen de landweg, waardoor die iets mysterieus krijgt. Hij heeft zijn naam en twee cijfers linksonder in de hoek gezet. Het is genoeg voor vandaag, al wil hij morgen haar kleding bijwerken en iets doen aan het licht dat door de ramen van het laatste huis valt, aan het eind van het weggetje, waar de oude Renard paardentuigen repareert. De verf van zijn nieuwste werk wordt al hard. Over een half-jaar zal het droog zijn. Hij zal het in zijn atelier hangen; op een zonnige ochtend zal hij het van de muur halen en naar Parijs sturen.

Dankwoord

Dank aan:

Amy Williams, agent en buitengewone vriendin; Reagan Arthur, dierbare redacteur-vriendin, Michael Pietsch en andere zeer bewonderde collega's bij Little, Brown and Company.

En aan:

Georgi H. Kostov voor zijn geweldige commentaar op het manuscript en de vrijheid om te leren die hij me gaf. Eleanor Johnson voor haar liefdevolle hulp bij onderzoek in Parijs en Normandië; dr. David Johnson voor zijn geloof in dit project en het verblijf in de Auvergne; Jessica Honigberg, die me liet zien hoe de geest en handen van een schilder werken; dr. Victoria Johnson, die mijn liefde voor Frankrijk nieuw leven inblies; mijn strenge leermeester, Paul Howard Johnson, voor veertig jaar onwankelbare steun en bemoediging; Laura E. Wolfson, medeschrijfster, voor het lezen van het manuscript en de museumexcursies van de afgelopen dertig jaar; Nicholas Delbanco, mijn geliefde mentor, voor het lezen van het manuscript en discussies over Monet en Sisley; Julian Popov, collega-auteur, voor zijn kritiek: *благодарха mu от сърце*; dr. Richard T. Arndt voor zijn hulp bij al het Franse – *merci mille fois*; Heather Ewing voor het lezen van het manuscript en haar gastvrijheid in Manhattan; Jeremiah Chamberlin voor zijn dappere hulp bij herzieningen en de besparingen op alle autoritten; Karen Outen, Travis Holland, Natalie Bakopoulos, Mike Hinken, Paul Barron, Raymond McDaniel, Alex Miller, Josip Novakovich, Keith Taylor, Theodora Dimova en Emil Andreev voor het lezen van het manuscript en voortdurende collegialiteit; Janet Shaw voor het lezen van het manuscript en alle jaren onder haar beschermende vleugels; Peter Matthiesen, Eileen Pollack, Peter Ho Davies en anderen voor hun uitmuntende begeleiding; Kate Dwyer, Myron Gauger, Lee Lancaster, John O'Brien en Ilya Pérdigo Kerrigan voor fragmenten; Iván Mozo en Larisa Curiel voor de gastvrijheid in Mexico en advies met betrekking tot verhaallocaties in Acapulco; Joel Honigberg voor zijn opvattingen over de impressionisten, een van de kiemen voor dit verhaal; Antonia Hodgson, Chandler Gordon, Vania Tomova, Svetlozar Zhelev en Milena Deleva voor hun dierbare vriendschap, uitgave, vertaling, verhalen en literaire bondgenootschap; het Hopwood Program van de University of Michigan, het Book Festival van Ann Arbor, het Apollonia Festival of the Arts in Bulgarije, de studierichting Fine Arts van de University of North Carolina in Wilmington en de American University in Bulgarije, waar passages uit dit werk mochten worden voorgelezen voor publiek; Rick Weaver, die me als gast toeliet bij zijn schilderlessen aan de Art League of Washington in Alexandria; dr. Toma Tomov voor informatie over het beroep van psychiater, dr. Monica Starkman voor hetzelfde en voor haar waardevolle hulp bij het redigeren van dit boek; dr. John Merriman, dr. Michèle Hanoosh en dr. Katherine Ibbett voor hun hulp met betrekking tot de Franse geschiedenis en informatiebronnen; Anna K. Reimann, Elizabeth Sheldon en Alice Daniel voor alle morele steun; Guy Livingston voor vijfentwintig jaar broederschap in de kunst; Charles E. Waddell voor zijn *uitstekende* suggestie; dr. Mary Anderson voor haar wijze raad; Andrea Renzenbrink, Willow Arlen, Frances Dahl, Kristy Garvey, Emily Rolka en Julio en Diana Szabo voor hun voortreffelijk hulp bij mij in huis tijdens het schrijven van dit boek; Anthony Lord, dr. Virginia McKinley, Mary Parker, Josephine Schaeffer en Eleanor Waddell Stephens, die me kennis lieten maken met Frankrijk en de Franse taal. Ik weet niet waar ik zou moeten beginnen met het opsommen van meer familieleden, vrienden, leerlingen en instellingen.

Ten slotte ben ik dank verschuldigd aan Joseph Conrad en zijn fantastische portret, *Lord Jim*; moge de geest van de auteur me vergeven en genieten van de welgemeende hommage die ik op deze bladzijden heb gebracht.